SCIENCES

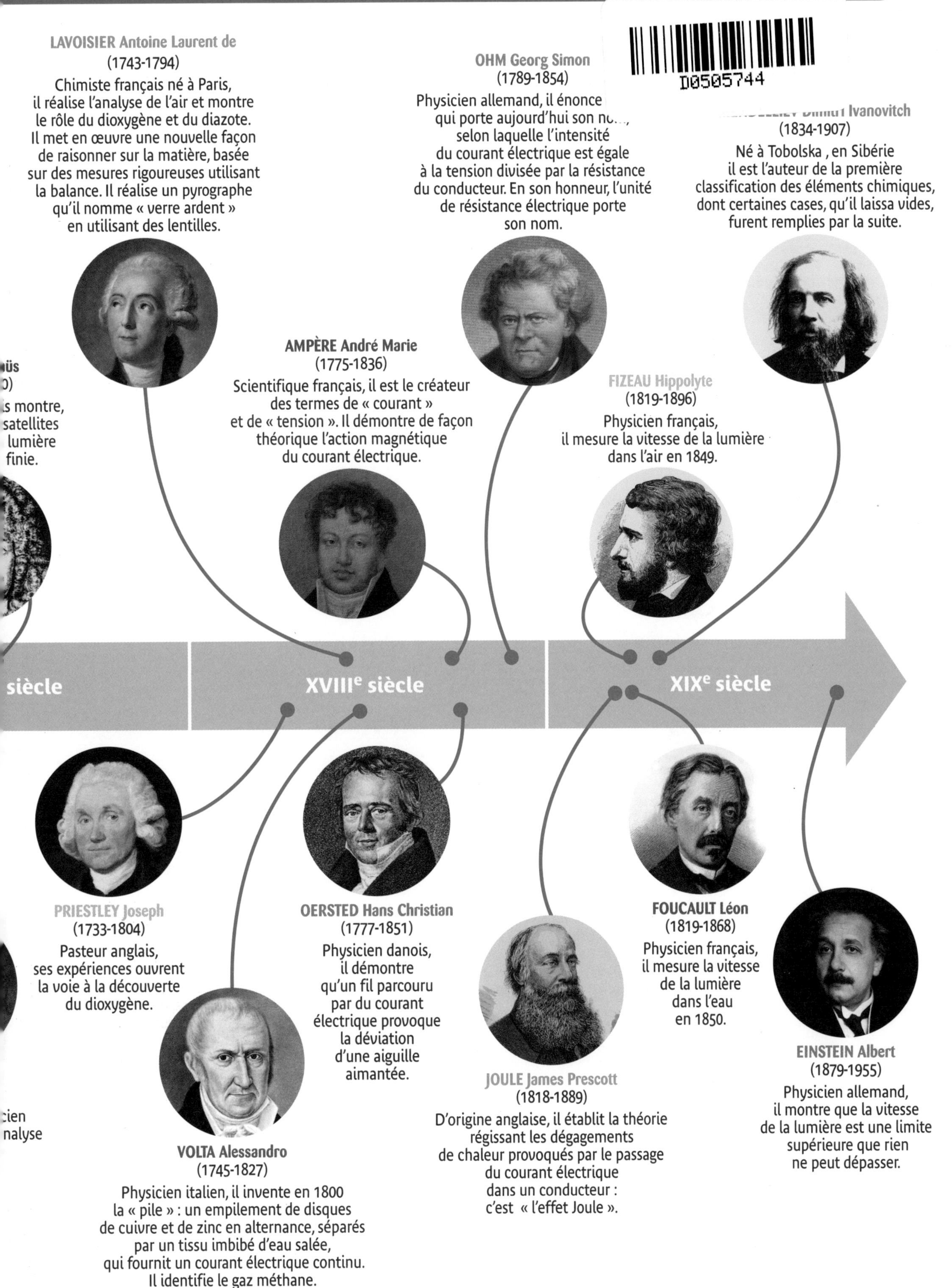
LAVOISIER Antoine Laurent de
(1743-1794)
Chimiste français né à Paris, il réalise l'analyse de l'air et montre le rôle du dioxygène et du diazote. Il met en œuvre une nouvelle façon de raisonner sur la matière, basée sur des mesures rigoureuses utilisant la balance. Il réalise un pyrographe qu'il nomme « verre ardent » en utilisant des lentilles.
OHM Georg Simon
(1789-1854)
Physicien allemand, il énonce
qui porte aujourd'hui son
selon laquelle l'intensité du courant électrique est égale à la tension divisée par la résistance du conducteur. En son honneur, l'unité de résistance électrique porte son nom.
Ivanovitch
(1834-1907)
Né à Tobolska , en Sibérie il est l'auteur de la première classification des éléments chimiques, dont certaines cases, qu'il laissa vides, furent remplies par la suite.
AMPÈRE André Marie
(1775-1836)
Scientifique français, il est le créateur des termes de « courant » et de « tension ». Il démontre de façon théorique l'action magnétique du courant électrique.
FIZEAU Hippolyte
(1819-1896)
Physicien français, il mesure la vitesse de la lumière dans l'air en 1849.
siècle
XVIIIe siècle
XIXe siècle
PRIESTLEY Joseph
(1733-1804)
Pasteur anglais, ses expériences ouvrent la voie à la découverte du dioxygène.
OERSTED Hans Christian
(1777-1851)
Physicien danois, il démontre qu'un fil parcouru par du courant électrique provoque la déviation d'une aiguille aimantée.
FOUCAULT Léon
(1819-1868)
Physicien français, il mesure la vitesse de la lumière dans l'eau en 1850.
EINSTEIN Albert
(1879-1955)
Physicien allemand, il montre que la vitesse de la lumière est une limite supérieure que rien ne peut dépasser.
JOULE James Prescott
(1818-1889)
D'origine anglaise, il établit la théorie régissant les dégagements de chaleur provoqués par le passage du courant électrique dans un conducteur : c'est « l'effet Joule ».
VOLTA Alessandro
(1745-1827)
Physicien italien, il invente en 1800 la « pile » : un empilement de disques de cuivre et de zinc en alternance, séparés par un tissu imbibé d'eau salée, qui fournit un courant électrique continu. Il identifie le gaz méthane.

MICROMÉGA

Physique-chimie 4e

Cet ouvrage a été réalisé sous la direction de **Jacques JOURDAN**

Hervé ABBÈS
Professeur au collège Gassendi, Digne-les-Bains (04)

Franck CAMBON
Professeur au collège Henri Boudon, Bollène (84)

Christophe DAUJEAN
Professeur au collège Massenet-Fourneyron, Le Chambon-Feugerolles (42)

Jean-Marie FARRAN
Professeur au collège Jean Jaurès, Peyrolles-en-Provence (13)

Mathieu GUÉRIN
Professeur au collège Marc Ferrandi, Septèmes-les-Vallons (13)

Jacques JOURDAN
Professeur au collège du Jas de Bouffan, Aix-en-Provence (13)

Caroline MAUREL
Professeur au collège Campra, Aix-en-Provence (13)

Les auteurs et les éditions Hatier remercient :

Henri Bandelier pour l'aide qu'il a apportée au montage des expériences lors des séances de prises de vues.

Aurélie Cospin, professeur au collège Jean Monnet (Épernay 51), pour sa participation à la relecture de l'ouvrage.

Stéphanie Odoul, professeur d'anglais au collège Massenet-Fourneyron (Le Chambon-Feugerolles 42), pour les traductions d'exercices en anglais.

L'ensemble des professeurs qui, lors des rencontres avec les délégués pédagogiques Hatier, ont, par leurs remarques pertinentes, contribué à l'amélioration de cet ouvrage.

Présentation du manuel

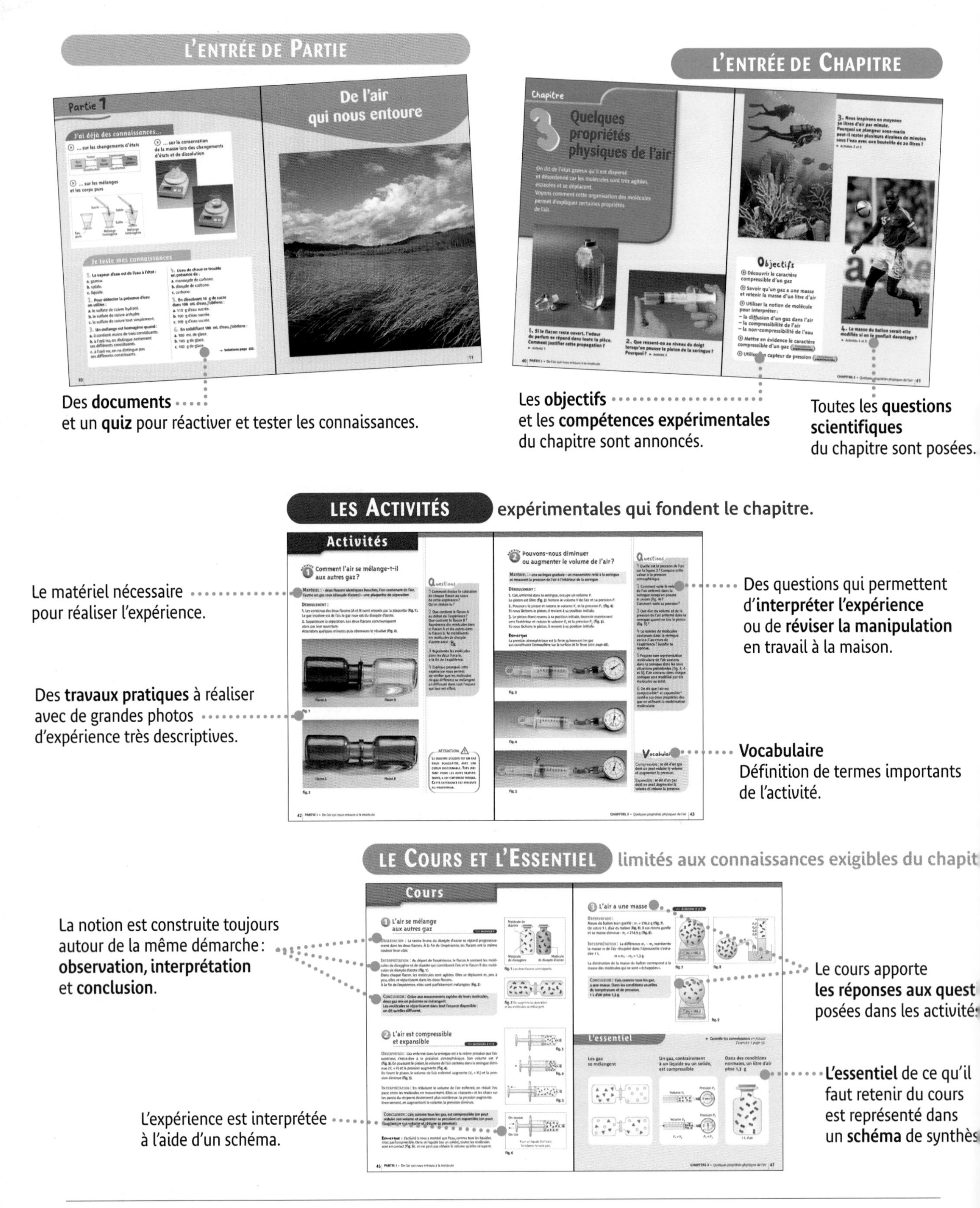

ISBN 978-2-218-92681-5

LES DOCUMENTS pour élargir les connaissances du chapitre.

Prolongements des connaissances du chapitre par l'intermédiaire de l'histoire des sciences, d'une technologie ou de disciplines transversales.

B2i propose un support pour s'entraîner au B2i.

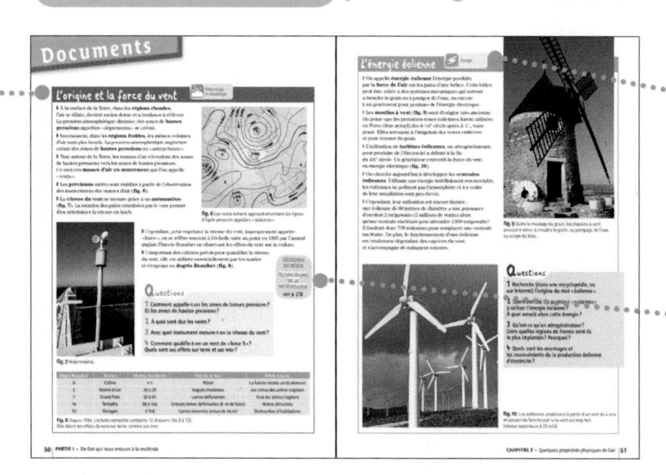

Un **pictogramme** signale les thèmes de convergence ainsi que les autres disciplines (voir liste thématique page 7).

DÉCOUVRIR UN MÉTIER
TECHNICIEN(NE) DE LA MÉTÉOROLOGIE
voir p. 218

Cette vignette signale un métier à découvrir dans les **pages 218-219**.

LES COMPÉTENCES EXPÉRIMENTALES que l'élève doit savoir mettre en œuvre.

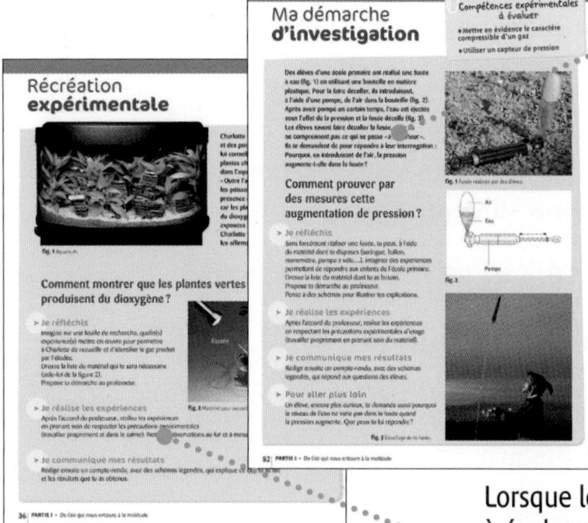

Situation de départ : **un problème concret à résoudre.**

› **Je réfléchis** L'élève, responsabilisé, se mobilise, émet des hypothèses, propose un protocole expérimental au professeur.

› **Je réalise le montage** Après validation par le professeur, l'élève récupère le matériel et réalise les manipulations.

› **Je communique mes résultats** L'élève doit rédiger un compte rendu (acquisition et structuration des connaissances).

Lorsque le chapitre n'impose pas de compétence expérimentale à évaluer, la démarche d'investigation est mise en œuvre autour d'un **thème plus ludique**.

LES EXERCICES

Ces exercices mobilisent les **connaissances minimales** du chapitre.

« Je retrouve l'essentiel », exercice à trous, qui constitue une **véritable trace écrite du cours** (solutions pages 221-222).

Ces exercices demandent un travail de rédaction plus précis et mobilisent des **compétences méthodologiques**.

Ces exercices permettent de réutiliser les connaissances dans un **nouveau contexte**.

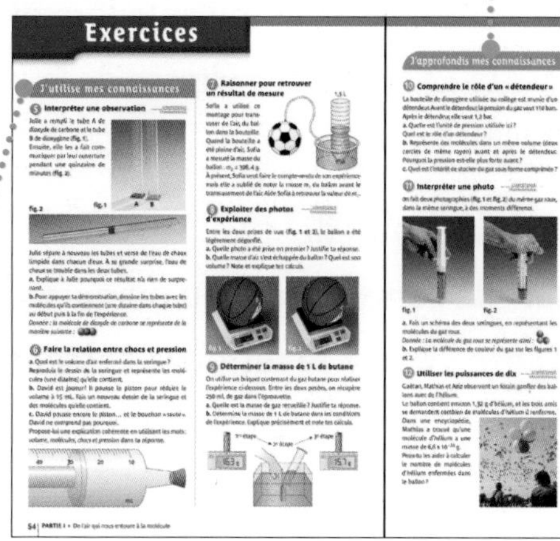

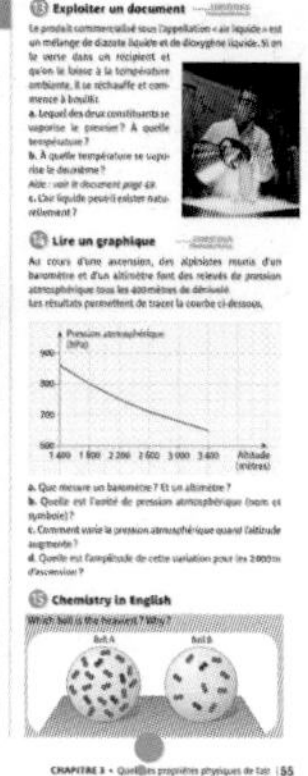

Originalité : un **exercice en langue anglaise** dans de nombreux chapitres.

Sommaire général

Sommaire détaillé des chapitres

Partie 1 DE L'AIR QUI NOUS ENTOURE À LA MOLÉCULE 10

Le programme est présenté de manière à mettre en évidence son articulation avec le « socle commun » notamment avec sa composante « culture scientifique et technologique » (compétence 3). Ce qui se rapporte au socle est écrit en caractère droit ; le reste du programme est écrit en italique.
L'ensemble du programme est à traiter dans son intégralité.

A. De l'air qui nous entoure à la molécule

Connaissances		Capacités	
COMPOSITION DE L'AIR ***De quoi est composé l'air que nous respirons ? Est-il un corps pur ?***			
L'air est un mélange de dioxygène de diazote.	Chapitre 2		
Le dioxygène est nécessaire à la vie.	Chapitre 2		
Une fumée est constituée de micro-particules solides en suspension.	Chapitre 2		
VOLUME ET MASSE DE L'AIR ***L'air a-t-il un volume propre ? A-t-il une masse ?***			
L'état gazeux est un des états de la matière.	Chapitre 3	Interpréter une expérience par la matérialité de l'air.	
Un gaz est compressible.		Mettre en évidence le caractère compressible d'un gaz.	Chapitre 3
		Utiliser un capteur de pression.	Chapitre 3
Unités de volume et de masse 1 L = 1 dm^3 ; 1 mL = 1 cm^3.	Chapitre 1	Maîtriser les unités et les associer aux grandeurs correspondantes.	Chapitre 1
Un litre d'air a une masse de l'ordre du gramme dans les conditions usuelles de température et de pression. Un volume donné de gaz possède une masse.	Chapitre 3	Mesurer des volumes : mesurer des masses.	Chapitre 3
UNE DESCRIPTION MOLÉCULAIRE POUR COMPRENDRE			
Un modèle particulaire pour interpréter : - la compressibilité d'un gaz ; - la distinction entre mélange et corps pur pour l'air et la vapeur d'eau ; - la conservation de la masse lors des mélanges en solutions aqueuses et des changements d'état de l'eau.	 Chapitre 3 Chapitre 2 Chapitre 1	Argumenter en utilisant la notion de molécules pour interpréter : - la compressibilité d'un gaz ; - les différences entre corps purs et mélanges ; - les différences entre les trois états physiques de l'eau ; - la conservation de la masse lors des mélanges en solutions aqueuses et des changements d'état de l'eau ; - *la non compressibilité de l'eau ;* - *la diffusion d'un gaz dans l'air ou d'un soluté dans l'eau.*	 Chapitre 3 Chapitre 2 Chapitre 1 Chapitre 1 Chapitre 3 Chapitre 3
L'existence de la molécule.	Chapitre 1		
Les trois états de l'eau à travers la description moléculaire : - l'état gazeux est dispersé et désordonné ; - l'état liquide est compact et désordonné ; - l'état solide est compact ; les solides cristallins sont ordonnés.	Chapitre 1		
		Percevoir les différences entre réalité et simulation.	
LES COMBUSTIONS ***Qu'est-ce que brûler ?***			
Un combustion nécessite la présence de réactifs (combustible et *comburant*) qui sont consommés au cours de la combustion ; de nouveaux produits se forment.	Chapitre 4		
La combustion du carbone nécessite du dioxygène et produit du dioxyde de carbone.	Chapitre 4	Réaliser, décrire et schématiser la combustion du carbone dans le dioxygène.	Chapitre 4
Test du dioxyde de carbone : le dioxyde de carbone réagit avec l'eau de chaux pour donner un précipité de carbonate de calcium.	Chapitre 4	*Réaliser le test de reconnaissance du dioxyde de carbone.* Identifier lors de la transformation les réactifs (avant transformation) et les produits (après transformation).	Chapitre 4 Chapitre 4
La combustion du butane et/ou du méthane dans l'air nécessite du dioxygène et produit du dioxyde de carbone et de l'eau.	Chapitre 5	Réaliser, décrire et schématiser la combustion du butane et/ou du méthane dans l'air.	Chapitre 5
Ces combustions libèrent de l'énergie.	Chapitres 4 et 5		
Certaines combustions incomplètes peuvent être dangereuses.	Chapitre 5		
LES ATOMES POUR COMPRENDRE LA TRANSFORMATION CHIMIQUE			
Lors des combustions, la disparition de tout ou partie des réactifs et la formation de produits correspondent à un réarrangement d'atomes au sein de nouvelles molécules.	Chapitre 6	Réaliser des modèles moléculaires pour les réactifs et les produits des combustions du carbone, du butane et/ou du méthane (aspect qualitatif et aspect quantitatif)	Chapitre 6
Les atomes sont représentés par des symboles, les molécules par des formules (O_2, H_2O, CO_2, C_4H_{10} et/ou CH_4).	Chapitre 6	Utiliser les langages scientifiques à l'écrit et à l'oral pour interpréter les formules chimiques.	Chapitre 6
L'équation de la réaction précise le sens de la transformation.	Chapitre 6	Écrire les équations de réaction pour les combustions du carbone, du butane et/ou du méthane et expliquer leur signification (les atomes présents dans les produits formés sont de même nature et en même nombre que les réactifs).	Chapitre 6
Les atomes présents dans les produits (formés) sont de même nature et en même nombre que dans les réactifs.	Chapitre 6		
La masse totale est conservée au cours d'une transformation chimique.	Chapitre 6		

B. Les lois du courant continu

B1. Intensité et tension

Connaissances		Capacités	
INTENSITÉ ET TENSION : DEUX GRANDEURS ÉLECTRIQUES ISSUES DE LA MESURE ***Quelles grandeurs électriques peut-on mesurer dans un circuit ?***			
L'intensité d'un courant électrique se mesure avec un ampèremètre branché en série. Unité d'intensité : l'ampère. Symbole normalisé de l'ampèremètre.	Chapitre 8	Brancher un multimètre utilisé en ampèremètre et mesurer une intensité. Schématiser le circuit et le mode de branchement du multimètre pour mesurer une intensité positive.	Chapitre 8 Chapitre 8
La tension électrique aux bornes d'un dipôle se mesure avec un voltmètre branché en dérivation à ses bornes. Unité de tension : le volt. Symbole normalisé du voltmètre.	Chapitre 7	Brancher un multimètre utilisé en voltmètre et mesurer une tension. Schématiser le circuit et le mode de branchement du multimètre pour mesurer une tension positive.	Chapitre 7
Notion de branche et de nœud.	Chapitre 9	Repérer sur un schéma ou sur un circuit les différentes branches (principale et dérivées) et les nœuds éventuels.	Chapitre 9
Il peut y avoir une tension entre deux points entre lesquels ne passe aucun courant ; un dipôle peut être parcouru par un courant sans tension notable entre ses bornes.	Chapitre 7	Identifier les bornes d'une pile, mettre en évidence la tension entre ses bornes en circuit ouvert.	Chapitre 7

Connaissances		Capacités	
Lois d'unicité de l'intensité en courant continu dans un circuit série et d'additivité de l'intensité dans un circuit comportant des dérivations.	Chapitre 9	Vérifier l'unicité de l'intensité en courant continu dans un circuit série et l'additivité de l'intensité dans un circuit comportant des dérivations.	Chapitre 9
Lois d'additivité des tensions dans un circuit série et d'égalité des tensions aux bornes de deux dipôles en dérivation.	Chapitre 9	*Vérifier l'additivité de la tension dans un circuit série.*	Chapitre 9
Le comportement d'un circuit série est indépendant de l'ordre des dipôles qui le constituent.	Chapitre 8		
Caractère universel (indépendant de l'objet) des lois précédentes.	Chapitre 9		
Pour fonctionner normalement, un dipôle doit être adapté au générateur utilisé.	Chapitres 7 et 8	*Prévoir le fonctionnement d'une lampe connaissant sa tension nominale et la tension du générateur branché à ses bornes.*	Chapitre 7
Intensité et tension nominales.		Interpréter en termes de tension ou d'intensité l'éclat d'une lampe	Chapitres
Surtension et sous-tension.			

B2. Un dipôle : la résistance

Connaissances		Capacités	
LA « RÉSISTANCE »			
Quelle est l'influence d'une « résistance » dans un circuit électrique série ?			
Pour un générateur donné, dans un circuit électrique série : . l'intensité du courant électrique dépend de la valeur de la « résistance » ; . plus la « résistance » est grande, plus l'intensité du courant électrique est petite ; . l'intensité du courant ne dépend pas de la place de la « résistance ».	Chapitre 10	Observer expérimentalement l'influence de la résistance électrique sur la valeur de l'intensité du courant électrique. Utiliser un multimètre en ohmmètre.	Chapitre 10 Chapitre 10
L'ohm est l'unité de résistance électrique du SI.	Chapitre 10		
Le générateur fournit de l'énergie à la résistance qui la transfère essentiellement à l'extérieur sous forme de chaleur (transfert thermique).	Chapitre 10		
LA LOI D'OHM			
Comment varie l'intensité du courant électrique dans une « résistance » quand on augmente la tension électrique à ses bornes ?			
Enoncé de la loi d'Ohm et relation la traduisant en précisant les unités.	Chapitre 11	*Schématiser puis réaliser un montage permettant d'aboutir à la caractéristique d'un dipôle ohmique.*	Chapitre 11
Un dipôle ohmique satisfait à la loi d'Ohm : il est caractérisé par une grandeur appelée résistance électrique.	Chapitre 11	*Présenter les résultats des mesures sous forme de tableau.* *Tracer et exploiter la caractéristique d'un dipôle ohmique.*	Chapitre 11 Chapitre 11
Sécurité : coupe-circuit.	Chapitre 10	*Utiliser la loi d'Ohm pour déterminer l'intensité du courant dans une « résistance » connaissant sa valeur et celle de la tension appliquée à ses bornes.*	Chapitre 11

C. La lumière : couleurs et images

C1. Lumières colorées et couleur des objets

Connaissances		Capacités	
LUMIERES COLORÉES ET COULEUR DES OBJETS			
Comment obtenir des lumières colorées ?			
La lumière blanche est composée de lumières colorées.	Chapitre 12	*Réaliser la décomposition de la lumière en utilisant un prisme ou un réseau.*	Chapitre 12
La lumière blanche peut être décomposée à l'aide d'un prisme ou d'un réseau : on obtient un (ou des) spectre(s) continu(s) de lumière.	Chapitre 12		
Eclairé en lumière blanche, un filtre permet d'obtenir une lumière colorée par absorption d'une partie du spectre visible.	Chapitre 12	Utiliser des filtres pour obtenir des lumières colorées.	Chapitre 12
Des lumières de couleurs bleue, rouge et verte permettent de reconstituer les lumières colorées et la lumière blanche par synthèse additive.	Chapitre 12	*Obtenir des lumières colorées par superposition de lumières colorées.*	Chapitre 12
La couleur perçue lorsqu'on observe un objet dépend de la lumière diffusée par cet objet, donc de la lumière qu'il reçoit et de la lumière qu'il absorbe.	Chapitre 12	Réaliser des expériences mettant en jeu des lumières, des écrans, des filtres pour mettre en évidence le fait que la couleur d'un objet dépend de la lumière qu'il reçoit et de la lumière qu'il absorbe.	Chapitre 12
En absorbant la lumière, la matière reçoit de l'énergie. Elle s'échauffe et transfert une partie de l'énergie reçue à l'extérieur sous forme de chaleur.	Chapitre 12		

C2. Que se passe-t-il quand la lumière traverse une lentille ?

Connaissances		Capacités	
LENTILLES MINCES : FOYERS ET IMAGES			
Comment obtient-on une image à l'aide d'une lentille mince convergente ?			
Dans certaines positions de l'objet par rapport à la lentille, une lentille convergente permet d'obtenir une image sur un écran.	Chapitre 13	Obtenir avec une lentille convergente l'image d'un objet sur un écran.	Chapitre 13
Il existe deux types de lentilles minces, convergente et divergente.	Chapitre 13	Distinguer une lentille convergente d'une lentille divergente.	Chapitre 13
Une lentille mince convergente concentre pour une source éloignée l'énergie lumineuse en son foyer.	Chapitre 13	Trouver expérimentalement le foyer d'une lentille convergente et estimer sa distance focale.	Chapitre 13
Sécurité : danger de l'observation directe du Soleil à travers une lentille convergente.	Chapitre 13		
La vision résulte de la formation d'une image sur la rétine, interprétée par le cerveau.	Chapitre 14	Identifier les éléments de l'œil sur un modèle élémentaire (ensemble des parties transparents de l'œil/lentille, rétine/écran).	Chapitre 14
Les verres correcteurs et les lentilles de contact correctrices sont des lentilles convergentes ou divergentes.	Chapitre 14	*Réaliser des expériences pour expliquer et corriger les défauts de l'œil (myopie, hypermétropie).*	Chapitre 14

C3. Vitesse de la lumière

Connaissances		Capacités	
Dans quels milieux et à quelle vitesse se propage la lumière ?			
La lumière peut se propager dans le vide et dans des milieux transparents comme l'air, l'eau et le verre.	Chapitre 15		
Vitesse de la lumière dans le vide (3 x 10^8 m/s ou 300 000 km/s).	Chapitre 15	Faire des calculs entre distance, vitesse et durée.	Chapitre 15
Ordres de grandeur de distances de la Terre à quelques étoiles et galaxies dans l'Univers ou des durées de propagation de la lumière correspondantes.	Chapitre 15		

J'ai déjà des connaissances...

... sur les changements d'états

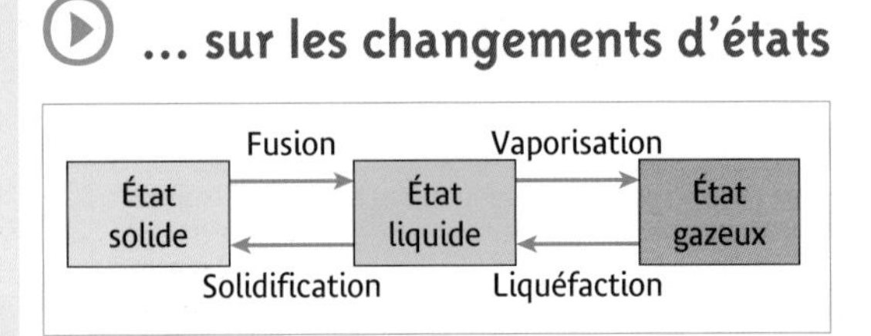

... sur les mélanges et les corps purs

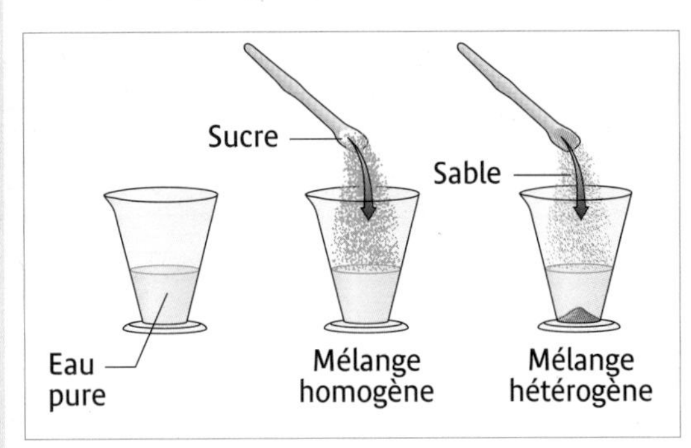

... sur la conservation de la masse lors des changements d'état et lors des dissolutions

Je teste mes connaissances

1. La vapeur d'eau est de l'eau à l'état :

a. gazeux.

b. solide.

c. liquide.

2. Pour détecter la présence d'eau on utilise :

a. le sulfate de cuivre hydraté.

b. le sulfate de cuivre anhydre.

c. le sulfate de cuivre tout simplement.

3. Un mélange est homogène quand :

a. il contient moins de trois constituants.

b. à l'œil nu, on distingue nettement ses différents constituants.

c. à l'œil nu, on ne distingue pas ses différents constituants.

4. L'eau de chaux se trouble en présence de :

a. monoxyde de carbone.

b. dioxyde de carbone.

c. carbone.

5. En dissolvant 10 g de sucre dans 100 mL d'eau, j'obtiens :

a. 110 g d'eau sucrée.

b. 100 g d'eau sucrée.

c. 109 g d'eau sucrée.

6. En solidifiant 100 mL d'eau, j'obtiens :

a. 100 mL de glace.

b. 100 g de glace.

c. 102 g de glace.

→ **Solution page 222.**

De l'air qui nous entoure à la molécule

Chapitre

1 Des molécules pour comprendre

L'eau liquide coule ; l'eau solide peut être saisie entre les doigts ; la vapeur d'eau est invisible ; pourtant il s'agit toujours de l'eau.
Comment expliquer ses différentes propriétés ?
Lors des mélanges et des changements d'état, la masse se conserve.
Que se passe-t-il au niveau microscopique ?

1. L'eau existe sous trois états physiques. Quelles sont les propriétés de chaque état ? Comment les expliquer au niveau microscopique ?

► Activités 2 et 3

2. **Existe-t-il une plus petite quantité d'eau que cette gouttelette ?**

► Activité 1

3. **Que représente ce modèle moléculaire ?**

► Activités 1 et 2

4. **Que se passe-t-il au niveau microscopique quand le sucre se dissout dans le café ? Ou encore quand la glace fond au soleil ?**

► Activités 4 et 5

Objectifs

- Savoir que l'eau est constituée de particules appelées molécules (modèle particulaire)
- Savoir utiliser la notion de molécule pour interpréter :
  - les différences entre les trois états physiques de l'eau,
  - la conservation de la masse lors des mélanges en solution aqueuse,
  - la conservation de la masse lors des changements d'état de l'eau,
  - la diffusion d'un soluté dans l'eau.
- Réaliser des mélanges homogènes et des pesées (Compétence expérimentale)

Activités

ACTIVITÉ 1 Quelle est la plus petite quantité d'eau ?

Si on pouvait voyager dans l'immensément petit, on découvrirait que la matière est constituée de particules microscopiques : les « grains de matière ».
Dans le cas de l'eau, ces « grains » sont des molécules d'eau.
La molécule d'eau est la plus petite quantité d'eau qui puisse exister.
Sa dimension est microscopique : environ 0,4 milliardième de mètre (soit $0{,}4 \times 10^{-9}$ m).
Une simple gouttelette d'eau contient une multitude de molécules d'eau.
Pour représenter les molécules, les chimistes utilisent une représentation codée : **le modèle moléculaire** (**fig. 3**).

Questions

1 Comment se nomme la plus petite particule d'eau ? Dessine son modèle.

2 Peut-on la voir à l'œil nu ? Justifie ta réponse.

3 Indique la dimension d'une molécule d'eau en utilisant les puissances de dix.

Remarque

Il y a autant de gouttes d'eau dans ce lac que de molécules d'eau dans cette goutte, soit environ 15 milliards de milliards.

fig. 1 Le lac du Bourget a une superficie de 50 km^2 et une profondeur moyenne de 150 m.

La goutte d'eau contient environ 15 milliards de milliards de molécules d'eau.

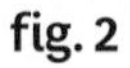

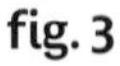

ACTIVITÉ 2

Comment s'organisent les molécules dans les trois états physiques ?

Les molécules d'eau sont toujours identiques, quel que soit l'état physique de l'eau.

À **l'état solide**, toutes les molécules sont immobiles ; elles sont liées entre elles de manière ordonnée. Elles ne peuvent ni se rapprocher ni s'éloigner les unes des autres.

Questions

1 Décris l'organisation des molécules d'eau à l'état solide, puis à l'état liquide et enfin à l'état gazeux.

2 La molécule d'eau est-elle différente dans chacun des états ?

À **l'état gazeux**, les molécules se dispersent ; elles ne sont plus du tout liées. Elles se déplacent continuellement, de manière désordonnée.

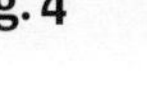

fig. 4

À l'**état liquide**, les molécules peuvent se déplacer et glisser les unes par rapport aux autres. Elles sont moins liées entre elles mais restent en contact.

Activités

Activité 3 Comment interpréter les propriétés de l'eau ?

MATÉRIEL : • un bécher • un verre à pied • un cube de glace • une fiole jaugée contenant 100 mL d'eau • une éprouvette graduée de 125 mL • un ballon à fond plat contenant un peu d'eau • une boîte de Pétri saupoudrée, sur une face, de sulfate de cuivre anhydre (la boîte est préalablement encollée) • un réchaud

DÉROULEMENT :

1. Déposons le cube de glace dans le verre à pied (**fig. 5**) puis plaçons-le dans le bécher (**fig. 6**) et observons.

2. Transvasons 100 mL d'eau de la fiole jaugée (**fig. 7**) dans l'éprouvette graduée de 125 mL (**fig. 8**). Notons le volume de l'eau dans l'éprouvette.

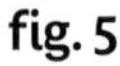

fig. 5

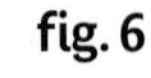

fig. 6

100 mL

fig. 7

fig. 8

3. Déposons une boîte de Pétri saupoudrée de sulfate de cuivre anhydre* sur le ballon à fond plat (**fig. 9**). Chauffons et observons (**fig. 10**).

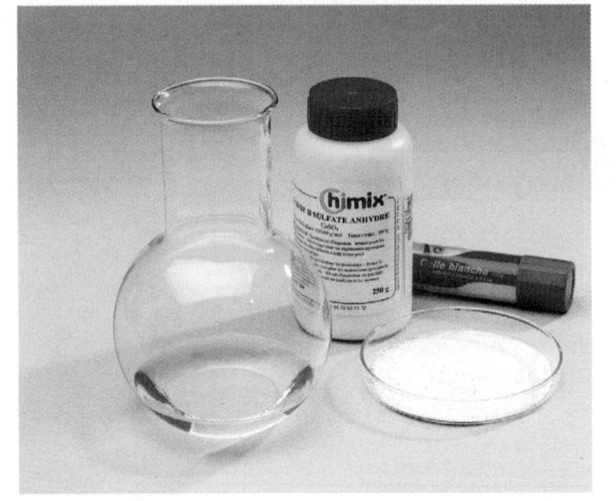

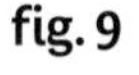

fig. 9

fig. 10

Questions

1 Peut-on dire que les solides ont une forme propre et un volume propre (fig. 5 et 6) ? Justifie ta réponse en rappelant l'organisation des molécules à l'état solide.

2 Les liquides ont-ils une forme propre ? Le volume d'un liquide se conserve-t-il lors d'un transvasement (fig. 7 et 8) ? Justifie tes réponses en utilisant l'organisation des molécules à l'état liquide.

3 Pourquoi le sulfate de cuivre bleuit-il (fig. 10) ? Explique ce bleuissement par l'organisation des molécules à l'état gazeux.

Remarques

- 1 dm^3 = 1 L
- 1 cm^3 = 1 mL
- Le sulfate de cuivre anhydre se présente sous forme de cristaux blancs.

Vocabulaire

Anhydre : qui ne contient pas d'eau.

ACTIVITÉ 4 Comment interpréter la conservation de la masse ?

MATÉRIEL : • un bécher • des cubes de glace • une balance électronique

DÉROULEMENT : Plaçons le bécher contenant de l'eau à l'état solide sur la balance et notons la masse (**fig. 11**). Laissons fondre la glace et relevons à nouveau la masse lorsque toute l'eau est liquide (**fig. 12**).

fig. 11

fig. 12

Questions

1 La masse varie-t-elle au cours de la fusion de la glace (fig. 11 et 12) ? Que peut-on en déduire quant au nombre total de molécules contenues dans le bécher au cours du changement d'état ?

2 Fais un schéma de l'expérience et représente les molécules d'eau dans le bécher avant et après la fusion (fig. 11 et 12).

ACTIVITÉ 5 Comment interpréter la dissolution d'un soluté dans l'eau ?

MATÉRIEL : • une balance électronique • un morceau de sucre • une capsule • un bécher contenant de l'eau

DÉROULEMENT : Après avoir réalisé la tare de la capsule et du bécher, mesurons la masse m_1 du morceau de sucre puis la masse m_2 de l'eau (**fig. 13, 14**). Plaçons le sucre dans l'eau, agitons et mesurons la masse M de la solution (**fig. 15**).

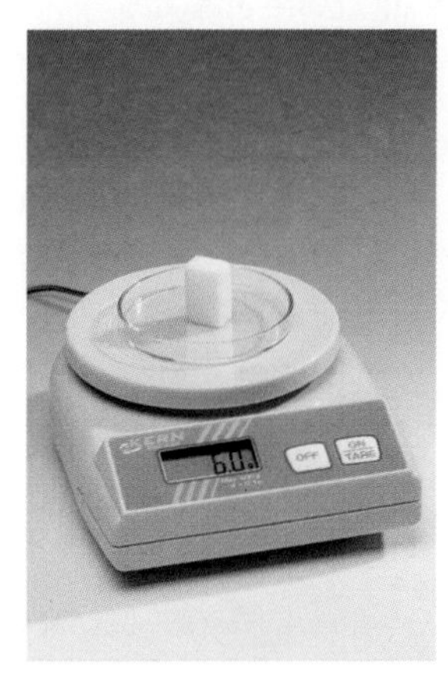

fig. 13 $m_1 = 6{,}0$ g.

fig. 14 $m_2 = 100{,}0$ g.

fig. 15 $M = 106{,}0$ g.

Questions

1 Compare la masse M de la solution au total des masses ($m_1 + m_2$) de ses constituants.

2 Représente les molécules de sucre et d'eau avant le mélange (fig. 13 et 14) en dessinant 8 molécules de sucre et 10 molécules d'eau. Modélise les molécules de sucre par des triangles verts et les molécules d'eau par leur forme habituelle.

3 Représente les molécules dans le mélange, après la dissolution du sucre dans l'eau (fig. 15).

4 Justifie le résultat de la question 1 en utilisant les représentations moléculaires des questions 2 et 3.

Cours

1 La molécule d'eau

Voir **Activité 1**

Observation et interprétation : Une goutte d'eau contient un nombre considérable de minuscules particules toutes identiques appelées molécules d'eau. On représente la molécule d'eau par un modèle (**fig. 1**).

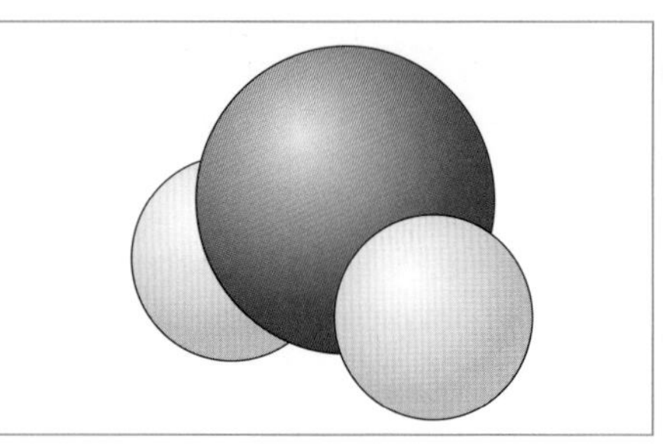

fig. 1 Modèle de la molécule d'eau.
Une molécule mesure 0,4 milliardième de mètre. C'est la plus petite quantité d'eau qui puisse exister.

Conclusion : L'eau est constituée de molécules. Les molécules d'eau sont toutes identiques.

2 L'interprétation moléculaire des trois états de l'eau

Voir **Activités 2 et 3**

a. L'état solide

Observation et interprétation : Le glaçon garde sa forme et son volume. Il ne prend pas la forme du récipient qui le contient. Les molécules sont liées entre elles, serrées et immobiles (**fig. 2**).

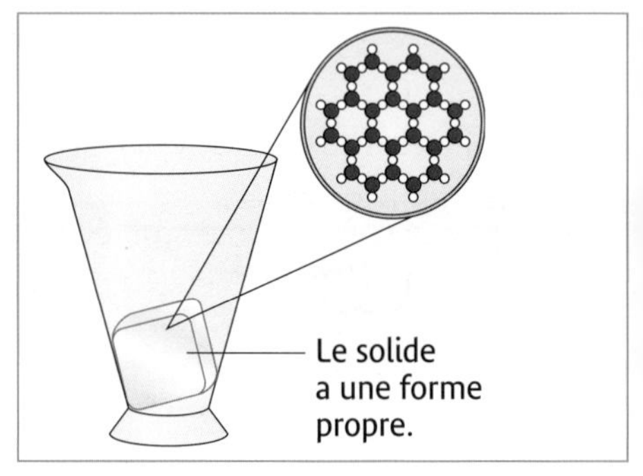

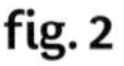

fig. 2

Conclusion : À l'état solide, les molécules sont liées les unes aux autres et rangées pour former un ensemble compact et ordonné.

b. L'état liquide

Observation et interprétation : L'eau coule et prend la forme de l'éprouvette graduée mais son volume ne varie pas. La forme du liquide varie car les molécules sont libres de glisser les unes sur les autres. Son volume ne varie pas car les molécules restent au contact les unes des autres (**fig. 3**).

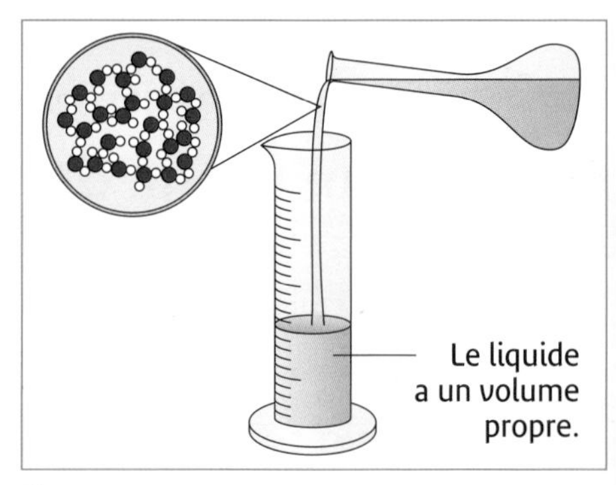

fig. 3

Conclusion : À l'état liquide, les molécules sont peu liées ; elles se déplacent et restent en contact. L'état liquide est compact et désordonné.

c. L'état gazeux

Observation et interprétation : Le sulfate de cuivre bleuit, uniquement sur la partie en contact avec l'intérieur du ballon. Les molécules de vapeur d'eau se répandent dans tout le ballon (**fig. 4**).

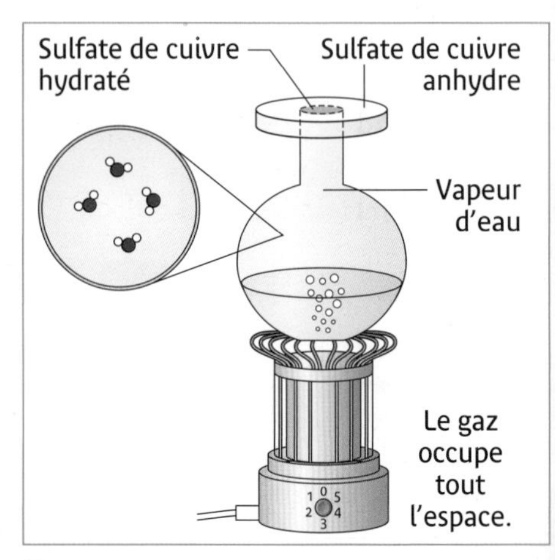

fig. 4

Conclusion : Les gaz n'ont ni forme ni volume propre car les molécules qui les constituent sont libres et occupent tout l'espace qui leur est offert. L'état gazeux est dispersé et désordonné.

3 L'interprétation moléculaire de la conservation de la masse

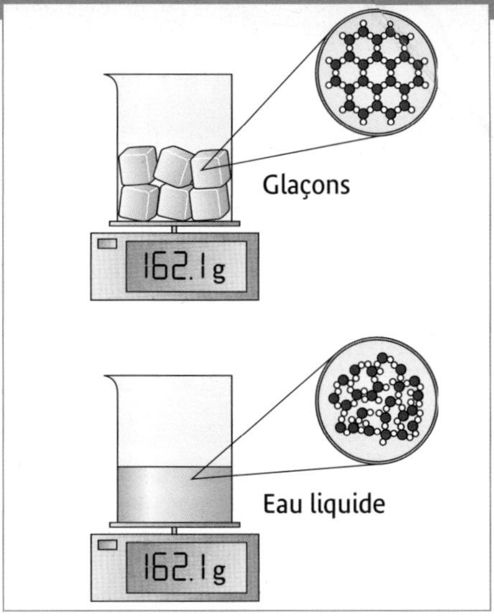

a. Lors des changements d'état

Voir **Activité 4**

Observation et interprétation : La masse ne varie pas lors de la fusion de la glace (**fig. 5**). Lorsque la glace fond, le nombre de molécules ne varie pas.

Conclusion : Au cours d'un changement d'état, la masse reste constante car toutes les molécules se conservent.

Glaçons
162.1 g
Eau liquide
162.1 g

fig. 5

b. Lors de la dissolution d'un soluté dans l'eau

Voir **Activité 5**

Observation : La masse de la solution d'eau sucrée M est égale à la somme des masses de ses constituants (m_1 et m_2). $M = m_1 + m_2$

Interprétation : Les molécules de sucre se séparent et se répartissent entre les molécules d'eau (**fig. 6**). La solution d'eau sucrée contient toutes les molécules présentes dans le morceau de sucre et dans l'eau avant le mélange.

Conclusion : Au cours d'un mélange, la masse reste constante car toutes les molécules présentes dans chaque constituant se conservent.

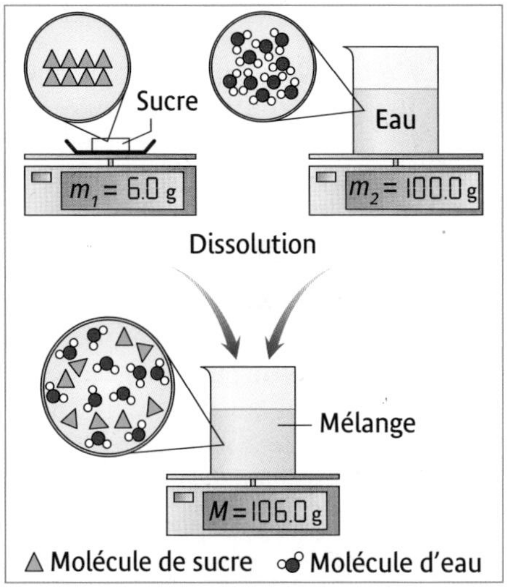

Sucre
$m_1 = 6.0$ g
Eau
$m_2 = 100.0$ g
Dissolution
Mélange
$M = 106.0$ g
△ Molécule de sucre Molécule d'eau

fig. 6

L'essentiel

► **Contrôle tes connaissances** *en faisant l'exercice 1 page 23.*

La molécule d'eau est la plus petite quantité d'eau

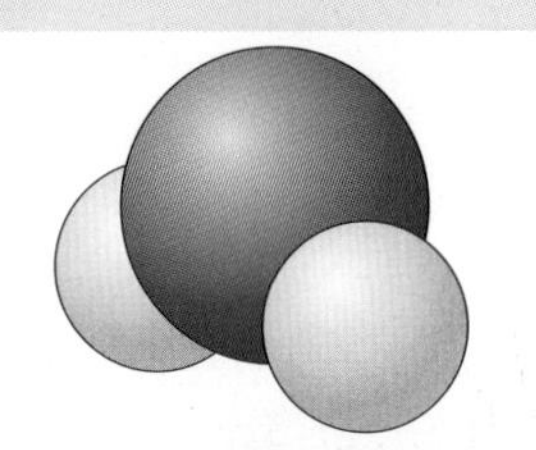

Modèle de la molécule d'eau

Les molécules se conservent lors d'un changement d'état et d'une dissolution

EAU SOLIDE : **ensemble compact et ordonné**

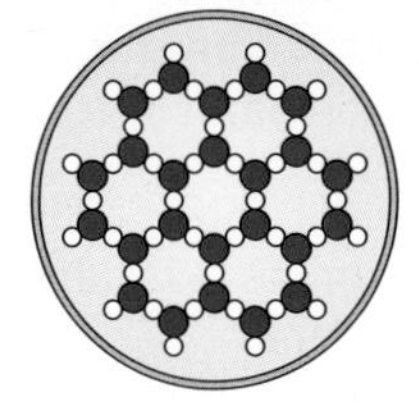

Molécules liées et immobiles

EAU LIQUIDE : **ensemble compact et désordonné**

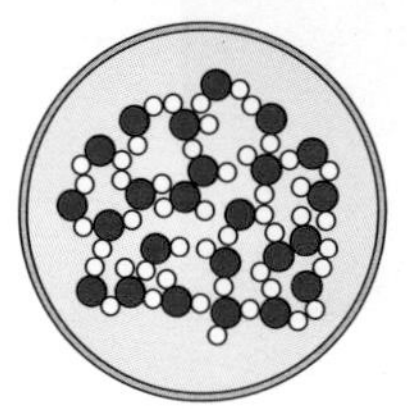

Molécules peu liées et mobiles

VAPEUR D'EAU : **ensemble dispersé et désordonné**

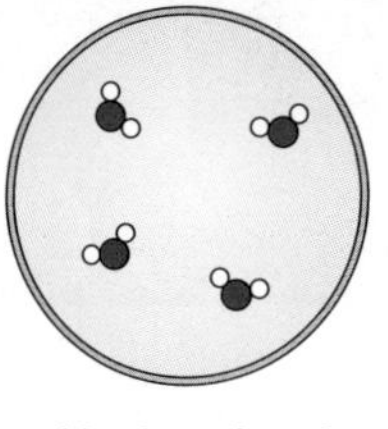

Molécules séparées et très mobiles

Documents

Comment imaginer la taille des molécules ?

Mathématiques

▸ Une **molécule d'eau** mesure 0,4 nanomètre ou encore 0,000 4 micromètre. Qu'est-ce que cela représente (**fig. 1**) ? Comment évaluer cette dimension ?

mètre (m)			millimètre (mm)			micromètre (µm)			nanomètre (nm)
1	0	0	0						
			1	0	0	0			
						1	0	0	0

fig. 1 Tableau des équivalences.

Remarque

- 1 m = 1 000 mm ou 10^3 mm
- 1 mm = 1 000 µm ou 10^3 µm
- 1 µm = 1 000 nm ou 10^3 nm
- 1 nm = 10^{-3} µm = 10^{-6} mm = 10^{-9} m

▸ À titre de comparaison, un **cheveu** a une épaisseur d'environ 100 µm (**fig. 2**) et un **globule rouge** (cellule entrant dans la composition du sang) a un diamètre d'environ 7 µm.
Il faudrait donc aligner 14 globules rouges pour retrouver l'épaisseur d'un cheveu.

▸ Les globules rouges, invisibles à l'œil nu, peuvent être observés au microscope optique ou électronique (**fig. 3**).
On ne compte pas moins de 5 millions de globules rouges par millimètre cube de sang !
Ces cellules qui, pour nous, appartiennent déjà au domaine microscopique sont encore immensément grandes face à une molécule d'eau.

▸ Faisons les comptes ! Puisqu'un globule mesure 7 µm ou 7000 nm, il faudrait donc aligner 7000 ÷ 0,4 soit 17500 molécules d'eau pour retrouver le diamètre d'un globule rouge. Imagine un objet 17500 plus grand que toi et tu auras une idée de l'impression ressentie par une molécule d'eau face à un globule rouge. Quant au cheveu, il est donc 17500 x 14 soit 245000 fois plus épais qu'une molécule d'eau !

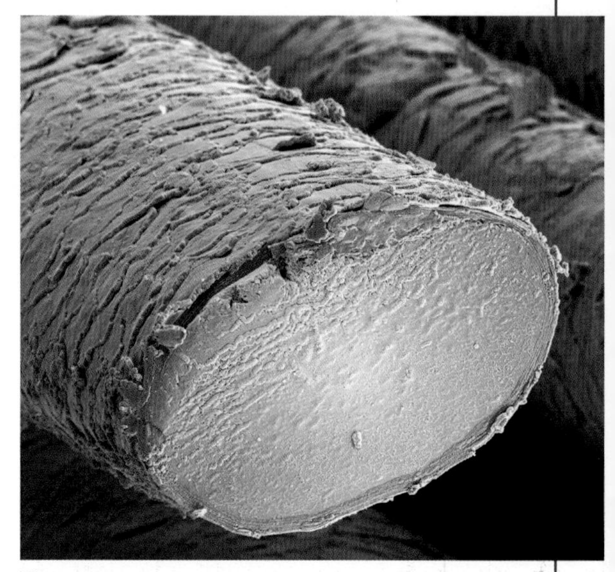

fig. 2 Section d'un cheveu observé au microscope électronique à balayage (M.E.B.).

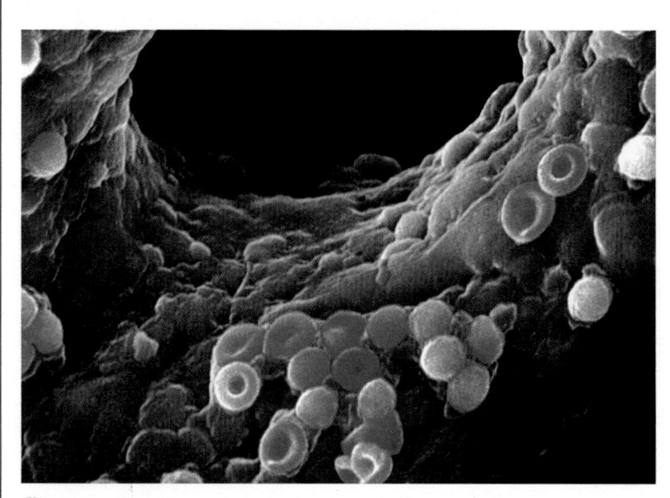

fig. 3 Vaisseau sanguin sectionné observé au microscope électronique à balayage (M.E.B.). On voit une multitude de globules rouges.

Questions

1. Quelle est la taille d'une molécule d'eau ? Exprime le résultat en millimètre.
2. Quelle est, en nanomètre, l'épaisseur d'un cheveu ? Utilise les puissances de dix pour exprimer le résultat.
3. « Il faut aligner 14 globules rouges pour retrouver l'épaisseur d'un cheveu ». Justifie cette affirmation par le calcul.
4. Calcule la longueur d'un objet 17 500 fois plus grand que toi. Exprime le résultat en mètre puis en kilomètre.

Un matériau qui a « révolutionné » la randonnée : le Gore-tex®

Mathématiques

Au quotidien

Tissu « nouvelle génération » inventé en 1969, le **Gore-tex®** est souvent mis en avant dans des publicités pour des vêtements de sport (**fig. 4**). En effet, le Gore-tex® possède principalement deux propriétés : être « **respirant** » et **imperméable** à la fois, ce qui en fait un tissu idéal et confortable à porter lors d'activités sportives de plein air (randonnée, nautisme, alpinisme…).

Les deux propriétés intéressantes du Gore-tex® s'expliquent par sa composition chimique. Incorporant notamment du polytétrafluoroéthylène (couramment appelé Téflon®), le tissu est formé de millions de **micro-pores** d'un diamètre de 0,2 micromètre.

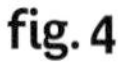

Remarque

1 micromètre = 0,000001 m ou 10^{-6} m.

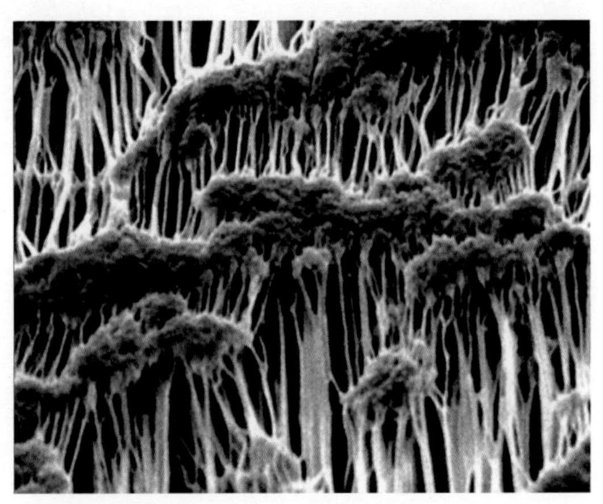

fig. 5 Membrane de Gore-tex® observée au microscope électronique à balayage (M.E.B.).

Ces « **trous** » **microscopiques** (**fig. 5**) sont environ 20 000 fois plus petits qu'une gouttelette d'eau mais ils sont aussi 500 fois **plus gros** qu'une molécule d'eau.

Lorsque des **gouttes d'eau** tombent sur le tissu, leur **taille** est trop importante pour passer « à travers » les micro-pores : le tissu est imperméable.

Par contre, la **vapeur d'eau** produite lors de la transpiration de la peau est constituée de molécules d'eau très espacées les unes des autres. Ces dernières, de taille bien inférieure au diamètre des micro-pores, vont pouvoir aisément être évacuées vers l'extérieur : le tissu « respire » (**fig. 6**), évitant ainsi la sensation « d'humidité » ressentie lorsqu'on transpire dans un vêtement classique.

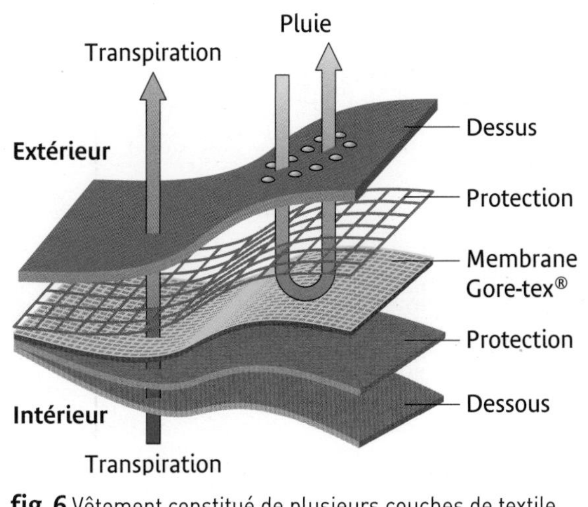

fig. 6 Vêtement constitué de plusieurs couches de textile dont la membrane Gore-tex®.

Questions

1 Quel est le principal atout du Gore-tex® par rapport aux autres tissus ?

2 Calcule (en t'aidant du texte) la taille approximative d'une goutte d'eau et celle d'une molécule d'eau. Compare-les avec la dimension d'un micro-pore du Gore-tex®.

3 Explique pourquoi les micro-pores du Gore-tex® rendent ce tissu à la fois imperméable et respirant.

B2i En t'aidant du site : http://fr.wikipedia.org/wiki/Gore-Tex, recherche d'où vient le nom « Gore-tex® ».

Ma démarche **d'investigation**

Compétences expérimentales à évaluer

- Réaliser des mélanges homogènes et des pesées (liquides et solides)

Afin de participer au cross du collège dans les meilleures conditions, le professeur d'EPS conseille aux élèves de boire beaucoup d'eau et de manger du sucre pour éviter l'hypoglycémie. Émilie et Fabien, élèves de 4e, préparent leurs sacs et y placent chacun une bouteille contenant 30 cL d'eau et des morceaux de sucre (trois morceaux de 5 g chacun).
Émilie propose alors de dissoudre les morceaux de sucre dans l'eau de la bouteille.
« Le sucre va disparaître dans l'eau, et le sac sera moins lourd à porter », dit-elle.
Fabien n'est pas d'accord avec cette affirmation.
« Les molécules de sucre et les molécules d'eau se conservent lors de la dissolution et la masse totale ne va pas changer », dit-il.
Qui a raison ?

La masse varie-t-elle lors de la dissolution ?

➤ Je réfléchis

Imagine sur une feuille de recherche, quelle(s) expérience(s) mettre en œuvre pour savoir qui des deux élèves a raison.
Dresse la liste du matériel qui te sera nécessaire.
Propose ta démarche au professeur.

➤ Je réalise les expériences

Après l'accord du professeur, récupère le matériel et réalise les expériences en prenant soin de respecter les précautions expérimentales (travailler proprement et dans le calme).
Note tes résultats au fur et à mesure.

➤ Je communique mes résultats

Rédige ensuite un compte-rendu, avec des schémas légendés, qui explique ce que tu as fait et les résultats que tu as obtenus. Propose une explication qui utilise le modèle moléculaire. Tu représenteras la molécule d'eau par sa forme habituelle et la molécule de sucre par un triangle vert.

Exercices

Je contrôle mes connaissances

1 Je retrouve l'essentiel

Utilise les mots ou groupes de mots suivants pour compléter les phrases ci-dessous : *glissent, dispersé, un volume propre, conservent, forme propre, très agitées, compact, ordonné, identiques, la molécule, constante, très liées, la forme, désordonné.*

La plus petite particule d'eau s'appelle .... d'eau.
La glace a une forme propre et .... : les molécules sont .... et immobiles. L'état solide est compact et ....
L'eau liquide coule et prend .... du récipient qui la contient : les molécules d'eau .... les unes sur les autres tout en restant en contact. L'état liquide est .... et ....
La vapeur d'eau n'a pas de .... : un gaz occupe tout l'espace qui lui est offert. Les molécules sont ....
L'état gazeux est .... et désordonné.
Quel que soit l'état physique de l'eau, les molécules sont toujours ....
Lorsque l'eau change d'état physique ou lorsqu'on dissout un solide dans l'eau, la masse totale reste .... car toutes les molécules se ....

→ **Solution page 221.**

2 Choisir la bonne réponse

Recopie les phrases suivantes en choisissant la bonne réponse.

a. La plus petite quantité d'eau *est/n'est pas* la gouttelette.
b. La taille d'une molécule est *microscopique/macroscopique*.
c. Dans un morceau de sucre, les molécules sont *dispersées/liées*.
d. Lorsque le sucre est dissous dans de l'eau, les molécules de sucre *restent/ne restent pas* organisées de la même manière.
e. Lors d'un changement d'état, les molécules *se brisent/ne se brisent pas*. La masse *diminue/reste constante* car toutes les molécules d'eau *disparaissent/se conservent*.

3 Trouver les phrases exactes

On réalise l'ébullition de l'eau.
Parmi ces propositions lesquelles caractérisent ce changement d'état.

a. Les molécules d'eau se dispersent.
b. Les molécules d'eau se rapprochent.
c. Les molécules d'eau se brisent.
d. Les molécules d'eau se conservent.

4 Retrouver les états physiques et leurs propriétés

a. À quel état physique de l'eau correspond chacune des représentations (**fig. 1, 2, 3**) ci-dessous.

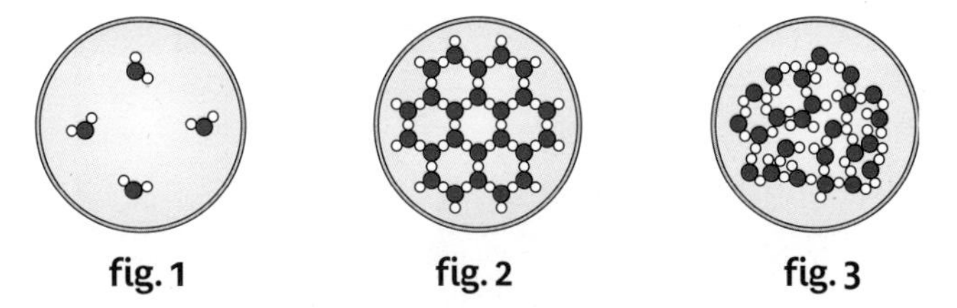

fig. 1 fig. 2 fig. 3

b. Associe à chaque état physique deux propositions.

1. Ensemble :	**2. Molécules :**
– compact et ordonné.	– liées et immobiles.
– compact et désordonné.	– séparées et très mobiles.
– dispersé et désordonné.	– peu liées et mobiles.

5 Expliquer la conservation de la masse

On réalise l'expérience suivante.

fig. 1

fig. 2

a. Quel changement d'état observe-t-on ici ?
b. Quelle valeur indique la balance sur la figure 2 ? Propose une explication utilisant le modèle moléculaire.

6 Étudier une dissolution

Un morceau de sucre de 5 g est introduit dans un bécher (préalablement taré) contenant 100 g d'eau. Après dissolution totale, on pèse l'ensemble.

a. Quelle masse va-t-on lire ? Justifie ta réponse.
b. Choisis parmi les représentations moléculaires suivantes celle qui modélise la dissolution totale du sucre dans l'eau. Justifie ta réponse.

1. 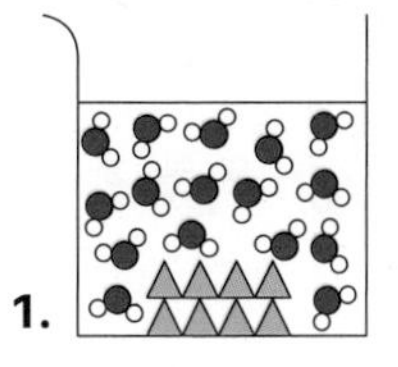

2. 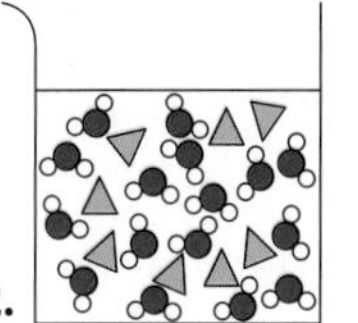

3. 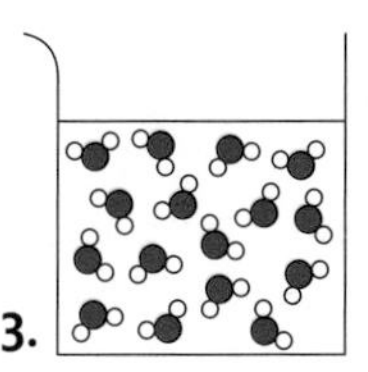

▲ Molécule de sucre ●○ Molécule d'eau

Exercices

J'utilise mes connaissances

7 Représenter les molécules

a. Quel est l'état physique de l'eau sur la vitre ?
b. L'eau peut couler sur la vitre. Utilise les propriétés des molécules pour justifier ce fait.

8 Corriger un contrôle

Lors d'un contrôle, Loïc doit répondre à deux questions.

1. On place 350 g de glace dans un récipient fermé.
Quelle masse d'eau liquide obtient-on ?
Justifie à l'aide du modèle moléculaire.
2. On dissout 5 g de sucre dans 120 g d'eau.
Quelle est la masse d'eau sucrée obtenue ?
Justifie à l'aide du modèle moléculaire.

Voici la copie de Loïc :

1. *Quand l'eau fond, la masse est 345 g car lors de la fusion des bouts de molécules disparaissent avec la glace.*
2. *Quand on mélange de l'eau et du sucre, on ne voit plus le sucre parce qu'il disparaît. La masse finale est donc 120 g.*

a. Quelle(s) erreur(s) fait Loïc dans chacune de ses réponses ?
b. Propose une correction en réécrivant des phrases justes.

9 Étudier un changement d'état

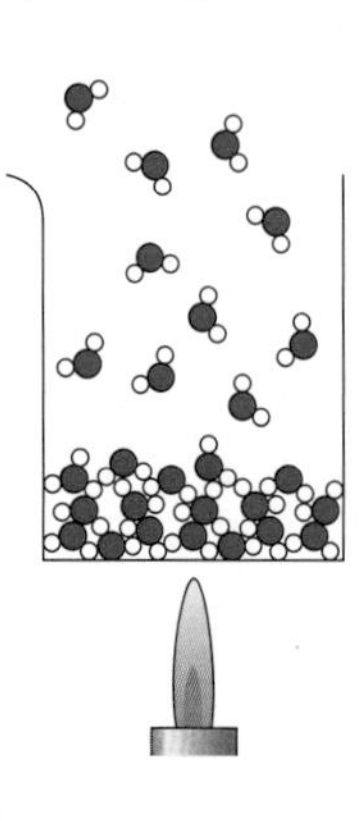

La représentation ci-contre modélise un changement d'état de l'eau à l'échelle moléculaire.
a. De quel changement d'état s'agit-il ? Justifie ta réponse.
b. Donne les caractéristiques des molécules dans chaque état physique.

10 Construire un raisonnement — COMPÉTENCE TRANSVERSALE

Mehdi dissout un morceau de sucre dans l'eau et mesure la masse au cours de l'expérience. Il note le compte-rendu suivant sur son cahier de recherche :

1. *La masse se conserve lors de la dissolution.*
2. *L'eau et le sucre sont constitués de molécules.*
3. *Le sucre ne disparaît pas dans l'eau. Les molécules d'eau et de sucre se mélangent et leur nombre ne change pas.*

Ces trois idées sont en désordre et mal rédigées.
Aide Mehdi à écrire un paragraphe plus ordonné et plus construit. Utilise pour cela les expressions « je sais que... », « j'observe que... » et « donc j'en déduis que... ».

11 Interpréter la saturation

fig. 1

fig. 2

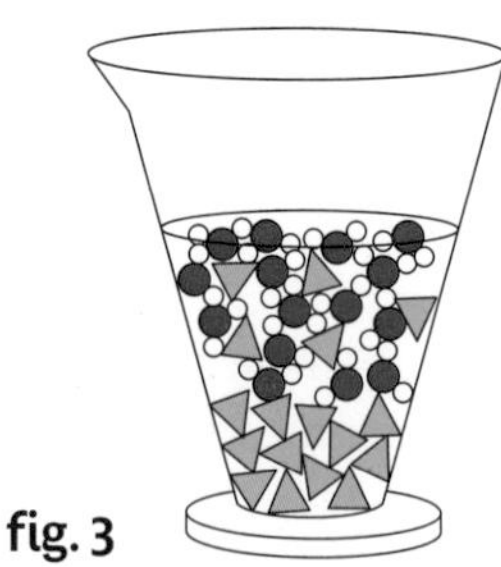

fig. 3

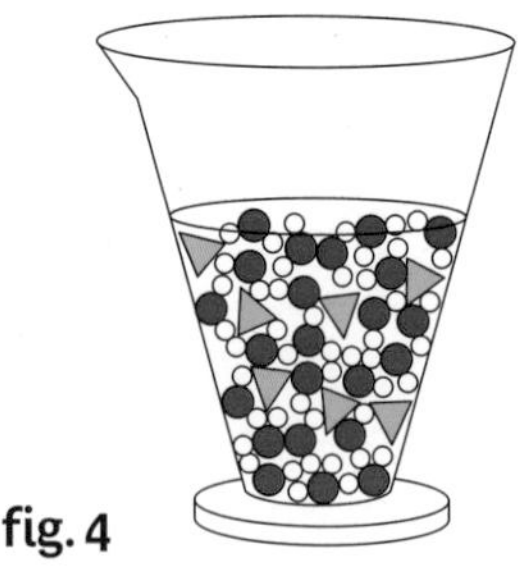

fig. 4

▲ Molécule de sucre

 Molécule d'eau

Les verres à pied contiennent de l'eau sucrée (**fig. 1**) et de l'eau sucrée saturée (**fig. 2**).
Associe chacune des représentations moléculaires (**fig. 3** et **fig. 4**) à l'un des verres. Justifie ta réponse.

J'approfondis mes connaissances

12 Représenter les mélanges avec le modèle moléculaire

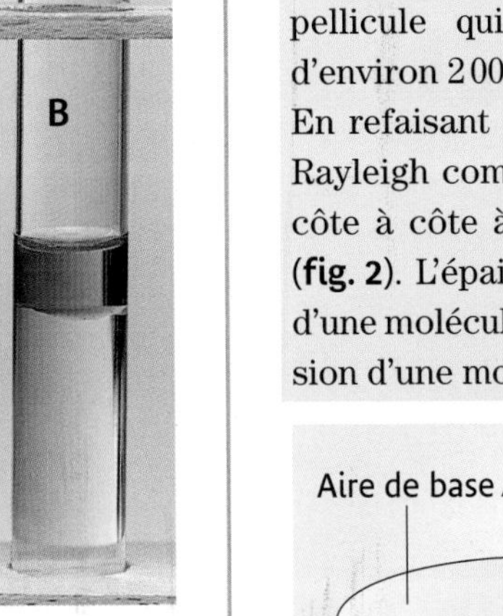

On a versé de l'eau et de l'alcool dans le tube A, et de l'eau et de l'huile dans le tube B.
Après agitation, on obtient les mélanges ci-contre.

a. L'alcool et l'eau sont-ils miscibles ? Représente les molécules d'eau et d'alcool dans le tube A.

b. L'huile et l'eau sont-elles miscibles ou non miscibles ? Représente les molécules d'eau et d'huile dans le tube B.

Remarque : *Tu représenteras les molécules d'huile par des losanges jaunes, les molécules d'alcool par des carrés bleus, et les molécules d'eau par le modèle habituel.*

13 Calculer une masse

Mathématiques

Un gramme d'eau liquide occupe un volume de 1 cm^3.
Si cette quantité d'eau se transforme en vapeur, elle occupe alors un volume de 1,2 L.

a. Convertis 1,2 L en cm^3.

b. Comment expliquer cette augmentation de volume en considérant l'arrangement des molécules dans chaque état physique ?

c. Que dire du nombre total de molécules contenues dans 1 cm^3 d'eau liquide et dans 1,2 L de vapeur d'eau ? Justifie ta réponse.

14 Établir une échelle de grandeur

Mathématiques

À l'aide d'une encyclopédie ou d'Internet, et en t'aidant du document page 20, associe chaque élément à l'ordre de grandeur qui lui correspond. Tu effectueras un classement dans l'ordre croissant.

a. La molécule d'eau	**1.** 1 m
b. Le mont Blanc	**2.** 10^{-9} m
c. Un cheveu	**3.** 10^{9} m
d. Une goutte d'eau	**4.** 10^{3} m
e. Le rayon de la Terre	**5.** 10^{-7} m
f. Un homme	**6.** 10^{-5} m
g. Diamètre d'un rayon du Soleil	**7.** 10^{-3} m
h. Un globule rouge	**8.** 10^{6} m

15 Calculer la taille d'une molécule d'huile

Histoire des sciences

Mathématiques

En 1762, le savant Benjamin Franklin remarque qu'en versant doucement une cuillère d'huile d'olive (2 mL) sur les eaux très calmes d'un étang, celle-ci s'étale et forme une pellicule qui s'étend jusqu'à recouvrir une surface d'environ 2 000 m^2 soit 2 000 000 000 mm^2 (**fig. 1**).
En refaisant cette expérience, un siècle plus tard, Lord Rayleigh comprend que les molécules d'huile se placent côte à côte à la surface de l'eau sur une seule couche (**fig. 2**). L'épaisseur de la pellicule d'huile a donc la taille d'une molécule. Lord Rayleigh peut alors calculer la dimension d'une molécule.

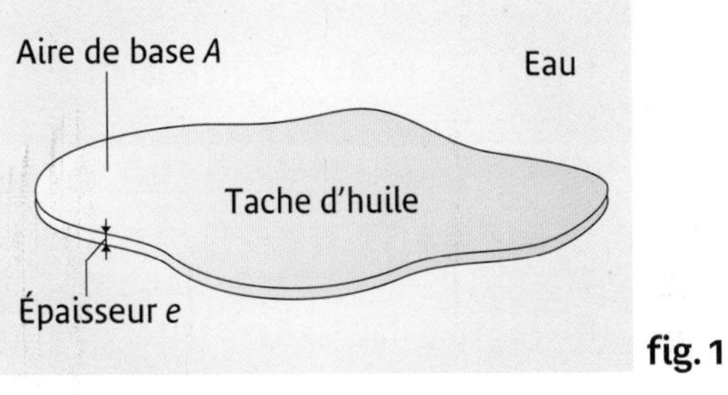

fig. 1

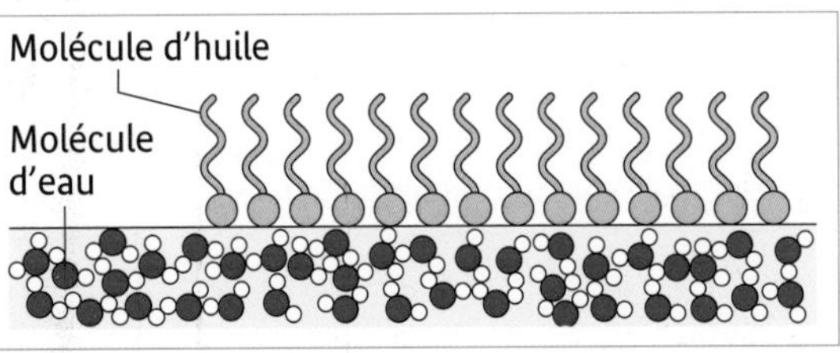

fig. 2

a. Pourquoi la tache d'huile ne s'agrandit-elle plus au bout d'un certain temps ?

b. Que représente alors l'épaisseur *e* de la tache d'huile ?

c. Calcule la dimension de la molécule d'huile.

Remarque : le volume *V* de la tache se calcule en multipliant la surface *A* par l'épaisseur *e* : $V = A \times e$.

16 Chemistry in English

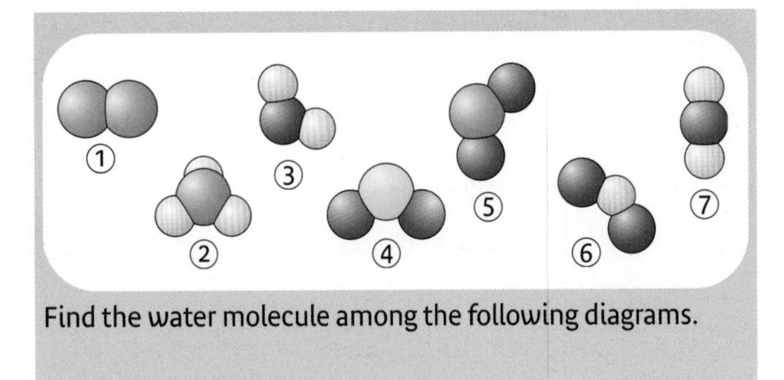

Find the water molecule among the following diagrams.

Chapitre

2 L'air qui nous entoure

Incolore et inodore, l'air qui nous entoure est contenu dans l'atmosphère qui enveloppe la Terre.
Nous le respirons en permanence sans même nous en rendre compte. On dit parfois qu'il est « pur ».
On suffoque lorsqu'on en manque ou lorsqu'il est pollué.
Cherchons à connaître la composition chimique de l'air, déterminons ce qui en fait un gaz essentiel à la vie et étudions sa représentation moléculaire.

I. Cette pellicule bleutée à la surface de la Terre contient l'air que nous respirons. Quelle est la composition de l'a

► Activités 1 et 2

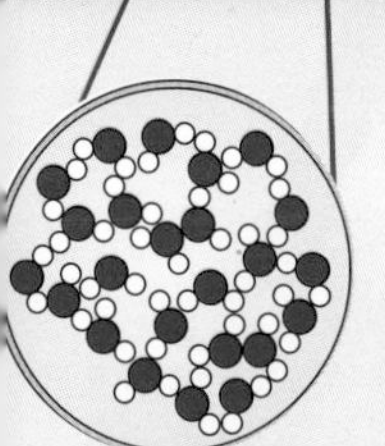

2. **L'eau pure est constituée d'un seul type de molécule. Existe-t-il une molécule d'air, comme il existe une molécule d'eau ?**

► Activité 3

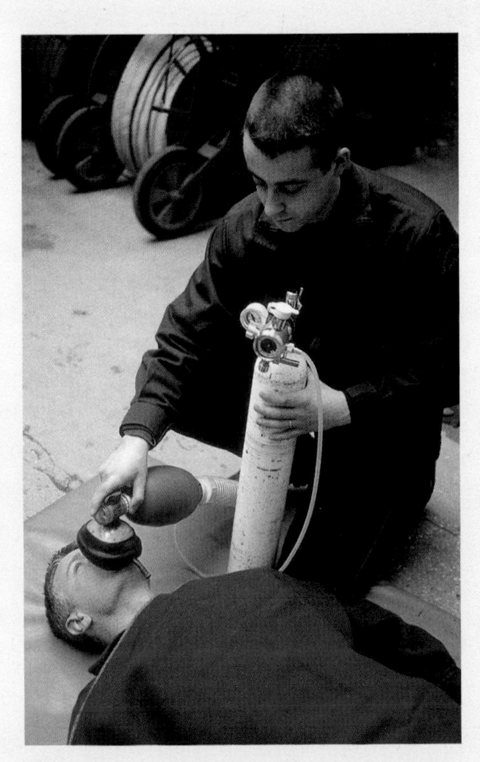

3. **Pour réanimer un patient, l'un des premiers gestes des secouristes est de lui faire absorber du dioxygène. Pourquoi ?**

► Activité 4

Objectifs

- Savoir faire la distinction entre mélange et corps pur, pour l'air et la vapeur d'eau
- Connaître la composition simplifiée de l'air
- Distinguer gaz et fumées
- Comprendre le rôle vital du dioxygène
- Recueillir et identifier le dioxygène

4. **L'air peut devenir nocif lorsqu'il contient des polluants gazeux et des fumées. Quelle différence existe-t-il entre un gaz et une fumée ?**

► Activité 5

ACTIVITÉ 1 Qu'est-ce que l'atmosphère terrestre ?

L'atmosphère est la pellicule constituée de gaz qui entoure la Terre (voir page 26).
Conventionnellement, on divise l'atmosphère en couches, en fonction des variations de la température (**fig. 1**).
La couche dans laquelle nous vivons est appelée troposphère.
Épaisse d'environ 10 à 15 km, elle contient, à elle seule, 80 % de la masse totale de l'atmosphère.
C'est l'air que nous respirons.

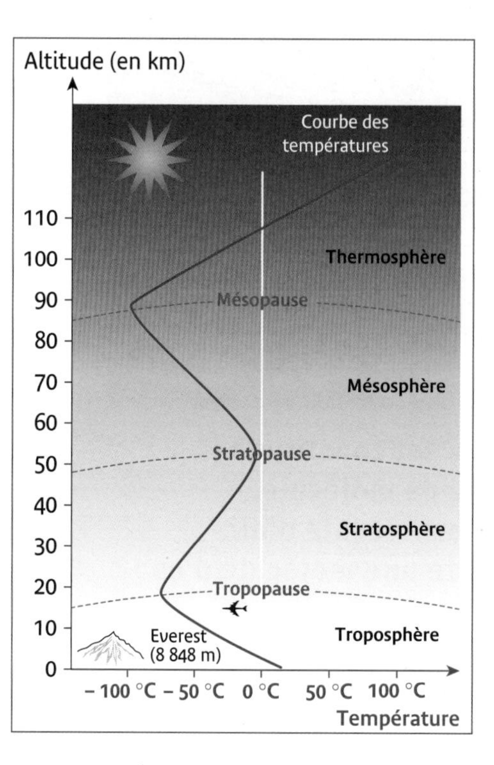

fig. 1 Coupe simplifiée de l'atmosphère.

Questions

1 Qu'appelle-t-on « atmosphère » terrestre ?

2 Dans quelle couche de l'atmosphère vivons-nous ?

fig. 2 Antoine Laurent de Lavoisier réalisa l'analyse de l'air et montra le rôle du dioxygène et du diazote.

ACTIVITÉ 2 Quelle est la composition de l'air ?

Le chimiste français Antoine Laurent de Lavoisier (**fig. 2**) fut le premier à montrer, à la fin du XVIIIe siècle, que l'air était un mélange de gaz (voir page 35). Il identifia le dioxygène et le diazote et en évalua les proportions respectives (17 % et 83 %).
On connaît aujourd'hui la composition de l'air de manière beaucoup plus précise. Outre le dioxygène et le diazote, l'air contient de nombreux autres gaz (**fig. 3**).

Gaz	Diazote	Dioxygène	Argon	Dioxyde de carbone	Néon, Hélium, Méthane, Krypton, Dihydrogène, Xénon, Ozone, Radon
% en volume	78,09	20,94	0,93	0,03	à l'état de traces

fig. 3 Composition de l'air sec fixée par l'arrêté international de Washington (1947).

L'air peut aussi contenir de la vapeur d'eau et des polluants résultants des activités humaines : fumées, poussières, composés soufrés et azotés (responsables des pluies acides), monoxyde de carbone, ozone, polluants radioactifs…

Questions

1 Qui a déterminé le premier la composition de l'air ?

2 Quels constituants a-t-il identifié ? En quelles proportions ?

3 Compare ces valeurs avec celles que l'on connaît aujourd'hui (fig. 3).

4 En examinant le tableau de la figure 3, pourquoi peux-tu affirmer que l'air est un mélange ?

ACTIVITÉ 3 L'air est-il, comme l'eau, un corps pur ?

1. L'air est constitué de nombreux gaz, mais on y trouve essentiellement du dioxygène et du diazote ; aussi pouvons-nous retenir, pour simplifier, la composition suivante (**fig. 4**) :
- 20 % ou 1/5 de dioxygène,
- 80 % ou 4/5 de diazote.

2. Comme tous les gaz, l'air est constitué de molécules.
À l'échelle microscopique, on représente la molécule de dioxygène et celle de diazote par des modèles (**fig. 5a et 5b**).

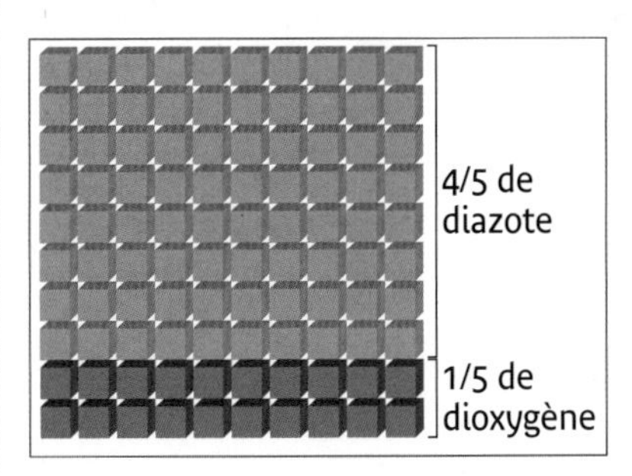

fig. 4 Composition simplifiée de l'air.

fig. 5a Modèle de la molécule de dioxygène.

fig. 5b Modèle de la molécule de diazote.

3. Examinons l'air à l'échelle microscopique et cherchons quelle est la bonne représentation moléculaire de l'air parmi les trois flacons (**fig. 6a, b, et c**).

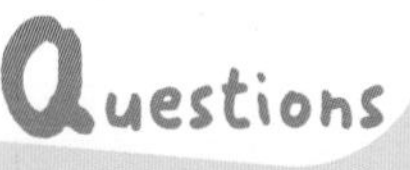

1 Quelle est la composition simplifiée de l'air ?

2 Sur les figures 6a, 6b et 6c, quelle est la bonne représentation moléculaire de l'air ? Justifie ta réponse.

3 L'air est-il constitué, comme l'eau, d'un seul type de molécule ? Justifie ta réponse.

4 Quand on examine leur composition moléculaire, qu'est-ce qui distingue un corps pur, comme l'eau, d'un mélange, comme l'air ?

fig. 6a

fig. 6b

fig. 6c

Remarque

Les molécules étant immensément petites, on fait des « zooms » pour les représenter.

Activités

Quel est le constituant vital de l'air ?

1. Le savant anglais Robert Boyle (**fig. 7**), en 1658, fait le vide dans des récipients, grâce à une pompe à vide. Il constate que, sans air, un animal meurt.
Dans un deuxième temps, il place un animal dans un récipient fermé. Il constate que seulement une petite partie de l'air sert pour la respiration : « l'air vital ». Dans « l'air vicié » restant, l'animal meurt, comme dans le vide.

2. Au quotidien, lors de la respiration, nous consommons du dioxygène pour produire l'énergie nécessaire au fonctionnement de nos organes et au maintien de la température de notre corps.

3. Avec l'altitude, les molécules qui constituent l'air se raréfient. L'organisme a donc plus de difficulté à absorber le dioxygène. Dans des conditions extrêmes, le manque de dioxygène oblige les alpinistes à respirer avec l'assistance d'une bouteille et d'un masque leur permettant d'inspirer de l'air plus riche en dioxygène (**fig. 8**).

4. Ce manque de dioxygène peut aussi survenir lors d'une insuffisance cardiaque ou pulmonaire. Le patient est alors placé sous assistance respiratoire (**fig. 9**).

fig. 7 Robert Boyle (1627-1691).

Questions

1 Quel est, d'après la découverte de Robert Boyle, le constituant de l'air indispensable à la vie ? Justifie ta réponse.

2 Quel est en fait le nom de « l'air vital » ?

3 Pourquoi le dioxygène est-il indispensable à notre organisme ?

fig. 8 Au sommet de l'Everest (8 850 m), l'air étant moins riche en dioxygène, les alpinistes ont besoin d'une assistance respiratoire.

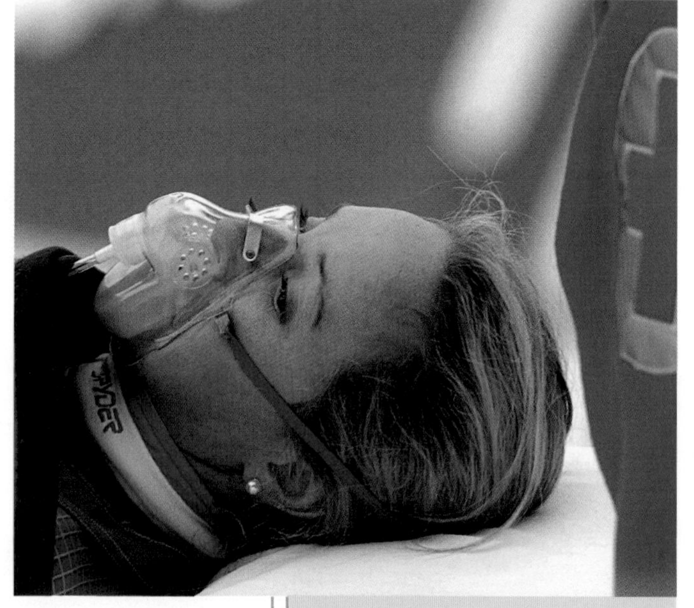

fig. 9 Les médecins rajoutent à l'air inspiré par le malade une quantité plus ou moins importante de dioxygène pur pour le réanimer.

4 « Un effort physique en haute montagne est plus difficile qu'à basse altitude ». Justifie cette constatation.

5 En quoi consiste l'assistance respiratoire médicale ?

ACTIVITÉ 5 Quelle différence y a-t-il entre le gaz et la fumée ?

MATÉRIEL : • un morceau de bois • un briquet • une soucoupe • un entonnoir • des tubes de raccordement • un flacon contenant de l'eau • un filtre en coton • une trompe à eau

DÉROULEMENT :

1. Réalisons le montage de la figure 10 puis créons l'aspiration grâce à la trompe à eau en ouvrant le robinet. Des bulles apparaissent dans l'eau : l'air circule dans le dispositif (**fig. 10**).

Après quelques minutes, examinons l'aspect de l'entonnoir, du coton et de l'eau (**fig. 11**).

Questions

1 L'air aspiré (fig. 10) passe-t-il à travers le filtre en coton ? Justifie ta réponse.

2 Lors de la combustion, on observe des particules noires présentes dans la fumée. Pourquoi sont-elles arrêtées par le filtre (fig. 13) ?

3 Quel est l'état physique de ces particules ?

4 Qu'est-ce qui distingue un mélange de gaz, comme l'air, d'une fumée ?

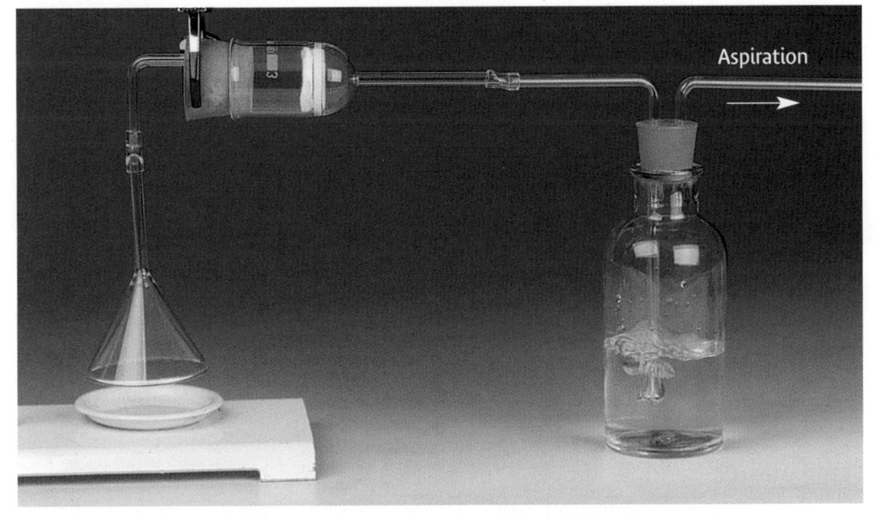

fig. 10 Circulation de l'air sans combustion du morceau de bois.

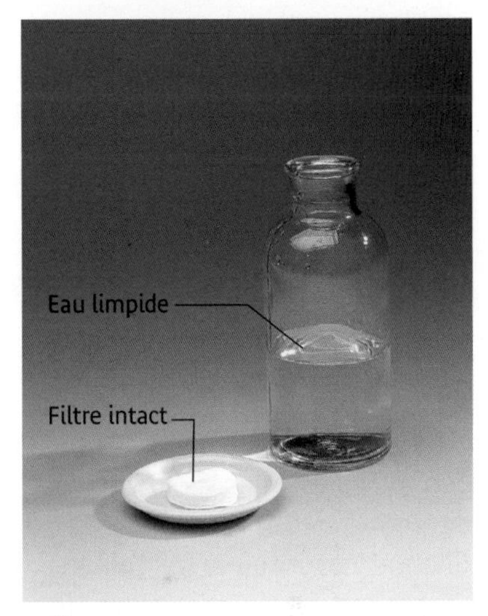

fig. 11

2. Enflammons à présent le morceau de bois (**fig. 12**). La fumée produite par la combustion est entraînée vers le filtre en coton et le flacon d'eau. Après quelques minutes, examinons l'aspect de l'entonnoir, du coton et de l'eau (**fig. 13**).

fig. 12 Le gaz passe, les particules noires sont arrêtées par le filtre.

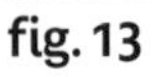

fig. 13

La composition de l'air

Voir **Activités 1 et 2**

Observation et interprétation : L'air est un mélange de plusieurs gaz. Il contient approximativement, en volume :
- 78 % de diazote,
- 21 % de dioxygène,
- 1 % d'autres gaz (argon, dioxyde de carbone, dihydrogène, néon, ozone, hélium....) (**fig. 1**).

Pour simplifier, on peut considérer que l'air contient essentiellement deux gaz : environ 20 % (1/5) de dioxygène et environ 80 % (4/5) de diazote (**fig. 2**).

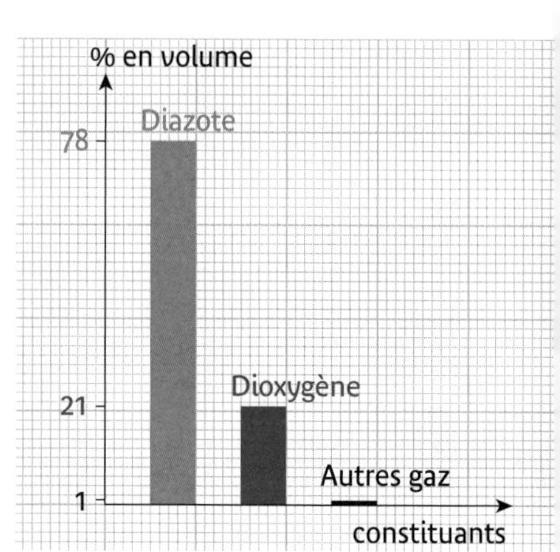

fig. 1 Composition de l'air.

Conclusion : L'air est un mélange de gaz. Ses deux constituants essentiels sont le dioxygène (environ 20 %, soit 1/5 du volume total) et le diazote (environ 80 %, soit 4/5 du volume total).

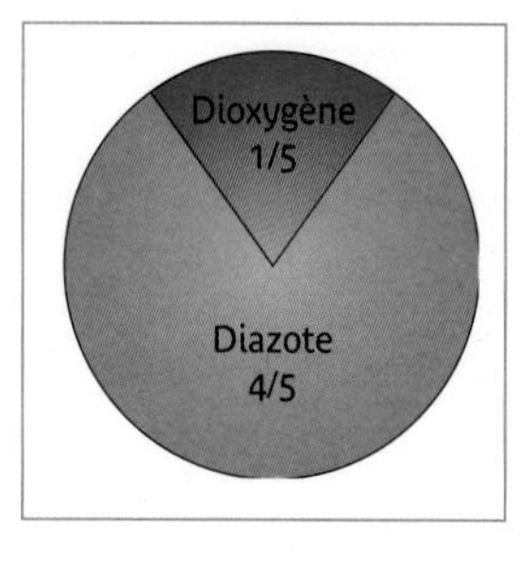

fig. 2 Composition simplifiée de l'air.

Le modèle moléculaire de l'air

Voir **Activité 3**

Observation et interprétation : L'air est, comme l'eau, constitué de molécules. Mais, alors que l'eau est un corps pur, l'air est un mélange de différents corps purs.

Chaque constituant de l'air est représenté par un modèle moléculaire. La proportion de molécules de chaque constituant est la même que la proportion en volume. Ainsi, nous pouvons admettre que l'air contient une molécule de dioxygène pour quatre molécules de diazote (**fig. 3**).

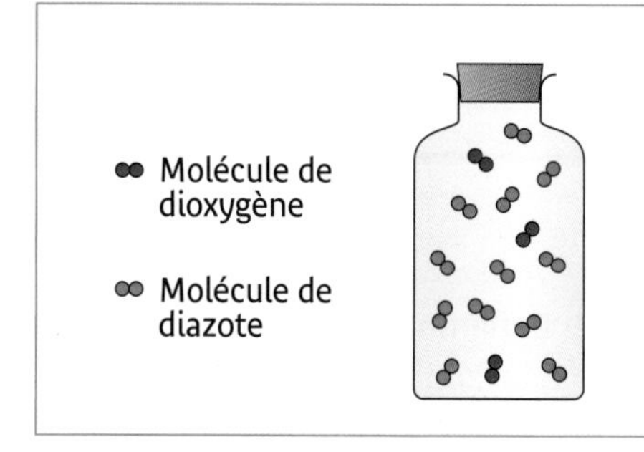

fig. 3 Représentation moléculaire de l'air : l'air est un mélange.

Conclusion : Dans un corps pur, toutes les molécules sont identiques. L'air est un mélange de molécules de différents corps purs; il contient quatre fois plus de molécules de diazote que de molécules de dioxygène.

Le dioxygène, gaz vital

Voir **Activité 4**

Prélevé dans l'air lors de la respiration, le dioxygène, qualifié par Robert Boyle de « gaz vital » en 1658, permet le fonctionnement de nos organes (**fig. 4**) et le maintien de la température du corps.

Le manque de dioxygène conduit à l'asphyxie. L'assistance respiratoire (enrichissement artificiel de l'air inspiré en dioxygène) est parfois nécessaire pour préserver la vie.

fig. 4 Lors d'un effort, les rythmes respiratoire et cardiaque s'accélèrent : nos muscles consomment plus de dioxygène.

Conclusion : Le dioxygène (20 % de l'air) est le gaz indispensable à la vie.

Faire la différence entre gaz et fumées

Voir **Activité 5**

Observation : Lorsque l'air traverse seul le système aspirant, le filtre en coton reste blanc (**fig. 5a**). La fumée produite par la combustion noircit le filtre en coton mais l'eau reste limpide (**fig. 5b**).

Interprétation : Les molécules qui constituent les gaz passent à travers le filtre. Les particules solides noires produites par la combustion sont de taille suffisamment importante pour être « arrêtées » par le filtre en coton. On distingue même les plus grosses à l'œil nu.

Conclusion : Une fumée contient des particules solides en suspension de taille bien supérieure aux molécules qui constituent les gaz.

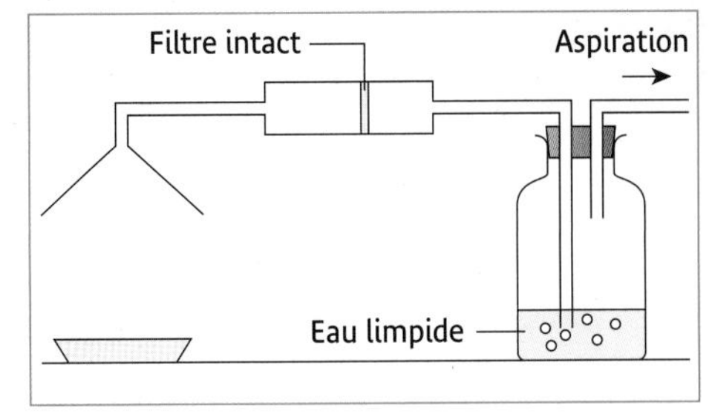

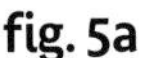

fig. 5a

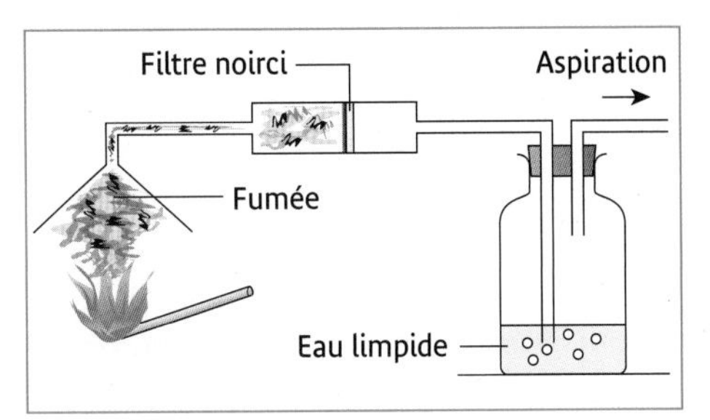

fig. 5b

L'essentiel

► **Contrôle tes connaissances** *en faisant l'exercice 1 page 37.*

Un gaz est composé de molécules

Le dioxygène est indispensable à la vie

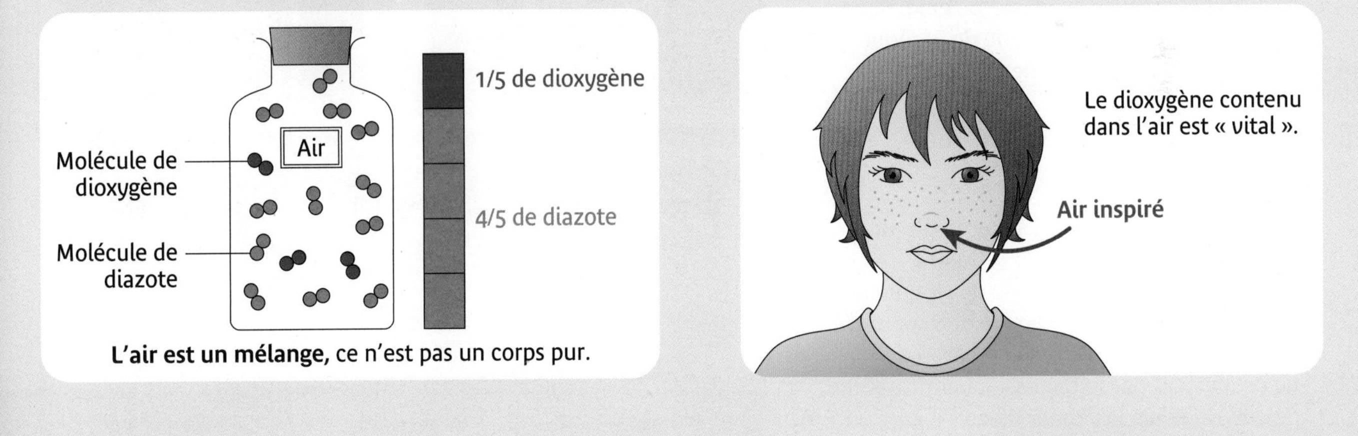

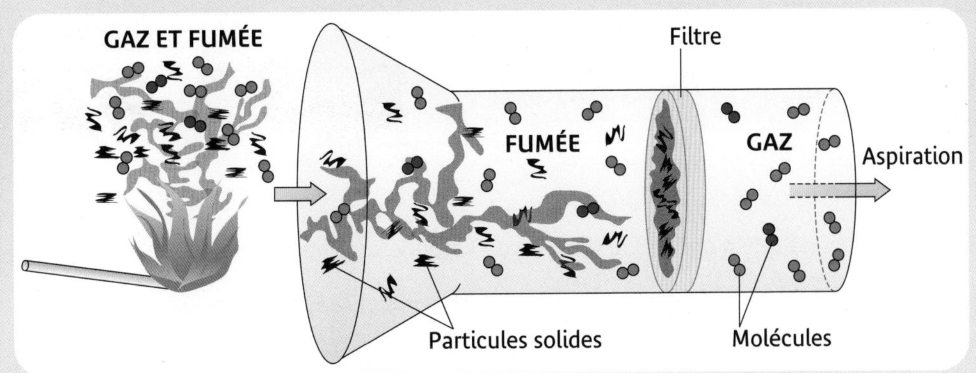

Une fumée contient des molécules de gaz et des particules solides en suspension

Documents

Les tests de reconnaissance des gaz

Le dioxygène, le dioxyde de carbone et la vapeur d'eau sont trois gaz incolores et inodores qu'une simple observation ne permet pas de reconnaître. On peut cependant les distinguer grâce à des « tests caractéristiques ».

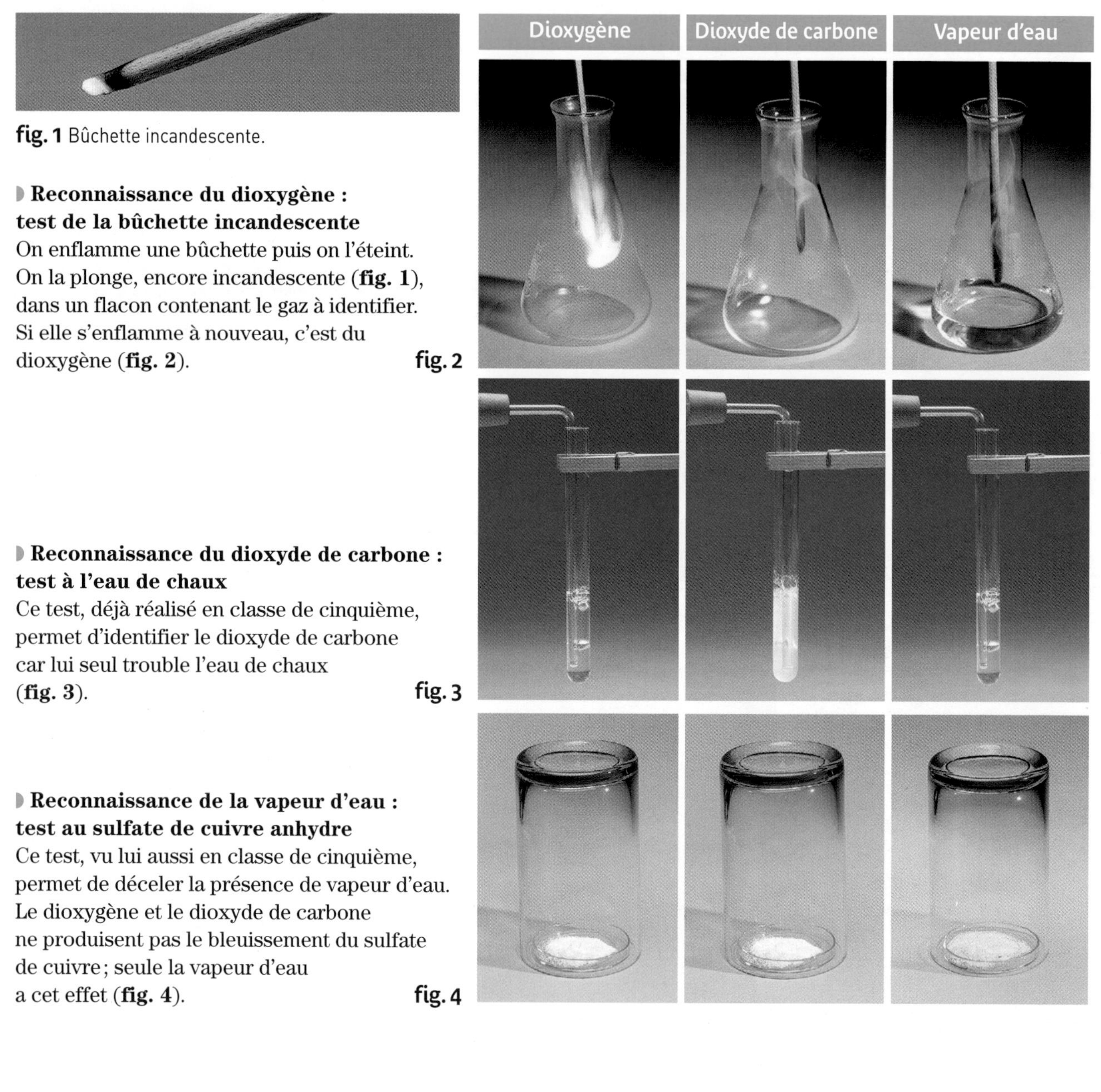

fig. 1 Bûchette incandescente.

Reconnaissance du dioxygène : test de la bûchette incandescente
On enflamme une bûchette puis on l'éteint. On la plonge, encore incandescente (**fig. 1**), dans un flacon contenant le gaz à identifier. Si elle s'enflamme à nouveau, c'est du dioxygène (**fig. 2**).

fig. 2

Reconnaissance du dioxyde de carbone : test à l'eau de chaux
Ce test, déjà réalisé en classe de cinquième, permet d'identifier le dioxyde de carbone car lui seul trouble l'eau de chaux (**fig. 3**).

fig. 3

Reconnaissance de la vapeur d'eau : test au sulfate de cuivre anhydre
Ce test, vu lui aussi en classe de cinquième, permet de déceler la présence de vapeur d'eau. Le dioxygène et le dioxyde de carbone ne produisent pas le bleuissement du sulfate de cuivre ; seule la vapeur d'eau a cet effet (**fig. 4**).

fig. 4

Questions

1 Cite une propriété du dioxygène que n'ont pas le dioxyde de carbone et la vapeur d'eau.

2 Cite une propriété du dioxyde de carbone que n'ont pas le dioxygène et la vapeur d'eau.

3 Cite une propriété de la vapeur d'eau que n'ont pas le dioxygène et le dioxyde de carbone.

Histoire des sciences : l'histoire de l'air

Histoire des sciences

Aristote (IIIᵉ siècle avant J.-C.) (**fig. 5**) a imposé pendant très longtemps sa vision du monde avec la « théorie des quatre éléments ». Pour lui, l'air faisait partie, avec la terre, l'eau et le feu, des quatre éléments « simples » qui, en se combinant en différentes proportions, constituaient tout l'univers dont notre planète était, bien entendu, le centre ! La théorie d'Aristote resta en vigueur pendant 2000 ans et, au XVIIᵉ siècle, l'air est toujours le seul gaz « connu » !

À partir du XVIIᵉ siècle, les savants commencent à distinguer différents gaz : « l'air commun », pour parler de l'air dans lequel nous vivons, « l'air fixe », devenu depuis dioxyde de carbone.

Robert Boyle, en 1658, identifie l'air « vital » (voir page 30). John Priestley, un pasteur anglais passionné de chimie, le nomme, en 1774, « l'air déphlogistiqué » ; nous l'appelons aujourd'hui dioxygène.

En 1776, en reprenant les travaux de Priestley, Antoine Laurent de Lavoisier va révolutionner la chimie. Il fait chauffer du mercure dans une « cornue » dont l'ouverture débouche sous une cloche remplie d'air (**fig. 6**). Après des jours d'observations, d'analyses méticuleuses et de mesures sérieuses utilisant une balance, il conclut dans son traité de chimie : « L'air est un mélange de deux fluides élastiques de nature différente. ».

fig. 5 Aristote, philosophe grec (384-322 av. J.-C.).

fig. 6 Lavoisier dans son laboratoire devant une cornue.

En clair, Lavoisier apporte la preuve que l'air est un mélange de gaz dont il distingue nettement les constituants essentiels : le dioxygène et le diazote.

La théorie d'Aristote est définitivement abandonnée, et une science moderne, fondée sur la mesure, l'analyse et la synthèse est née : la chimie !

DÉCOUVRIR UN MÉTIER

TECHNICIEN(NE) EN QUALITÉ DE L'AIR

voir p. 218

Questions

1 Quels sont les quatre éléments qui, selon Aristote, constituaient toute la matière ?

2 Au XVIIᵉ siècle, qu'appelait-on « air commun » ? Quel nom donnait-on au dioxyde de carbone ?

3 Quel instrument de mesure fut utilisé par Lavoisier lors de ses expériences ?

4 Lavoisier avait évalué à 1/6 la proportion de dioxygène. Compare cette valeur avec celle que l'on retient aujourd'hui (sous forme de fraction simple).

5 Pourquoi dit-on que Lavoisier est le « père de la chimie moderne » ?

Récréation **expérimentale**

fig. 1

Charlotte veut acheter un aquarium et des poissons rouges. Le vendeur lui conseille de placer aussi des plantes chlorophylliennes aquatiques dans l'aquarium (fig. 1).
« Outre l'aspect esthétique, les poissons vivent mieux en présence de végétation aquatique car les plantes vertes produisent du dioxygène lorsqu'elles sont exposées à la lumière » lui dit-il.
Charlotte voudrait d'abord vérifier les affirmations du vendeur.

Comment montrer que les plantes vertes produisent du dioxygène ?

➤ Je réfléchis

Imagine sur une feuille de recherche, quelle(s) expérience(s) mettre en œuvre pour permettre à Charlotte de recueillir et d'identifier le gaz produit par l'élodée (plante aquatique).
Dresse la liste du matériel qui te sera nécessaire (aide-toi de la figure 2).
Propose ta démarche au professeur.

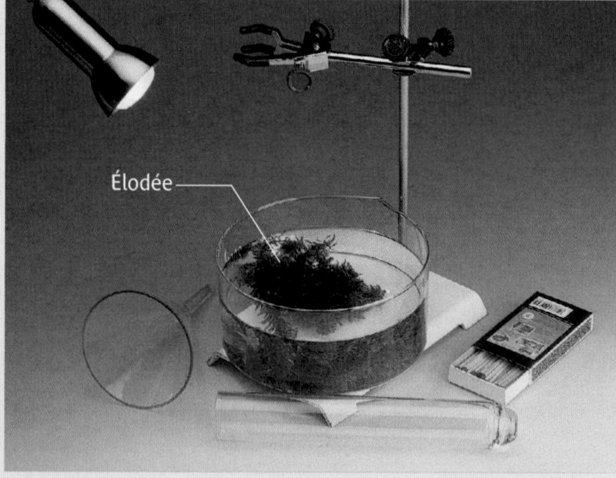

fig. 2 Matériel pour recueillir et identifier le dioxygène.

➤ Je réalise les expériences

Après l'accord du professeur, réalise les expériences en prenant soin de respecter les précautions expérimentales (travailler proprement et dans le calme). Note tes observations au fur et à mesure.

➤ Je communique mes résultats

Rédige ensuite un compte-rendu, avec des schémas légendés, qui explique ce que tu as fait et les résultats que tu as obtenus.

Exercices

Je contrôle mes connaissances

1 Je retrouve l'essentiel

Utilise les mots ou groupes de mots suivants pour compléter les phrases ci-dessous : *indispensable à la vie, quatre fois plus, 4/5, molécules, solides en suspension, diazote, 20 %, identiques, dioxygène, mélange, supérieure.*

L'air est un .... de gaz. Ses deux constituants essentiels sont le ...., environ .... du volume total (soit 1/5), et le .... environ 80 % (soit ....).

Dans un corps pur, toutes les molécules sont ....

L'air est un mélange de molécules de différents corps purs ; il contient environ .... de molécules de diazote que de molécules de dioxygène.

Le dioxygène est ....

Une fumée contient des particules .... de taille bien .... aux .... qui constituent les gaz.

→ **Solution page 221.**

2 Reconnaître une représentation de la composition de l'air

Retrouve, parmi les diagrammes circulaires ci-dessous, celui qui représente la composition simplifiée de l'air. Justifie ta réponse.

3 Faire une représentation moléculaire de l'air

Les deux récipients contiennent de l'air.

a. Redessine le flacon A et ajoute la (les) molécule(s) de dioxygène manquante(s) pour que la représentation de la composition de l'air soit correcte.

b. Complète également la représentation de l'air dans le flacon B, en ajoutant les molécules de diazote nécessaires.

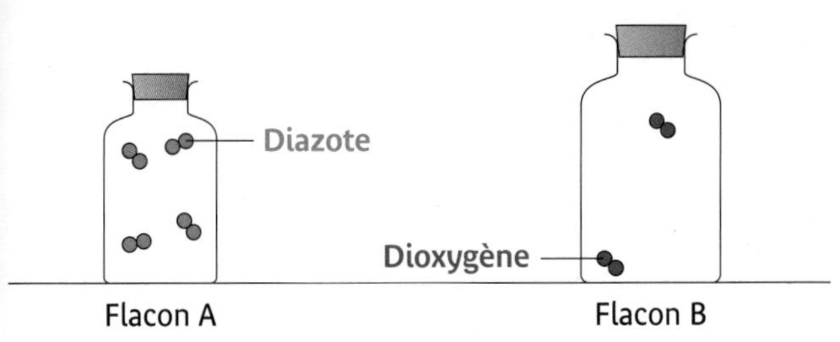

4 Comparer des compositions moléculaires

a. Choisis entre les figures 1 et 2 :
- celle qui représente un corps pur gazeux,
- celle qui représente un mélange de gaz.

Justifie ta réponse.

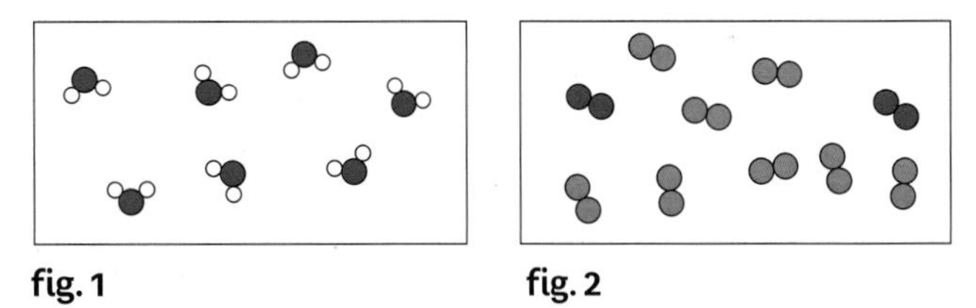

fig. 1 **fig. 2**

b. Nomme les trois sortes de molécules représentées.

c. Quel gaz ou mélange de gaz est modélisé par la figure 1 ? Et par la figure 2 ?

5 Exprimer le rôle vital du dioxygène

Voici l'illustration d'une expérience réalisée par le scientifique Robert Boyle au XVIIe siècle (*voir document page 30*).
Explique pourquoi l'animal placé sous la cloche en verre meurt au bout d'un certain temps.

6 Interpréter un résultat expérimental

COMPÉTENCE TRANSVERSALE

Les produits de la combustion du papier sont aspirés dans le dispositif grâce à la trompe à eau. Des bulles apparaissent dans le flacon et on constate que le filtre noircit.

Explique pourquoi les particules solides contenues dans la fumée sont arrêtées par le filtre alors que les gaz le traversent.

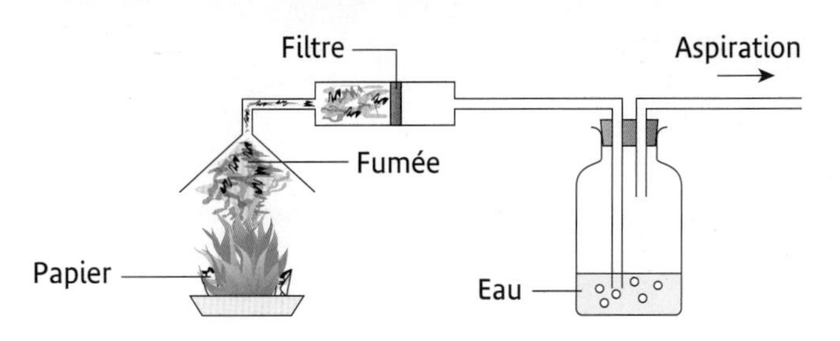

Exercices

J'utilise mes connaissances

7 Un peu de géométrie

Mathématiques

Tu dois reproduire le diagramme circulaire (figure ci-dessous) représentant la composition simplifiée de l'air. Pour cela :

a. Calcule la valeur de l'angle α et explique ton raisonnement ;

b. Sur un cercle de 4 cm de rayon, délimite le secteur d'angle α en utilisant un rapporteur ;

c. Colorie en rouge et en bleu les deux parties du dessin puis ajoute la légende : dioxygène et diazote.

8 Retrouver le modèle moléculaire de l'air

Laurence, Ali et Fabien ont voulu représenter l'air à l'échelle moléculaire. Leurs dessins sont représentés ci-dessous.

a. Qui a réalisé une représentation correcte ? Justifie.

b. Explique aux deux autres élèves ce qui est faux dans leurs dessins.

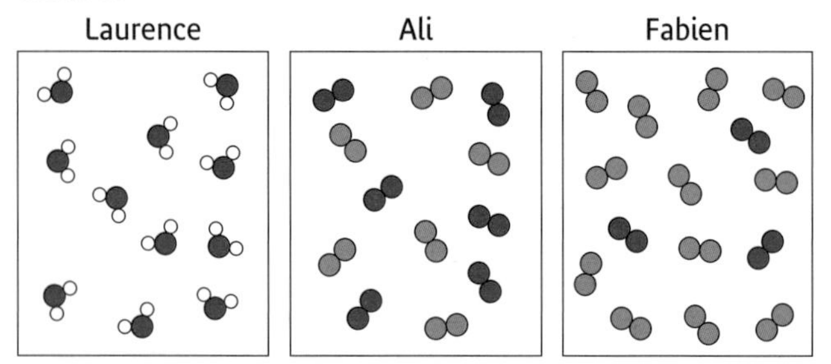

9 Distinguer gaz et fumée

Dans les grandes agglomérations, au milieu de nombreux véhicules, il n'est pas rare que les cyclistes circulent en protégeant leurs voies respiratoires au moyen d'un masque.

a. Quelle est l'utilité d'un tel masque ?

b. Explique pourquoi il est tout de même possible de respirer à travers le masque.

10 Distinguer corps pur et mélange

a. On a représenté (**fig. 1**) trois substances gazeuses. Précise pour chaque cas s'il s'agit d'un corps pur ou d'un mélange. Justifie tes choix.

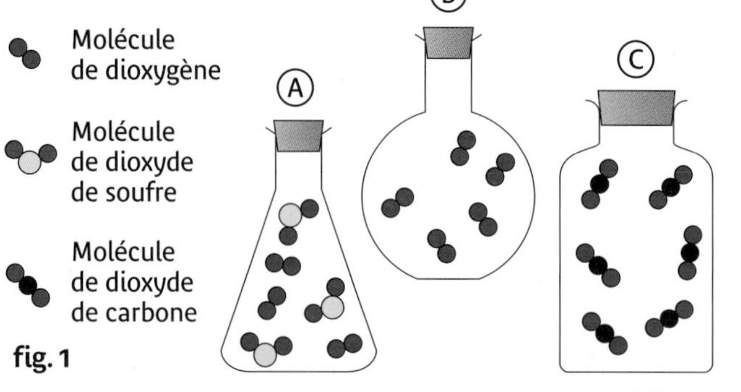

fig. 1

b. Explique pourquoi on peut parler de la molécule d'eau, de la molécule d'alcool et de la molécule d'huile mais pourquoi on ne peut pas parler de la molécule de cola, de celle de vinaigre, de celle de jus de fruit (**fig. 2**).

Ⓕ BOISSON AU JUS ET À LA PULPE D'ORANGE - INGRÉDIENTS : Eau gazéifiée; Sucre; Jus d'orange à base de concentré (12%); Pulpe d'orange (2%); Arômes Naturels; Acidifiant : Acide Citrique; Antioxygène : Acide Ascorbique; Colorant : Lutéine. À consommer de préférence avant le : voir la date sur le fond de la boîte. Après ouverture, à conserver au frais et à consommer dans les 2 jours.
Ⓔ BEBIDA REFRESCANTE DE ZUMO Y PULPA DE NARANJA - INGREDIENTES : Agua carbonatada; Azúcar; Zumo concentrado de Naranja (12%); Pulpa de Naranja (2%); Aromas naturales; Acidulante: Ácido Cítrico; Antioxidante: Ácido Ascórbico; Colorante : Luteína. Consumir preferentemente antes de : Ver fecha en el fondo del bote. Despues apertura, a conservar en frío y ... U.E. EMB. 42198 - Distribué par DLP Route de Presles-en-Brie,

fig. 2 Composition d'un jus de fruit.

11 Choisir le matériel adéquat

Trois tubes A, B et C contiennent chacun un gaz incolore (**fig. 1**).

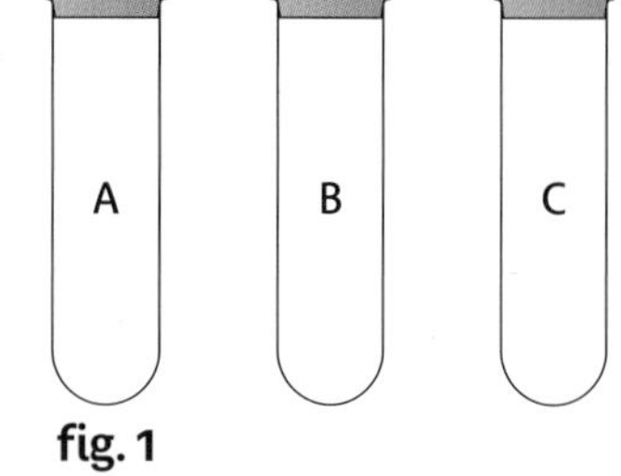

fig. 1

Explique, en précisant le matériel nécessaire (**fig. 2**), quelle expérience il faudrait faire pour prouver que :

– le tube A contient du dioxygène,

– le tube B du dioxyde de carbone,

– le tube C de la vapeur d'eau.

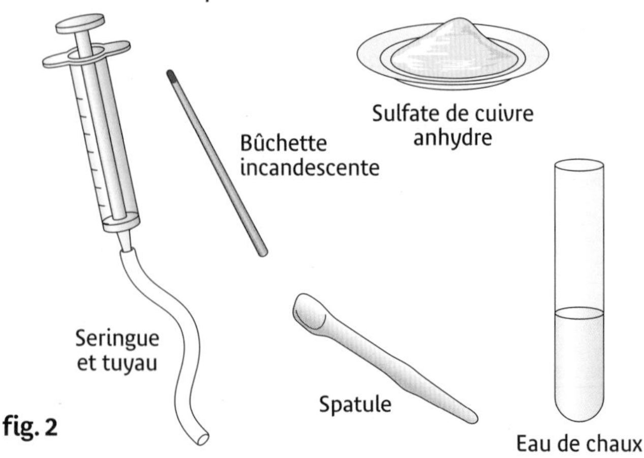

fig. 2

J'approfondis mes connaissances

12 Représenter des molécules

On plonge un verre, renversé, dans un récipient contenant de l'eau, puis on l'incline. Fais un schéma sur lequel tu représenteras les différentes molécules dans le verre.

13 Réaliser un diagramme en barres

Mathématiques

Réalise à partir du tableau suivant le diagramme en barres représentant la composition de l'air en prenant comme échelle sur l'axe des ordonnées : 1 mm pour 1 %.

Gaz	Diazote	Dioxygène	Argon
Pourcentage	78 %	21 %	0,9 %

14 Comparer air inspiré et air expiré

SVT

Observe les résultats d'analyse notés dans le tableau.

	Air inspiré	Air expiré
Diazote	78,09 %	78,09 %
Dioxygène	20,94 %	16,57 %
Dioxyde de carbone	0,03 %	4,46 %
Vapeur d'eau	0,84 %	1,95 %

a. Quel est le gaz consommé par l'organisme ? Justifie.
b. Quel(s) gaz produit l'organisme ? Justifie.
c. Explique quel est le gaz nécessaire à la vie.

15 Un peu de maths

L'illustration ci-dessous indique le volume d'air inspiré, chaque minute, par deux personnes pratiquant des activités différentes.

a. Calcule le volume de dioxygène que chaque personne inspire chaque minute. Explique tes calculs.
b. Dans quel cas la consommation de dioxygène est-elle la plus forte ? Pourquoi ?

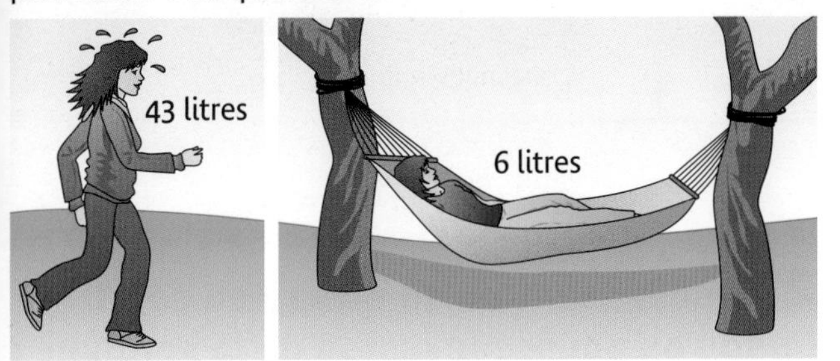

16 Analyser un document

COMPÉTENCE TRANSVERSALE

Le tableau suivant indique la quantité de dioxygène présente dans un litre d'air atmosphérique en fonction de l'altitude.

	Altitude	Quantité de dioxygène par litre d'air
Niveau de la mer	0 m	0,20 L
Sommet du mont Blanc	4 808 m	0,10 L
Sommet de l'Everest	8 850 m	0,06 L

a. Commente ces valeurs.
b. Lors d'un effort physique, le rythme respiratoire sera plus rapide si l'altitude est plus élevée. Pourquoi ?
c. Traditionnellement, l'ascension du mont Blanc se fait sans assistance respiratoire alors que ce n'est pas le cas pour celle de l'Everest. Explique cela en t'aidant des valeurs du tableau.

17 Respirer sur Mars ?

Grâce aux sondes Viking, nous savons que l'atmosphère de Mars contient 95,32 % de dioxyde de carbone, 2,7 % de diazote et 1,6 % d'argon. Il y a également des traces de dioxygène (0,13 %), de monoxyde de carbone (0,07 %) et de dihydrogène.

Pourrait-on respirer sur Mars comme on respire sur la Terre ? Pourquoi ?

18 Chemistry in English

Copy the three molecular models below and write the name of the molecule for each drawing.

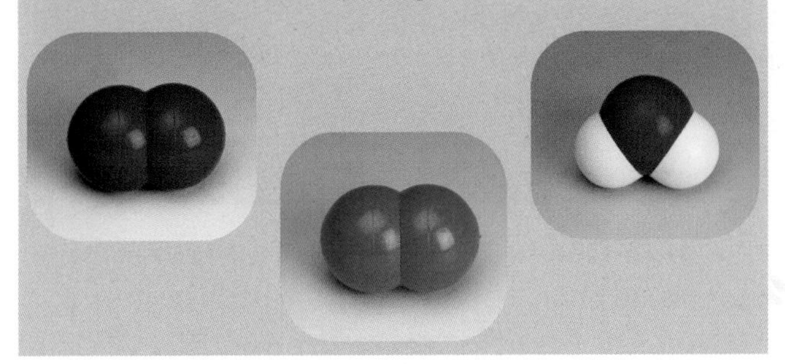

Chapitre

3 Quelques propriétés physiques de l'air

On dit de l'état gazeux qu'il est dispersé et désordonné car les molécules sont très agitées, espacées et se déplacent.
Voyons comment cette organisation des molécules permet d'expliquer certaines propriétés de l'air.

1. Si le flacon reste ouvert, l'odeur du parfum se répand dans toute la pièce. Comment justifier cette propagation ?
► Activité 1

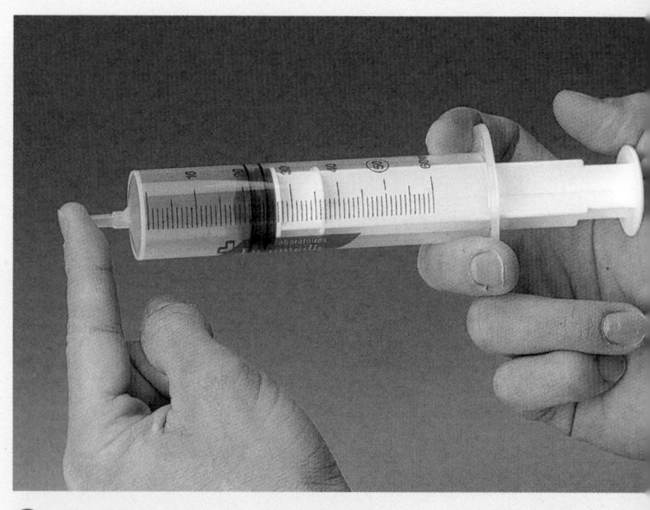

2. Que ressent-on au niveau du doigt lorsqu'on pousse le piston de la seringue ? Pourquoi ? ► Activité 2

3. Nous inspirons en moyenne 30 litres d'air par minute. Pourquoi un plongeur sous-marin peut-il rester plusieurs dizaines de minutes sous l'eau avec une bouteille de 20 litres ?

► Activités 2 et 3

4. La masse du ballon serait-elle modifiée si on le gonflait davantage ?

► Activités 4 et 5

Objectifs

- Découvrir le caractère compressible d'un gaz
- Savoir qu'un gaz a une masse et retenir la masse d'un litre d'air
- Utiliser la notion de molécule pour interpréter :
  - la diffusion d'un gaz dans l'air
  - la compressibilité de l'air
  - la non-compressibilité de l'eau
- Mettre en évidence le caractère compressible d'un gaz (Compétence expérimentale)
- Utiliser un capteur de pression (Compétence expérimentale)

Comment l'air se mélange-t-il aux autres gaz ?

MATÉRIEL : • deux flacons identiques bouchés, l'un contenant de l'air, l'autre un gaz roux (dioxyde d'azote) • une plaquette de séparation

DÉROULEMENT :

1. Les contenus des deux flacons (A et B) sont séparés par la plaquette (**fig. 1**). Le gaz incolore est de l'air, le gaz roux est du dioxyde d'azote.

2. Supprimons la séparation. Les deux flacons communiquent alors par leur ouverture.
Attendons quelques minutes puis observons le résultat (**fig. 2**).

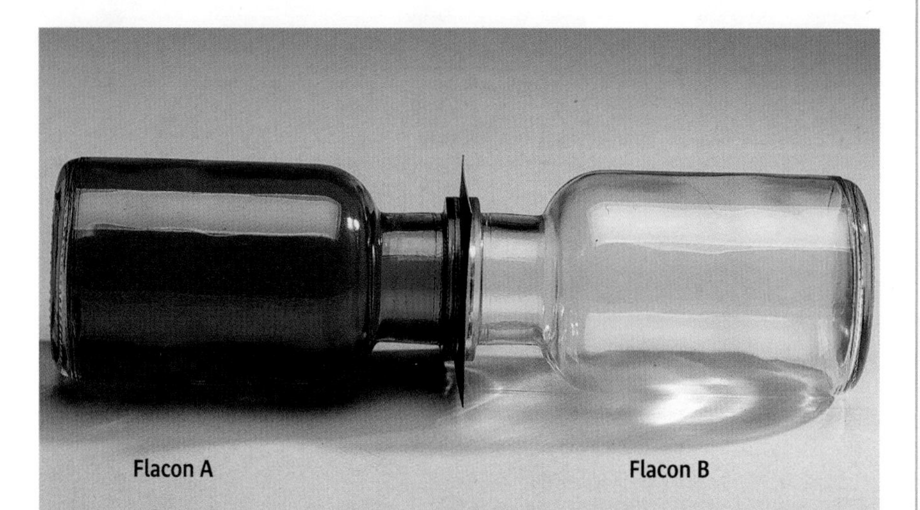

fig. 1

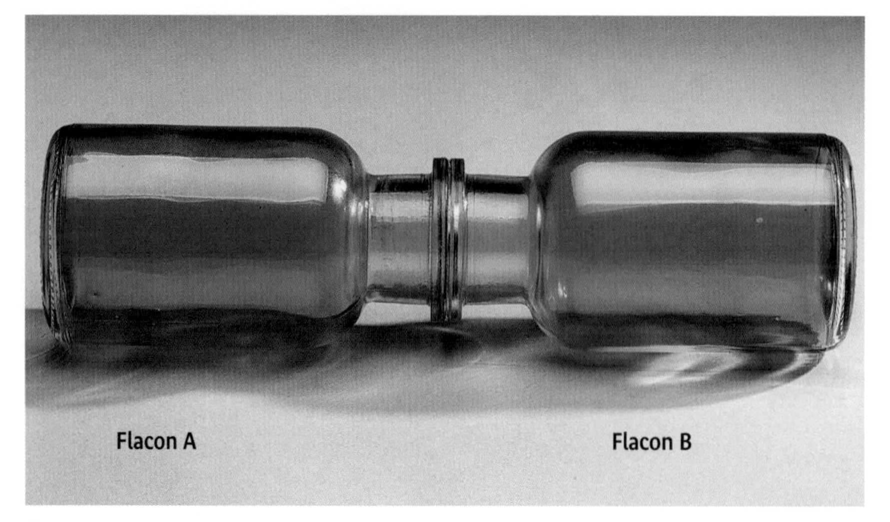

fig. 2

Questions

1 Comment évolue la coloration de chaque flacon au cours de cette expérience ? Qu'en déduis-tu ?

2 Que contient le flacon A au début de l'expérience ? Que contient le flacon B ? Représente dix molécules dans le flacon A et dix autres dans le flacon B. Tu modéliseras les molécules de dioxyde d'azote ainsi : 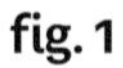

3 Représente les molécules dans les deux flacons, à la fin de l'expérience.

4 Explique pourquoi cette expérience nous permet de vérifier que les molécules de gaz différents se mélangent en diffusant dans tout l'espace qui leur est offert.

ATTENTION

LE DIOXYDE D'AZOTE EST UN GAZ BRUN ROUGEÂTRE, AVEC UNE ODEUR DISCERNABLE. TRÈS IRRITANT POUR LES VOIES RESPIRATOIRES, IL EST FORTEMENT TOXIQUE. CETTE EXPÉRIENCE EST RÉSERVÉE AU PROFESSEUR.

ACTIVITÉ 2 Pouvons-nous diminuer ou augmenter le volume de l'air ?

MATÉRIEL : • une seringue graduée • un manomètre relié à la seringue qui mesure la pression de l'air à l'intérieur de la seringue

DÉROULEMENT :

1. L'air, enfermé dans la seringue, occupe un volume V.
Le piston est libre (**fig. 3**). Notons le volume V de l'air et sa pression P.

2. Poussons le piston et notons le volume V_1 et la pression P_1 (**fig. 4**).
Si nous lâchons le piston, il revient à sa position initiale.

3. Le piston étant revenu à sa position initiale, tirons-le maintenant vers l'extérieur et notons le volume V_2 et la pression P_2 (**fig. 5**).
Si nous lâchons le piston, il revient à sa position initiale.

Remarque

La pression atmosphérique est la force qu'exercent les gaz qui constituent l'atmosphère sur la surface de la Terre (voir page 48).

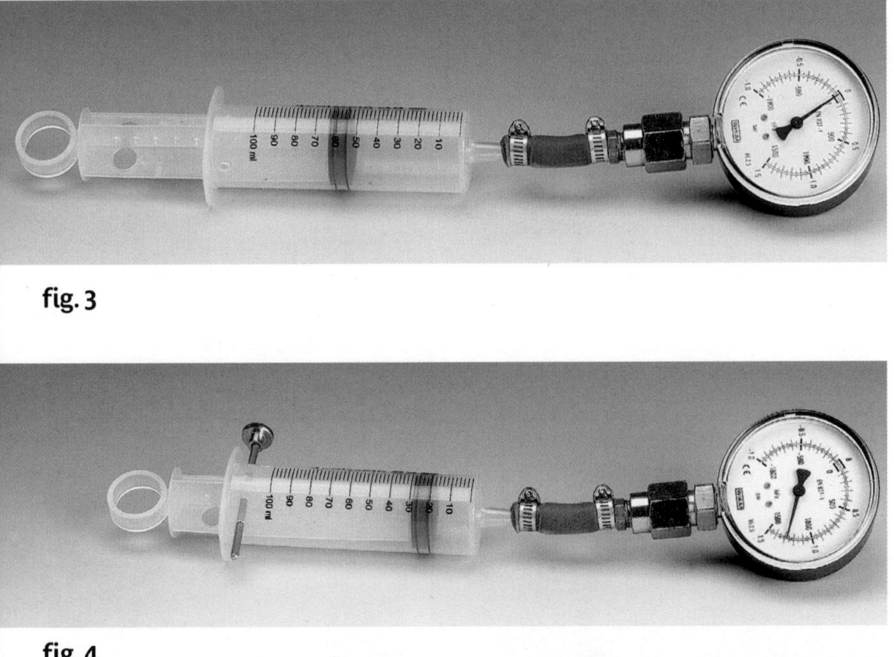

fig. 3

fig. 4

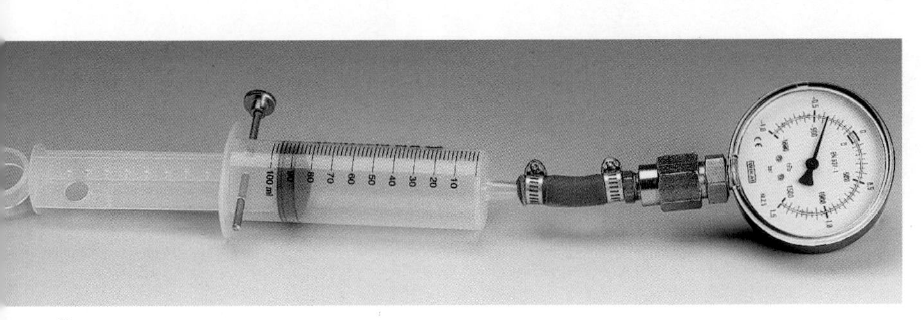

fig. 5

Questions

1 Quelle est la pression de l'air sur la figure 3 ? Compare cette valeur à la pression atmosphérique.

2 Comment varie le volume de l'air enfermé dans la seringue lorsqu'on pousse le piston (fig. 4) ? Comment varie sa pression ?

3 Que dire du volume et de la pression de l'air enfermé dans la seringue quand on tire le piston (fig. 5) ?

4 Le nombre de molécules contenues dans la seringue varie-t-il au cours de l'expérience ? Justifie ta réponse.

5 Propose une représentation moléculaire de l'air contenu dans la seringue dans les trois situations précédentes (fig. 3, 4 et 5). L'air contenu dans chaque seringue sera modélisé par dix molécules au total.

6 On dit que l'air est compressible* et expansible*. Justifie ces deux propriétés des gaz en utilisant la modélisation moléculaire.

Vocabulaire

Compressible : se dit d'un gaz dont on peut réduire le volume et augmenter la pression.

Expansible : se dit d'un gaz dont on peut augmenter le volume et réduire la pression.

Activités

Activité 3 Pouvons-nous comprimer un liquide ?

MATÉRIEL : • une seringue graduée contenant de l'eau colorée.

DÉROULEMENT :

1. Notons le volume V de l'eau contenu dans la seringue (**fig. 6**).

2. Bouchons l'orifice de la seringue avec un doigt puis poussons le piston (**fig. 7**). Notons le résultat.

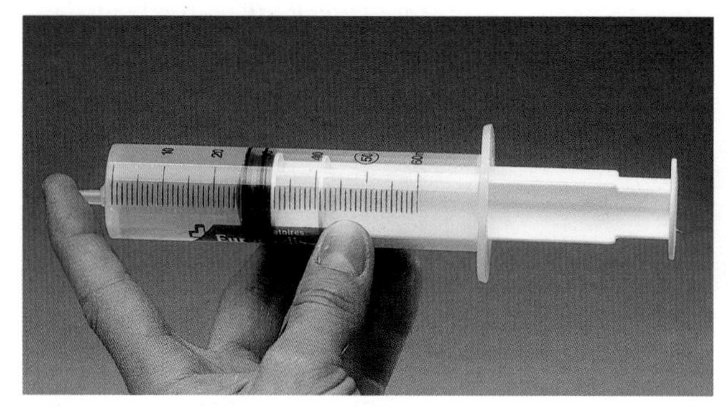

fig. 6

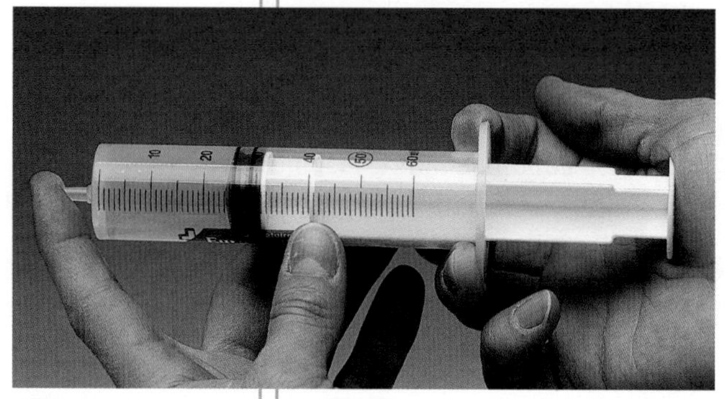

fig. 7

Questions

1 Pourquoi peut-on affirmer que l'eau, contrairement à l'air, n'est pas compressible ?

2 Après avoir dessiné la seringue, représente les molécules d'eau qu'elle contient. Justifie alors la non-compressibilité des liquides par la disposition des molécules.

Activité 4 L'air est-il pesant ?

MATÉRIEL : • un ballon • une pompe • une balance électronique

DÉROULEMENT : Pesons le ballon quand il est peu gonflé (**fig. 8**) et notons sa masse m_1. Gonflons le ballon (**fig. 9**) et déterminons sa masse m_2 (**fig. 10**).

Questions

1 Représente, à l'échelle moléculaire, l'air contenu dans le ballon avant et après le gonflage. Justifie.

2 Pourquoi cette expérience montre-t-elle que l'air, comme tous les gaz, est pesant ?

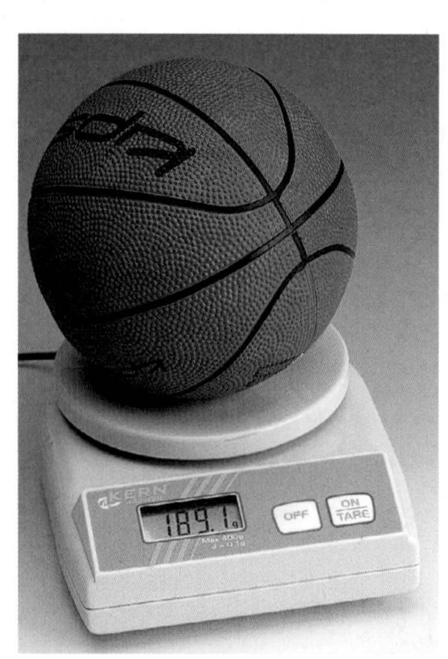

fig. 8 Masse du ballon peu gonflé.

fig. 9 On gonfle le ballon.

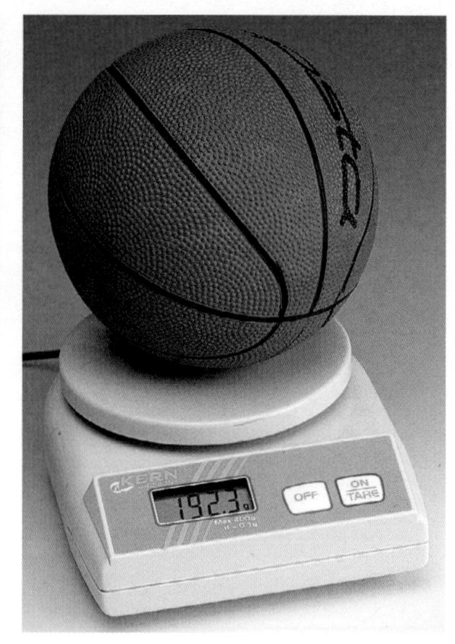

fig. 10 Masse du ballon bien gonflé.

Activité 5 — Quelle est la masse d'un litre d'air ?

MATÉRIEL : **• un ballon • une pompe • une balance électronique (portée 600 g) • un cristallisoir contenant de l'eau • une éprouvette de 1 L • une aiguille raccordée à un tuyau souple permettant de transférer de l'air, du ballon vers l'éprouvette**

DÉROULEMENT : Pesons le ballon quand il est très bien gonflé (**fig. 11**) et notons sa masse m_1.
Laissons s'échapper du ballon 1 L d'air que nous recueillons dans l'éprouvette, par déplacement d'eau (**fig. 12**).
Mesurons la masse m_2 du ballon ayant « perdu » un litre d'air (**fig. 13**).

Questions

1 Quel est le volume du gaz recueilli dans l'éprouvette à la fin de l'expérince ?

2 Calcule la masse d'un litre d'air. Justifie tes calculs (fig. 11, 12, 13).

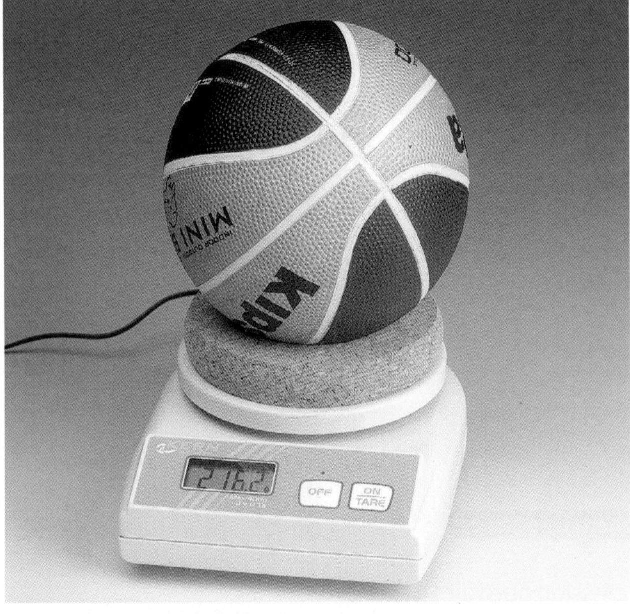

fig. 11 Masse m_1 du ballon bien gonflé.

fig. 12 On dégonfle le ballon.

fig. 13 Masse m_2 du ballon dégonflé.

Cours

1 L'air se mélange aux autres gaz

Voir **Activité 1**

Observation : La teinte brune du dioxyde d'azote se répand progressivement dans les deux flacons. À la fin de l'expérience, les flacons ont la même couleur brun clair.

Interprétation : Au départ de l'expérience, le flacon A contient les molécules de dioxygène et de diazote qui constituent l'air, et le flacon B des molécules de dioxyde d'azote (**fig. 1**).
Dans chaque flacon, les molécules sont agitées. Elles se déplacent et, peu à peu, elles se répartissent dans les deux flacons.
À la fin de l'expérience, elles sont parfaitement mélangées (**fig. 2**).

**Conclusion : Grâce aux mouvements rapides de leurs molécules, deux gaz mis en présence se mélangent.
Les molécules se répartissent dans tout l'espace disponible : on dit qu'elles diffusent.**

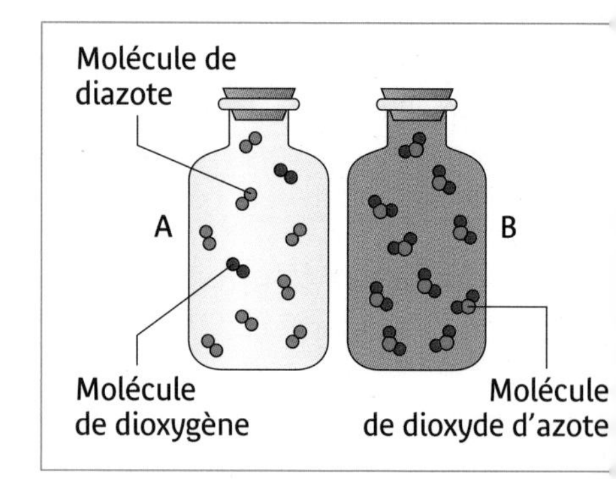

fig. 1 Les deux flacons sont séparés.

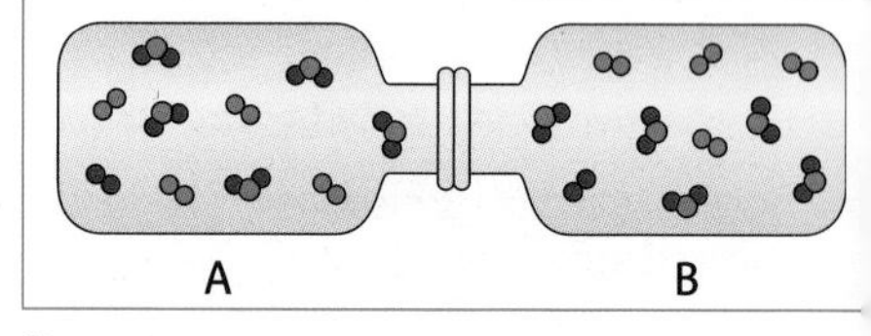

fig. 2 On supprime la séparation et les molécules se mélangent.

2 L'air est compressible et expansible

Voir **Activités 2** et **3**

Observation : L'air enfermé dans la seringue est à la même pression que l'air extérieur, c'est-à-dire à la pression atmosphérique. Son volume est V (**fig. 3**). En poussant le piston, le volume de l'air contenu dans la seringue diminue ($V_1 < V$) et la pression augmente (**fig. 4**).
En tirant le piston, le volume de l'air enfermé augmente ($V_2 > V$) et la pression diminue (**fig. 5**).

Interprétation : En réduisant le volume de l'air enfermé, on réduit l'espace entre les molécules en mouvement. Elles se « tassent » et les chocs sur les parois du récipient deviennent plus nombreux : la pression augmente.
Inversement, en augmentant le volume, la pression diminue.

Conclusion : L'air, comme tous les gaz, est compressible (on peut réduire son volume et augmenter sa pression) et expansible (on peut augmenter son volume et réduire sa pression).

Remarque : L'activité 3 nous a montré que l'eau, comme tous les liquides, n'est pas compressible. Dans un liquide (ou un solide), toutes les molécules sont en contact (**fig. 6**) : on ne peut pas réduire le volume qu'elles occupent.

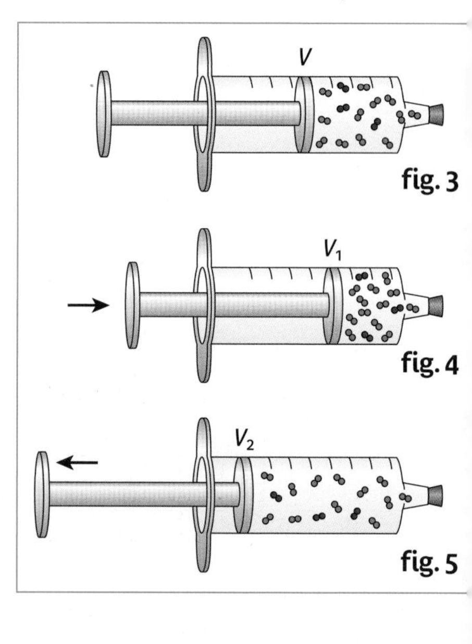

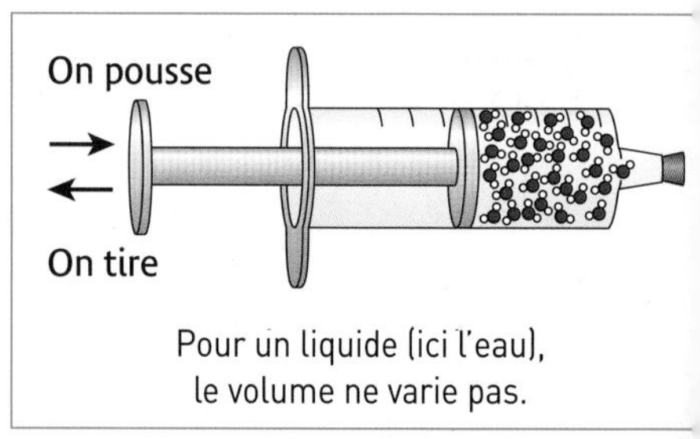

Pour un liquide (ici l'eau), le volume ne varie pas.

fig. 6

3 L'air a une masse

Voir **Activités 4** et **5**

OBSERVATION :
Masse du ballon bien gonflé : m_1 = 216,2 g (**fig. 7**).
On retire 1 L d'air du ballon (**fig. 8**). Il est moins gonflé et sa masse diminue : m_2 = 214,9 g (**fig. 9**).

INTERPRÉTATION : La différence $m_1 - m_2$ représente la masse m de l'air récupéré dans l'éprouvette c'est-à-dire 1 L.

$$m = m_1 - m_2 = 1,3 \text{ g.}$$

La diminution de la masse du ballon correspond à la masse des molécules qui se sont « échappées ».

CONCLUSION : L'air, comme tous les gaz, a une masse. Dans les conditions usuelles de température et de pression, 1 L d'air pèse 1,3 g.

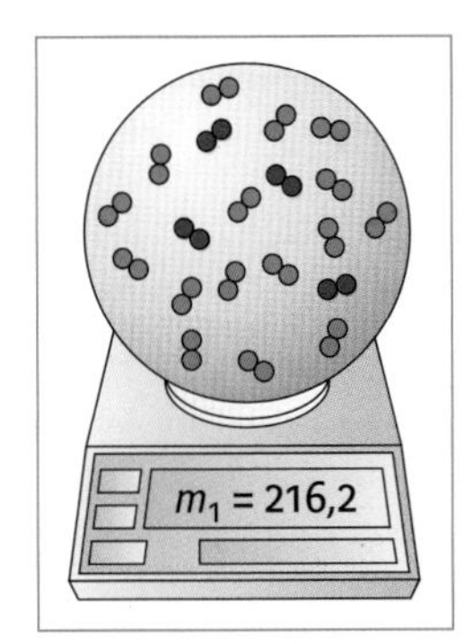

fig. 7

fig. 8

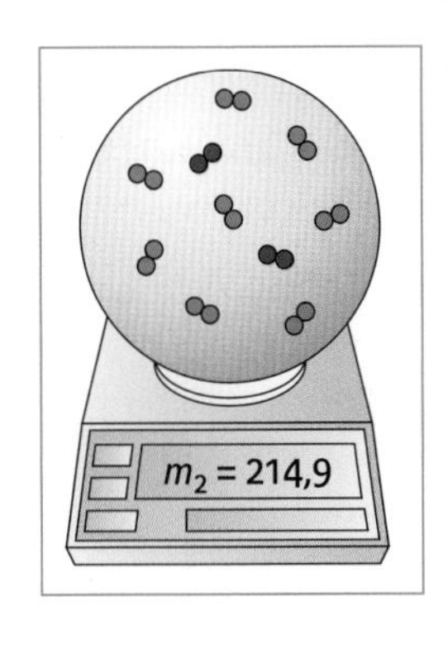

fig. 9

L'essentiel

► **Contrôle tes connaissances** *en faisant l'exercice 1 page 53.*

Les gaz se mélangent

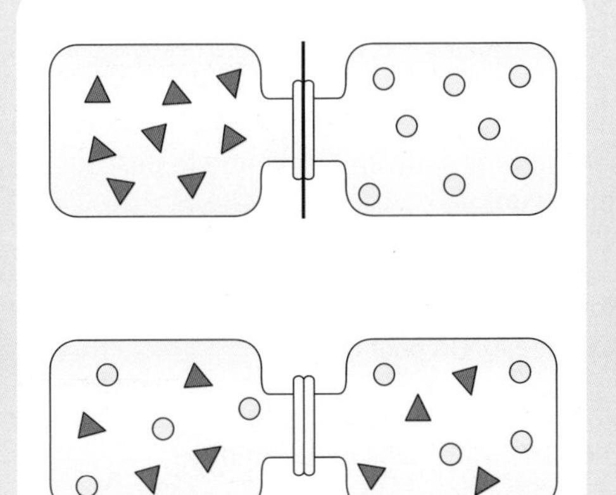

Un gaz, contrairement à un liquide ou un solide, est compressible

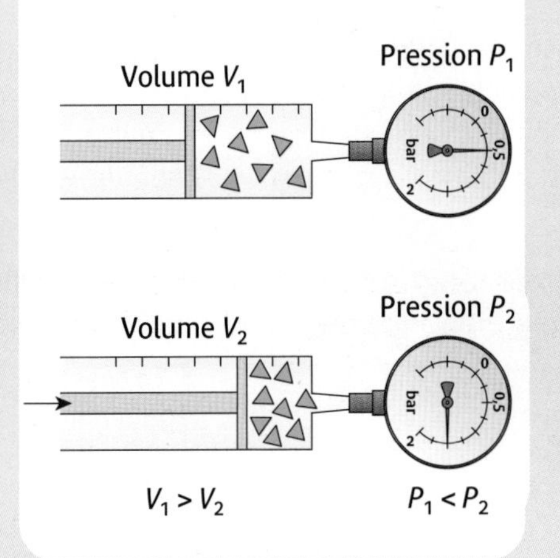

Dans des conditions normales, un litre d'air pèse 1,3 g

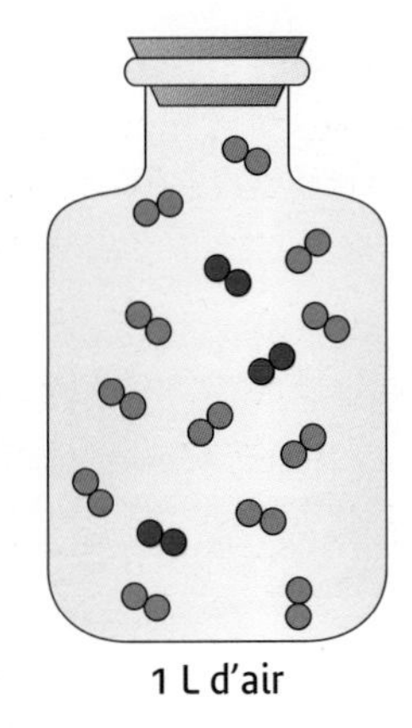

Documents

La pression et sa mesure

Au quotidien

Blaise Pascal (**fig. 1**), physicien, mathématicien et écrivain français, fut le premier à mesurer la **pression atmosphérique** exercée par les gaz de l'atmosphère sur la surface de la Terre.

L'unité (S.I.) de pression porte aujourd'hui son nom. Le **pascal** (symbole Pa) est une petite unité, peu pratique. On lui préfère souvent le bar. **1 bar = 100 000 Pa ou 10^5 Pa.**

En **météorologie**, l'unité de pression la plus courante est l'**hectopascal** (symbole hPa). **1 hPa = 100 Pa ou 10^2 Pa.**

La pression atmosphérique se mesure avec un **baromètre**. Voisine de 1 000 hPa, soit 1 bar, au niveau de la mer, la pression atmosphérique diminue lorsque l'altitude augmente (**fig. 2**). Cette diminution de pression s'accompagne d'une raréfaction des molécules des constituants de l'air.

fig. 1 Blaise Pascal (1623-1662).

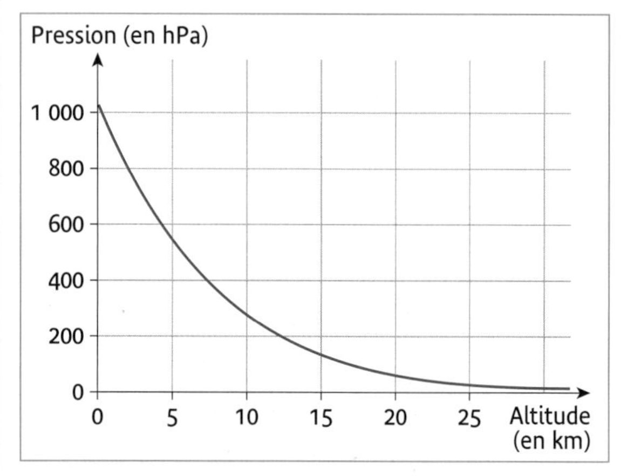

fig. 2 Variation de la pression atmosphérique en fonction de l'altitude.

Pour mesurer la pression d'un gaz enfermé dans un « récipient », on utilise un **manomètre**. Par exemple, sur la figure 3, la pompe permet de faire pénétrer de l'air dans le ballon. Plus on augmente la quantité d'air dans le ballon, plus la pression augmente. Le manomètre permet de suivre cette évolution et de **régler** la pression à l'intérieur du ballon, à la valeur indiquée par le constructeur.

À quoi est due la pression ? Dans un gaz, les molécules se déplacent à très grande vitesse (500 m/s), de manière désordonnée. Elles s'entrechoquent et heurtent les parois du récipient qui les contient. Dans les conditions usuelles, les chocs subis par une molécule d'un gaz pendant une seconde sont très nombreux, de l'ordre de 10^8 ou 10^9. La pression de l'air sur le ballon (**fig. 3**) est due à la multitude de **chocs des molécules** de diazote et de dioxygène sur sa paroi.

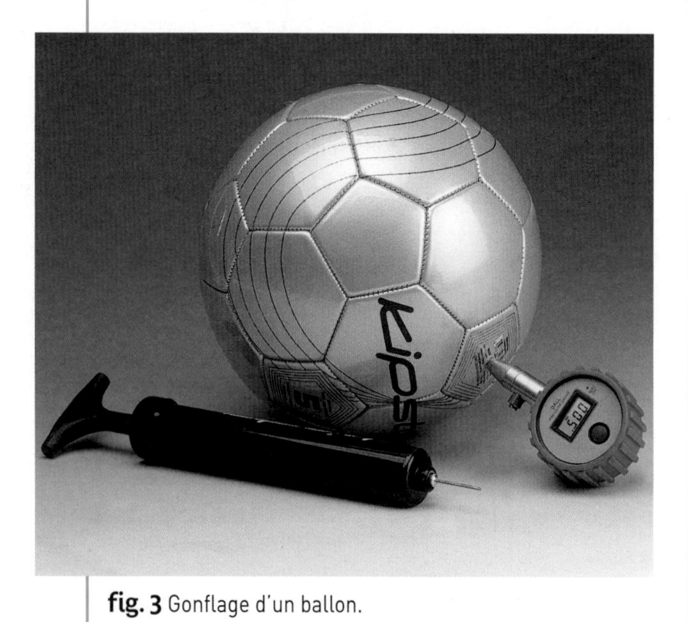

fig. 3 Gonflage d'un ballon.

Questions

1 Pourquoi utilise-t-on plus souvent le bar que le pascal pour mesurer une pression ? Quelle est l'équivalence entre ces deux unités ?

2 Avec quoi mesure-t-on la pression atmosphérique ? Quelle est l'unité de mesure ?

3 La pression atmosphérique diminue-t-elle régulièrement avec l'altitude ? Justifie ta réponse (fig. 2).

4 Avec quel appareil contrôle-t-on la pression de l'air dans un ballon par exemple ?

5 En quoi les molécules sont-elles responsables de la pression ?

L'air existe-t-il à l'état liquide ?

Au quotidien

◗ Autour de nous, l'air est toujours à l'état gazeux. Mais peut-il, comme l'eau, exister aussi à l'état liquide ?

◗ L'air étant un mélange de corps purs, ses différents constituants n'ont pas les mêmes températures de changement d'état (**fig. 4**). Ainsi, si l'on **refroidissait** de l'air, le premier constituant qui deviendrait **liquide** serait le **dioxyde de carbone** (– 78,5 °C). Pour le dioxygène, le changement d'état se produirait à – 183 °C tandis que pour le diazote, ce serait – 196 °C ! Ces températures extrêmes n'existant pas à la surface de la Terre, l'air reste toujours à **l'état gazeux** dans l'atmosphère.

◗ On sait cependant, depuis à peine plus de cent ans, **liquéfier** des constituants de l'air par des procédés industriels. Les premières gouttes ont été obtenues par Louis Cailletet* et Raoul Pictet* le 24 décembre 1877. Mais il fallut attendre le début du XXe siècle (1908) pour que l'on réussisse à liquéfier l'hélium.

◗ Le produit commercialisé aujourd'hui sous l'appellation « **air liquide** » (**fig. 5**) est en fait un **mélange de diazote et de dioxygène**. Il est obtenu en refroidissant de l'air, dépoussiéré et débarrassé de son dioxyde de carbone, à – 200 °C, à la pression atmosphérique.

Gaz	Dioxyde de carbone	Xénon	Krypton	Dioxygène	Argon	Diazote	Néon	Dihydrogène	Hélium
Température (°C)	- 78,5	- 107	- 153	- 183	- 186	- 196	- 246	- 253	- 269

fig. 4 Tableau des températures d'ébullition ou de liquéfaction des constituants de l'air dans les conditions normales de pression.

Remarque

Louis Cailletet (1832-1913), physicien et industriel français et Raoul Pictet (1846-1929), physicien suisse, réussirent à liquéfier du diazote et du dioxygène.

fig. 5

Questions

1 Pourquoi ne trouve-t-on pas de l'air à l'état liquide à la surface de la Terre ?

2 Quels sont les constituants du produit commercialisé sous l'appellation « air liquide » ? Pourquoi « suffit-il » de refroidir jusqu'à – 200 °C pour le produire ?

3 Pourquoi l'hélium est-il le constituant de l'air le plus difficile à liquéfier ?

Documents

L'origine et la force du vent

Météorologie et climatologie

À la surface de la Terre, dans les **régions chaudes**, l'air se dilate, devient moins dense et a tendance à s'élever. La pression atmosphérique diminue, des zones de **basses pressions** appelées « dépressions » se créent.

Inversement, dans les **régions froides**, les mêmes volumes d'air sont plus lourds. La pression atmosphérique augmente créant des zones de **hautes pressions** ou « anticyclones ».

Tout autour de la Terre, les masses d'air s'écoulent des zones de hautes pressions vers les zones de basses pressions. Ce sont ces **masses d'air en mouvement** que l'on appelle « vents ».

Les **prévisions** météo sont établies à partir de l'observation des mouvements des masses d'air (**fig. 6**).

La **vitesse du vent** se mesure grâce à un **anémomètre** (**fig. 7**). La rotation des pales entraînées par le vent permet d'en déterminer la vitesse en km/h.

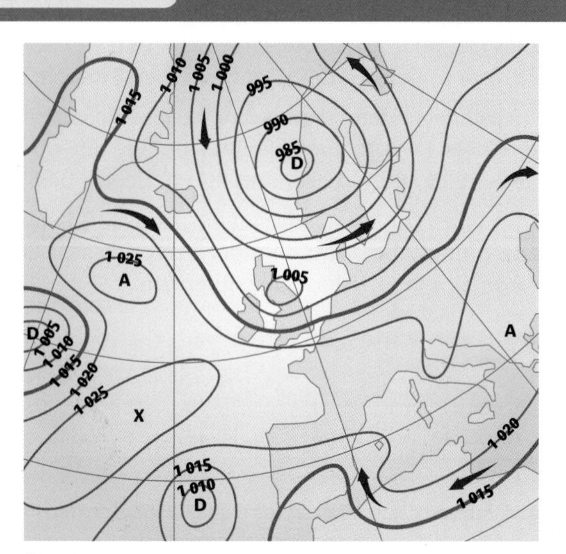

fig. 6 Les vents suivent approximativement les lignes d'égale pression appelées « isobares ».

fig. 7 Anémomètre.

Cependant, pour exprimer la vitesse du vent, improprement appelée « force », on se réfère souvent à l'échelle mise au point en 1805 par l'amiral anglais Francis Beaufort en observant les effets du vent sur la voilure.

Comportant des critères précis pour quantifier la vitesse du vent, elle est utilisée essentiellement par les marins et s'exprime en **degrés Beaufort** (**fig. 8**).

DÉCOUVRIR UN MÉTIER
TECHNICIEN(NE) DE LA MÉTÉOROLOGIE
voir p. 218

Questions

1 Comment appelle-t-on les zones de basses pressions ? Et les zones de hautes pressions ?

2 À quoi sont dus les vents ?

3 Avec quel instrument mesure-t-on la vitesse du vent ?

4 Comment qualifie-t-on un vent de « force 5 » ? Quels sont ses effets sur terre et sur mer ?

Degré Beaufort	Termes	Vitesse (en km/h)	État de la mer	Effets à terre
0	Calme	< 1	Miroir	La fumée monte verticalement
5	Bonne brise	29 à 38	Vagues modérées	Les cimes des arbres s'agitent
7	Grand frais	50 à 61	Lames déferlantes	Tous les arbres s'agitent
10	Tempête	89 à 102	Grosses lames déferlantes (9 m de haut)	Arbres déracinés
12	Ouragan	$\geqslant 118$	Lames énormes (creux de 14 m)	Destruction d'habitations

fig. 8 Depuis 1926, l'échelle complète comporte 13 divisions (de 0 à 12). Elle décrit les effets du vent sur terre comme sur mer.

L'énergie éolienne

Énergie

On appelle **énergie éolienne** l'énergie produite par la **force de l'air** sur les pales d'une hélice. Cette hélice peut être reliée à des systèmes mécaniques qui servent à moudre le grain ou à pomper de l'eau, ou encore à un générateur pour produire de l'énergie électrique.

Les **moulins à vent** (**fig. 9**) sont d'origine très ancienne. On pense que les premières roues éoliennes furent utilisées en Perse (Iran actuel) dès le VIIe siècle après J.-C., voire avant. Elles servaient à l'irrigation des terres cultivées et pour écraser du grain.

L'utilisation de **turbines éoliennes**, ou aérogénérateurs, pour produire de l'électricité a débuté à la fin du XIXe siècle. Un générateur convertit la force du vent en énergie électrique (**fig. 10**).

On cherche aujourd'hui à développer les **centrales éoliennes**. Utilisant une énergie indéfiniment renouvelable, les éoliennes ne polluent pas l'atmosphère et les coûts de leur installation sont peu élevés.

Cependant, leur utilisation est encore limitée : une éolienne de 80 mètres de diamètre a une puissance d'environ 2 mégawatts (2 millions de watts) alors qu'une centrale nucléaire peut atteindre 1 500 mégawatts ! Il faudrait donc 750 éoliennes pour remplacer une centrale nucléaire. De plus, le fonctionnement d'une éolienne est totalement dépendant des caprices du vent et s'accompagne de nuisances sonores.

fig. 9 Outre le meulage du grain, les moulins à vent pouvaient servir au pompage de l'eau, au sciage du bois...

Questions

1 Recherche (dans une encyclopédie, ou sur Internet) l'origine du mot « éolienne ».

2 Quels ont été les premiers « systèmes » à utiliser l'énergie éolienne ? À quoi servait alors cette énergie ?

3 Qu'est-ce qu'un aérogénérateur ? Dans quelles régions de France sont-ils le plus implantés ? Pourquoi ?

4 Quels sont les avantages et les inconvénients de la production éolienne d'électricité ?

fig. 10 Les éoliennes produisent à partir d'un vent de 4 m/s et cessent de fonctionner si le vent est trop fort (vitesse supérieure à 25 m/s).

Ma démarche **d'investigation**

Compétences expérimentales à évaluer

- Mettre en évidence le caractère compressible d'un gaz
- Utiliser un capteur de pression

Des élèves d'une école primaire ont réalisé une fusée à eau (fig. 1) en utilisant une bouteille en matière plastique. Pour la faire décoller, ils introduisent, à l'aide d'une pompe, de l'air dans la bouteille (fig. 2). Après avoir pompé un certain temps, l'eau est éjectée sous l'effet de la pression et la fusée décolle (fig. 3). Les élèves savent faire décoller la fusée, mais ils ne comprennent pas ce qui se passe « à l'intérieur ». Ils te demandent de répondre à leur interrogation : Pourquoi, en introduisant de l'air, la pression augmente-t-elle dans la fusée ?

fig. 1 Fusée réalisée par des élèves.

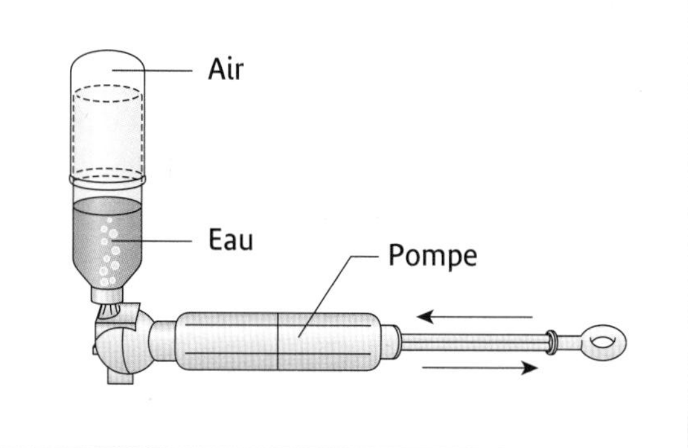

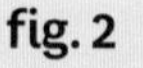

fig. 2

Comment prouver par des mesures cette augmentation de pression ?

➤ Je réfléchis

Sans forcément réaliser une fusée, tu peux, à l'aide du matériel dont tu disposes (seringue, ballon, manomètre, pompe à vélo…), imaginer des expériences permettant de répondre aux enfants de l'école primaire. Pense à des schémas pour illustrer tes explications. Dresse la liste du matériel dont tu as besoin. Propose ta démarche au professeur.

➤ Je réalise les expériences

Après l'accord du professeur, réalise les expériences en respectant les précautions expérimentales d'usage (travailler proprement en prenant soin du matériel).

➤ Je communique mes résultats

Rédige ensuite un compte-rendu, avec des schémas légendés, qui répond aux questions des élèves.

➤ Pour aller plus loin

Un élève, encore plus curieux, te demande aussi pourquoi le niveau de l'eau ne varie pas dans la fusée quand la pression augmente. Que peux-tu lui répondre ?

fig. 3 Décollage de la fusée.

Exercices

Je contrôle mes connaissances

1 Je retrouve l'essentiel

Utilise les mots ou groupes de mots suivants pour compléter les phrases ci-dessous : *pression, 1,3 g, l'espace disponible, pesant, augmenter, compressible, diffusent, se déplacent, liquides.*

Les molécules qui constituent les gaz sont très agitées et .... rapidement.
Les molécules de deux gaz différents mis en présence se mélangent. On dit qu'elles .... en se répartissant dans tout ....
L'air, comme tous les gaz, est :
- .... : on peut réduire son volume en augmentant sa ....,
- expansible : on peut .... son volume en réduisant sa pression.

L'eau, comme tous les ...., n'est ni compressible, ni expansible.
L'air est .... Dans les conditions normales de température et de pression, 1 L d'air pèse ....

→ **Solution page 221.**

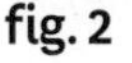

2 Modéliser un mélange de gaz

Le flacon A contient un gaz roux et le flacon B contient un gaz incolore.

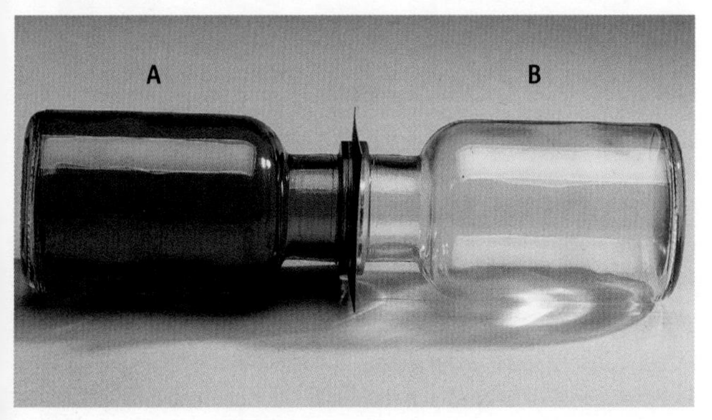

a. Schématise les deux flacons, leur séparation et les molécules qu'ils contiennent. Tu représenteras les molécules du gaz roux (une dizaine) par un triangle orange et celles du gaz incolore (une dizaine aussi) par un carré blanc.
b. Qu'observe-t-on si l'on supprime la séparation entre les deux flacons ?
Schématise l'expérience quelques minutes plus tard.
c. Quelle est la conclusion de cette expérience ?

3 Définir le mot « compressible »

Sur la figure 1, le piston de la seringue est libre.
Sur la figure 2, on a poussé le piston.
a. Comment varie le volume de l'air dans la seringue quand on pousse le piston ?
b. Comment varie sa pression ?
c. Que se passe-t-il si on lâche le piston ?
d. Que signifie « compressible » ?

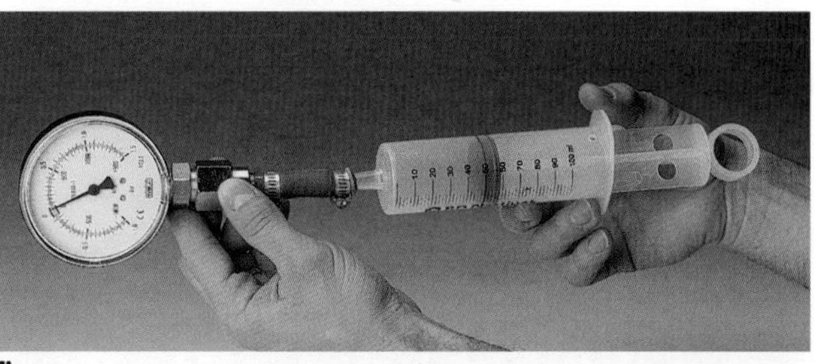

fig. 1

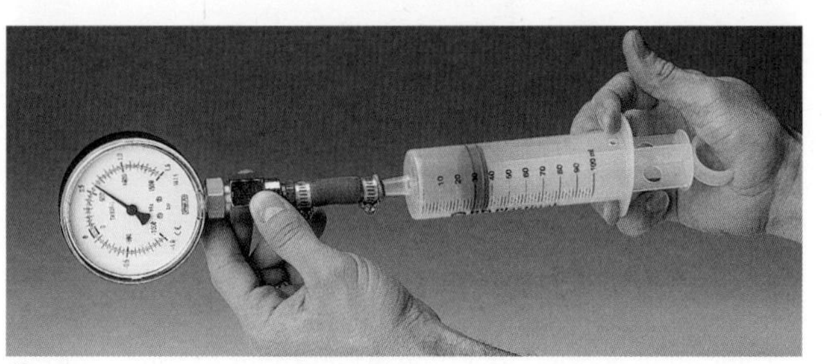

fig. 2

4 Faire une interprétation moléculaire

On a schématisé les seringues observées sur les photographies de l'exercice précédent.

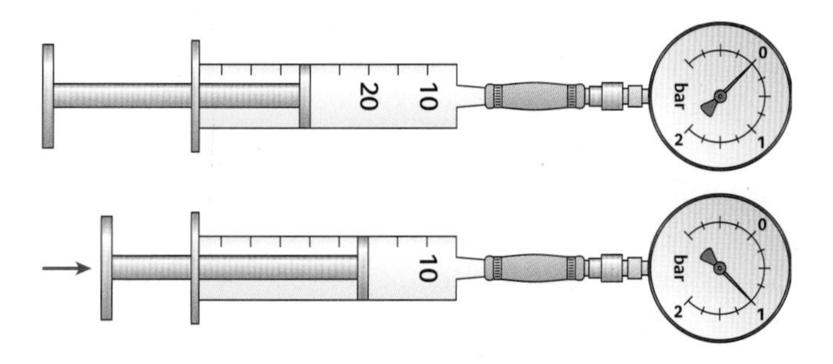

a. Recopie et complète les deux schémas en représentant les molécules des deux constituants essentiels de l'air dans la seringue.
b. Explique pourquoi la pression augmente quand on pousse le piston.
c. La masse de l'air contenu dans la seringue varie-t-elle au cours de cette expérience ? Justifie ta réponse.

Exercices

J'utilise mes connaissances

5 Interpréter une observation — COMPÉTENCE TRANSVERSALE

Julie a rempli le tube A de dioxyde de carbone et le tube B de dioxygène (**fig. 1**). Ensuite, elle les a fait communiquer par leur ouverture pendant une quinzaine de minutes (**fig. 2**).

fig. 1

fig. 2

Julie sépare à nouveau les tubes et verse de l'eau de chaux limpide dans chacun d'eux. À sa grande surprise, l'eau de chaux se trouble dans les deux tubes.

a. Explique à Julie pourquoi ce résultat n'a rien de surprenant.

b. Pour appuyer ta démonstration, dessine les tubes avec les molécules qu'ils contiennent (une dizaine dans chaque tube) au début puis à la fin de l'expérience.

Donnée : la molécule de dioxyde de carbone se représente de la manière suivante :

6 Faire la relation entre chocs et pression

a. Quel est le volume d'air enfermé dans la seringue ? Reproduis le dessin de la seringue et représente les molécules (une dizaine) qu'elle contient.

b. David est joueur ! Il pousse le piston pour réduire le volume à 15 mL. Fais un nouveau dessin de la seringue et des molécules qu'elle contient.

c. David pousse encore le piston… et le bouchon « saute ». David ne comprend pas pourquoi.

Propose-lui une explication cohérente en utilisant les mots : *volume, molécules, chocs et pression* dans ta réponse.

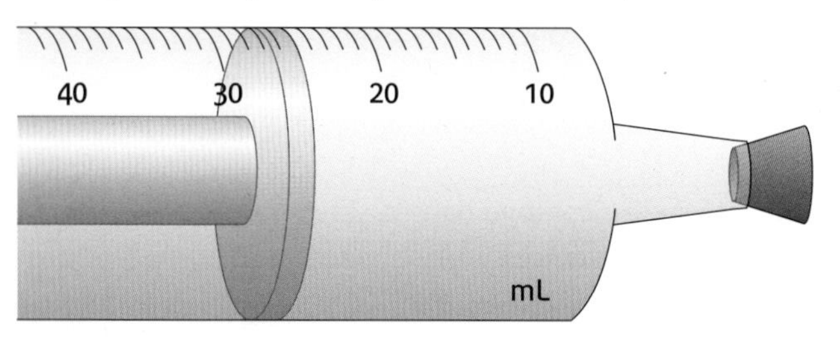

7 Raisonner pour retrouver un résultat de mesure

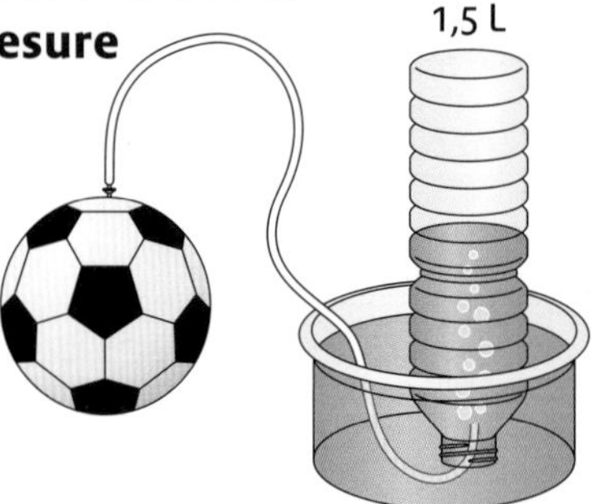

Sofia a utilisé ce montage pour transvaser de l'air, du ballon dans la bouteille. Quand la bouteille a été pleine d'air, Sofia a mesuré la masse du ballon : $m_2 = 398,4$ g.

À présent, Sofia veut faire le compte-rendu de son expérience mais elle a oublié de noter la masse m_1 du ballon avant le transvasement de l'air. Aide Sofia à retrouver la valeur de m_1.

8 Exploiter des photos d'expérience — COMPÉTENCE TRANSVERSALE

Entre les deux prises de vue (**fig. 1 et 2**), le ballon a été légèrement dégonflé.

a. Quelle photo a été prise en premier ? Justifie ta réponse.

b. Quelle masse d'air s'est échappée du ballon ? Quel est son volume ? Note et explique tes calculs.

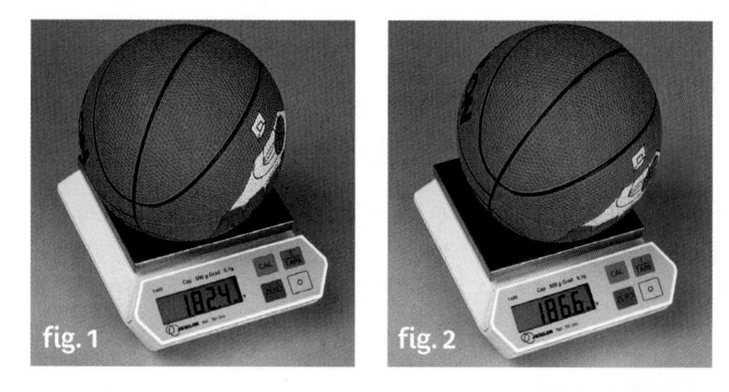

fig. 1 fig. 2

9 Déterminer la masse de 1 L de butane

On utilise un briquet contenant du gaz butane pour réaliser l'expérience ci-dessous. Entre les deux pesées, on récupère 250 mL de gaz dans l'éprouvette.

a. Quelle est la masse de gaz recueilli ? Justifie ta réponse.

b. Détermine la masse de 1 L de butane dans les conditions de l'expérience. Explique précisément et note tes calculs.

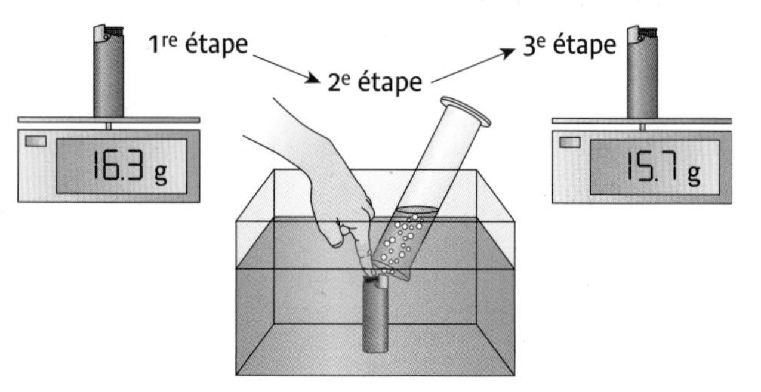

J'approfondis mes connaissances

10 Comprendre le rôle d'un « détendeur »

La bouteille de dioxygène utilisée au collège est munie d'un détendeur. Avant le détendeur, la pression du gaz vaut 110 bars. Après le détendeur, elle vaut 1,2 bar.

a. Quelle est l'unité de pression utilisée ici ?
Quel est le rôle d'un détendeur ?

b. Représente des molécules dans un même volume (deux cercles de même rayon) avant et après le détendeur. Pourquoi la pression est-elle plus forte avant ?

c. Quel est l'intérêt de stocker du gaz sous forme comprimée ?

11 Interpréter une photo — COMPÉTENCE TRANSVERSALE

On fait deux photographies (**fig. 1** et **fig. 2**) du même gaz roux, dans la même seringue, à des moments différents.

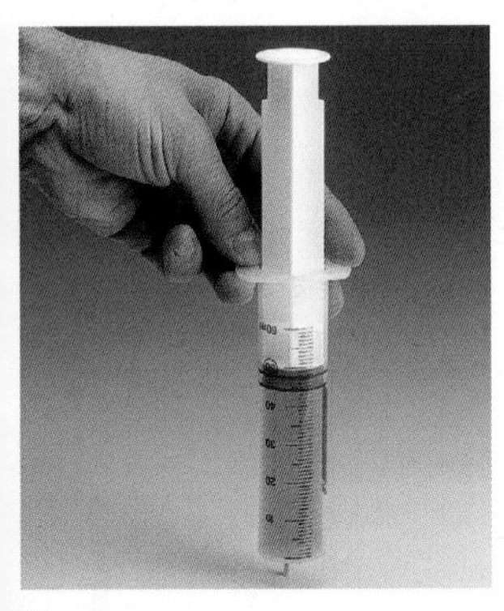

fig. 1

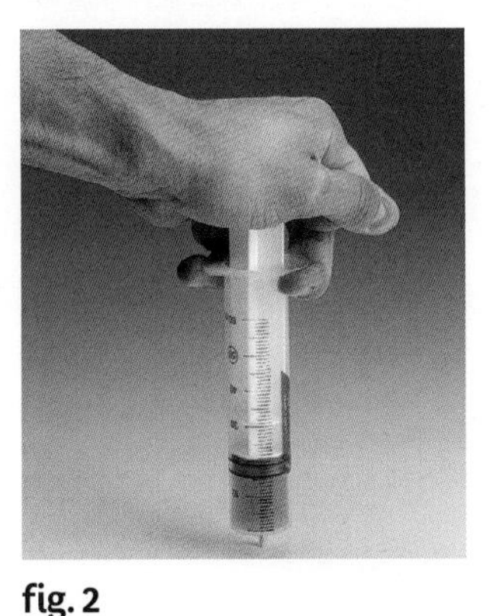

fig. 2

a. Fais un schéma des deux seringues, en représentant les molécules du gaz roux.

Donnée : La molécule du gaz roux se représente ainsi : 

b. Explique la différence de couleur du gaz sur les figures 1 et 2.

12 Utiliser les puissances de dix — COMPÉTENCE TRANSVERSALE

Gaétan, Mathias et Aziz observent un forain gonfler des ballons avec de l'hélium.

Le ballon contient 1,32 g d'hélium, et les trois amis se demandent combien de molécules d'hélium il renferme.

Dans une encyclopédie, Mathias a trouvé qu'une molécule d'hélium a une masse de $6{,}6 \times 10^{-24}$ g.

Peux-tu les aider à calculer le nombre de molécules d'hélium enfermées dans le ballon ?

13 Exploiter un document — COMPÉTENCE TRANSVERSALE

Le produit commercialisé sous l'appellation « air liquide » est un mélange de diazote liquide et de dioxygène liquide. Si on le verse dans un récipient et qu'on le laisse à la température ambiante, il se réchauffe et commence à bouillir.

a. Lequel des deux constituants se vaporise le premier ? À quelle température ?

b. À quelle température se vaporise le deuxième ? Justifie ?

Aide : voir le document page 49.

c. L'air liquide peut-il exister naturellement ?

14 Lire un graphique — COMPÉTENCE TRANSVERSALE

Au cours d'une ascension, des alpinistes munis d'un baromètre et d'un altimètre font des relevés de pression atmosphérique tous les 400 mètres de dénivelé.

Les résultats permettent de tracer la courbe ci-dessous.

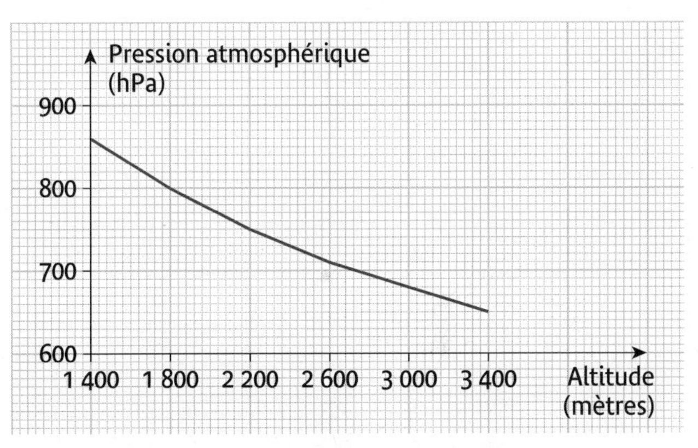

a. Que mesure un baromètre ? Et un altimètre ?

b. Quelle est l'unité de pression atmosphérique (nom et symbole) ?

c. Comment varie la pression atmosphérique quand l'altitude augmente ?

d. Quelle est l'amplitude de cette variation pour les 2 000 m d'ascension ?

15 Chemistry in English

Which ball is the heaviest? Why?

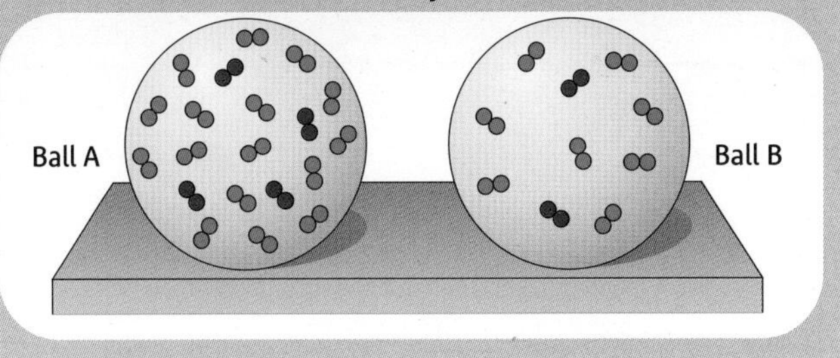

Chapitre

4 Des combustions et des précipités

Si allumer un briquet, cuisiner au gaz ou faire un feu de cheminée paraissent des gestes simples, les combustions sont en fait des transformations chimiques complexes.
Étudions les conditions nécessaires à une combustion et ses conséquences, et notamment à quoi est dû le trouble de l'eau de chaux.

1. Que signifie « brûler » ?
Qu'est-ce qu'un combustible ?
Qu'est-ce qu'un comburant ?
► Activité 1

2. Quelle est la source de chaleur utilisée pour réaliser ces grillades ? Pourquoi faut-il ventiler pour activer le feu ? ► Activité 2

3. Des forêts entières disparaissent au cours d'incendies. Que devient la matière qui brûle ? A-t-elle disparu ou s'est-elle transformée ? Se forme-t-il des corps nouveaux ? ► Activité 2

Objectifs

- Distinguer combustible et comburant
- Retenir qu'une combustion est une transformation chimique
- Comprendre le sens de « transformation chimique »
- Reconnaître un précipité (Compétence expérimentale)

4. L'effet obtenu, au cours de ces deux expériences, est sensiblement le même, cependant les phénomènes physiques sont très différents. Qu'est-ce qu'un précipité ? Comment le reconnaître ? ► Activités 3 et 4

Activités

Comment distinguer combustible et comburant ?

MATÉRIEL : • deux bougies • un briquet • un flacon rempli d'air • un flacon rempli de dioxygène • un flacon rempli de diazote

DÉROULEMENT :

1. Une bougie brûle à l'air libre (**fig. 1**).
Observons ce qui se passe quand on la « coiffe » d'un flacon plein d'air (**fig. 2a**, **2b** et **2c**).

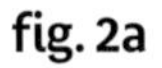

fig. 2a

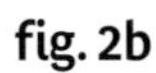

fig. 2b

fig. 2c

2. Allumons deux bougies ; l'une est coiffée d'un flacon de dioxygène (**fig. 3**) et l'autre d'un flacon de diazote (**fig. 4**).
Notons les effets obtenus.

fig. 3

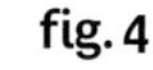

fig. 4

fig. 1

Questions

1 La matière blanche qui constitue la bougie est un combustible*.
Cite trois autres combustibles usuels : un solide, un liquide et un gazeux (à température ordinaire).

2 Pourquoi la combustion finit-elle par s'interrompre lorsque la bougie brûle à l'air libre (fig. 1) ?

3 Pourquoi la bougie enfermée dans le flacon d'air s'éteint-elle assez rapidement (fig. 2) ?

4 Quel est, parmi les deux constituants essentiels de l'air, le comburant* de la bougie ? Justifie ta réponse (fig. 3 et 4).

5 Une combustion nécessite la présence simultanée d'un combustible et d'un comburant. Justifie cette affirmation à partir des observations de cette combustion.

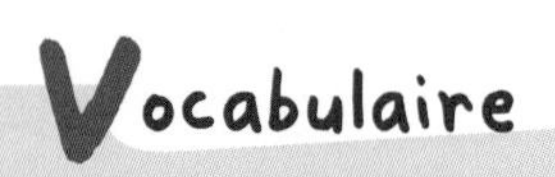

Vocabulaire

Combustible : substance qui peut brûler en présence d'un comburant.

Comburant : substance (dioxygène le plus souvent) qui permet la combustion d'un combustible.

Activité 2 Qu'est-ce qu'une transformation chimique ?

Matériel : • du fusain • un bec Bunsen • un flacon muni de son couvercle « porte-fusain » et rempli de dioxygène • une bûchette • des allumettes • un verre d'eau de chaux

Déroulement :

1. Chauffons un morceau de fusain (le fusain contient essentiellement du carbone) pour le rendre incandescent (**fig. 5**). Introduisons-le dans le flacon contenant du dioxygène.

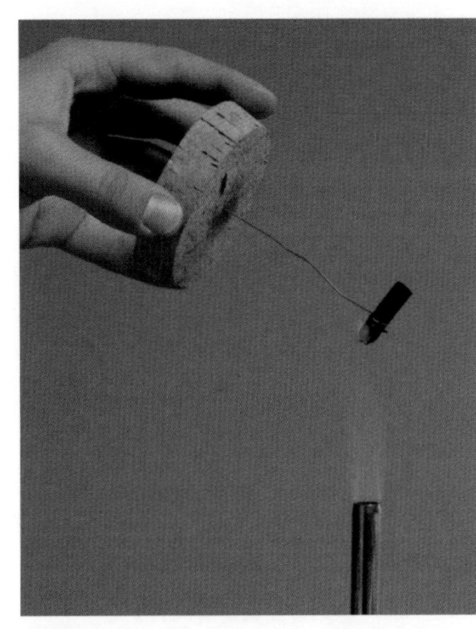

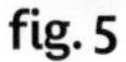
fig. 5

fig. 6

2. Quand la combustion est terminée, notons le volume du fusain et plongeons une bûchette incandescente dans le flacon et observons (**fig. 7**). Versons alors un peu d'eau de chaux dans le flacon et observons (**fig. 8**).

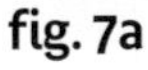
fig. 7a

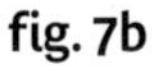
fig. 7b

Questions

1 Comment varie le volume du fusain durant l'expérience (fig. 5, 6 et 7a) ?

2 Le flacon contient-il encore du dioxygène après la combustion (fig. 7b et 8) ? Justifie ta réponse.

3 Quels sont les deux réactifs* de cette combustion ?

4 L'eau de chaux se trouble. Quel produit* est ainsi mis en évidence (fig. 8) ?

5 La combustion du carbone est une « transformation chimique ». Justifie ce terme.

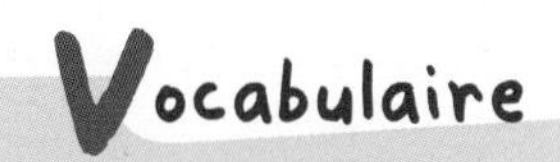

Vocabulaire

Réactif : corps qui disparaît lors de la combustion.

Produit : corps qui apparaît lors de la combustion.

fig. 8

ACTIVITÉ 3 À quoi est dû le trouble de l'eau de chaux ?

MATÉRIEL : • de l'eau de chaux troublée dans un flacon • un tube à essai • un filtre de couleur marron • un entonnoir

DÉROULEMENT :

1. Versons un peu d'eau de chaux troublée dans un tube à essai (**fig. 9**), laissons décanter et observons (**fig. 10**).

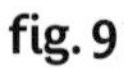

fig. 9

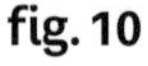

fig. 10

2. Filtrons le contenu du tube à essai (**fig. 11**).
Observons le filtrat et le papier-filtre à la fin de l'expérience (**fig. 12**).

fig. 11

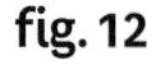

fig. 12

Questions

1 Qu'observes-tu après la décantation (fig. 10) ?

2 Pourquoi le filtrat est-il limpide (fig. 12) ?

3 La substance responsable du trouble de l'eau de chaux est appelé précipité*. Où se retrouve le précipité après la filtration (fig. 12) ?

4 Quel est l'état physique (solide, liquide ou gazeux) de ce précipité ?

Remarque

Le précipité est du carbonate de calcium.

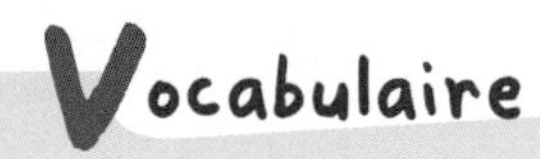

Vocabulaire

Précipité : ensemble de particules solides, insolubles, qui se forment dans un liquide et restent en suspension.

ACTIVITÉ 4 Comment reconnaître un précipité ?

MATÉRIEL : • deux tubes à essai contenant l'un de l'eau et l'autre une solution de sulfate de cuivre • deux autres tubes à essai • deux entonnoirs • deux filtres en papier blancs • deux flacons compte-gouttes contenant l'un de l'encre turquoise et l'autre de la soude

DÉROULEMENT :

1. Versons quelques gouttes d'encre turquoise dans de l'eau (tube 1) et quelques gouttes de soude (tube 2) dans une solution de sulfate de cuivre (**fig. 13**) et observons. Agitons puis laissons les tubes au repos une quinzaine de minutes et observons (**fig. 14**).

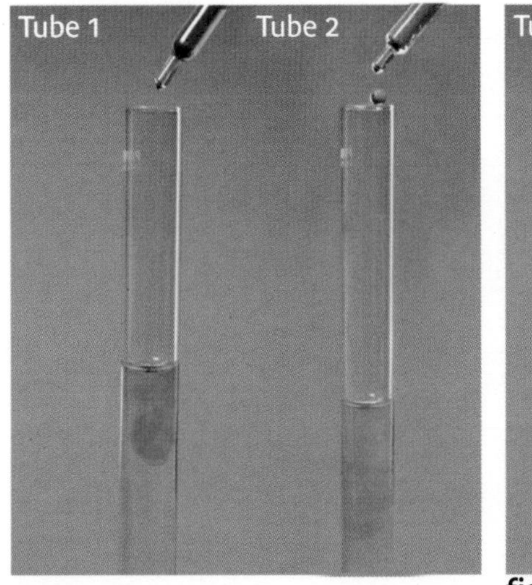

fig.13

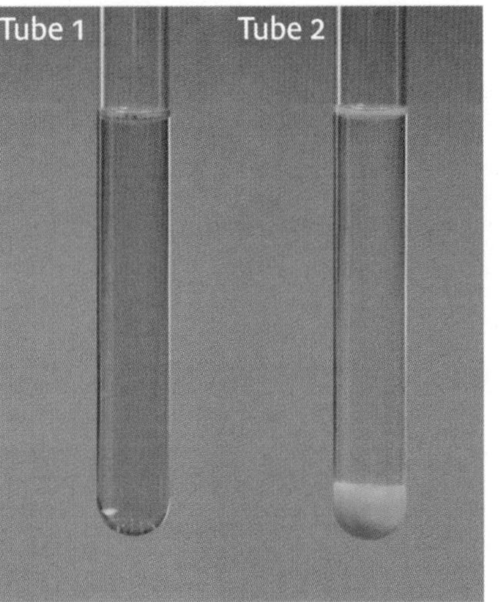

fig. 14

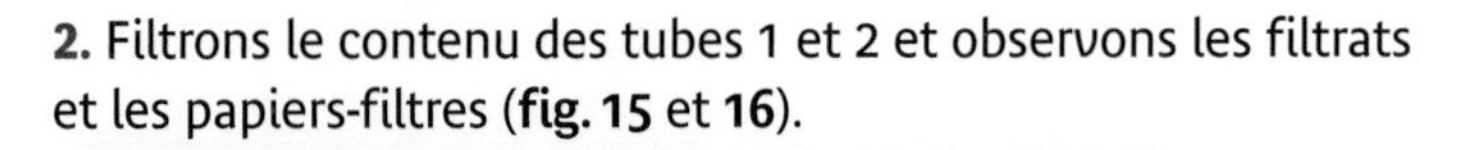

2. Filtrons le contenu des tubes 1 et 2 et observons les filtrats et les papiers-filtres (**fig. 15** et **16**).

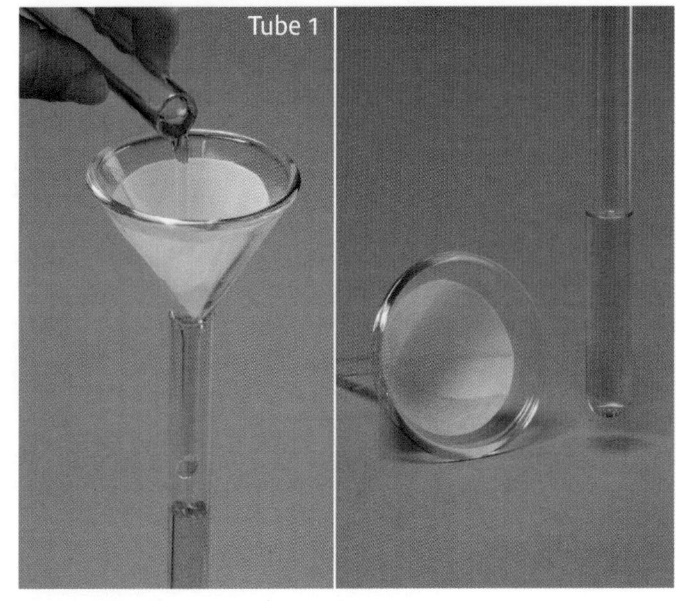

fig.15 a Filtration du tube 1. **fig.15 b** Résultat de la filtration.

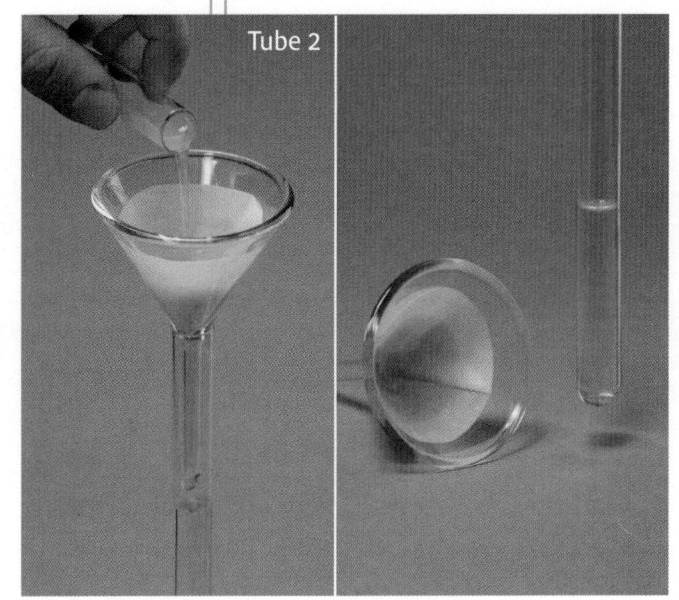

fig.16 a Filtration du tube 2. **fig.16 b** Résultat de la filtration.

Questions

1 Compare l'aspect des deux tubes sur la figure 13.

2 Après agitation et décantation (fig. 14), dans quel tube s'est-il formé un dépôt ?

3 Lequel contenait, au préalable, des particules solides en suspension (fig. 14) ?

4 La filtration permet de confirmer que seul un tube contenait un précipité. Pourquoi ?

5 Quelles sont les deux substances qui, mises en présence, produisent un précipité ? Quelle est la couleur de ce précipité ?

Cours

Combustion, combustible et comburant

Voir **Activité 1**

Observation : Quand une bougie brûle dans l'air (**fig. 1**), de la matière blanche disparaît : c'est le combustible.
Si l'on place la bougie dans un flacon de dioxygène (**fig. 2**), la combustion est plus vive (elle libère plus d'énergie) tandis qu'elle s'interrompt instantanément dans le diazote (**fig. 3**).

Interprétation : La combustion de la bougie nécessite la présence d'un comburant : le dioxygène.

Conclusion : La combustion nécessite la présence simultanée d'un combustible et d'un comburant. Lorsqu'une bougie brûle dans l'air, le comburant est le dioxygène de l'air. La combustion de la bougie libère de l'énergie.

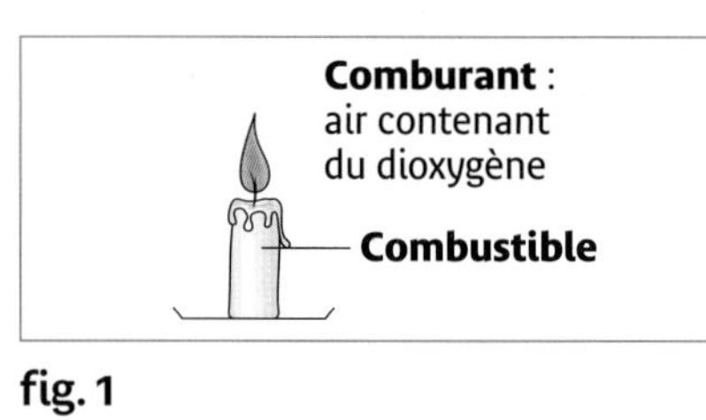

fig. 1

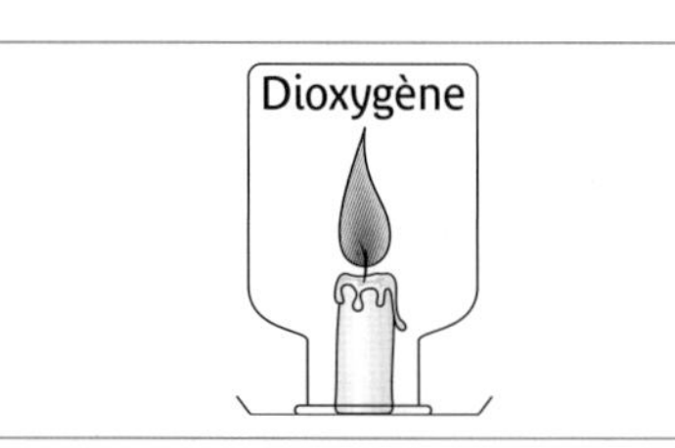

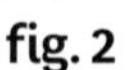

fig. 2

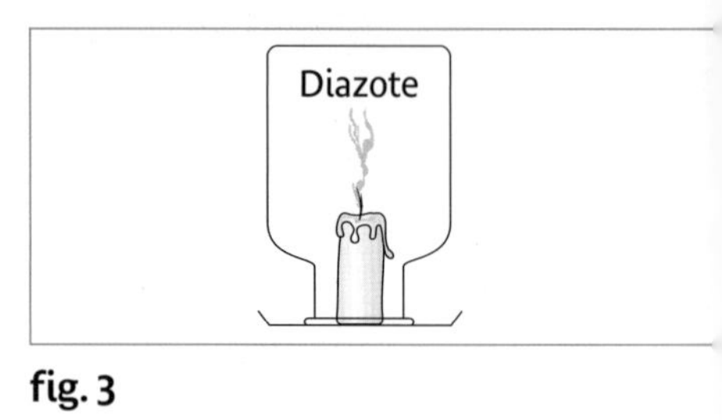

fig. 3

Une transformation chimique : la combustion du carbone

Voir **Activité 2**

Observation et interprétation : Le carbone, composant essentiel du fusain, disparaît en brûlant vivement dans le dioxygène (**fig. 4**).
Après la combustion du fusain :
- une bûchette incandescente plongée dans le flacon ne s'enflamme pas : du dioxygène a disparu (**fig. 5**),
- l'eau de chaux se trouble : le flacon contient du dioxyde de carbone (**fig. 5**).

Conclusion : Au cours de la combustion du fusain :
- du carbone et du dioxygène disparaissent, ce sont les réactifs,
- un produit nouveau apparaît, c'est du dioxyde de carbone.
Cette combustion est une transformation chimique dont le bilan s'écrit :

$$\underbrace{\text{carbone} + \text{dioxygène}}_{\text{réactifs}} \longrightarrow \underbrace{\text{dioxyde de carbone}}_{\text{produit}}$$

La flèche va des réactifs qui disparaissent, vers le produit qui apparaît ; elle se lit « donne ».
Le signe « + » signifie « réagit avec ».
Le bilan de cette transformation chimique peut donc s'énoncer : « Le carbone réagit avec le dioxygène pour donner du dioxyde de carbone ».

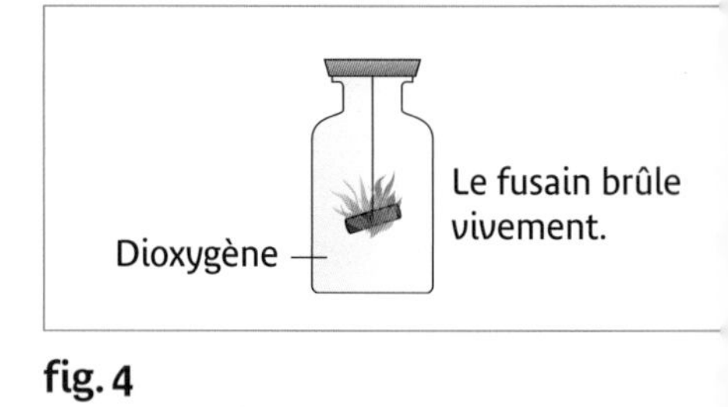

fig. 4

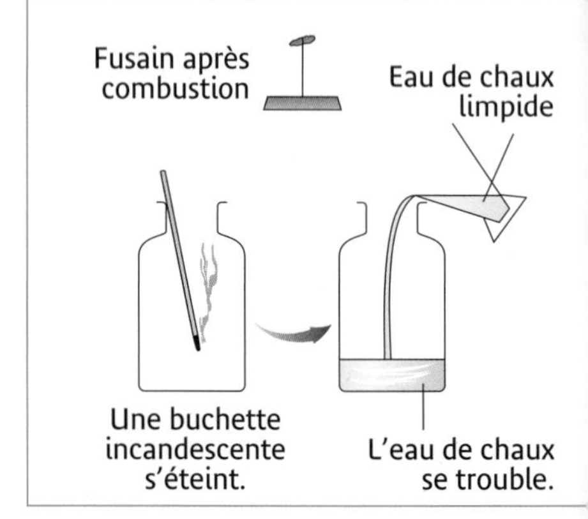

fig. 5

3 Le trouble de l'eau de chaux : un précipité

Voir **Activité 3**

OBSERVATION : La filtration de l'eau de chaux troublée permet de recueillir un liquide limpide (**fig. 6**). Le résidu retenu par le filtre est constitué de particules solides blanches.

Remarque : On identifie les particules solides retenues par le filtre en versant quelques gouttes de vinaigre. L'effervescence qui se produit indique qu'il s'agit de carbonate de calcium (*voir document p. 67*).

INTERPRÉTATION : L'action du dioxyde de carbone (gaz) sur l'eau de chaux (liquide limpide) produit du carbonate de calcium. Il apparaît sous forme de minuscules particules solides qui restent longtemps en suspension dans le liquide, formant ainsi un précipité. Le carbonate de calcium est insoluble : on dit qu'il précipite.

CONCLUSION : Le « trouble » de l'eau de chaux est dû à un précipité blanc de carbonate de calcium.

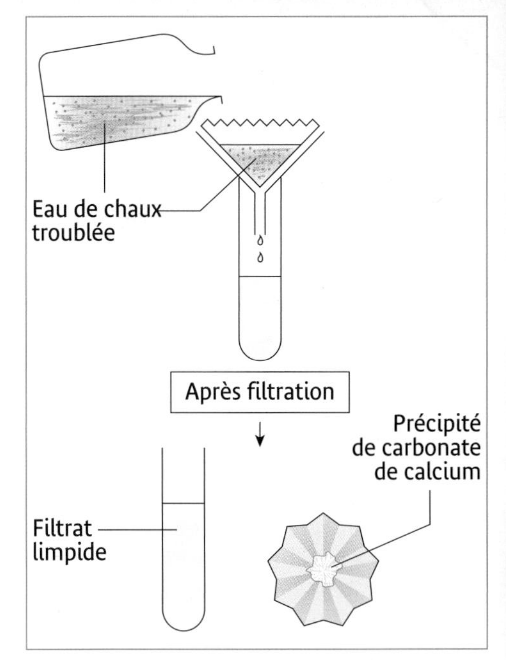

fig. 6

4 Reconnaître un précipité

Voir **Activité 4**

OBSERVATION ET INTERPRÉTATION : L'encre se mélange à l'eau et colore la solution. Aucun dépôt n'est visible : il n'y a pas de précipité (**fig. 7**). Des particules solides bleues apparaissent lorsqu'on ajoute quelques gouttes de soude dans une solution de sulfate de cuivre. Elles forment un précipité que l'on met en évidence par décantation ou par filtration (**fig. 7**).

Remarque : Le précipité bleu est de l'hydroxyde de cuivre.

CONCLUSION : Un précipité est constitué de particules solides en suspension dans un liquide. Un précipité peut être coloré.

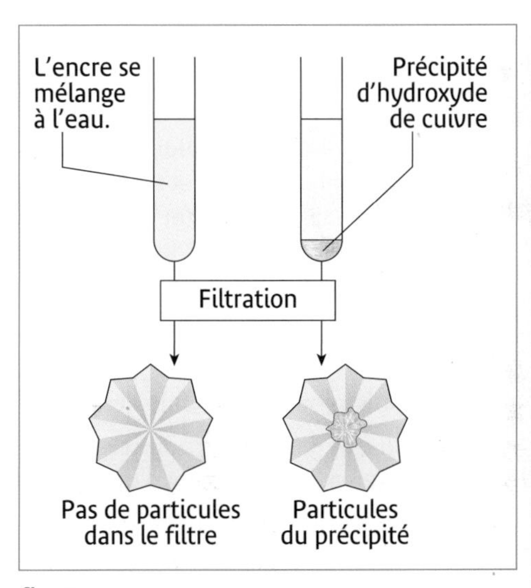

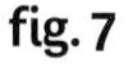
fig. 7

L'essentiel

► **Contrôle tes connaissances** *en faisant l'exercice 1 page 69.*

La combustion du carbone : une transformation chimique

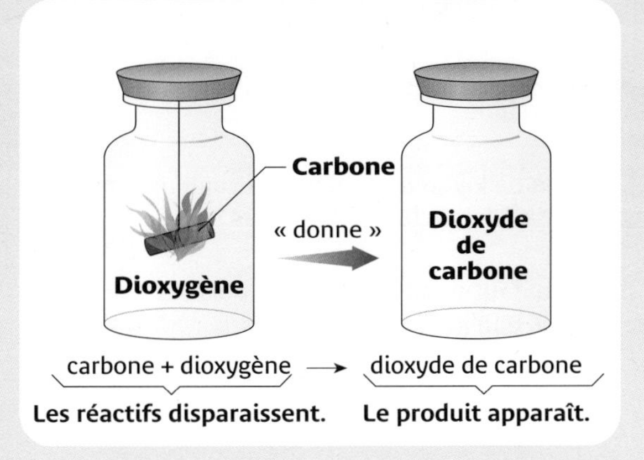

Le trouble de l'eau de chaux : un précipité

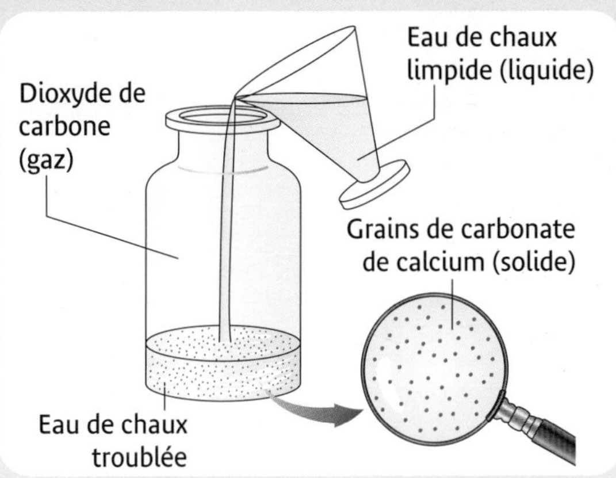

Documents

Combustibles et quantité de chaleur...

Énergie

▸ La **chaleur** dégagée par les combustions (**fig. 1**) trouve de nombreuses applications dans le quotidien. Par exemple, la combustion du méthane (gaz de ville), du fuel, du charbon (**fig. 2**), ou du bois produit **l'énergie thermique** nécessaire au chauffage des habitations. Lorsque le propane ou le butane brûlent dans les cuisinières, la chaleur produite sert à la cuisson des aliments.

▸ Mais tous les **combustibles** ne dégagent pas la même **quantité de chaleur** ; on peut les classer suivant leur pouvoir calorifique (**fig. 3**).

▸ Le pouvoir calorifique représente la quantité de chaleur dégagée par la combustion complète de 1 m^3 de combustible gazeux ou de 1 kg de combustible liquide ou solide, à la pression atmosphérique. Il est exprimé en kilojoule par mètre cube (kJ/m^3) pour les gaz ou en kilojoule par kilogramme (kJ/kg) pour les solides et les liquides.

Remarques

- 1 kilojoule = 1000 joules
- Il faut 4,18 joules pour élever de 1 °C la température de 1 g d'eau.

DÉCOUVRIR UN MÉTIER

TECHNICIEN(NE) THERMICIEN(NE)

voir p. 218

Pouvoir calorifique		
Combustibles gazeux	méthane	358 400 kJ/m^3
	propane	93 550 kJ/m^3
	butane	123 660 kJ/m^3
Combustibles liquides	fuel domestique (gazole)	41 930 kJ/kg
	octane (utilisé dans l'essence)	44 750 kJ/kg
Combustibles solides	charbon	34 900 à 36 990 kJ/kg
	bois humide (30 % d'humidité)	11 700 kJ/kg
	bois sec	18 180 kJ/kg

fig. 3 Pouvoir calorifique de différents combustibles.

fig. 1 Feu de cheminée.

fig. 2 Extraction de charbon dans une galerie souterraine.

Questions

1 Quel est l'intérêt majeur des combustions dans la vie quotidienne ?

2 Qu'est ce que le pouvoir calorifique d'un combustible ?

3 Combien de kilojoules libèrera la combustion complète de 1 kg de fuel domestique ?

4 Pourquoi faut-il mieux brûler du bois sec que du bois humide ?

Les biocombustibles

Énergie

Environnement et développement durable

La plus grande partie du pétrole que nous consommons est utilisée, comme combustible, dans les moteurs des véhicules de transports (voitures, bus…). Face à la disparition annoncée du pétrole et à l'augmentation du coût de celui-ci, l'industrie cherche à développer des combustibles de substitution : **les biocarburants**.

Ce sont des combustibles liquides obtenus à partir de végétaux.

On les classe en trois grandes catégories :

– L'**alcool**, dit « bioéthanol », est produit par la fermentation des sucres contenus notamment dans les betteraves, les topinambours, la canne à sucre… Aujourd'hui, additif du supercarburant et de l'essence, il pourrait être utilisé à l'état pur dans des moteurs adaptés.

– Les **esters** sont issus du mélange d'huiles de colza et de tournesol avec un alcool. Le combustible obtenu, appelé « diester » ou encore « biodiesel », est techniquement substituable à 100 % au gazole ou au fuel domestique.

– Les **huiles végétales** sont obtenues par simple pression et filtration de graines oléagineuses (colza, tournesol, coprah, palme, soja, arachide). Elles peuvent être utilisées dans des moteurs diesel adaptés.

Remarque

Une tonne de graines de colza fournit 0,3 tonne d'huile de colza.

fig. 4 De nombreux bus utilisent de l'huile de colza comme carburant.

Si les **biocombustibles** représentent une énergie de demain, ils n'en sont qu'à leur début : la France vise un taux de 5,75 % de biocarburants dans la consommation nationale d'ici 2008. Elle mise actuellement surtout sur le biodiesel (esters).

fig. 5 La pompe à essence de demain.

Questions

1 Justifie le nom de « biocombustibles » donné à ces nouveaux carburants ?

2 Dans quel domaine sont-ils le plus utilisés ?

3 Quel avantage présente le biodiesel sur les autres biocarburants ?

4 Peut-on dire que les biocarburants sont une énergie renouvelable ? Justifie.

Triangle du feu et la lutte contre l'incendie

▸ Une **combustion** ne peut se produire que si l'on réunit trois éléments : un combustible, un comburant, une énergie d'activation. On représente de façon symbolique cette association par le **triangle du feu** (**fig. 6**).

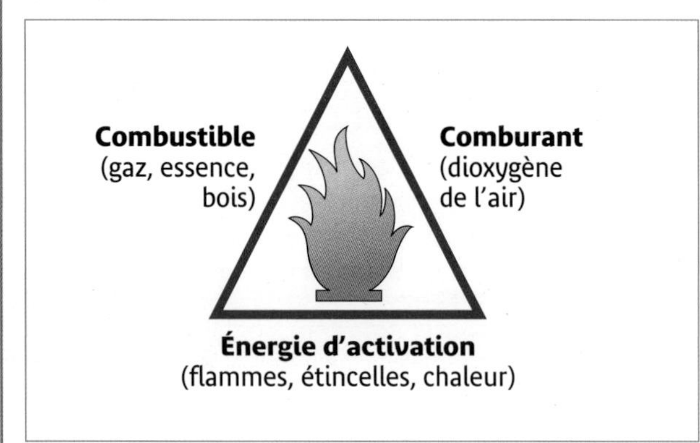

fig. 6 Le triangle du feu.

▸ Le **combustible** peut être un solide (bois, papier, tissu, matière plastique…), un liquide (essence, gazole, huile, biocarburant…), un gaz (méthane ou « gaz de ville », butane, propane) ou un mélange de différents corps.

Le **comburant** est, la plupart du temps, le dioxygène de l'air.

L'**énergie d'activation** est le déclencheur du feu. Ce sera, par exemple, la flamme d'une allumette, l'étincelle produite par un allume-gaz ou par un interrupteur que l'on ferme, un câble électrique qui s'échauffe…

Quelle que soit son origine, l'énergie d'activation se manifeste par un apport de chaleur.

▸ La **prévention** contre l'incendie exige que les trois éléments ne soient jamais réunis c'est-à-dire que le triangle n'existe pas.

Par exemple, les liquides inflammables (alcool, essence…) seront placés dans des récipients fermés, loin des sources de chaleur.

▸ Si, malgré les précautions d'usage, un incendie survient, **l'extinction** consiste à rompre le triangle en supprimant l'un de ses trois côtés.

Ainsi, dans une cuisine, si de l'huile surchauffée s'enflamme (**fig. 7**), les consignes à suivre sont les suivantes :
- éteindre la cuisinière,
- étouffer les flammes avec un torchon humide ou un couvercle,
- éloigner ensuite le plat de la cuisinière.

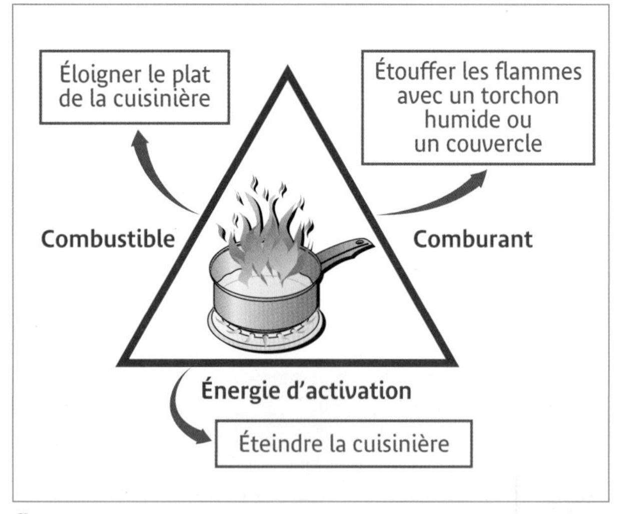

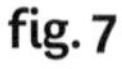

fig. 7

Questions

1 Rappelle les trois éléments indispensables à toute combustion ?

2 Pourquoi peut-on représenter une combustion par « le triangle du feu » ?

3 La plupart des incendies domestiques naissent dans les cuisines. Justifie.

4 Si le contenu d'une casserole s'enflamme, montre que chaque consigne à suivre vise à éliminer un des côtés du « triangle du feu ».

Les carbonates et leur identification

SVT

Il existe près de deux cents carbonates naturels. Ils ont souvent un aspect pierreux ; certains sont très abondants dans l'écorce terrestre comme la **calcite**, carbonate de calcium (**fig. 8**), ou la **dolomite**, carbonate double de calcium et de magnésium (**fig. 9**). On peut citer aussi la **malachite**, (**fig. 10**), un carbonate de cuivre dont les « pierres » d'un vert vif sont utilisées pour réaliser des objets d'art, ou encore la **cérusite** (**fig. 11**), un carbonate de plomb entrant dans la fabrication de certains pigments.

fig. 8 Calcite.

fig. 9 Dolomite.

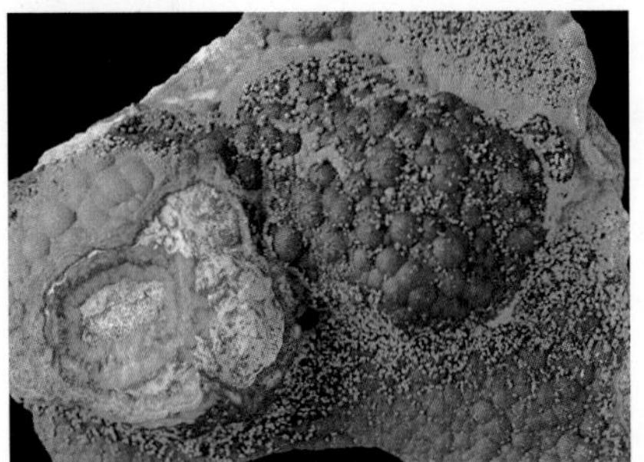

fig. 10 Malachite.

fig. 11 Cérusite.

Le plus répandu est le carbonate de calcium. Il entre dans la composition des roches calcaires et de nombreux composés naturels : valves des coquillages, coquille d'œufs, coquilles d'escargots, carapace des tortues, coraux, os... (**fig. 12**).

Le précipité blanchâtre, insoluble dans l'eau, qui nous permet de caractériser le dioxyde de carbone est aussi du carbonate de calcium.

Pour reconnaître un carbonate, on le met en contact avec un acide comme l'acide chlorhydrique ou le vinaigre blanc ; il se produit alors une effervescence (**fig. 13**). Le gaz qui se dégage est du dioxyde de carbone.

fig. 12 Coquillages divers, coquille, carapaces... sont des composés qui contiennent du carbonate de calcium.

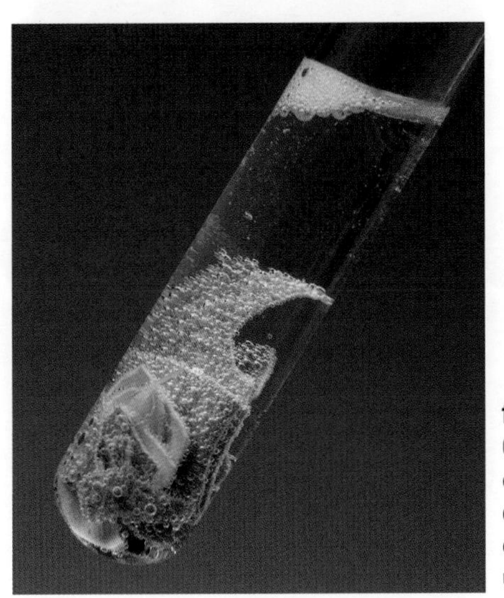

fig. 13 Coquille d'œuf en contact avec du vinaigre blanc : on observe une effervescence.

Questions

1 Recherche d'où vient le nom de dolomite.

2 Que faut-il faire pour reconnaître un carbonate ?

3 Comment faudrait-il compléter l'expérience de la figure 13 pour mettre en évidence le dégagement de dioxyde de carbone ? (Faire un schéma pour répondre.)

Ma démarche **d'investigation**

Compétence expérimentale à évaluer

- Reconnaître un précipité

Dans le laboratoire du collège, le professeur a préparé pour son cours de 4e quatre tubes à essai contenant :
- un mélange homogène d'eau et de sirop d'orange,
- un mélange homogène d'eau et de sirop d'orgeat,
- un précipité de carbonate de calcium,
- un précipité d'hydroxyde de fer III de couleur orangée.

Mais les tubes ont été déplacés par mégarde et il y a maintenant côte à côte deux tubes dont le contenu est orangé et deux tubes dont le contenu est blanc. Aide ton professeur à retrouver les tubes qui contiennent un précipité.

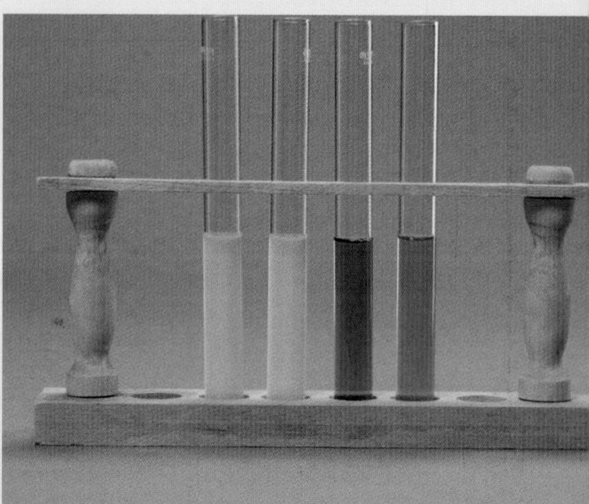

Comment reconnaître un précipité ?

➤ Je réfléchis

Propose, sur une feuille d'essai, une méthode pour retrouver les tubes contenant les précipités. Dresse la liste du matériel dont tu as besoin. Propose ta démarche au professeur.

➤ Je réalise les expériences

Après l'accord du professeur, réalise les expériences en prenant soin de respecter les précautions expérimentales d'usage (travailler dans le calme et en prenant soin du matériel). Note tes résultats au fur et à mesure.

➤ Je communique mes résultats

Rédige ensuite un compte-rendu, avec des schémas légendés, qui explique ce que tu as fait et comment tu as su retrouver ce que contient chaque tube.

➤ Pour aller plus loin

Le professeur voudrait vérifier que le précipité blanc est bien du carbonate de calcium. Aide-toi de la page 67 pour lui proposer une méthode.

Exercices

Je contrôle mes connaissances

1 Je retrouve l'essentiel

Utilise les mots ou groupes de mots suivants pour compléter les phrases ci-dessous : *décantation, réactifs, transformation chimique, combustible, précipité de carbonate de calcium, filtration, coloré, produits, comburant, particules solides, réagit avec.*

Une combustion nécessite la présence simultanée d'un .... et d'un comburant. Lorsqu'une bougie brûle dans l'air, le .... est le dioxygène de l'air.
La combustion du carbone est une ....
Au cours d'une transformation chimique, certains corps appelés .... disparaissent, tandis que de nouveaux corps appelés .... apparaissent.
Le bilan de cette transformation s'écrit :

carbone + dioxygène ⟶ dioxyde de carbone
(carbone + dioxygène : réactifs ; dioxyde de carbone : produit)

La flèche va des réactifs vers le produit ; elle se lit « donne ». Le « + » signifie « .... ».

Le « trouble » de l'eau de chaux est dû à un ....
Un précipité est constitué de .... en suspension dans un liquide que l'on met en évidence par .... et/ou .... Un précipité peut être ....

→ **Solution page 221.**

2 Prévoir un résultat — COMPÉTENCE TRANSVERSALE

Deux bougies identiques sont coiffées chacune d'un flacon. Les flacons sont de taille différente.
Quelle est la bougie qui s'éteindra la première ? Justifie.

3 Interpréter un dessin — COMPÉTENCE TRANSVERSALE

a. Reproduis le dessin puis place les légendes suivantes : *eau de chaux, carbone, dioxyde de carbone, dioxygène*.
b. Décris chaque étape par une phrase.

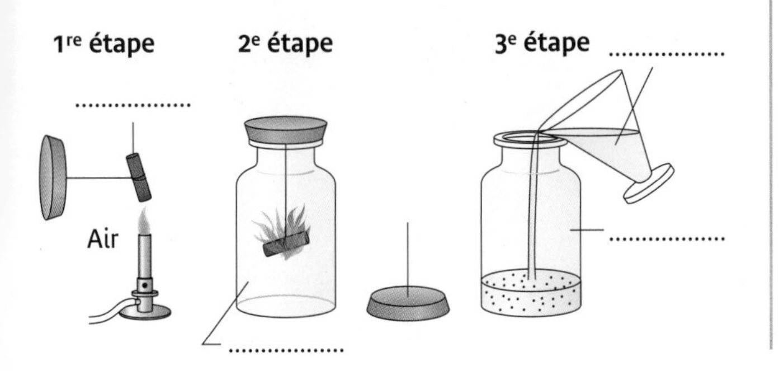

4 Reconnaître une transformation chimique

Le charbon de bois contient essentiellement du carbone.
a. Quel est le produit gazeux formé lors de la combustion du charbon de bois dans ce barbecue ?
b. Cette combustion est-elle une transformation chimique ? Justifie ta réponse.

5 À quoi est dû le trouble de l'eau de chaux ?

Au départ de l'expérience, le tube à essai contenait de l'eau de chaux limpide. À présent, elle s'est troublée.
a. Quel est le gaz qui barbote dans l'eau de chaux ?
b. Quel nom donne-t-on à l'ensemble des particules solides qui troublent l'eau de chaux ? Comment pourrait-on les « isoler » et les « récupérer » ?

6 Reconnaître un précipité

Les deux tubes à essais ci-contre contiennent :
– l'un de l'eau avec du sirop d'orgeat,
– l'autre de l'eau de chaux troublée.
a. Peux-tu les distinguer à l'œil nu ?
b. Propose une méthode pour déterminer le tube qui contient l'eau de chaux troublée.
c. Réalise un schéma légendé de l'expérience.

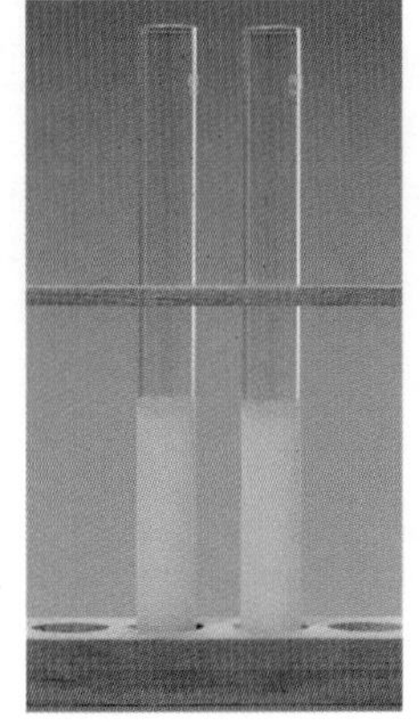

Exercices

J'utilise mes connaissances

7 Savoir repérer un comburant

Une bougie brûle dans l'air (**fig. 1**) mais elle s'éteint si on remplit le récipient de dioxyde de carbone (**fig. 2**).

a. Quelles conditions sont réunies pour que la combustion de la bougie soit possible sur la figure 1 ?

b. Pourquoi s'éteint-elle sur la figure 2 ?

c. Avec quel gaz pourrait-on remplir le récipient de la figure 1 pour rendre la combustion plus vive ?

fig. 1

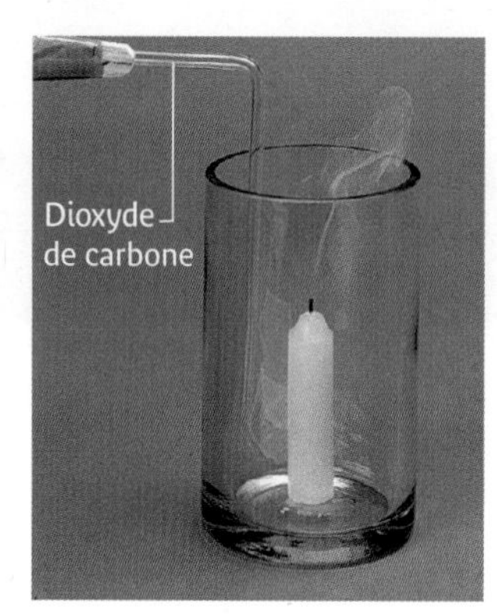

fig. 2

8 Comprendre le rôle du comburant

Nicolas fait brûler un gros morceau de fusain dans un flacon fermé rempli de dioxygène mais la combustion est interrompue alors que le fusain n'a pas complètement brûlé. Nicolas ne comprend pas !

a. Peux-tu lui donner la raison de cette interruption ?

b. Comment doit-il modifier l'expérience pour que le fusain brûle entièrement ? Propose-lui deux solutions.

9 Interpréter l'absence de comburant

Si l'on casse le verre de cette lampe, sans abîmer le filament, celui-ci se consume.

a. Pourquoi le filament ne brûle-t-il pas sur la photo ?

b. Pourquoi brûle-t-il si l'on casse le verre ?

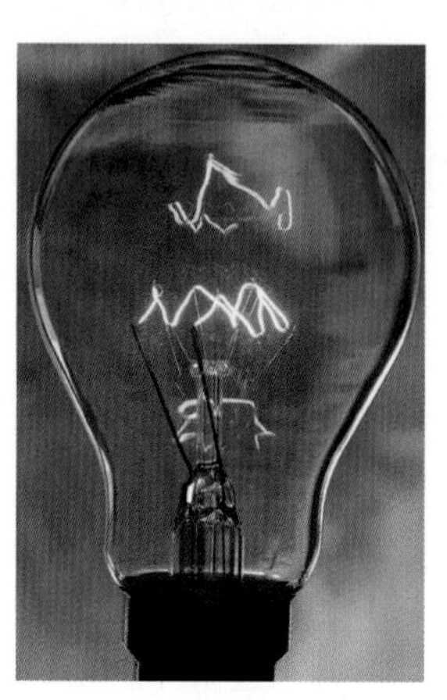

10 Analyser une transformation chimique

Un fil de fer brûle vivement dans un flacon rempli de dioxygène (**fig. 1**). Après la combustion, on récupère, au fond du flacon, des particules d'oxyde de fer (**fig. 2**).

a. Quel est le combustible ? Qu'est le comburant ?

b. Quels sont les réactifs de cette combustion ? Quel est le produit ?

c. Écris le bilan de cette transformation chimique.

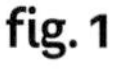

fig. 1

fig. 2

11 Interpréter une photo d'expérience

Karim a laissé au repos un tube à essai contenant de l'eau de chaux troublée. Après quinze minutes, il obtient le résultat ci-contre.

a. Quel corps solide en suspension est responsable du trouble de l'eau de chaux ?

b. Pourquoi seule la partie inférieure du tube est-elle encore trouble après quelques minutes de repos ?

c. Qu'observera-t-on, longtemps plus tard, quand la décantation sera terminée ?

12 Différencier précipité et coloration

Les deux filtres ci-dessous ont été utilisés :

– l'un pour filtrer un mélange d'eau et d'encre turquoise,

– l'autre pour filtrer une solution contenant un précipité bleu d'hydroxyde de cuivre.

Quel filtre a été utilisé dans chacun des cas ? Justifie.

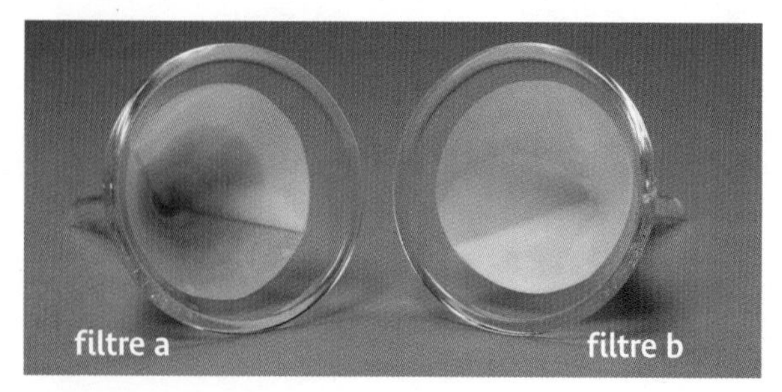

J'approfondis mes connaissances

13 Justifier quelques recommandations

Pourquoi est-il préconisé de :
- fermer les fenêtres avant de sortir de classe lors d'une alerte incendie,
- souffler sur les braises d'un barbecue si l'on veut activer le feu,
- enrouler dans une couverture une personne dont les vêtements prennent feu,
- débroussailler à proximité des habitations.

Utilise les mots «*combustible*» et «*comburant*» dans tes réponses.

14 Repérer une transformation chimique

On prélève du dioxyde de carbone dans une bouteille d'eau pétillante (**fig. 1**). On injecte ce gaz dans de l'eau de chaux : on observe un précipité (**fig. 2**). La formation du précipité résulte d'une transformation chimique.

Quels sont les réactifs et quel est le produit de cette transformation ?

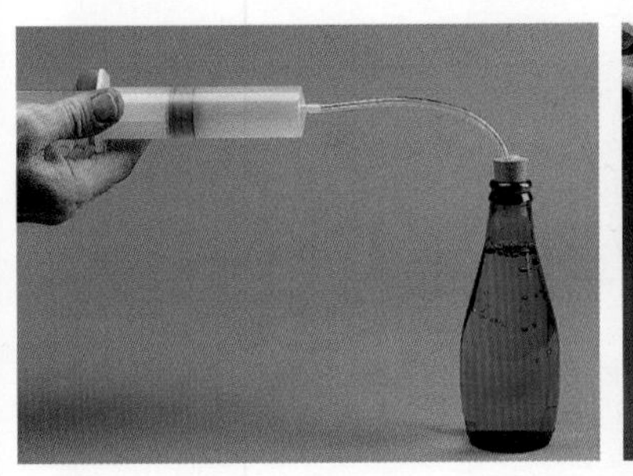

fig. 1

fig. 2

15 Écrire un bilan de transformation chimique

On fait brûler de la poudre d'aluminium dans un flacon de dioxygène. La combustion, très vive, produit des étincelles. Une fumée blanche envahit le flacon : c'est de l'oxyde d'aluminium.

a. Quels sont les réactifs de cette transformation chimique ? Quel est le produit.

b. Écris le bilan de cette transformation chimique.

16 Savoir éliminer le calcaire

Pour rendre son éclat à une capsule ternie par un dépôt de calcaire, des «recettes de grands-mères» conseillent de la rincer avec du vinaigre blanc. Peux-tu trouver une justification à ce conseil ?
(*Aide-toi du document page 67.*)

17 Faire un peu de maths

Mathématiques

Le charbon de bois contient 80 % de carbone et il faut 2 L de dioxygène pour brûler 1 g de carbone.

a. Quelle est la masse de carbone contenue dans un sac de 4 kg de charbon de bois ?

b. Quel est le volume de dioxygène nécessaire pour brûler tout le contenu du sac ? Exprime le résultat en L et en cm^3.

18 Cuisiner et faire des maths

Mathématiques

Pour faire griller le produit de sa pêche, Jean-Pierre a utilisé 1 kg de charbon de bois.

a. Écris le bilan de la combustion du carbone contenu dans le charbon qu'il a utilisé.

b. Quelle est la masse de chaque réactif ?

c. Quelle est la masse du produit ?

Données : le charbon de bois contient 80 % de carbone.
Pour brûler 12 g de carbone, il faut 32 g de dioxygène et il se forme alors 44 g de dioxyde de carbone.

19 Chemistry in English

Look at the pictures below.

fig. 1

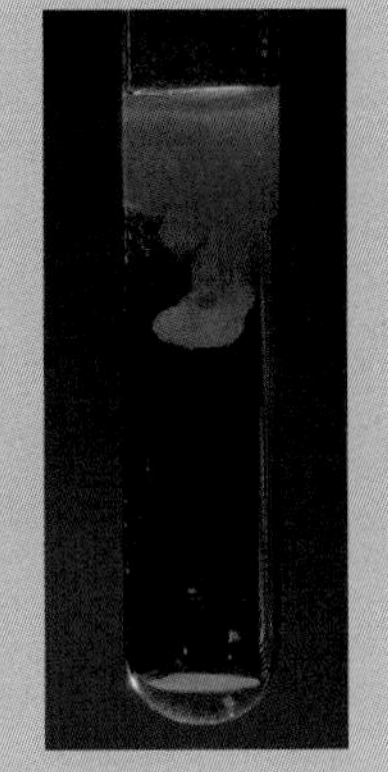

fig. 2

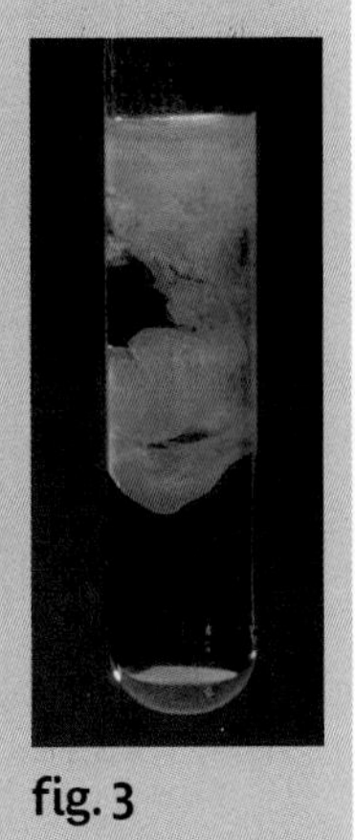

fig. 3

Determine what is in each test tube? Is it a precipitate? How can you prove it?

Chapitre

5 Des combustions incomplètes

Une combustion est une transformation chimique au cours de laquelle le combustible et le comburant disparaissent tandis que se forment des nouveaux produits.
Obtient-on toujours les mêmes produits ?
La nature des produits formés dépend-elle des conditions dans lesquelles se déroule la combustion ?
Qu'est-ce qui distingue une combustion « complète » d'une combustion « incomplète » ?

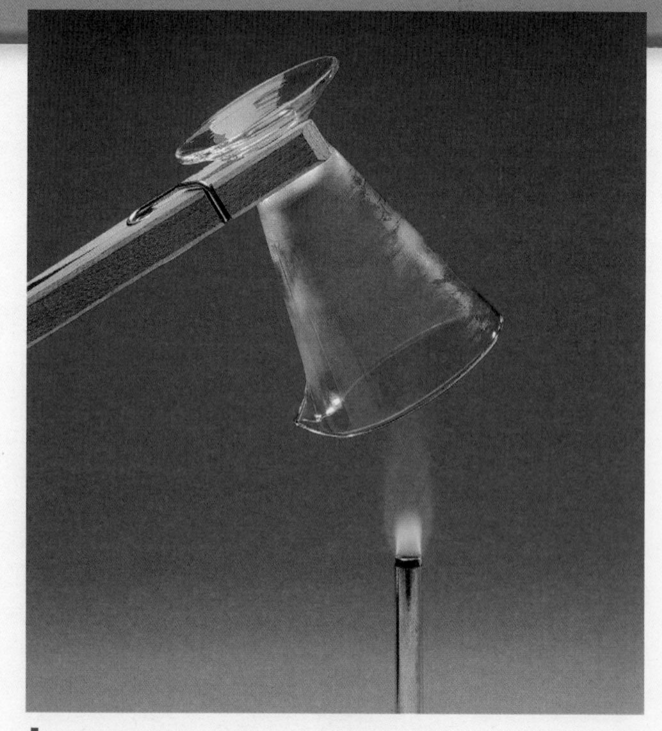

1. Peut-on produire de l'eau avec du feu ? ► Activité 1

2. Cette flamme très éclairante produit un panache de fumée noire. Que contient cette fumée ? ► Activité 2

3. **L'incendie n'est pas l'unique danger d'une combustion ; d'autres sont plus sournois : il y a aussi des gaz qui tuent. Lesquels ? Dans quelles conditions se forment-ils ?**
► Activités 2 et 3

Objectifs

- Savoir distinguer combustion complète et combustion incomplète
- Reconnaître les produits de combustion du méthane et/ou du butane
- Connaître et exprimer les dangers des combustions incomplètes
- Réaliser et décrire une expérience de combustion (Compétences expérimentales)
- Identifier, lors d'une transformation, les réactifs (avant transformation) et les produits (après transformation) (Compétences expérimentales)

4. **Pour des raisons de sécurité, les endroits où se produisent des combustions doivent être bien ventilés. Pourquoi ?** ► Activités 2 et 3

Activités

Que se passe-t-il quand le méthane brûle dans l'air ?

MATÉRIEL : • un bec Bunsen • des allumettes • du sulfate de cuivre anhydre • de l'eau de chaux • un système d'aspiration (trompe à eau) des gaz produits par la combustion

DÉROULEMENT :

1. Réalisons le montage de la figure 1. Le bec Bunsen est éteint. L'air ambiant, aspiré par la trompe à eau, circule sur le sulfate de cuivre anhydre (blanc) puis barbote dans l'eau de chaux.

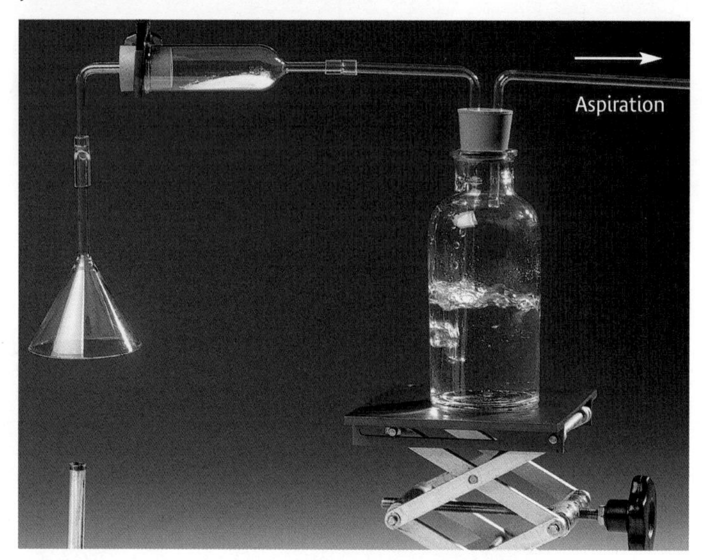

fig. 1 Le sulfate de cuivre est blanc. L'eau de chaux est limpide.

2. Enflammons le méthane à la sortie du bec Bunsen quand la virole est fermée puis ouvrons la virole pour rendre la flamme bleue. Plaçons la flamme du bec Bunsen sous l'entonnoir : les gaz produits par la combustion du méthane circulent alors dans le système aspirant (**fig. 2**).

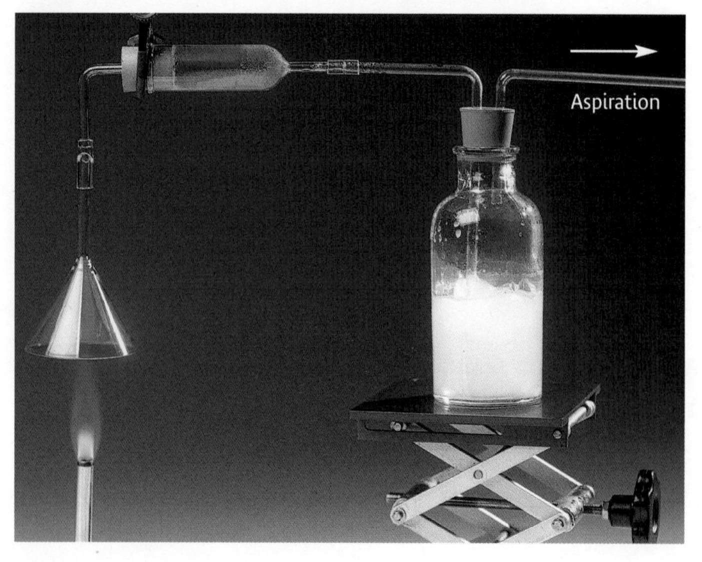

fig. 2 Le sulfate de cuivre bleuit. L'eau de chaux se trouble.

Questions

1 Fais le schéma du montage et indique par des flèches le sens de déplacement de l'air aspiré (fig. 1).

2 Sur la figure 2, comment faut-il interpréter le bleuissement du sulfate de cuivre ? Quelle indication fournit le test à l'eau de chaux ?

3 Quels sont les deux produits de cette combustion du méthane dans l'air ? Quels sont les deux réactifs ?

4 Écris le bilan de cette transformation chimique.

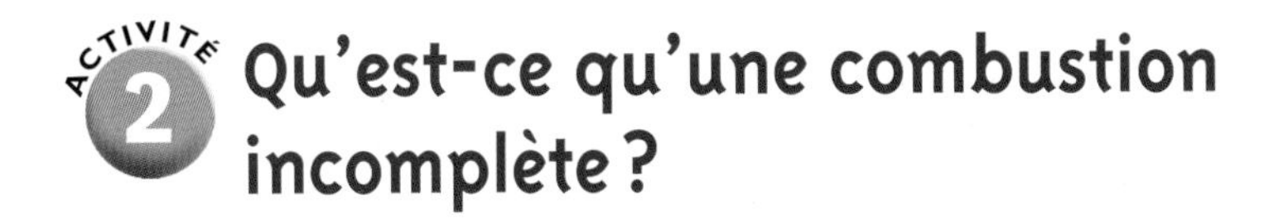

ACTIVITÉ 2 Qu'est-ce qu'une combustion incomplète ?

MATÉRIEL : • un bec Bunsen • des allumettes • une coupelle • une pince en bois

DÉROULEMENT :

1. Enflammons le méthane à la sortie du bec Bunsen, d'abord virole fermée (**fig. 3**), puis virole ouverte (**fig. 4**). Notons au passage le bruit de l'air qui s'engouffre dans la cheminée quand la virole est ouverte.

2. Maintenons une coupelle au-dessus de chaque flamme et observons (**fig. 5** et **6**).

Questions

1 Compare l'aspect de la flamme dans les deux cas (fig. 3 et 4). Dans quel cas le mélange méthane-air est-il moins riche en dioxygène ? Justifie ta réponse.

2 Qu'observes-tu sur la coupelle quand la virole est fermée ? Quel produit de combustion met-on en évidence ?

3 La combustion du méthane est « complète » quand la flamme est bleue. Pourquoi dit-on qu'elle est « incomplète » quand la flamme est jaune ?

fig. 3

fig. 4

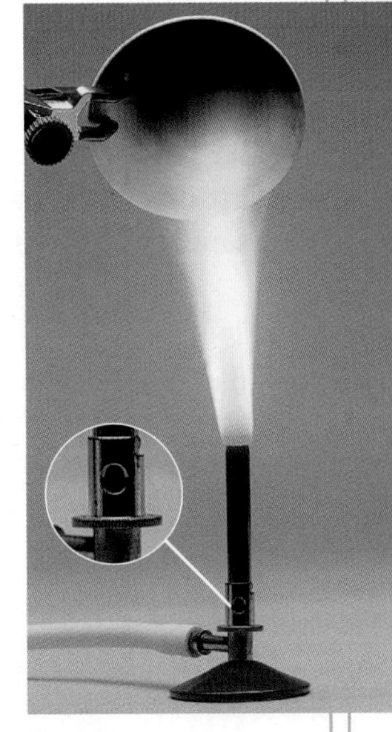

fig. 5

fig. 6

ACTIVITÉ 3 Une combustion incomplète est-elle dangereuse ?

Une fillette a été retrouvée inanimée dans la salle de bains à la suite d'une intoxication au monoxyde de carbone. La jeune victime aurait perdu connaissance en inhalant ce gaz toxique, incolore et inodore. Il semblerait que le monoxyde de carbone provienne d'un mauvais fonctionnement du chauffe-eau au méthane se trouvant dans la pièce.
Produit par toutes les combustions incomplètes en cas d'alimentation insuffisante en dioxygène (bois, méthane, essence, etc.), le monoxyde de carbone cause chaque année en France plus de 300 décès et 6 000 intoxications.

Article de presse (extrait), Rubrique « Faits divers », septembre 2006.

Questions

1 Quel gaz toxique est responsable de l'intoxication de la fillette ?

2 La combustion du méthane dans ce chauffe-eau est-elle complète ou incomplète ? Justifie à partir du texte.

3 Pourquoi la fillette ne s'est-elle pas rendu compte du danger ?

1 Combustion du méthane dans l'air

Voir Activité 1

Observation : Les gaz produits par la combustion du méthane font bleuir le sulfate de cuivre et troublent l'eau de chaux (**fig. 1**).

Interprétation : Le méthane brûle en produisant de l'eau et du dioxyde de carbone ; sa combustion libère de l'énergie.

Remarque

Quand la combustion du méthane produit seulement du dioxyde de carbone et de l'eau, on dit qu'elle est **complète**.

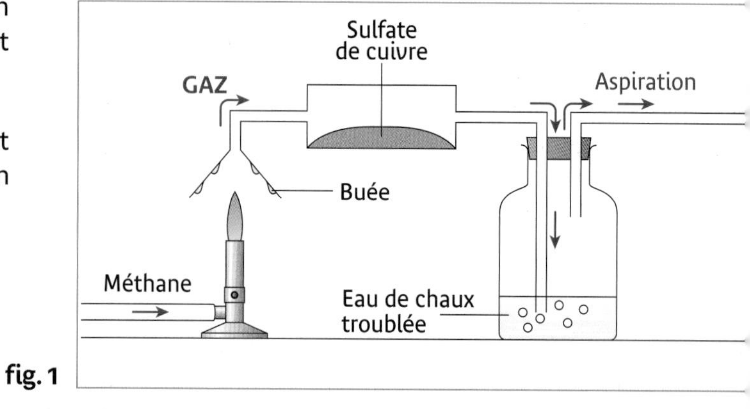

fig. 1

Conclusion : Au cours de cette combustion, du méthane et du dioxygène (de l'air) disparaissent tandis que de l'eau et du dioxyde de carbone se forment.
Il s'agit donc d'une transformation chimique dont le bilan s'écrit :

$$\underbrace{\text{méthane + dioxygène}}_{\textbf{Réactifs}} \longrightarrow \underbrace{\text{dioxyde de carbone + eau}}_{\textbf{Produits}}$$

2 Distinction entre combustion complète et combustion incomplète

Voir Activité 2

Observation : Virole fermée, le mélange du combustible (méthane) et du comburant (dioxygène de l'air) se fait seulement à la sortie de la cheminée. La flamme est jaune car la combustion produit du carbone (fumée noire) (**fig. 2**).

Virole ouverte, l'entrée de l'air par la cheminée (**fig. 3**) enrichit le mélange en dioxygène : la flamme est bleue et la combustion ne produit plus de carbone mais seulement de l'eau et du dioxyde de carbone (voir activité 1).

Interprétation : Quand la flamme est jaune, la combustion produit du carbone ; c'est un combustible qui pourrait encore brûler. On dit pour cela que la combustion est **incomplète**. Si la combustion ne produit pas de produits combustibles, alors elle est **complète**.

Conclusion : Lorsque l'alimentation en dioxygène est suffisante, la combustion du méthane est complète. Elle produit uniquement de l'eau et du dioxyde de carbone.
Lorsque le dioxygène est en quantité insuffisante, la combustion produit aussi un combustible (le carbone) : elle est donc incomplète.

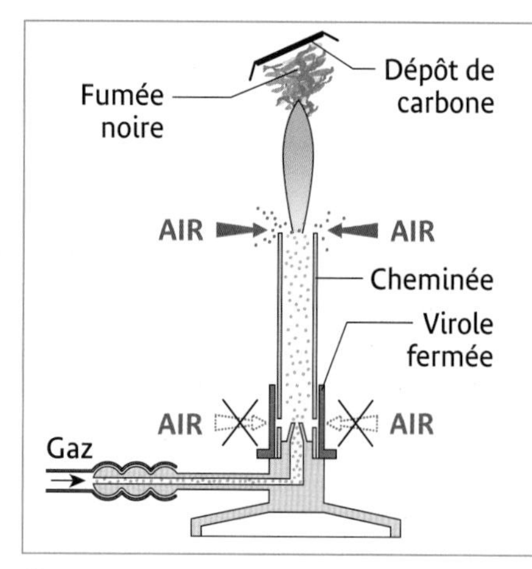

fig. 2 Les particules de carbone se déposent sur la soucoupe (traces noires).

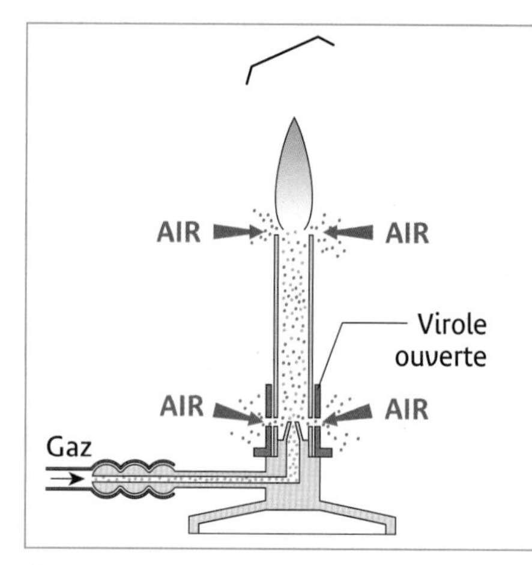

fig. 3 Cette combustion ne produit pas de carbone.

3 Les dangers des combustions incomplètes

Voir **Activité 3**

Si la quantité de dioxygène est insuffisante, certaines combustions sont incomplètes. Elles peuvent alors produire, non seulement du noir de fumée, constitué de carbone, mais aussi un gaz nocif : le monoxyde de carbone.

Le monoxyde de carbone, incolore et inodore, est difficile à mettre en évidence mais il est très toxique. En se fixant sur les globules rouges du sang à la place du dioxygène, il empêche l'oxygénation du corps et provoque l'asphyxie. La mort peut intervenir très rapidement.

Dans tous les locaux où se produisent des combustions, il faut prévoir des aérations pour éviter l'appauvrissement en dioxygène.

CONCLUSION : Une combustion incomplète peut produire, en plus du carbone, un gaz très toxique : le monoxyde de carbone.

L'essentiel

► **Contrôle tes connaissances** *en faisant l'exercice 1 page 81.*

Deux transformations chimiques :

- **combustion complète**

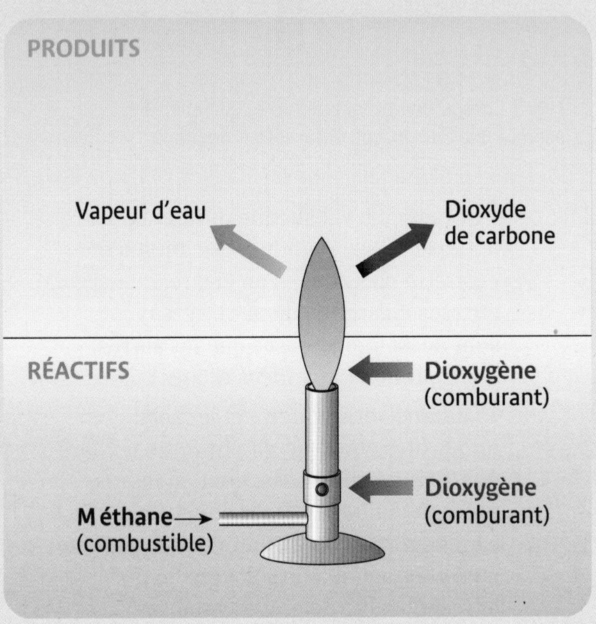

PRODUITS
Vapeur d'eau
Dioxyde de carbone
RÉACTIFS
Dioxygène (comburant)
Dioxygène (comburant)
Méthane → (combustible)

- **combustion incomplète**

PRODUITS
Vapeur d'eau
Carbone
Monoxyde de carbone
Dioxyde de carbone
RÉACTIFS
Dioxygène (comburant)
Méthane → (combustible)

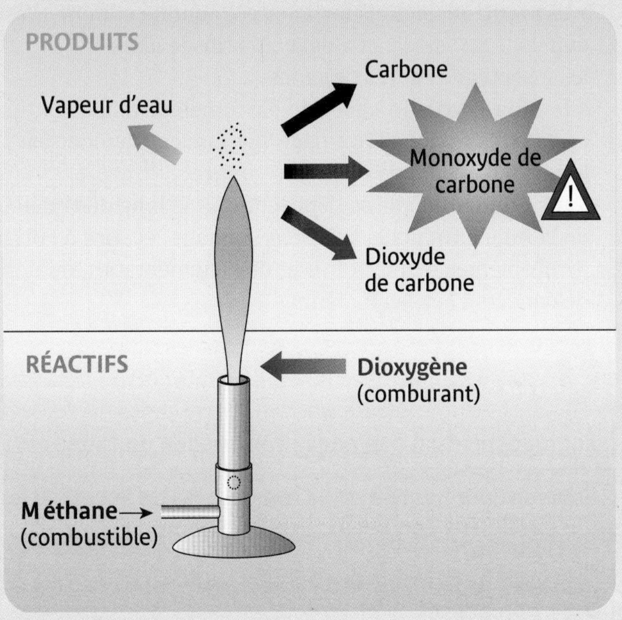

Documents

Santé

Une combustion incomplète très dangereuse : celle d'une cigarette

Du monoxyde de carbone, des particules de fumées visibles, des cendres, des résidus stockés par l'organisme, sont autant de composés « non » ou « mal » brûlés lors de la combustion d'une cigarette (**fig. 1**).

fig. 1

fig. 2 L'inhalation de fumée de tabac par les fumeurs et les non fumeurs (tabagisme passif) peut avoir des conséquences graves.

En inhalant la fumée, même de manière involontaire (**fig. 2**), l'organisme absorbe de nombreux produits chimiques entrant dans la composition de la cigarette et/ou provenant de la combustion incomplète du tabac (**fig. 3**).
Citons tout particulièrement :
- **la nicotine** : cette substance est connue comme poison depuis le XIXe siècle et a déjà été utilisée dans les insecticides et les raticides ;
- **le monoxyde de carbone** : la fumée de tabac contient ce gaz très toxique (voir page 75), émis également par le tuyau d'échappement d'une voiture ;
- **les goudrons :** ils se déposent tout le long du trajet de la fumée (bouche, larynx, œsophage) et sont à l'origine de problèmes respiratoires et de l'augmentation du nombre de cancers chez les fumeurs.

ACÉTONE (dissolvant)
MÉTHANOL (carburant pour fusées)
NAPHTALÈNE (antimite)
NICOTINE (utilisé comme herbicide et insecticide)
CADMIUM* (utilisé dans les batteries)
CHLORURE DE VINYLE* (utilisé dans les matières plastiques)
MONOXYDE DE CARBONE (gaz toxique)
ACIDE CYANHYDRIQUE (était employé dans les chambres à gaz)
AMMONIAC (détergent)
TOLUÈNE (solvant industriel)
ARSENIC (poison violent)
PHÉNOL
BUTANE
POLONIUM 210* (élément radioactif)
DDT (insecticide)
* substances cancérigènes

fig. 3 Lorsqu'une personne fume, elle absorbe, parmi 4 000 autres, ces différents produits.

Comme il n'y a aucune différence entre le tabac utilisé pour la fabrication d'une cigarette classique, d'un cigare, du narguilé, etc., les cigarettes dites « légères » sont aussi dangereuses que les autres, contrairement aux idées reçues !

La fumée de cigarette et le tabac non brûlés contiennent plusieurs milliers de produits chimiques, dont au moins une cinquantaine sont reconnus comme cancérigènes chez l'Homme. Il n'est donc pas étonnant qu'elle soit si nocive et responsable de graves troubles de la santé.

Questions

1 Pourquoi peut-on dire que la combustion du tabac est incomplète ?

2 Repère sur la figure 3, trois composants de la cigarette qui te paraissent dangereux. Explique pourquoi.

3 Les cigarettes « légères » sont-elles moins nocives que les autres ? Justifie ta réponse.

4 Recherche ce qu'est le tabagisme passif. Pourquoi est-il dangereux également ?

Du méthane… jusqu'à quand ?

Énergie

Environnement et développement durable

En 1776, **Alessandro Volta** observe que des bulles de gaz s'échappent à la surface de l'eau des marécages. Après avoir recueilli ce gaz, il constate qu'il s'enflamme facilement. En réalisant ces expériences, Volta a isolé le **méthane**. Il le nomme dans un premier temps « gaz des marais ».

Comme pour le pétrole, la **formation du méthane** résulte de la décomposition lente de la **matière organique** piégée dans les sédiments : c'est un combustible fossile. Des poches de gaz naturel, principalement constituées de méthane, se forment alors dans le sous-sol.

Le méthane est puisé par **pompage** dans les poches sous-marines (gisements off-shore) **(fig. 4)** ou souterraines (gisement on-shore). C'est en **Sibérie** (Russie) que l'on trouve le plus grand nombre de gisements et les plus grandes réserves mondiales de méthane (plus de 35 %).

Pour transporter le méthane des gisements vers les lieux de consommation, les **gazoducs (fig. 5)** sont le moyen le plus courant. Mais une part croissante du gaz produit est acheminée par les navires méthaniers après sa liquéfaction à – 162 °C.

fig. 4 Le gaz puisé par pompage est appelé « gaz naturel ». Il contient essentiellement du méthane dont la teneur varie d'un gisement à l'autre.

fig. 5 Les gazoducs, véritables autoroutes du gaz naturel, sont des canalisations enterrées à plus d'un mètre de profondeur ou bien immergées. Elles sont constituées par des tubes en acier épais, d'un diamètre variant de 400 à 900 mm, soudés les uns aux autres.

Le méthane est l'un des moyens énergétiques les **moins polluants**. Quand sa combustion est complète, elle ne produit que du dioxyde de carbone et de l'eau.

En 2006, plus de 20 % de l'électricité mondiale était produite à partir de gaz naturel. Chez les particuliers, le méthane est utilisé pour le chauffage, la production d'eau chaude et la cuisson des aliments.
Depuis quelques années, le méthane, comprimé en bouteilles, sert aussi à la propulsion des véhicules.

Mais les gisements de gaz naturel ne sont pas **intarissables** et nous consommons aujourd'hui le méthane bien plus rapidement qu'il ne se forme.

Remarque

La longueur du réseau de transport et de distribution du gaz naturel en France s'élève à 212 303 km, soit plus de cinq fois le tour de la Terre.

Questions

1 Pourquoi dit-on que le méthane est un combustible fossile ? Explique.

2 Qu'est-ce qu'un gazoduc ? Et un méthanier ?

3 Quel est l'interêt de refroidir le méthane à – 162 °C pour le transporter ? Que représente cette température ?

4 Quelles sont aujourd'hui les différentes utilisations du méthane ?

5 Le méthane issu du gaz naturel représente-t-il une source d'énergie inépuisable ? Explique ta réponse.

Ma démarche **d'investigation**

Compétences expérimentales à évaluer

- Réaliser et décrire une expérience de combustion
- Identifier, lors d'une transformation, les réactifs et les produits

Les briquets fonctionnant au gaz butane, fabriqués par l'usine TOUFEU, doivent être soumis à un contrôle de qualité.
Un rapport doit être établi sur la combustion qu'ils produisent.
Le directeur de l'usine, Monsieur Touflamme, te demande de réaliser cette étude avec ta classe. Pour cela, il te fait envoyer les briquets et le tableau que tu dois remplir pour l'étude.

BUREAU D'ÉTUDE

Identification des réactifs		Recherche des produits		Combustion complète ou incomplète ?
combustible	comburant	tests réalisés	conclusions	
				Justification

fig. 1

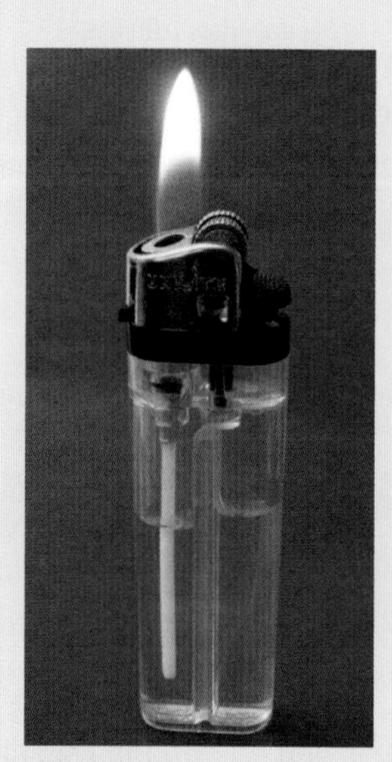

fig. 2

Comment identifier les produits d'une combustion ?

➤ Je réfléchis

Imagine sur une feuille de recherche, quelle(s) expérience(s) mettre en œuvre pour compléter le tableau d'étude envoyé par Monsieur Touflamme.
Dresse la liste du matériel qui te sera nécessaire. Propose ta démarche au professeur.

➤ Je réalise les expériences

Après l'accord du professeur, réalise les expériences.
Attention ! Tu dois manipuler le briquet et la verrerie avec précaution et dans le calme.
Note tes résultats au fur et à mesure.

➤ Je communique mes résultats

Rédige ensuite le compte-rendu de ton étude.
Il devra comporter :
- la description des expériences que tu as faites et leurs conclusions (tu peux faire des schémas),
- le tableau (**fig. 1**) recopié et complété.

Penses-tu qu'il puisse y avoir d'autre(s) produit(s) lors de la combustion du butane ?
Si oui, indique-le(s) à la fin de ton rapport en justifiant ta remarque.

Exercices

Je contrôle mes connaissances

1 Je retrouve l'essentiel

Utilise les mots ou groupes de mots suivants pour compléter les phrases ci-dessous : *eau, méthane, réactifs, se forment, toxique, transformation chimique, monoxyde de carbone, complète, dioxygène, produits, disparaissent, combustible, dioxyde de carbone.*

Au cours de la combustion .... du méthane dans l'air, du méthane et du dioxygène .... tandis que de l'eau et du dioxyde de carbone ....
Il s'agit d'une .... dont le bilan s'écrit :
...............+........ ⟶ ....+..............
Méthane et dioxygène sont les ....; dioxyde de carbone et eau sont les ....
Si l'alimentation en dioxygène est insuffisante, la combustion est incomplète : elle produit un .... (le carbone), et un gaz incolore et inodore mais très ....: le ....

→ **Solution page 221.**

2 Observer, schématiser, interpréter

COMPÉTENCE TRANSVERSALE

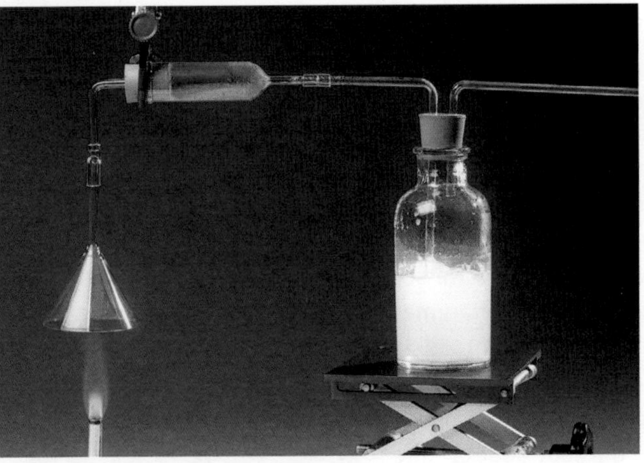

a. Schématise le montage puis ajoute la légende suivante : *sulfate de cuivre, eau de chaux.*
b. On utilise une trompe à eau. Quel est son rôle ?
c. À quoi sert le sulfate de cuivre ?
d. À quoi sert l'eau de chaux ?
e. Quel est le but de cette expérience ?
f. Quels sont les réactifs de cette transformation chimique ?
g. Quels sont les produits ?
h. Écris le bilan de cette transformation chimique.

3 Distinguer combustion complète et incomplète

Recopie puis, en observant les figures 1 et 2, complète le tableau en utilisant les mots ou groupes de mots suivants : *chauffante, bleue, ouverte, riche en dioxygène, complète, pauvre en dioxygène, jaune, éclairante, incomplète, fermée.*

fig. 1

fig. 2

	Fig. 1	Fig. 2
Virole	....	....
Flamme	....	....
Mélange combustible/comburant	....	....
Combustion	....	....

4 Donner du sens à « combustion incomplète »

On place une soucoupe blanche au-dessus d'une flamme lumineuse : elle se recouvre d'un dépôt noir.

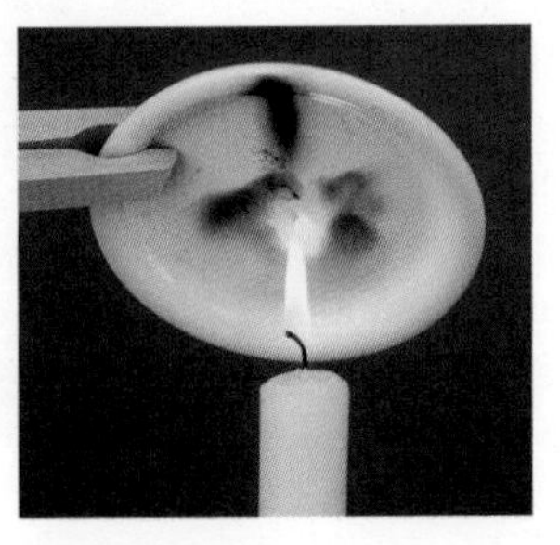

a. Quelle est la nature de ce dépôt noir ?
b. Pourquoi dit-on que la combustion est incomplète ?

5 Associer combustion et bilan

Lucie a noté le bilan de deux combustions sur son cahier :

a. *méthane + dioxygène → eau + dioxyde de carbone*
b. *méthane + dioxygène → eau + dioxyde de carbone + monoxyde de carbone + carbone*

Mais elle ne sait plus lequel caractérise une combustion complète et lequel correspond à une combustion incomplète. Choisis pour elle et justifie tes choix.

Exercices

J'utilise mes connaissances

6 Comprendre le rôle de l'air

a. Retrouve la légende du schéma en associant à chaque lettre, l'un des termes suivants : *arrivée du combustible, mélange d'air et de méthane, virole ouverte, cheminée*.

b. Indique par des flèches le trajet du combustible.

c. Que représentent les flèches rouges ? À quel(s) niveau(x) se réalise le mélange entre combustible et comburant ?

d. Explique pourquoi la combustion est complète quand la virole est ouverte et incomplète quand elle est fermée ?

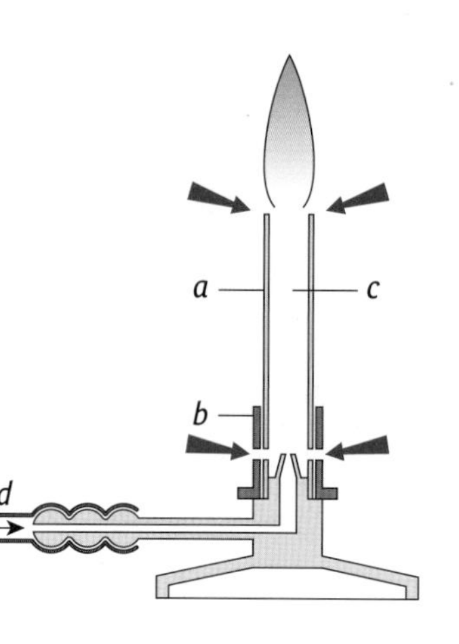

7 Reconnaître un produit de combustion

Le verre froid et sec, placé au-dessus d'une flamme, se recouvre de buée.

a. Que montre cette expérience ?

b. Pourquoi faut-il que le verre soit froid ?

c. Qu'observerait-on si l'on saupoudrait l'intérieur du verre de sulfate de cuivre anhydre ?

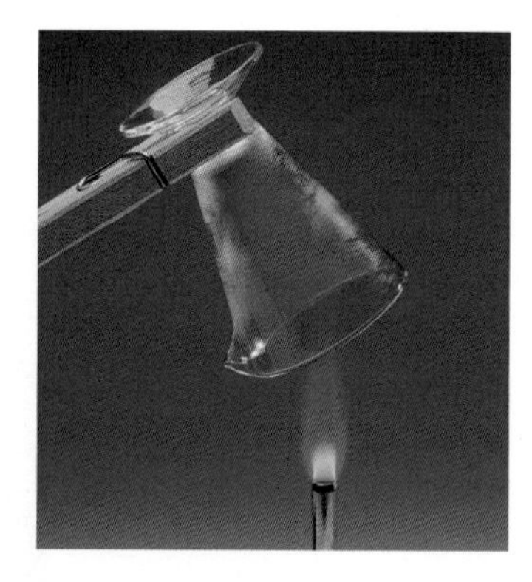

8 Prévenir un danger

Manon fait cuire des aliments sur une gazinière utilisant le méthane (gaz de ville). Elle observe que la flamme du brûleur est jaune. Inquiète, Manon arrête la cuisson et s'assure que l'aération de la pièce est suffisante.

a. La combustion du méthane est-elle complète ou incomplète ? Pourquoi ?

b. Quel gaz toxique pourrait être produit ?

c. Quel danger veut éviter Manon en vérifiant la ventilation de sa cuisine ?

9 Étudier la combustion du gaz butane

Du butane brûle dans l'air. De la buée apparaît sur l'entonnoir et l'eau de chaux se trouble.

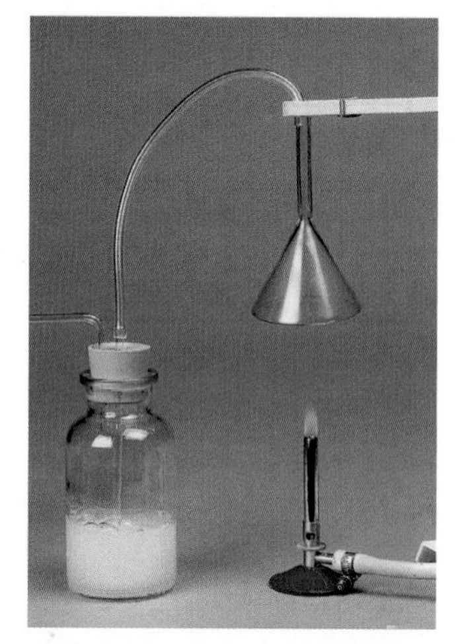

a. Schématise l'expérience en ajoutant le système d'aspiration qui n'apparaît pas sur cette photo. Indique par des flèches le trajet des produits de la combustion.

b. Quels sont les deux produits de la combustion ainsi mis en évidence ? Justifie ta réponse.

c. La combustion du butane est-elle complète ou incomplète ? Justifie ta réponse.

d. Écris le bilan de la transformation chimique réalisée.

10 Connaître quelques règles de sécurité

Chaque année, en France, le monoxyde de carbone est la cause d'environ 300 décès et 6 000 intoxications.

a. Quelles sont les principales règles à respecter pour éviter la formation de ce gaz toxique lors de l'utilisation des combustibles usuels.

b. Pourquoi est-il nécessaire de prévoir une bonne ventilation de la pièce avant, pendant et après une combustion ?

11 Se réchauffer sans danger

On voit souvent, à la saison froide, des chauffages au butane en forme de réverbère aux terrasses des cafés. Les flammes bleues produisent de la chaleur utilisée pour réchauffer les clients.

a. Pourquoi peut-on dire que la combustion du butane est complète ?

b. Quels sont les produits qui apparaissent aux cours de cette transformation chimique ?
Quels sont les corps qui sont consommés ?

c. Pourquoi serait-il dangereux d'utiliser ces dispositifs chauffants à l'intérieur, dans une pièce calfeutrée ? Explique ta réponse.

J'approfondis mes connaissances

12 Comprendre le fonctionnement d'un brûleur

Au quotidien

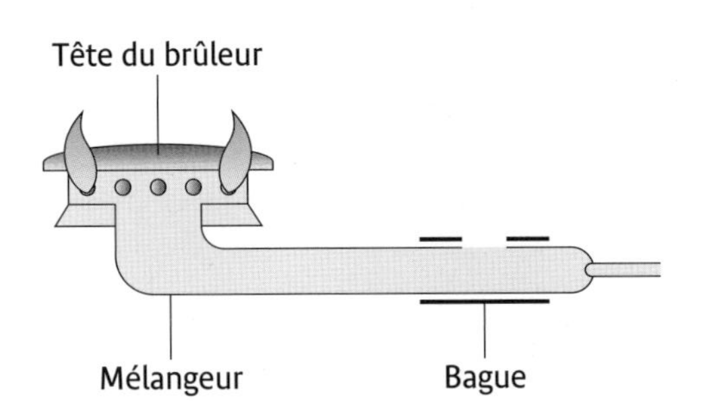

a. Reproduis le schéma du brûleur d'une gazinière puis indique par une flèche l'arrivée du gaz.
b. Précise le rôle de la bague en le comparant à celui de la virole d'un bec Bunsen.
c. Quels sont les corps qui se mélangent dans le mélangeur ?
d. Les cuisiniers savent que si la flamme est jaune, il se forme un dépôt noirâtre sur les casseroles. Quelle est la nature de ce dépôt ? Quel réglage faut-il modifier pour l'éviter ?

13 Comprendre le rôle d'un injecteur

Dans une gazinière, le combustible gazeux arrive dans le brûleur en passant par l'orifice d'un injecteur.
Il existe plusieurs types d'injecteur. Ils se distinguent essentiellement par le diamètre de leur orifice.

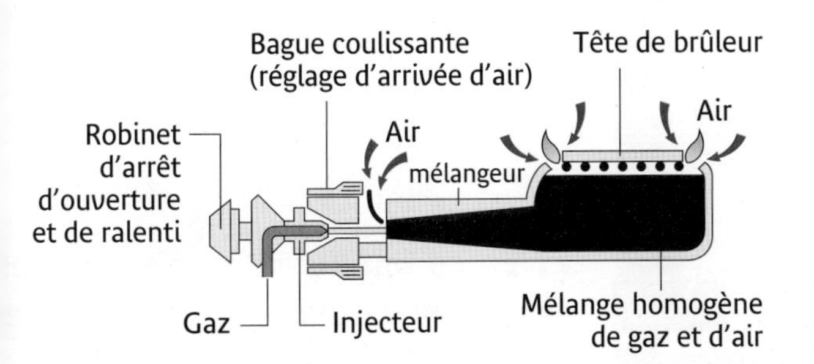

a. Sur une gazinière utilisant le gaz méthane, le débit d'air au niveau des injecteurs est-il plus important ou plus faible que dans le cas d'une gazinière utilisant du propane ?
Justifie ta réponse.
Données : pour faire brûler complètement 1 L de méthane, il faut 10 L d'air alors qu'il faut 25 L d'air pour faire brûler 1 L de propane.
b. Que se passe-t-il si on utilise du gaz propane dans un appareil équipé pour le méthane ?

14 Un peu de maths

Mathématiques

Cette cartouche de butane contient 190 g de butane sous pression.
À la pression atmosphérique, 1 L de butane a une masse de 2,6 g.
Quel volume de butane la cartouche peut-elle libérer ?

15 Combustion et pollution

Au quotidien

Lors de la combustion du carburant dans les moteurs des véhicules, divers polluants sont émis dans l'atmosphère. On trouve en particulier du monoxyde de carbone dans les gaz d'échappement.
a. La combustion qui se produit dans le moteur d'une voiture est-elle complète ou incomplète ?
Justifie ta réponse.
b. Pourquoi les enfants assis dans les poussettes sont-ils les plus exposés au monoxyde de carbone ?

16 Faire une recherche

COMPÉTENCE TRANSVERSALE

Recherche, dans une encyclopédie ou en utilisant Internet, de quoi est mort l'écrivain Émile Zola en 1902.

B2i Recherche sur Internet quelles sont les conséquences sur l'environnement du rejet massif du dioxyde de carbone dans l'atmosphère.

17 Chemistry in English

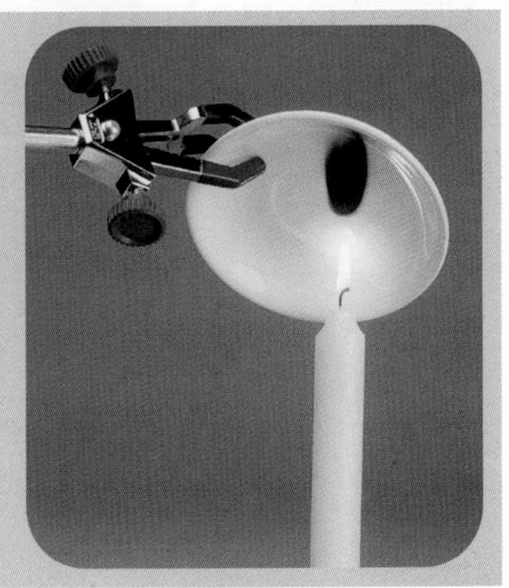

A candle flame is yellow and luminous.
a. What are the black stains on the saucer composed of?
b. How can you determinate that water is formed too?
c. Is the combustion reaction complete or incomplete? Justify your answer.

Chapitre

6 Des atomes pour comprendre les transformations chimiques

Nous avons vu que les molécules se conservaient lors des transformations physiques (changement d'état, dissolution, diffusion…).
Qu'en est-il lors d'une transformation chimique ? Comment modéliser ces transformations à l'échelle moléculaire et expliquer l'apparition de nouveaux corps ?

1. **En conclusion de nombreuses expériences utilisant la balance menées dans son laboratoire, ici reconstitué, Antoine Laurent de Lavoisier (1743-1794) aurait prononcé cette phrase célèbre : « Rien ne se perd, rien ne se crée, tout se transforme ». Que signifie-t-elle pour ce chimiste ?**

► Activité 1

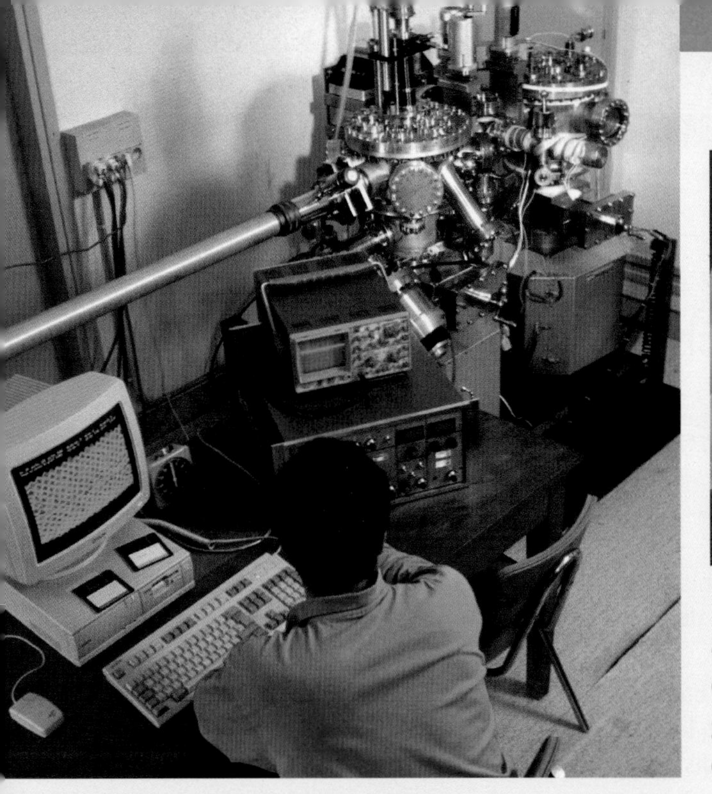

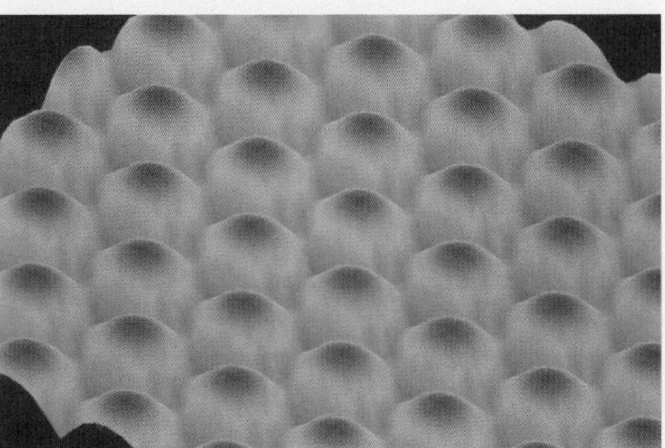

2. Grâce au microscope électronique à effet tunnel, ce chercheur peut observer la surface d'une feuille de graphite. Que représentent les sphères que l'on discerne ? ► Activité 2

3. Voici quelques modèles de molécules.
Quelle est la composition de chaque molécule ?
Comment s'écrit sa formule chimique ? ► Activité 3

Objectifs

- Retenir que la masse se conserve lors d'une transformation chimique
- Distinguer atomes et molécules, citer et interpréter les formules des molécules
- Interpréter les combustions par un réarrangement des atomes
- Savoir écrire des équations de réaction
- Réaliser des modèles moléculaires pour les réactifs et les produits des combustions du carbone, du butane et/ou du méthane (aspect qualitatif et aspect quantitatif) Compétence expérimentale

4. Le carbone brûle dans le dioxygène pour former du dioxyde de carbone. Comment « écrire » ce qui se passe au niveau moléculaire lors de cette transformation chimique ? ► Activités 4 à 6

Activités

La masse se conserve-t-elle lors d'une transformation chimique ?

MATÉRIEL : • un ballon à fond plat (250 mL) • un ballon de baudruche • du vinaigre blanc • un morceau de craie • une balance électronique

DÉROULEMENT :

1. Déposons sur le plateau de la balance le ballon à fond plat contenant un peu de vinaigre, le ballon de baudruche et le morceau de craie (carbonate de calcium). Notons la masse m_1 (**fig. 1**).

2. Introduisons la craie dans le ballon de baudruche, puis coiffons le récipient avec le ballon et laissons tomber la craie dans le vinaigre. Dès que la craie est en contact avec le vinaigre, on observe une effervescence (**fig. 2**). Relevons la masse m_2.

3. Attendons quelques minutes en observant les variations du volume de la craie et du ballon de baudruche durant l'expérience. Notons la masse m_3 (**fig. 3**).

4. À la fin de l'expérience, enlevons et dégonflons le ballon. Pesons à nouveau l'ensemble (**fig. 4**) et relevons la masse m_4.

fig. 1

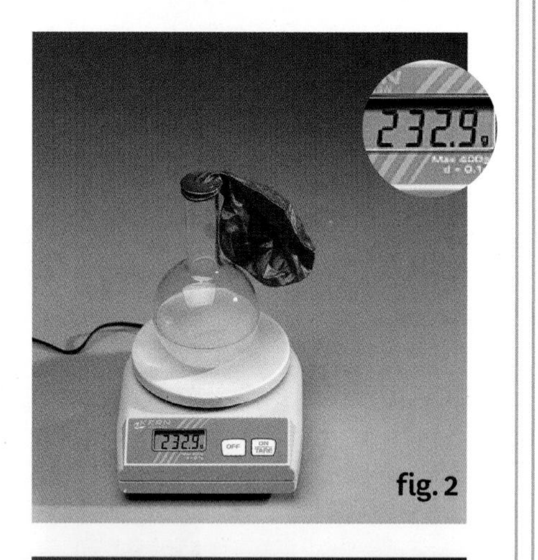

fig. 2

fig. 3

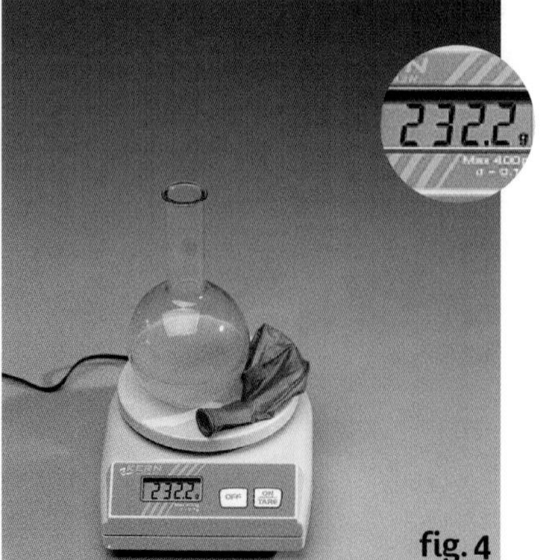

fig. 4

Questions

1 La craie disparaît-elle au cours de cette expérience ? Justifie ta réponse. Il apparaît du dioxyde de carbone. Comment pourrions-nous identifier ce gaz ?

2 Pourquoi pouvons-nous affirmer que l'on réalise une transformation chimique au cours de cette expérience ?

3 Compare les masses m_1, m_2 et m_3. Justifie alors le principe énoncé par Lavoisier : « Rien ne se perd, rien ne se crée, tout se transforme » au cours d'une réaction chimique.

4 Pourquoi la masse m_4 est-elle inférieure à la masse m_3 ?

ACTIVITÉ 2 Comment reconnaître les atomes et modéliser les molécules ?

MATÉRIEL : • une boîte de modèles moléculaires compacts

DÉROULEMENT :

1. Chaque type d'atome est modélisé par une boule colorée (**fig. 5**).

2. Assemblons les atomes pour réaliser les cinq modèles de molécules (**fig. 6**).

fig. 5

a. Eau

b. Dioxygène

c. Dioxyde de carbone

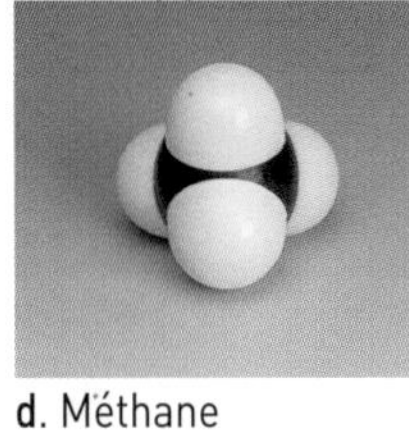

d. Méthane

e. Butane

fig. 6 Modèles moléculaires.

1 Une molécule est un assemblage d'atomes. Commente cette affirmation.

2 Quels atomes (nom et nombre) constituent les molécules : d'eau ? de dioxyde de carbone ? de dioxygène ? de méthane ? de butane ?

Comment associer nom, modèle et formule d'une molécule ?

MATÉRIEL : La figure 7 donne le modèle, le nom et le symbole des atomes constituant les cinq molécules présentées sur la figure 6.

DÉROULEMENT : Complétons, après l'avoir recopié, le tableau (**fig. 8**).

Modèle de la molécule	Nom de la molécule	Formule chimique de la molécule
	Eau	H_2O
		CO_2
	Méthane	

fig. 8

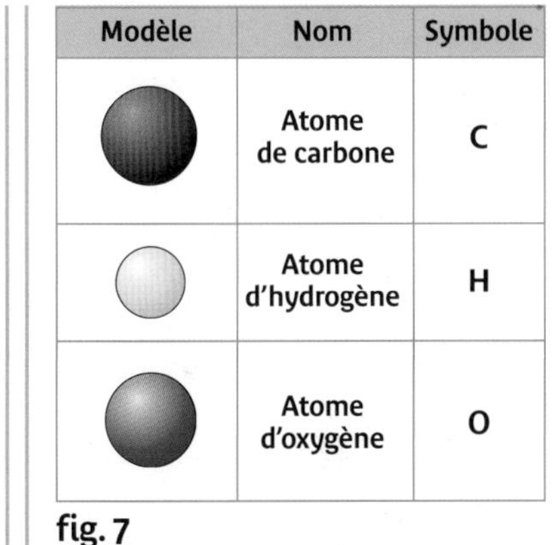

Modèle	Nom	Symbole
	Atome de carbone	C
	Atome d'hydrogène	H
	Atome d'oxygène	O

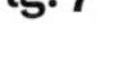

fig. 7

1 Dans la formule d'une molécule apparaissent des lettres et des chiffres. Que représentent les lettres ? Que représentent les chiffres ?

2 Que signifie le « 2 » dans la formule H_2O ? Il n'y a pas de chiffre à droite du O. Comment faut-il interpréter cela ?

3 Explique comment certains noms, comme dioxygène et dioxyde de carbone par exemple, nous renseignent sur la formule de la molécule.

Activité 4 — Comment interpréter une transformation chimique ?

1. Lorsque le carbone brûle dans le dioxygène, il se forme du dioxyde de carbone (*voir page 85*). Écrivons le bilan de cette transformation chimique :

carbone + dioxygène ⟶ dioxyde de carbone

2. Modélisons les réactifs (**fig. 9**). Pour expliquer la formation du dioxyde de carbone, envisageons une recombinaison des atomes. Au cours de la transformation chimique, les atomes se séparent (**fig. 10**) et se réarrangent pour former un nouveau corps : le dioxyde de carbone (**fig. 11**).

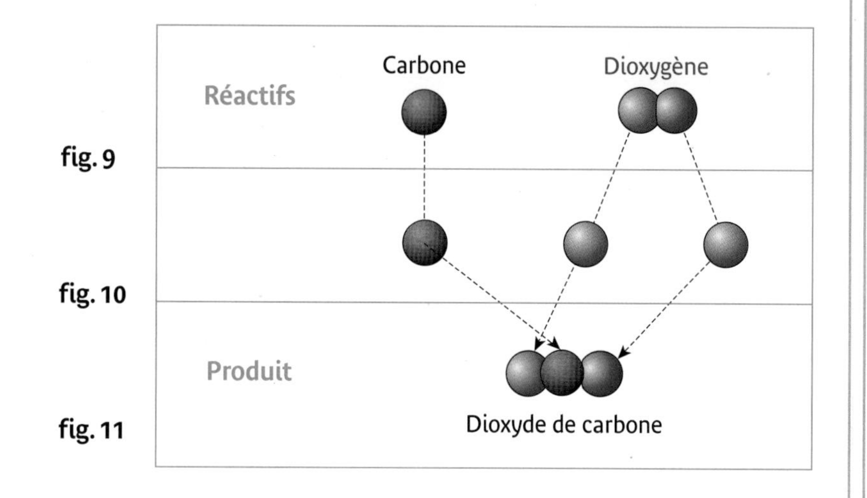

fig. 9

fig. 10

fig. 11

Questions

1 Énumère (nom et nombre) les atomes présents dans les réactifs (fig. 9).
Fais de même pour le produit (fig. 11).

2 On dit que lors d'une transformation chimique, les atomes se conservent. Qu'est-ce que cela signifie ?

3 Au cours d'une transformation chimique, la masse se conserve. Comment justifier cela à partir du résultat de la question précédente ?

Activité 5 — Comment respecter la conservation des atomes ?

1. Lors de la combustion complète du méthane, une molécule de méthane réagit avec deux molécules de dioxygène. Modélisons ces réactifs (**fig. 12**).

fig. 12

2. Les produits obtenus sont des molécules d'eau et de dioxyde de carbone. Modélisons-les dans différentes proportions (**fig. 13 a**, **b** et **c**) et cherchons la bonne représentation parmi ces trois figures.

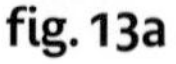

fig. 13a

fig. 13b

fig. 13c

Questions

1 Quelle représentation (fig. 13 a, b ou c) respecte la conservation des atomes au cours d'une transformation chimique ? Justifie ton choix.

Comment écrire l'équation d'une réaction ?

1. Choisissons comme exemple la combustion complète du méthane.

Écrivons le bilan de la transformation chimique	méthane	+	dioxygène	⟶	dioxyde de carbone	+	eau
Remplaçons les noms par leur formule	CH_4	+	O_2	⟶	CO_2	+	H_2O
Modélisons chaque corps par sa représentation		+		⟶		+	
Énumérons et comptons les atomes présents dans les réactifs et dans les produits	C : 1, H : 4, O : 2				C : 1, H : 2, O : 3		
	L'équation n'est pas ajustée : elle ne respecte pas la conservation des atomes						

Réactifs :

C	H	O
1	4	2

Produits :

C	H	O
1	2	3

2. Au cours d'une transformation chimique, les atomes présents dans les réactifs se retrouvent dans les produits car la masse se conserve. Il faut donc ajuster l'équation précédente.

Ajoutons les proportions des réactifs et des produits		+		⟶		+	
Vérifions la conservation des atomes	C : 1, H : 4, O : 4				C : 1, H : 4, O : 4		
	L'équation est ajustée						
Écrivons l'équation de la transformation en ajoutant les coefficients nécessaires	CH_4	+	$2\ O_2$	⟶	CO_2	+	$2\ H_2O$

Réactifs :

C	H	O
1	4	4

Produits :

C	H	O
1	4	4

Questions

1 Dans l'équation ajustée, où se situe le nombre montrant que deux molécules de dioxygène réagissent avec chaque molécule de méthane ?

2 Comment faut-il interpréter le fait qu'il n'y ait pas de chiffre devant CH_4 et CO_2 ? Quel chiffre pourrait-on mettre ?

3 Peut-on dire que les molécules se conservent lors d'une transformation chimique ? Et les atomes ? Justifie ta réponse.

Cours

1 La conservation de la masse

Voir Activité 1

Observation et interprétation :
Lorsque la craie est en présence du vinaigre, une effervescence se produit. De la craie disparaît tandis que du dioxyde de carbone se forme et provoque le gonflement du ballon : c'est une transformation chimique. On observe que la masse ne varie pas (**fig. 1** et **fig. 2**).

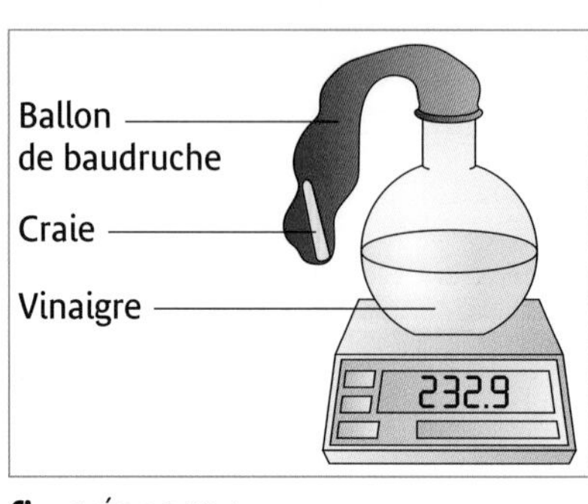

fig. 1 État initial.

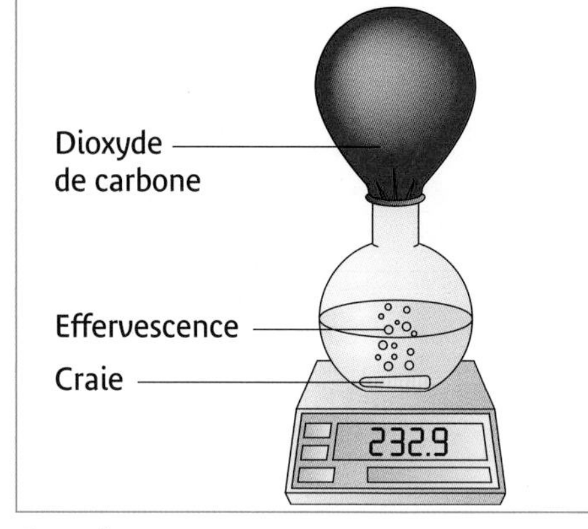

fig. 2 État final.

Conclusion : Au cours d'une transformation chimique, la masse totale se conserve : la masse des réactifs est égale à la masse des produits.

2 Les atomes et leur symbole

Voir Activités 2 et 3

Observation et interprétation : La matière est constituée de particules immensément petites, appelées atomes. Pour modéliser les atomes, on utilise des sphères de couleurs et de tailles différentes.

Chaque atome est aussi représenté par un symbole chimique universel. Nous en rencontrerons quatre cette année (**fig. 3**).

Modèle de l'atome	Nom	Symbole
	Atome de carbone	**C**
	Atome d'hydrogène	**H**
	Atome d'oxygène	**O**
	Atome d'azote	**N**

fig. 3 Nous rencontrerons quatre types d'atomes cette année, mais les chimistes en ont recensé une centaine (voir document p. 93).

Conclusion : La matière est constituée à partir d'atomes. Les atomes sont représentés par des symboles.

3 Les molécules et leur formule chimique

Voir Activités 2 et 3

L'eau, le dioxyde de carbone, le méthane… sont des corps purs et ont une structure moléculaire, c'est-à-dire que les « grains de matière » (la plus petite quantité d'un corps) qui les constituent sont des molécules.

Une molécule est constituée d'atomes liés entre eux et se représente par un modèle moléculaire. Chaque sorte de molécule possède une formule (**fig. 4**) qui renseigne sur sa composition.

Modèle de la molécule	Nom de la molécule	Formule de la molécule
	Eau	H_2O
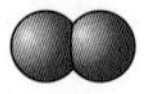	Dioxygène	O_2
	Dioxyde de carbone	CO_2
	Méthane	CH_4
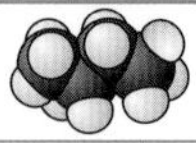	Butane	C_4H_{10}

fig. 4 Les molécules qui constituent le même corps pur sont identiques entre elles mais différentes de celles des autres corps purs.

Conclusion : Les molécules sont des assemblages d'atomes. On les représente par une formule chimique.

4 L'interprétation moléculaire des transformations chimiques

Voir Activités 4 et 5

Au cours de la combustion du carbone dans le dioxygène (**fig. 5**) ou du méthane dans le dioxygène de l'air (**fig. 6**), les réactifs disparaissent; leurs atomes se réarrangent autrement et de nouvelles molécules se créent : les produits apparaissent.

Suivant les proportions de départ, tous les atomes présents dans les réactifs ne participent pas à la transformation chimique; par exemple il peut rester du carbone (**fig. 5**) et il restera du dioxygène dans l'air quand la combustion complète du méthane sera terminée (**fig. 6**).

La conservation de la masse lors d'une transformation chimique (activité 1) s'explique par la conservation des atomes. Les atomes présents dans les produits sont de même nature et en même nombre que dans les réactifs.

CONCLUSION : Lors d'une transformation chimique, les molécules des réactifs disparaissent mais les atomes qui les constituent se conservent et forment de nouvelles molécules : les produits. La conservation des atomes traduit la conservation de la masse.

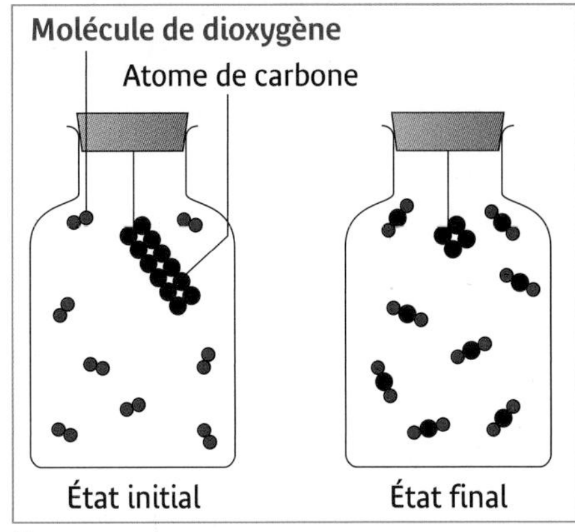

fig. 5 Lors d'une transformation chimique, les réactifs disparaissent et les produits apparaissent.

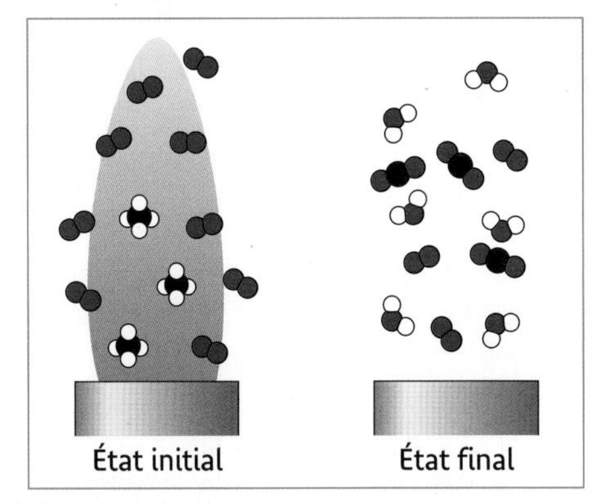

fig. 6 Les atomes se conservent lors de toute transformation chimique.

5 Les équations de réactions

Voir Activité 6

L'équation de la réaction modélise la transformation chimique. Elle montre que les atomes des réactifs se retrouvent bien dans les produits.

a. Combustion complète du carbone

On écrit d'abord l'équation de réaction :

$$C + O_2 \longrightarrow CO_2$$

On compte ensuite les atomes. Il y a bien 1 atome de carbone (C) et 2 atomes d'oxygène (O), du côté des réactifs comme du côté des produits.

L'utilisation des modèles moléculaires permet de vérifier la conservation des atomes (**fig. 7**).

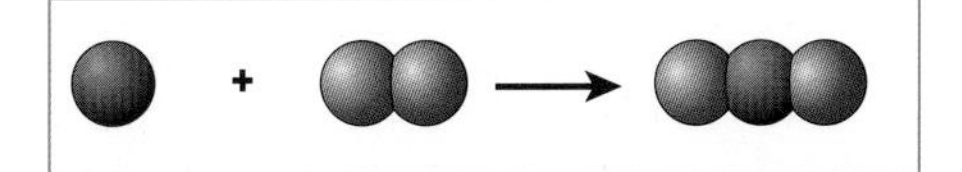

fig. 7 Les atomes se conservent lors de toute transformation chimique.

b. Combustion complète du méthane

On écrit l'équation de réaction à l'aide de la formule chimique des réactifs et des produits puis on compte les atomes.

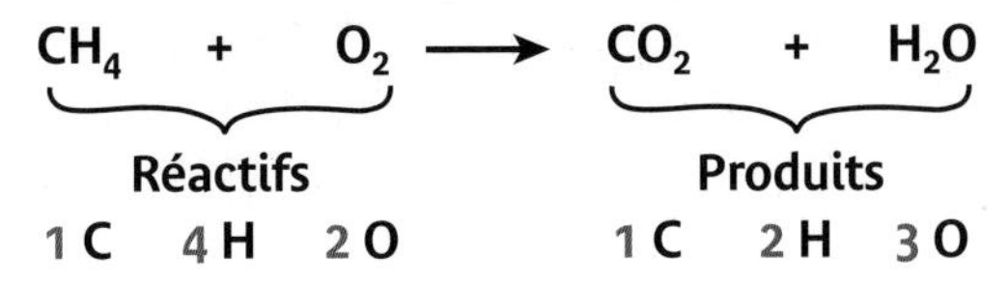

Cours

Pour qu'il y ait le même nombre d'atomes dans les réactifs et dans les produits, il faut ajouter des coefficients devant certaines formules :

$$CH_4 \quad + \quad 2\ O_2 \longrightarrow CO_2 \quad + \quad 2\ H_2O$$

1 C 4 H 4 O — 1 C 4 H 4 O

Remarque : Par convention, le coefficient « 1 » ne s'indique pas dans l'équation de la réaction.

La modélisation moléculaire permet de vérifier que l'équation est bien ajustée (**fig. 8**).

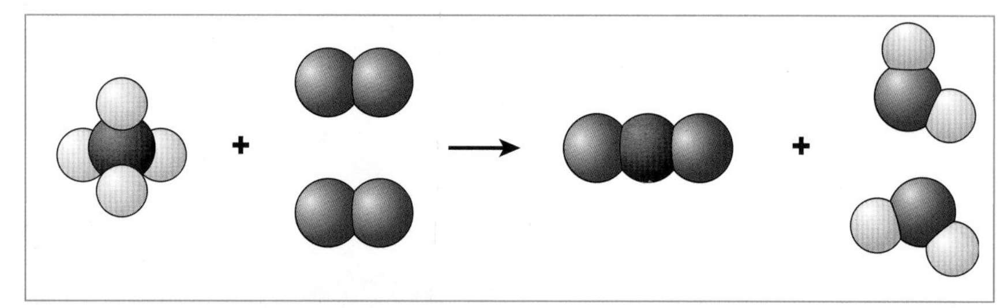

fig. 8 Une molécule de méthane réagit avec deux molécules de dioxygène pour donner une molécule de dioxyde de carbone et deux molécules d'eau.

L'essentiel

► **Contrôle tes connaissances** *en faisant l'exercice 1 page 97.*

Au cours d'une transformation chimique :

- **les molécules constituant les réactifs réagissent et disparaissent,**
- **leurs atomes se réarrangent pour former les molécules constituant les produits.**

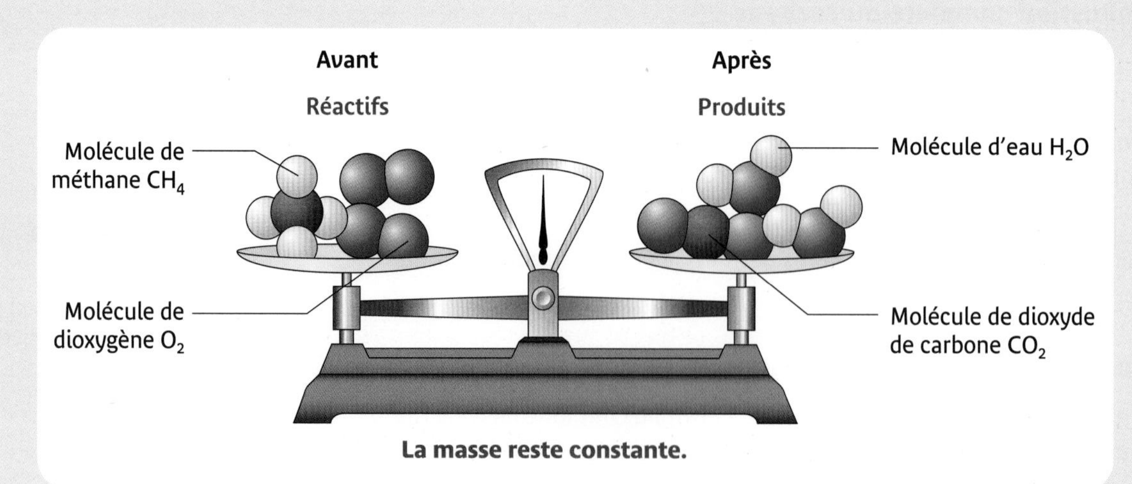

L'équation de réaction modélise la transformation et respecte la conservation des atomes

$$CH_4 \quad + \quad 2\ O_2 \longrightarrow CO_2 \quad + 2\ H_2O$$

fig. 1 Dimitri Ivanovitch Mendeleïev (1834-1907).

Comment classer les atomes ?

Histoire des sciences

Le besoin d'une classification des atomes se fit sentir dès la fin du XVIIIe siècle, après les travaux de Lavoisier, et surtout au XIXe avec la découverte de nombreux éléments nouveaux.

Le chimiste russe **Dimitri Ivanovitch Mendeleïev** (**fig. 1**) proposa en **1869** une classification des éléments qui s'imposa peu à peu. Il réalisa un tableau dans lequel il rangea les atomes par ordre de masse croissante en regroupant sur une même colonne les éléments ayant des propriétés voisines.

On ne connaissait alors que 63 éléments et Mendeleïev eut le génie de laisser des cases vides, supposant que des éléments n'avaient pas encore été identifiés (**fig. 2**).

Les scientifiques remplirent les cases vides au fur et à mesure des découvertes d'éléments nouveaux.

On compte aujourd'hui une centaine de sortes d'atomes (**fig. 3**). Les atomes sont tous représentés par un symbole que tous les chimistes du monde entier peuvent reconnaître. C'est le plus souvent la première lettre du nom écrite en majuscule ; elle peut être suivie par une minuscule.

fig. 2 Classification de Mendeleïev réalisée en 1869.

DÉCOUVRIR UN MÉTIER
INGÉNIEUR(E) CHIMISTE
voir p. 218

I	II	III	IV	V	VI	VII	VIII	IX	X	XI	XII	XIII	XIV	XV	XVI	XVII	XVIII
H 1																	He 2
Li 3	Be 4											B 5	C 6	N 7	O 8	F 9	Ne 10
Na 11	Mg 12											Al 13	Si 14	P 15	S 16	Cl 17	Ar 18
K 19	Ca 20	Sc 21	Ti 22	V 23	Cr 24	Mn 25	Fe 26	Co 27	Ni 28	Cu 29	Zn 30	Ga 31	Ge 32	As 33	Se 34	Br 35	Kr 36
Rb 37	Sr 38	Y 39	Zr 40	Nb 41	Mo 42	Tc 43	Ru 44	Rh 45	Pd 46	Ag 47	Cd 48	In 49	Sn 50	Sb 51	Te 52	I 53	Xe 54
Cs 55	Ba 56	Lu 71	Hf 72	Ta 73	W 74	Re 75	Os 76	Ir 77	Pt 78	Au 79	Hg 80	Tl 81	Pb 82	Bi 83	Po 84	At 85	Rn 86
Fr 87	Ra 88	Lr 103	Rf 104	Db 105	Sg 106	Bh 107	Hs 108	Mt 109	Uun 110	Uuu 111	Uub 112	Uut 113	Uuq 114	Uup 115	Uuh 116	Uus 117	Uuo 118

La 57	Ce 58	Pr 59	Nd 60	Pm 61	Sm 62	Eu 63	Gd 64	Tb 65	Dy 66	Ho 67	Er 68	Tm 69	Yb 70
Ac 89	Th 90	Pa 91	U 92	Np 93	Pu 94	Am 95	Cm 96	Bk 97	Cf 98	Es 99	Fm 100	Md 101	No 102

fig. 3 Classification actuelle.

Questions

1 Quel(s) critère(s) choisit Mendeleïev pour classer les atomes dans son tableau ?

2 Pourquoi Mendeleïev laissa-t-il des cases vides ?

La matière : un jeu de construction ?

Au quotidien

- Si on connaît aujourd'hui plus d'un demi million de **molécules**, toutes ne sont qu'un **assemblage**, tel un jeu de construction, réalisé à partir d'une centaine de variétés d'**atomes**.
- Observons la molécule d'acide acétylsalicylique, plus connue sous le nom d'aspirine (**fig. 4**) et la molécule de tétrahydrocannabinol, ou THC (**fig. 5**), principal constituant du cannabis.
- Pourtant constituées des **mêmes atomes**, ces deux molécules ont des **propriétés** totalement **différentes** :
–l'aspirine a des effets analgésiques (diminution de la douleur) et antipyrétiques (lutte contre la fièvre),
–la molécule de THC provoque des effets hallucinogènes lors de sa consommation ; elle peut aussi entraîner des troubles psychiques graves (anxiété, dépression, paranoïa...) et physiques : diminution des réflexes, baisse de la fertilité…
Les deux molécules sont construites à partir des mêmes atomes : carbone, oxygène et hydrogène, mais l'une peut soigner alors que l'autre peut nuire gravement à la santé.
- Outre la **composition** d'une molécule, le simple **déplacement** d'un seul atome dans une molécule conduit à obtenir deux corps aux propriétés totalement différentes. Par exemple, les molécules d'éthanol et d'éther méthylique (**fig. 6**) ne diffèrent que par la position de l'atome d'oxygène au sein de leur structure, mais ces deux substances sont totalement différentes.
L'éthanol est la molécule d'alcool présente dans toutes les boissons alcoolisées, alors que l'éther méthylique dérivant de l'huile de colza est utilisé comme biocarburant (*voir document page 64*).

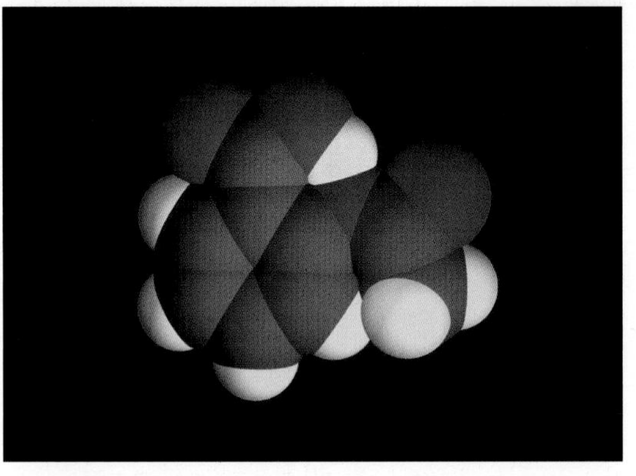

fig. 4 Molécule de l'aspirine ou acide acétylsalicylique formule $C_9H_8O_4$.

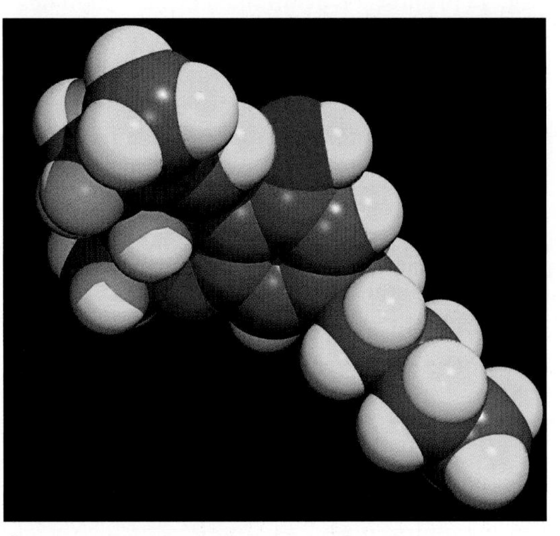

fig. 5 Molécule de tétrahydrocannabinol, ou THC formule $C_{21}H_{30}O_2$.

fig. 6 Molécule d'éthanol (à gauche) et molécule d'éther méthylique (à droite).

Questions

1 Pourquoi peut-on comparer la matière à un « jeu de construction » ?

2 Quel point commun et quelle différence y-a-t-il entre la composition de la molécule d'aspirine et celle du THC ?

3 Commente l'expression « l'une peut soigner alors que l'autre peut nuire gravement à la santé ».

4 Quelle est la seule différence entre la molécule d'éthanol et celle d'éther méthylique ?

Les transformations de la bougie

fig. 8 a

▸ La bougie est fabriquée à partir de stéarine et de paraffine : ce sont des molécules complexes mais on peut les représenter simplement (**fig. 7**).

▸ Une bougie est allumée (**fig. 8 a**). Examinons et modélisons les différentes transformations qui se produisent lors de sa combustion (**fig. 8 b**).

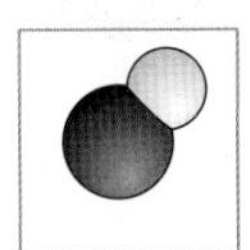

fig. 7 Représentation simplifiée d'une molécule composant la bougie.

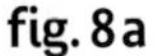

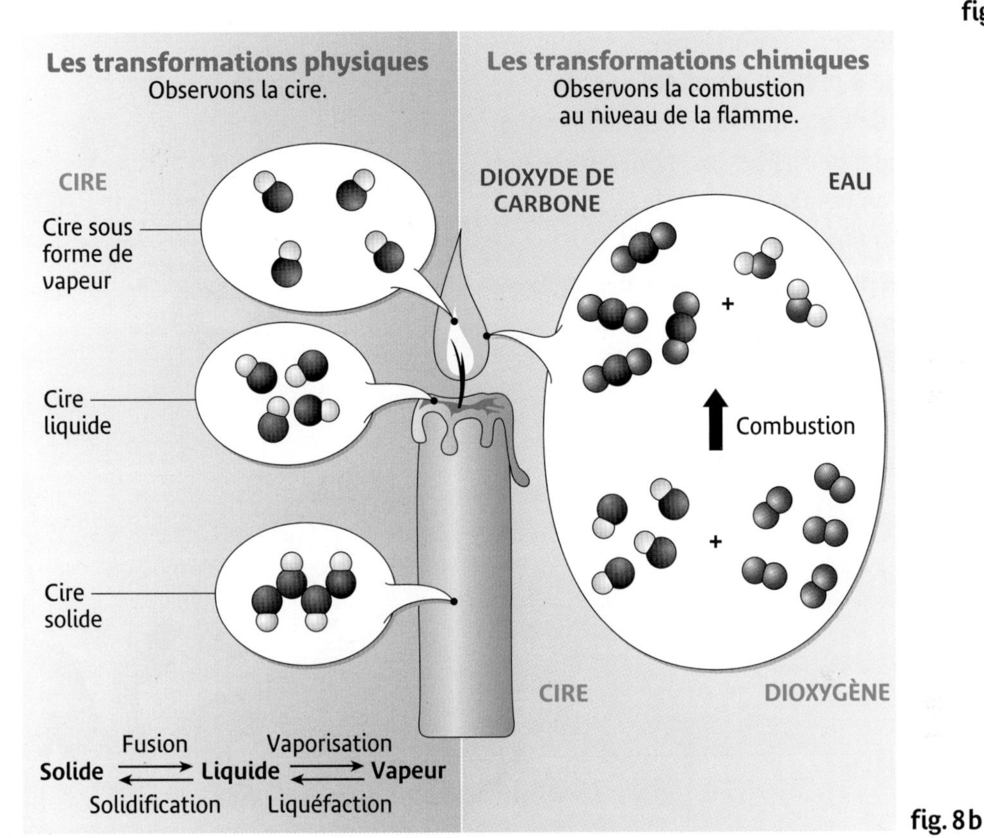

fig. 8 b

▸ La cire change d'état physique : d'abord solide, elle devient liquide puis se vaporise avant de brûler. L'excès de cire liquide coule et, en refroidissant, redevient solide. Les molécules de cire sont toujours présentes : aucun nouveau corps n'apparaît.
Aucun corps ne disparaît ni n'apparaît : les molécules se conservent.

▸ Au cours de la combustion, les molécules constituant la cire disparaissent. Elles réagissent avec le dioxygène de l'air pour donner de nouvelles molécules parmi lesquelles le dioxyde de carbone et l'eau.
Des corps disparaissent, de nouveaux apparaissent. Seuls les atomes se conservent. La masse totale (gaz compris) ne varie pas.

Questions

1 Donne la formule des produits de combustion de la bougie.

2 Quelles sont les deux sortes d'atomes forcément contenus dans la « cire » ? Justifie ta réponse.

3 Nomme les différents changements d'état physique subis par la cire ?

4 Qu'est ce qui distingue une transformation chimique d'une transformation physique ?

Ma démarche **d'investigation**

Compétence expérimentale à évaluer

- Réaliser des modèles moléculaires pour les réactifs et les produits de la combustion du butane (aspect qualitatif et aspect quantitatif)

Pour illustrer le journal du collège, Nidda a photographié une expérience réalisée par ses camarades pendant le cours de chimie. Claudia retourne un tube au-dessus de la flamme d'un brûleur à butane (fig. 1) puis y verse de l'eau de chaux (fig. 2).
Pour compléter son « reportage », Nidda souhaite à présent photographier la modélisation de cette transformation chimique. Elle te demande de réaliser les modèles moléculaires en respectant dans la représentation finale la conservation des atomes et en indiquant des coefficients devant les modèles.

fig. 2

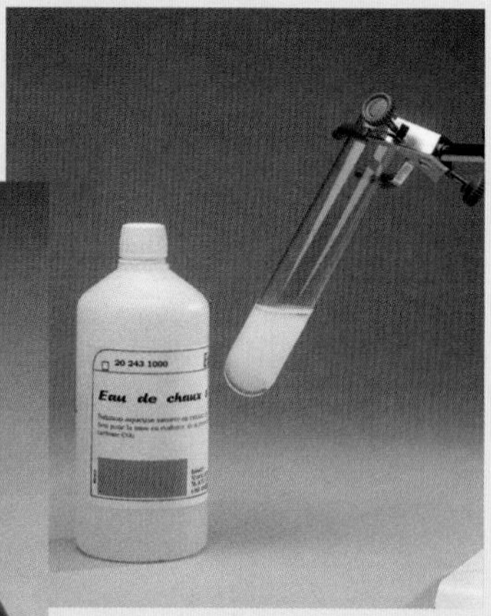

fig. 1

Comment réaliser et présenter les modèles moléculaires ?

➤ Je réfléchis

Dessine, sur une feuille de recherche, une molécule de chacun des réactifs et de chacun des produits puis fais la liste des modèles d'atomes permettant de les réaliser.
Trouve, en les justifiant, les coefficients éventuellement nécessaires pour ajuster la modélisation et respecter la conservation des atomes.

➤ Je réalise

Après accord du professeur, récupère le matériel et modélise la transformation sur ta paillasse. (Tu indiqueras chaque coefficient sur un morceau de papier que tu placeras devant le modèle auquel il s'applique).

➤ Je communique mes résultats

Rédige un compte-rendu pour expliquer ta démarche en montrant bien que la modélisation est ajustée et en respectant le mode de présentation et le plan préconisés par le professeur.

Je contrôle mes connaissances

1 Je retrouve l'essentiel

Utilise les mots ou groupes de mots suivants pour compléter les phrases ci-dessous : *équation de réaction, produits, réactifs, symboles, formule, même nombre, même nature, conservation, masse totale, nouvelles molécules, assemblages d'atomes, réarrangement.*

Au cours d'une transformation chimique ; la .... se conserve : la masse des réactifs est égale à la masse des ....
La matière est constituée à partir d'atome ; les atomes sont représentés par des .... Il existe une centaine de sortes d'atomes.
Les molécules sont des .... On représente chaque molécule par une ....
Lors d'une transformation chimique, la disparition de tout ou d'une partie des .... correspond à un .... des atomes pour former de .... : les produits.
Les atomes présents dans les produits formés sont de .... et en .... que dans les réactifs.
L'............ traduit cette transformation et respecte la .... des atomes.

→ Solution page 221.

2 Interpréter une photo d'expérience

COMPÉTENCE TRANSVERSALE

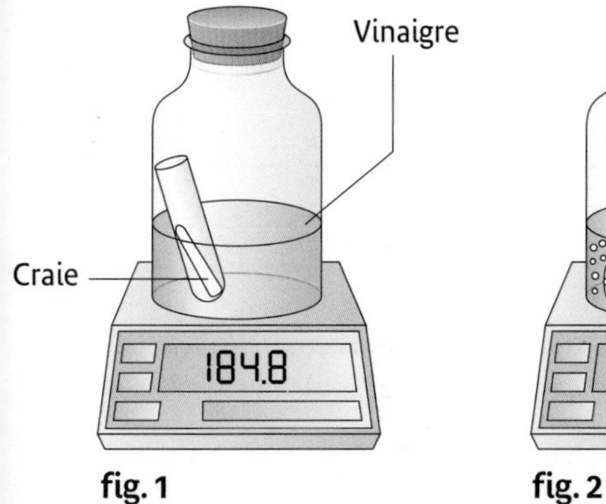

fig. 1

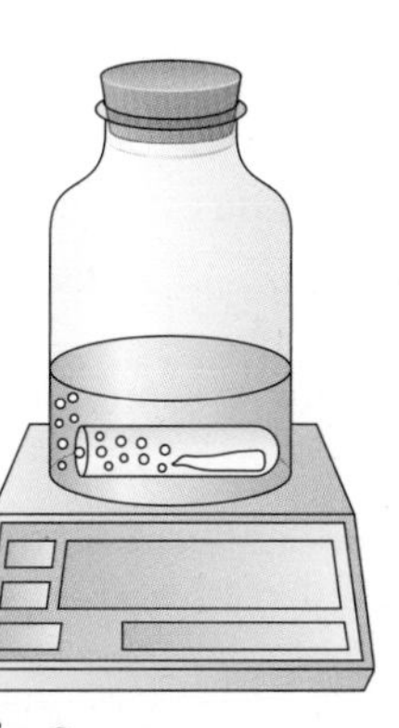

fig. 2

Ces deux observations (**fig. 1** et **fig. 2**) ont été faites à des instants différents. Quelle sera l'indication de la balance à la fin de l'expérience (**fig. 2**) ?
Justifie ta réponse.

3 Reconnaître des atomes

Reproduis et complète le tableau ci-contre.

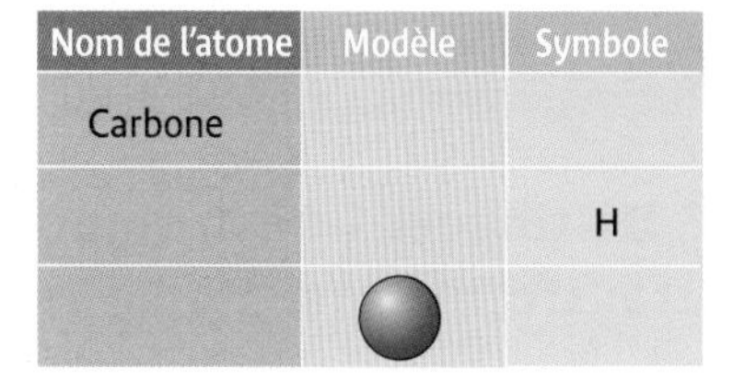

Nom de l'atome	Modèle	Symbole
Carbone		
		H
	(sphère)	

4 Reconnaître des modèles moléculaires

Attribue un nom et une formule à chacune des molécules modélisées ci-dessous.

5 Passer du macroscopique au microscopique

Le carbone brûle dans du dioxygène pour donner du dioxyde de carbone.
a. Quels sont les réactifs ? Dessine leur modèle moléculaire.
b. Quelles molécules apparaissent au cours de cette transformation ? Dessine leur modèle moléculaire.
c. Représente le bilan de la réaction avec des modèles moléculaires.
d. Écris l'équation de la réaction en utilisant les formules chimiques.

6 Passer des modèles moléculaires à l'équation

On a modélisé ci-dessous une transformation chimique.
a. Quels sont les réactifs ?
b. Quels sont les produits ?
c. Cette modélisation respecte-t-elle la règle de conservation des atomes ? Explique comment tu peux le vérifier.
d. Écris l'équation de la réaction.

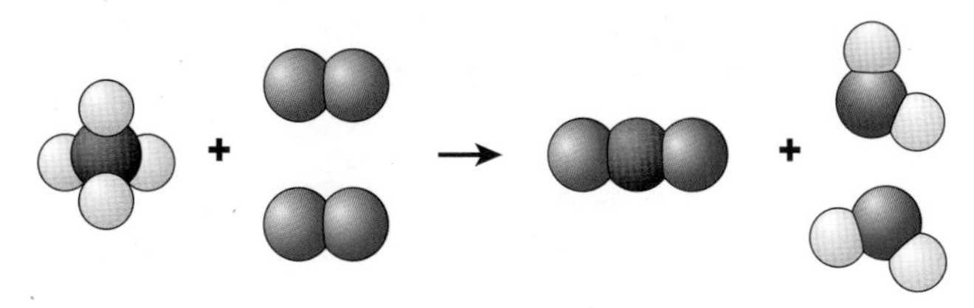

Exercices

J'utilise mes connaissances

7 Distinguer transformation physique et transformation chimique

Au cours d'une transformation physique, les molécules restent inchangées alors qu'au cours d'une transformation chimique, elles se cassent, laissant les atomes se réarranger pour former de nouveaux corps. Classe en deux catégories (transformation physique ou chimique) les événements suivants :

Sirop de menthe dans de l'eau.

a. Un glaçon fond dans un verre.
b. On mélange du sirop de menthe et de l'eau.
c. Une cigarette se consume.
d. Un sucre se dissout dans le café.
e. Une goutte de pluie s'évapore.
f. Une bûche brûle dans la cheminée.

8 Retrouver la formule à partir du modèle

Écris la formule des molécules modélisées ci-dessous :

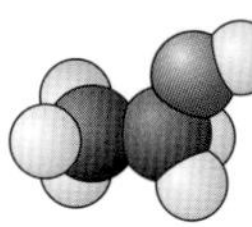

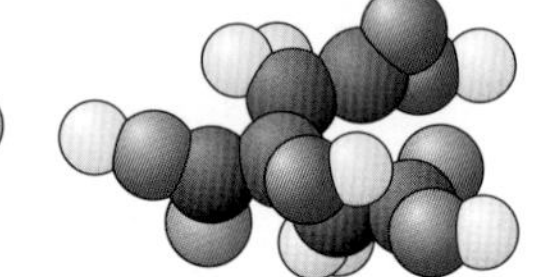

a. Éthanol. **b.** Acide citrique. **c.** Aspirine.

9 Retrouver le modèle et la formule à partir du nom

a. Parmi ces diverses représentations, laquelle modélise la molécule de dihydrogène ? Justifie ta réponse. Quelle est la formule de cette molécule ?

b. Retrouve le modèle de la molécule de monoxyde de carbone. Justifie ta réponse. Quelle est la formule de cette molécule ?

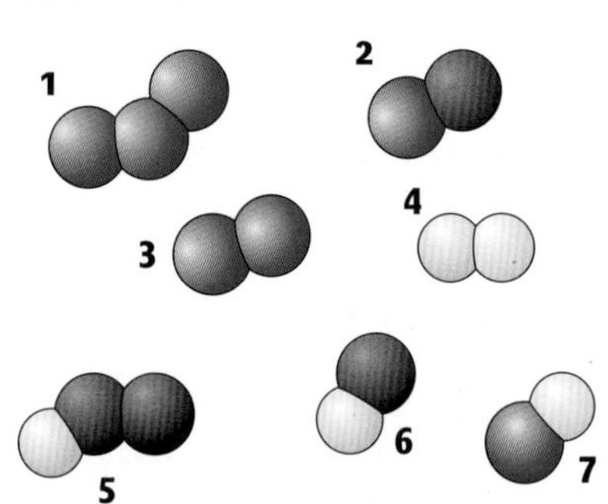

10 Découvrir d'autres formules

Utilise le tableau ci-contre pour retrouver la formule des molécules suivantes.

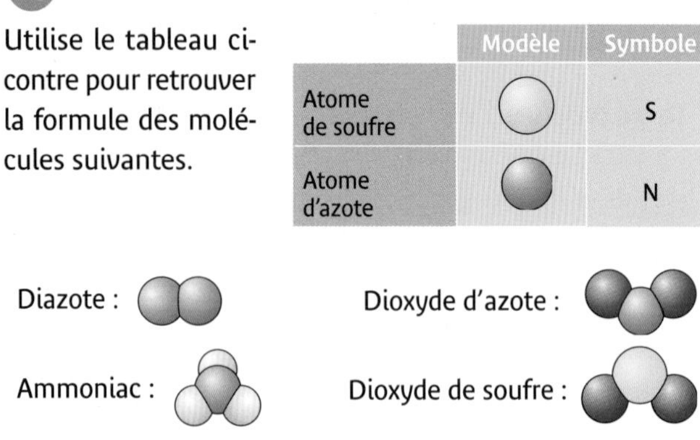

	Modèle	Symbole
Atome de soufre		S
Atome d'azote		N

11 Prévoir l'état final d'une transformation chimique

La combustion complète du méthane produit de l'eau et du dioxyde de carbone. Sur la figure, on voit les molécules présentes avant la combustion. Dessine de la même façon les molécules présentes après la combustion.

12 Représenter d'une autre façon un état final

Le flacon ci-contre contient du carbone (fusain) et du dioxygène. Modélise le contenu du flacon après la combustion complète du carbone.

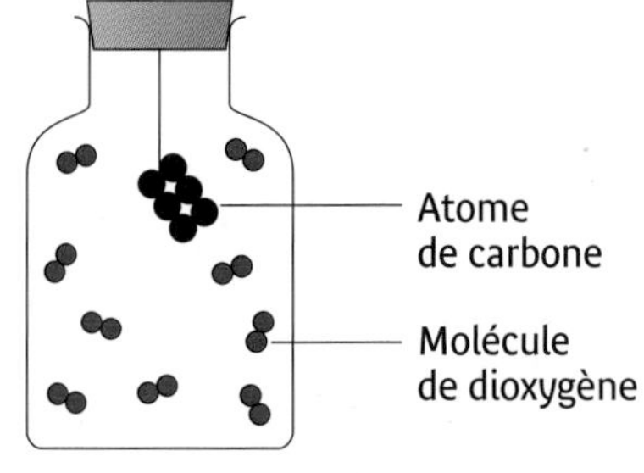

Avant la combustion.

13 Écrire une équation de réaction

Écris l'équation de cette réaction.

J'approfondis mes connaissances

14 Distinguer transformations physiques et chimiques

À partir du même état initial Ⓐ, deux transformations T1 et T2, conduisent à deux états finaux différents : Ⓑ et Ⓒ.

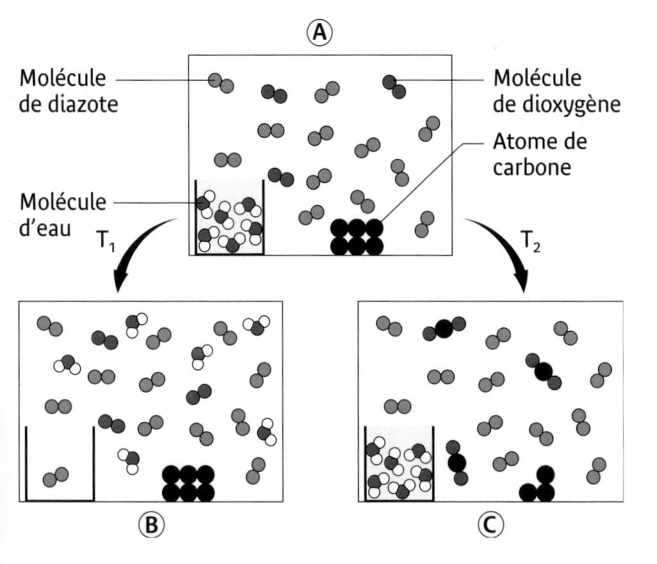

a. Rappelle quelle est la différence, du point de vue microscopique, entre une transformation chimique et une transformation physique *(Voir document page 95)*.

b. Quel état final, Ⓑ ou Ⓒ, est l'aboutissement d'une transformation physique ? Justifie ta réponse.

c. Retrouve quel état final fait suite à une transformation chimique. Justifie ta réponse.

15 Conserver la masse

La paille de fer brûle dans le dioxygène de l'air en produisant de l'oxyde de fer. On effectue deux pesées : avant l'expérience (**fig. 1**) et après la combustion (**fig. 2**).

fig. 1

fig. 2

a. La combustion de la paille de fer est-elle une transformation chimique ? Justifie ta réponse.

b. Comment peux-tu justifier l'augmentation de masse affichée par la balance ?

16 Conserver les atomes

La combustion d'un morceau de fusain dans un flacon de dioxygène peut-elle produire de la vapeur d'eau ?
Justifie ta réponse en argumentant à partir des formules des réactifs et des produits.

17 Ajuster une équation de réaction

Le propane est un combustible gazeux utilisé dans les gazinières. La formule de sa molécule est C_3H_8.
La combustion complète du propane dans le dioxygène de l'air produit de l'eau et du dioxyde de carbone.

a. Ajoute les coefficients nécessaires pour ajuster l'équation de cette réaction:

$$C_3H_8 + \ldots O_2 \longrightarrow \ldots CO_2 + \ldots H_2O$$

b. Combien faut-il de molécules de dioxygène pour brûler une molécule de propane ?

18 Ajuster les équations de réaction

Ajoute, éventuellement, devant les formules les coefficients nécessaires pour que les équations suivantes soient ajustées. (Tu ne dois pas modifier les formules des molécules.)

$\ldots S + \ldots O_2 \longrightarrow \ldots SO_2$

$\ldots Fe + \ldots O_2 \longrightarrow \ldots Fe_3O_4$

$\ldots Mg + \ldots O_2 \longrightarrow \ldots MgO$

$\ldots CuO + \ldots C \longrightarrow \ldots Cu + \ldots CO_2$

$\ldots S + \ldots O_2 \longrightarrow \ldots SO_3$

$\ldots C_4H_{10} + \ldots O_2 \longrightarrow \ldots CO_2 + \ldots H_2O$

19 Un peu de maths

Mathématiques

La combustion complète de 1,5 g de carbone consomme 3 L de dioxygène.
Quelle est la masse de dioxyde de carbone obtenu ?
Donnée : Dans les conditions de l'expérience, un litre de dioxygène pèse 1,3 g.

20 Chemistry in English

Consider the chemical reaction diagram below.
Name each reactant. What product is formed?

J'ai déjà des connaissances...

... sur le circuit électrique

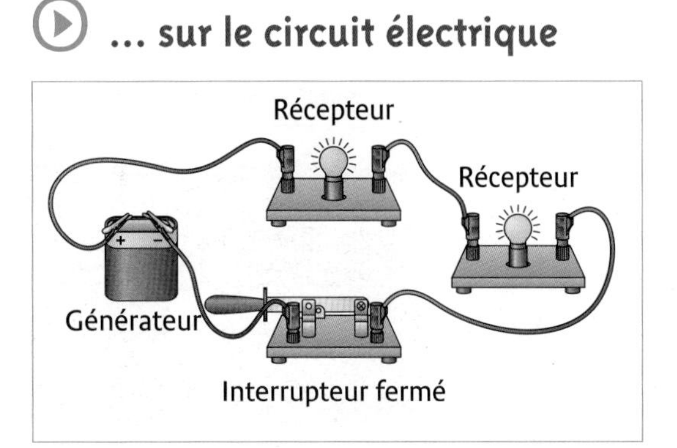

... sur la schématisation et le sens du courant

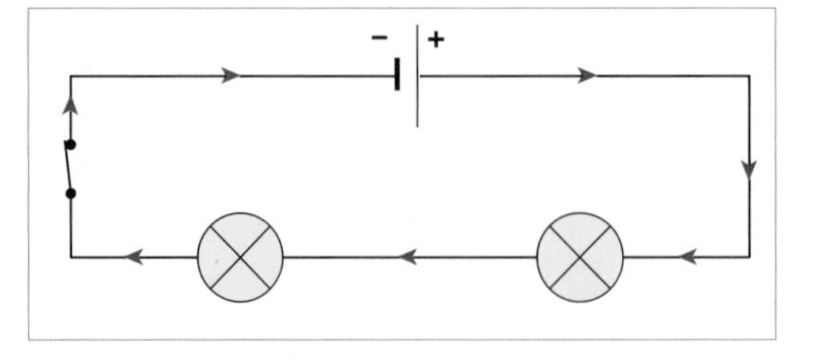

... sur le montage des récepteurs en dérivation

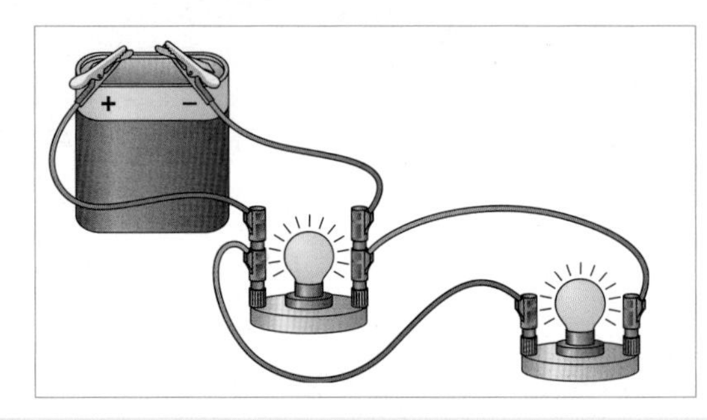

Je teste mes connaissances

1. La boucle d'un circuit électrique contient forcément :

a. une lampe et des fils.

b. un générateur et un récepteur.

c. une pile et une lampe.

2. Pour que le courant passe, l'interrupteur doit être :

a. ouvert.

b. fermé.

c. allumé.

3. À l'extérieur du générateur, le courant électrique circule

a. du signe « + » vers le signe « – ».

b. du signe « – » vers le signe « + ».

c. dans les deux sens à la fois.

4. Ces trois symboles représentent :

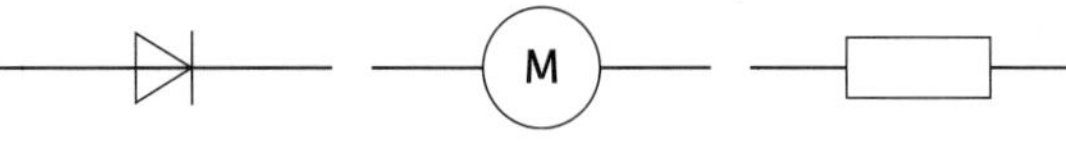

a. un fil, un moteur, une DEL.

b. une pile, une lampe, une résistance.

c. une diode, un moteur, une résistance.

5. Quand deux lampes L_1 et L_2 sont montées en série, si on court-circuite L_1 :

a. L_1 s'éteint et L_2 brille encore.

b. L_2 s'éteint et L_1 brille encore.

c. L_1 et L_2 s'éteignent.

6. Dans un circuit qui comporte des dérivations, on observe :

a. une seule boucle.

b. aucune boucle.

c. plusieurs boucles.

→ **Solution page 222.**

Les lois du courant continu

Chapitre

7 Une grandeur électrique : la tension

En classe de cinquième, nous avons appris qu'un circuit électrique comportait toujours un générateur associé à un récepteur.
Mais peut-on alimenter n'importe quel récepteur par n'importe quel générateur ?
Qu'est-ce qui caractérise un dipôle ?
Quelles sont les grandeurs électriques qui conditionnent son fonctionnement ?

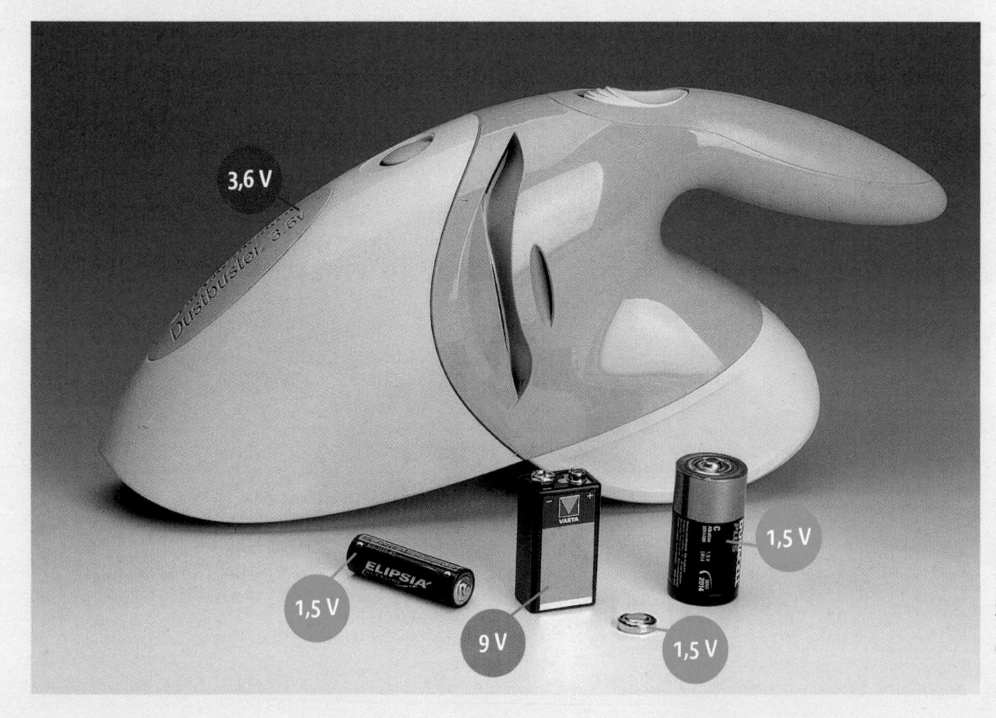

1. Que signifie la grandeur affichée sur ces générateurs et sur ce récepteur ?

► Activités 1 et 2

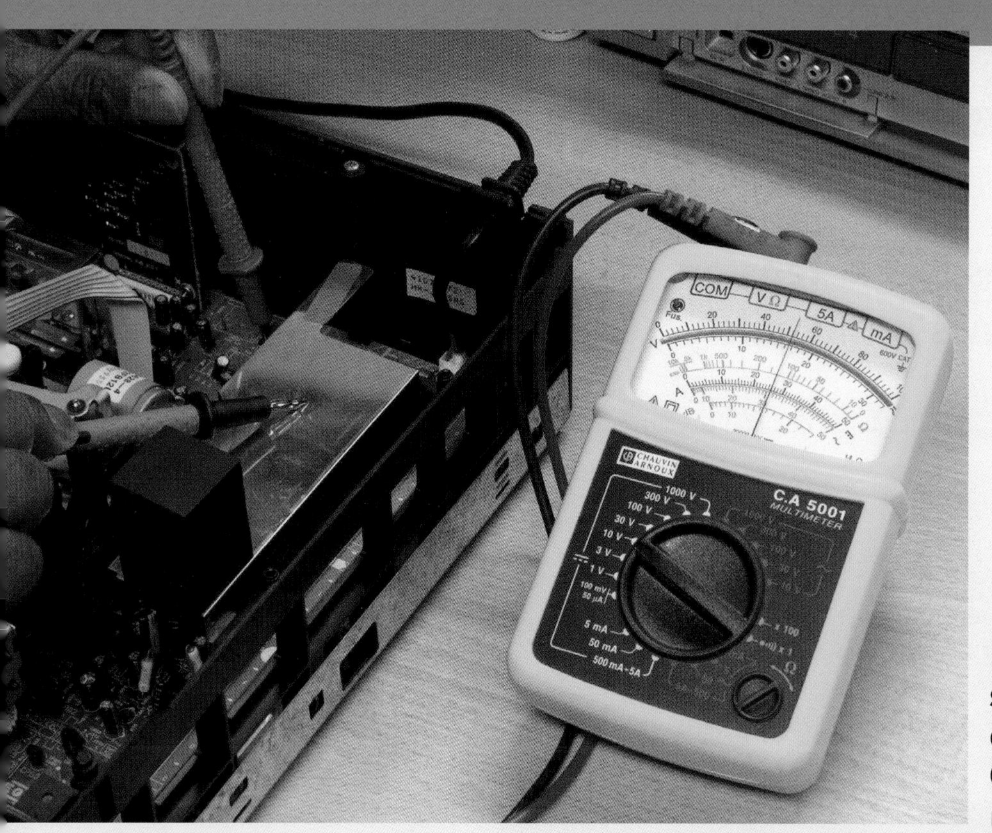

2. Où et comment se mesurent les tensions dans un circuit électrique ? Quel appareil utilise-t-on ?

► Activité 3

Objectifs

- Apprendre à utiliser un multimètre en voltmètre
- Vérifier qu'il peut y avoir une tension entre les deux bornes d'un dipôle qui n'est pas traversé par le courant
- Vérifier qu'un dipôle peut être parcouru par un courant sans tension notable entre ses bornes
- Savoir choisir une lampe adaptée à une pile donnée
- Brancher un multimètre utilisé en voltmètre (Compétence expérimentale)
- Mesurer une tension (Compétence expérimentale)

3. Cette lampe est en « sous-tension ». Qu'est-ce que cela signifie ?

► Activité 4

Activités

Comment mesurer la tension entre les bornes d'une pile plate ?

MATÉRIEL : • un multimètre • une pile plate • deux pinces crocodiles • deux fils de connexion

DÉROULEMENT :

1. Préparons le multimètre à fonctionner en « voltmètre » en positionnant le sélecteur dans la zone bleue repérée par le symbole « V ⎓ » (**fig. 1**) et en connectant le fil rouge sur la borne « V » et le fil noir sur la borne « COM » (**fig. 2**).

2. Choisissons ensuite le calibre, c'est-à-dire la limite supérieure de la mesure envisageable, entre : 2 V, 20 V, 200 V, 600 V.

fig. 1

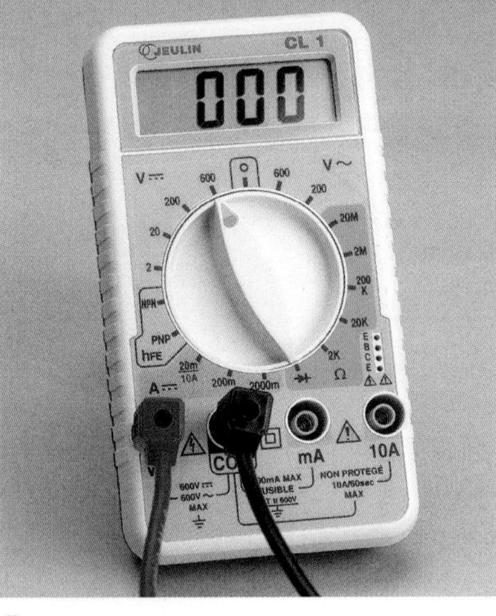

fig. 2

3. Pour mesurer la tension entre les bornes de la pile, il suffit de relier les fils de connexion aux bornes de la pile (**fig. 3**).

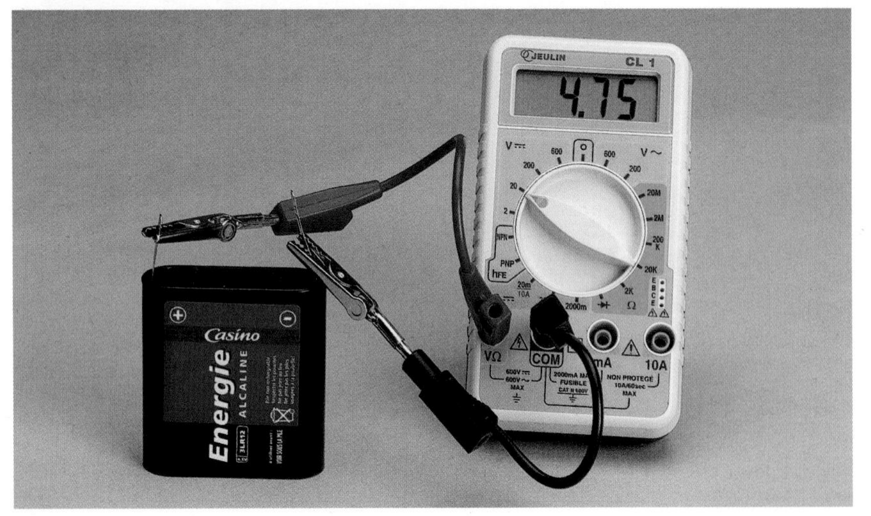

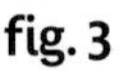

fig. 3

Questions

1 Quelle est l'unité de tension électrique (nom et symbole) ? Avec quel appareil mesure-t-on une tension ?

2 Dans quelle zone faut-il placer le sélecteur pour mesurer une tension continue ?

3 Pourquoi débute-t-on une mesure avec le plus fort calibre ? Quel est l'intérêt de passer sur un calibre inférieur ?

4 Quelles bornes du multimètre faut-il utiliser pour assurer son fonctionnement en voltmètre ?

5 À quelle borne de la pile faut-il relier la borne « V » du multimètre (fig. 3) ? Pourquoi ?

6 Quelle est la valeur de la tension (notée U_G) mesurée aux bornes de la pile plate (fig. 3) ?

Remarque

Si l'on n'a aucune idée de la valeur de la tension à mesurer, on choisit toujours le plus fort calibre.
Le passage sur un calibre inférieur permettra d'améliorer la précision de la mesure. Si le calibre sélectionné est trop petit, le chiffre 1 apparaît, à gauche, sur le cadran et l'appareil risque d'être endommagé.

ATTENTION

LE RÉSULTAT DE LA MESURE DOIT ÊTRE POSITIF. IL FAUT POUR CELA QUE LE COURANT ENTRE DANS LE VOLTMÈTRE PAR « V » ET EN SORTE PAR « COM ».

ACTIVITÉ 2 Que vaut la tension aux bornes d'autres dipôles isolés ?

MATÉRIEL : • un multimètre • deux fils de connexion • deux pinces crocodiles • différents dipôles : des générateurs (pile ronde, pile rectangulaire, pile plate usagée), des récepteurs (moteur, lampe, fils de connexion, interrupteur, diode...)

DÉROULEMENT :

1. Mesurons la tension aux bornes de différents générateurs : une pile rectangulaire, une pile ronde et une pile plate usagée (**fig. 4**).
Notons les résultats des mesures sous la forme : U = ... V.

fig. 4 a

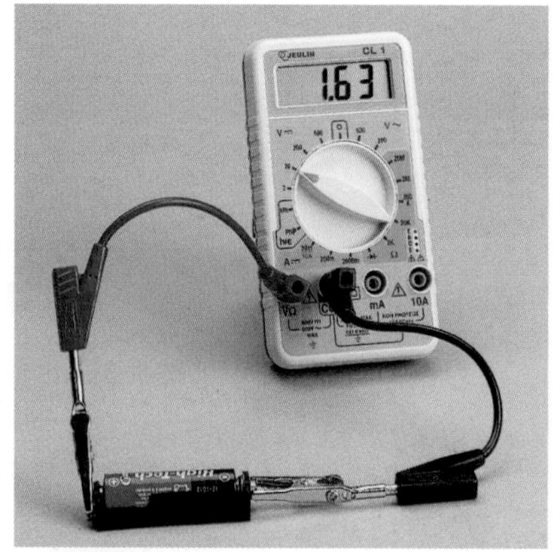

fig. 4 b

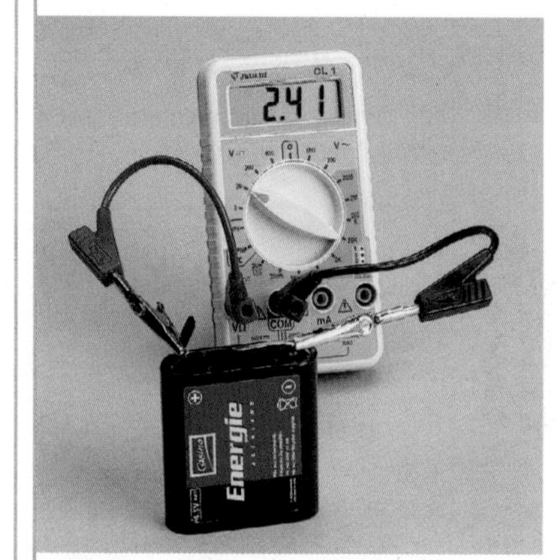

fig. 4 c

2. Connectons ensuite le voltmètre sur les bornes de différents récepteurs, comme la diode (**fig. 5**), par exemple, puis aux bornes des autres récepteurs présentés dans le tableau (**fig. 6**). Notons pour chacun d'eux le résultat de la tension mesurée.

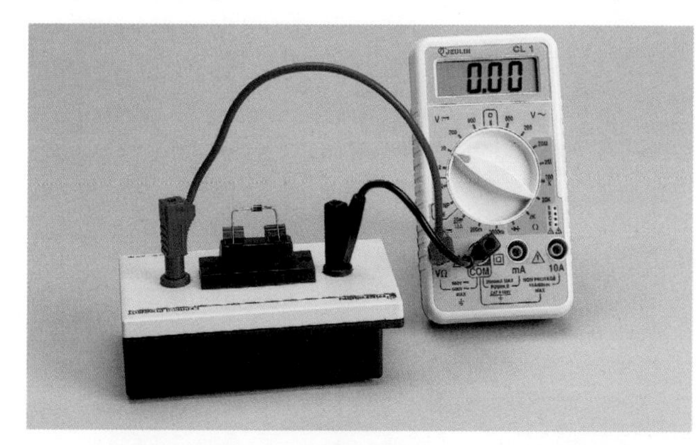

fig. 5 Mesure de la tension aux bornes d'une diode.

Diode	Interrupteur fermé	Fil	Interrupteur ouvert	Lampe	Moteur

fig. 6 Différents récepteurs.

Questions

1 Recopie le tableau et note les tensions mesurées (fig. 4).

	Tension mesurée (en volt)
Pile rectangulaire	
Pile ronde	
Pile plate usagée	

2 Note dans un tableau la valeur de la tension mesurée pour chacun des récepteurs de la figure 6.

3 D'après les mesures, qu'est-ce qui distingue un récepteur et un générateur ?

4 Comment évolue, au fil du temps, la tension entre les bornes d'une pile qui alimente un circuit (compare les figures 3 et 4 c) ? Y a-t-il du courant dans un circuit quand la pile est complètement déchargée ?

Comment mesurer la tension aux bornes de dipôles formant un circuit ?

Matériel : • un générateur de collège • une lampe • un interrupteur • cinq fils de connexion • un voltmètre

Déroulement :

1. Réalisons le circuit (**fig. 7**). Circuit fermé, branchons le voltmètre sur la lampe (L) et notons la tension U_L (**fig. 8**). Puis déplaçons le voltmètre pour le connecter successivement aux bornes des autres dipôles* et notons leur tension (**fig. 9**).

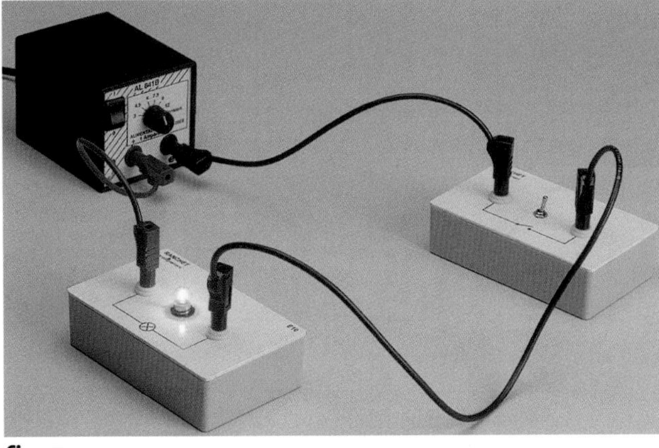

fig. 7

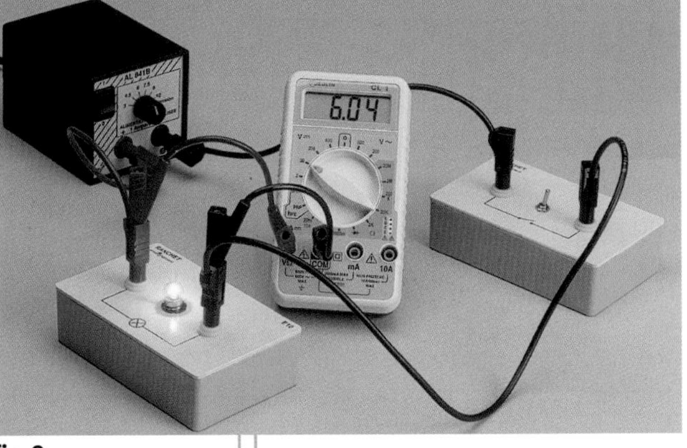

fig. 8

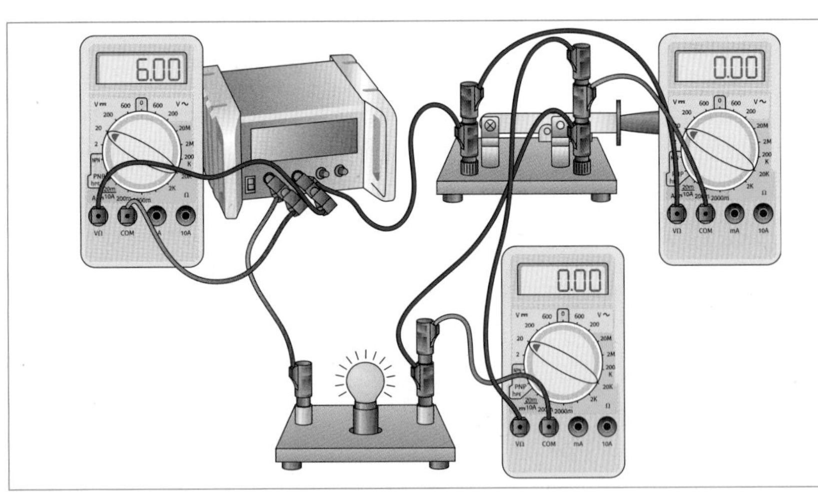

fig. 9

2. Recommençons la même série de mesures lorsque le circuit est ouvert. Notons tous les résultats dans un tableau.

	Générateur	Lampe	Fil de connexion	Interrupteur
Circuit fermé	U_G = ...	U_L = ...	U_F = ...	U_K = ...
Circuit ouvert	U_G = ...	U_L = ...	U_F = ...	U_K = ...

Questions

1 Le voltmètre est-il monté en série ou en dérivation (fig. 8) ? Faut-il modifier le circuit initial pour mesurer la tension aux bornes de chaque dipôle (fig. 9) ?

2 Fais le schéma du montage de la figure 8. Indique par deux flèches le sens d'entrée et de sortie du courant dans le voltmètre (le symbole d'un voltmètre est : –(V)–). Que devient le résultat d'une mesure si l'on permute les connexions sur « V » et « COM » ?

3 Quels sont les dipôles dont la tension entre les bornes est nulle lorsqu'ils sont traversés par le courant ?

4 Entre les bornes de quels dipôles existe-t-il une tension quand il n'y a pas de courant dans le circuit ?

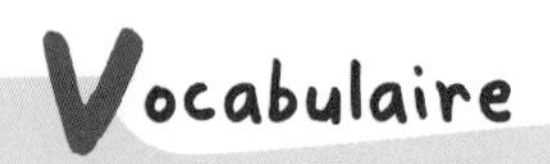

Vocabulaire

Dipôle : composant électrique comportant deux bornes.

ACTIVITÉ 4 À quelle condition une lampe et une pile sont-elles bien adaptées ?

MATÉRIEL : • une lampe de tension nominale 4,5 V (fig. 10) • une pile ronde de 1,5 V • une pile plate de 4,5 V • une pile rectangulaire de 9 V • un interrupteur • cinq fils de connexion • un voltmètre • des pinces crocodiles

fig. 10

DÉROULEMENT :

1. Réalisons le montage de la figure 11. La lampe est alimentée par une pile ronde. Observons la luminosité de la lampe et notons la valeur de la tension entre ses bornes. Comparons cette tension mesurée à la tension nominale inscrite sur le culot de la lampe (**fig. 10**).

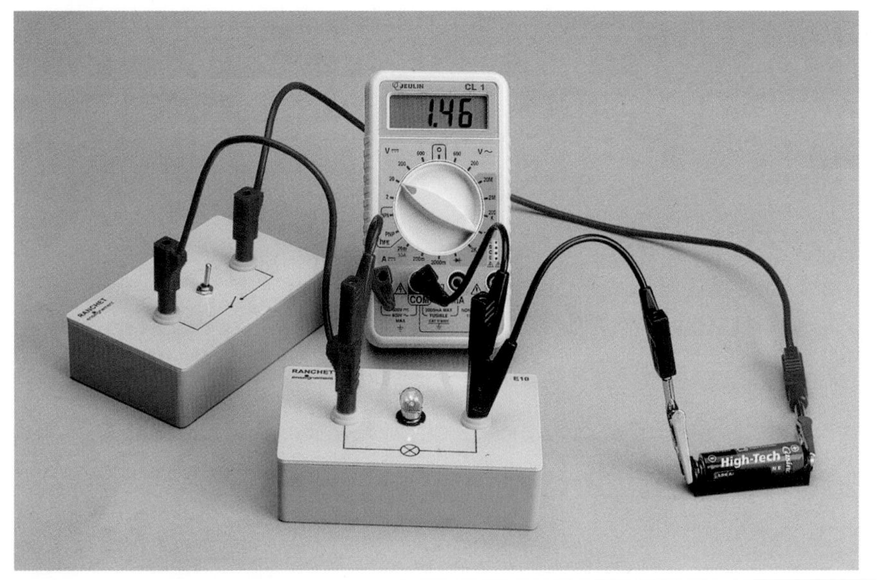

fig. 11

2. Recommençons en remplaçant la pile ronde de 1,5 V par une pile plate de 4,5 V (**fig. 12**).

3. Remplaçons la pile plate de 4,5 V par une pile rectangulaire de 9 V (**fig. 13**).

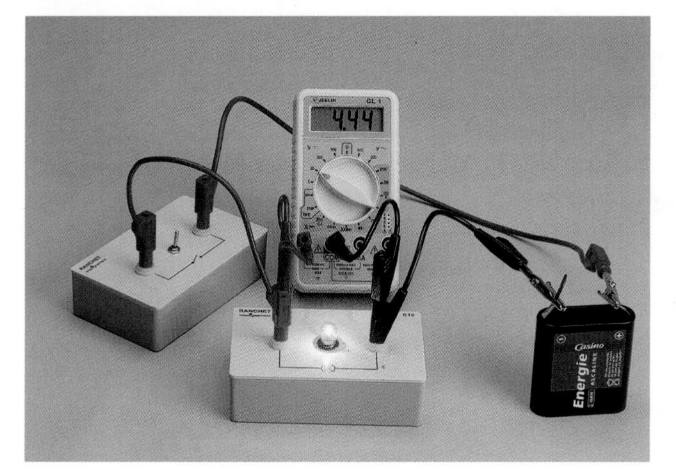

fig. 12

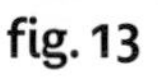

fig. 13

Questions

1 Réalise un tableau des résultats où, pour chaque montage, tu feras apparaître : tension du générateur, tension mesurée entre les bornes de la lampe et éclat de celle-ci.

2 Compare les tensions mesurées avec la tension nominale de la lampe.
Dans quel cas la lampe brille-t-elle normalement ?
Dans quel cas brille-t-elle faiblement ?
Dans quel cas brille-t-elle dangereusement ?

3 Dans quel cas la lampe est-elle en sous-tension ? Justifie ta réponse.
Dans quel cas est-elle en surtension ? Justifie ta réponse.

4 À quelle condition une lampe est-elle bien adaptée à une pile ?

Cours

1 Tension entre les bornes de dipôles isolés

Voir **Activités 1** et **2**

Observation et interprétation : On mesure la tension électrique avec un voltmètre (**fig. 1**) de symbole : —(V)—
La tension électrique s'exprime en volt (symbole V); on utilise aussi le millivolt (mV) et le kilovolt (kV) : 1 V = 1 000 mV ; 1 kV = 1 000 V.
La tension se note U et le résultat s'exprime ainsi : U = 4,5 V (par exemple).
La mesure de la tension électrique entre les bornes de différents dipôles donne les résultats suivants :

Dipôle	Pile plate	Pile ronde	Pile plate usagée	Moteur	Lampe	Fil	Interrupteur	Diode
Tension	4,5 V	1,5 V	2,4 V	0 V	0 V	0 V	0 V	0 V

Conclusion : La tension électrique s'exprime en volt (V) et se mesure avec un voltmètre.
La tension entre les bornes d'un récepteur isolé est nulle.
Seuls les générateurs ont une tension électrique entre leurs bornes.
C'est la tension existant entre les deux bornes d'un générateur qui établit un courant électrique dans un circuit fermé.
Sans générateur, il n'y a pas de courant !

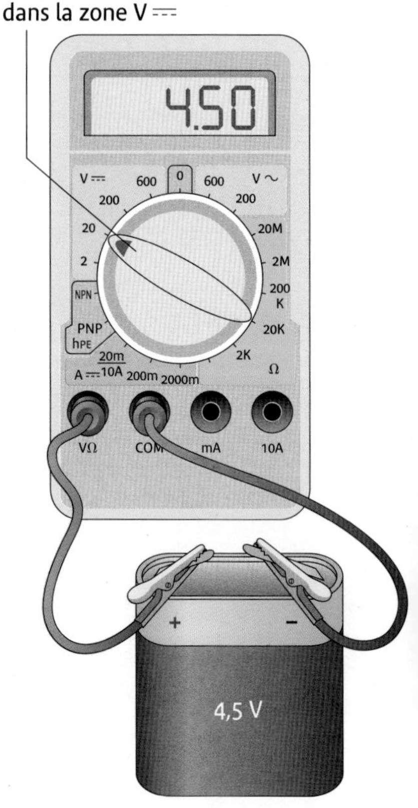

fig. 1

2 Tension entre les bornes de dipôles formant un circuit

Voir **Activité 3**

Observation et interprétation : Pour mesurer la tension entre les bornes d'un dipôle dans un circuit, on monte le voltmètre en dérivation avec le dipôle, sans modifier le circuit initial (**fig. 2**). Les résultats des mesures sont les suivants :

	Générateur	Lampe	Fil de connexion	Interrupteur
Circuit fermé	U_G = 6 V	U_L = 6 V	U_F = 0 V	U_K = 0 V
Circuit ouvert	U_G = 6 V	U_L = 0 V	U_F = 0 V	U_K = 6 V

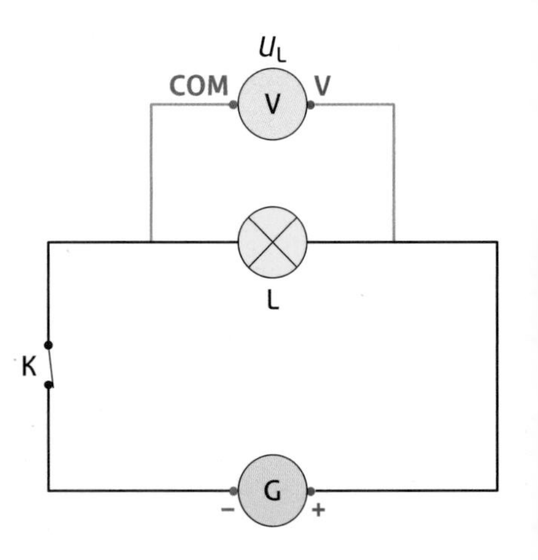

fig. 2 Le voltmètre mesure la tension entre les bornes de la lampe.

Conclusion : Un voltmètre se monte en dérivation.
Une tension peut exister entre les bornes d'un dipôle sans qu'il soit traversé par le courant ; c'est le cas pour le générateur et l'interrupteur en circuit ouvert.
Un courant peut traverser un dipôle même si la tension entre ses bornes est nulle (fil de connexion et interrupteur dans un circuit fermé).
Dans un circuit en boucle simple, la tension du générateur est appliquée, par l'intermédiaire des fils de connexion, entre les bornes du récepteur.

L'adaptation

Voir **Activité 4**

Observation : La tension nominale est inscrite sur le culot de la lampe (**fig. 3**). Si on alimente successivement cette lampe avec trois générateurs différents (**fig. 4**), la tension (U_L) entre ses deux bornes et son éclat varient.

Générateur	Tension U_L	Éclat de la lampe
Pile ronde	1,5 V	Faible
Pile plate	4,5 V	Normal
Pile rectangulaire	9 V	Trop fort : la lampe est rapidement détruite

Interprétation : Lorsque la tension entre les bornes d'une lampe est inférieure à sa tension nominale, on dit qu'elle est en sous-tension : elle brille peu. Lorsque la tension entre les bornes d'une lampe est supérieure à sa tension nominale, on dit qu'elle est en surtension : elle brille trop et risque d'être détruite.

Conclusion : Avec la pile plate, la lampe choisie ici brille normalement car la tension entre ses bornes est voisine de sa tension nominale. Cette pile est bien adaptée à cette lampe.

fig. 3 La tension nominale de cette lampe est 4,5 V.

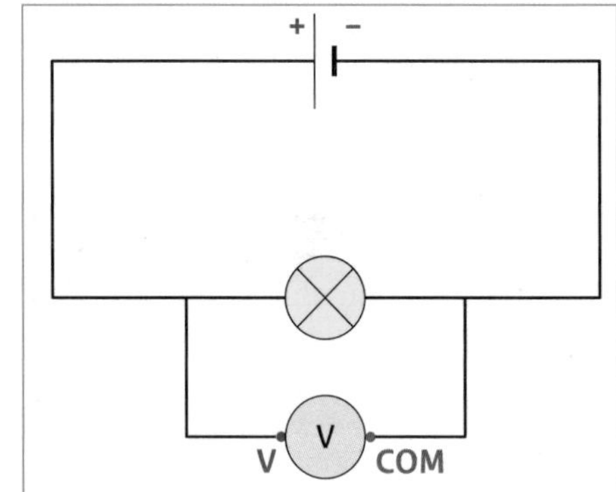

fig. 4 On réalise trois fois ce montage avec trois piles différentes.

L'essentiel

► **Contrôle tes connaissances** *en faisant l'exercice 1 page 113.*

Le multimètre fonctionne en voltmètre : il mesure des tensions

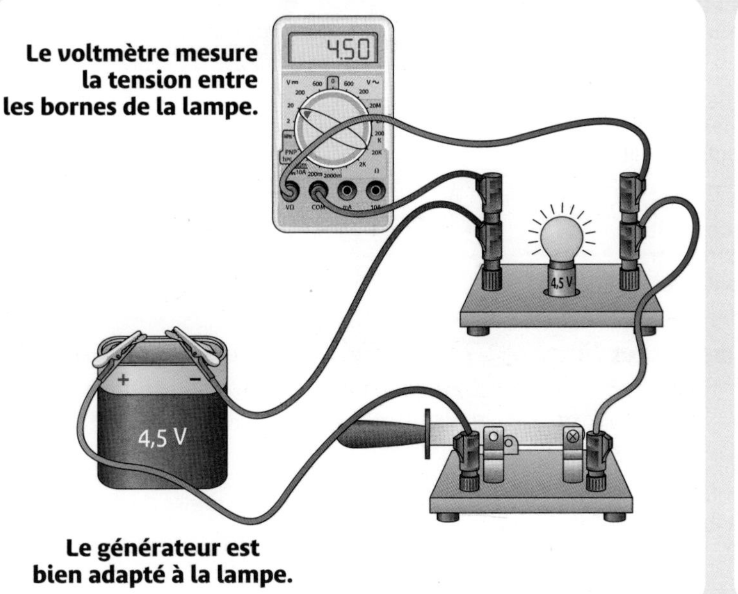

Mesure de la tension entre les bornes des différents dipôles

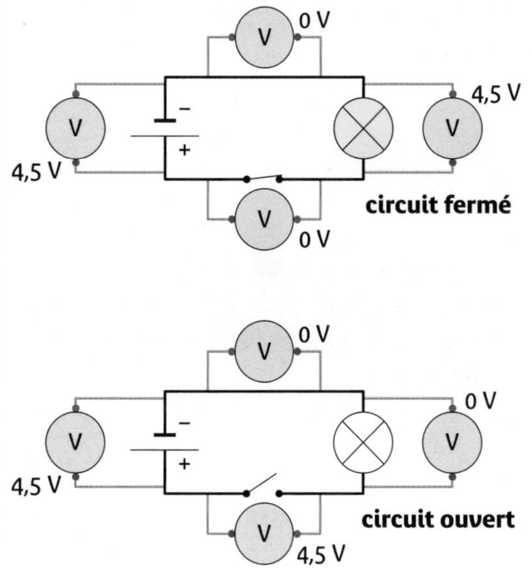

Documents

Présentation du multimètre

◗ Un multimètre (**fig. 1**) permet de mesurer, comme son nom l'indique, plusieurs grandeurs électriques :
– les tensions : elles s'expriment en volt (symbole V),
– les intensités : elles s'expriment en ampère (symbole A),
– les résistances : elles s'expriment en ohm (symbole Ω).

◗ Un multimètre a donc trois fonctions :
– la fonction **voltmètre** (**fig. 2**) : elle permet des mesures de tension en courant continu et en courant alternatif. **En classe de quatrième, toutes les mesures seront faites en courant continu.**
– la fonction **ampèremètre** (que l'on utilisera au chapitre 8),
– la fonction **ohmmètre** (que l'on utilisera au chapitre 10).

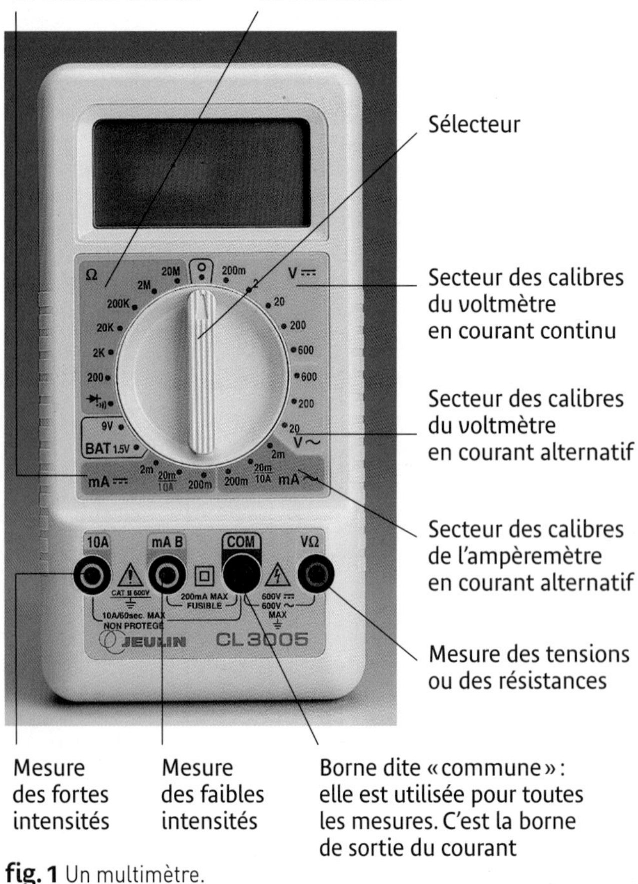

fig. 1 Un multimètre.

◗ Pour choisir la **fonction de l'appareil**, il faut :
– positionner le sélecteur dans le secteur approprié,
– repérer la borne d'entrée du courant (rouge ou jaune) et la borne de sortie qui est toujours identifiée par « COM ».

◗ Le **calibre** correspond à la valeur maximale que peut mesurer l'appareil sans être détérioré. Pour faire une mesure dont on ne connaît pas l'ordre de grandeur, on commence toujours par le calibre le plus élevé. Le passage sur un calibre inférieur, quand il est possible, permet d'améliorer la précision de la mesure.

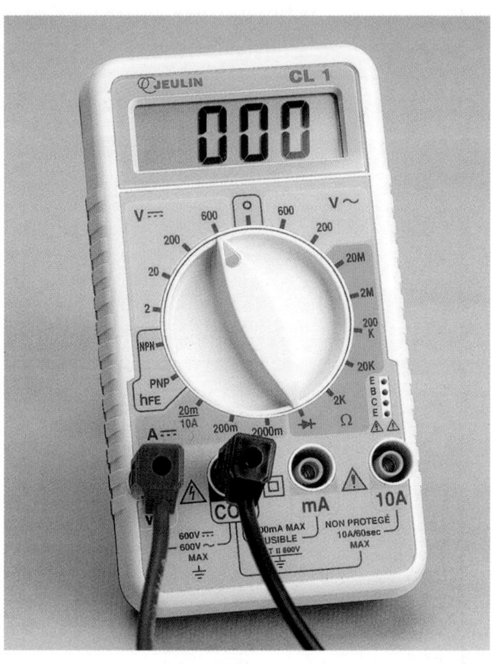

fig. 2

Questions

1 Quelle grandeur électrique s'apprête-t-on à mesurer avec l'appareil de la figure 2 ? Justifie ta réponse.

2 En quelle unité faudra-t-il exprimer le résultat de la mesure ?

3 Quelle est la valeur maximale de la mesure réalisable ? Justifie ta réponse.

Quand la très basse tension nous éclaire

Au quotidien

Depuis quelques années sont apparus des systèmes d'éclairages dits à « très basse tension ». Pour bénéficier de cette appellation, la **tension d'alimentation** ne doit pas dépasser 50 volts, ce qui réduit considérablement les risques électriques pour le corps humain.

Les lampes ou spots peuvent être directement encastrés dans le plafond ou les meubles. Ils sont ainsi beaucoup plus discrets, mais il faut prendre garde et les éloigner de toute substance inflammable : la forte chaleur qu'ils produisent pourrait déclencher un incendie.

Le plus souvent, on fixe les spots sur deux câbles tendus (**fig. 3**). Alimentés en 12 volts par un petit transformateur, ces câbles jouent alors un double rôle de suspension et d'alimentation. Le courant électrique les parcourt mais, sous cette **très basse tension**, le danger est moindre et ils n'ont pas besoin de gaine isolante. Cette plus grande liberté permet de créer de nouvelles solutions esthétiques, qui s'adaptent aux différents types d'habitats.

fig. 3

fig. 4

Les lampes employées dans ce système d'éclairage (**fig. 4**) produisent une lumière blanche, plus proche de la lumière naturelle que celle des lampes à incandescence classiques, d'où un plus grand confort pour l'utilisateur. De plus, leur consommation est moindre pour une efficacité lumineuse équivalente.

La **très basse tension** est, à l'heure actuelle, la solution d'éclairage la plus performante.

DÉCOUVRIR UN MÉTIER

Électricien(ne)

voir p. 219

Questions

1 Précise ce qu'on appelle « très basse tension ».

2 À quoi servent les câbles que l'on voit sur la figure 3 ?

3 Pourquoi ces câbles n'ont-ils pas de gaine isolante ?

4 En quoi l'éclairage « très basse tension » est-il plus performant que d'autres ?

Ma démarche **d'investigation**

Compétences expérimentales à évaluer

- Brancher un multimètre utilisé en voltmètre
- Mesurer une tension

Afin d'enrichir le dossier destiné à son bureau d'études, le directeur commercial de Pilextra souhaite savoir si la tension entre les bornes d'une pile plate est exactement la même, circuit fermé et circuit ouvert, dans un circuit en boucle simple.

Comment mesurer la tension aux bornes de la pile ?

➤ Mon matériel

Tu disposes du matériel classique d'électricité : fils de connexion, interrupteurs, pile plate, multimètre…

➤ Je réfléchis

Fais le schéma du circuit électrique que tu souhaites réaliser en faisant apparaître l'appareil de mesure.
Dresse une liste précise du matériel que tu vas utiliser.
Liste les étapes de ta démarche expérimentale, en détaillant plus particulièrement celles qui concernent l'utilisation du multimètre.
Propose ta démarche au professeur.

➤ Je réalise le montage

Après accord du professeur, récupère le matériel puis réalise le montage. N'oublie pas de le faire vérifier avant d'effectuer les mesures de la tension.

➤ Je communique mes résultats

Rédige la fiche que tu vas fournir au directeur de Pilextra, en respectant le mode de présentation et le plan préconisés par le professeur, sans oublier d'indiquer les résultats des mesures de tension et la marque de ta pile.

Exercices

Je contrôle mes connaissances

1 Je retrouve l'essentiel

Utilise les mots ou groupes de mots suivants pour compléter les phrases ci-dessous : *surtension, voltmètre, récepteur, nominale, nulle, normalement, tension, détruite, sous-tension, générateur, adaptée, V, dérivation, traversé par le courant*.

Une .... électrique s'exprime en volt (symbole : ....) et se mesure avec un .... (symbole : —(V)—). Un voltmètre se monte en ....

Une tension peut exister entre les bornes d'un dipôle sans qu'il soit ....

Un courant peut traverser un dipôle même si la tension entre ses bornes est ....

Dans un circuit en boucle simple, la tension du .... est appliquée, par l'intermédiaire des fils, entre les bornes du ....

Une lampe est bien .... à un générateur si cette lampe brille .... La tension entre les bornes de la lampe est alors voisine de sa tension ....

Lorsque la tension ente les bornes d'une lampe est inférieure à sa tension nominale, on dit qu'elle est en ... . : elle brille peu.

Lorsque la tension entre les bornes d'une lampe est supérieure à sa tension nominale, on dit qu'elle est en .... : elle brille trop et risque d'être ....

→ **Solution page 221.**

2 Préparer un multimètre à fonctionner en voltmètre

a. Quel numéro sur la photographie désigne le sélecteur de fonction ?

b. Pour mesurer une tension « continue », dans quelle zone numérotée faut-il positionner le sélecteur ?

c. Par quelle borne A, B, C ou D le courant doit-il alors entrer dans l'appareil ? Par quelle borne doit-il en sortir ?

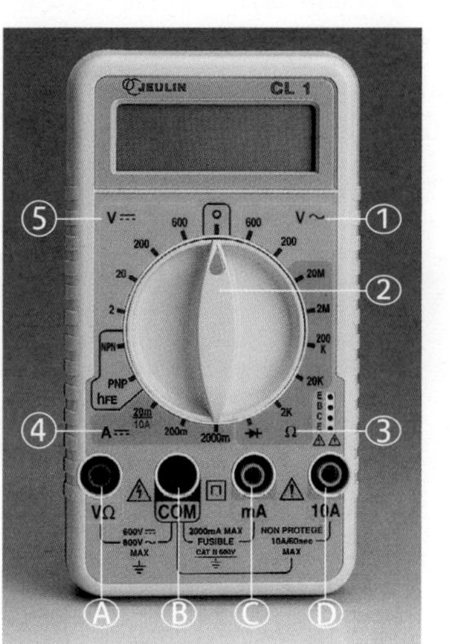

3 Repérer les calibres d'un voltmètre

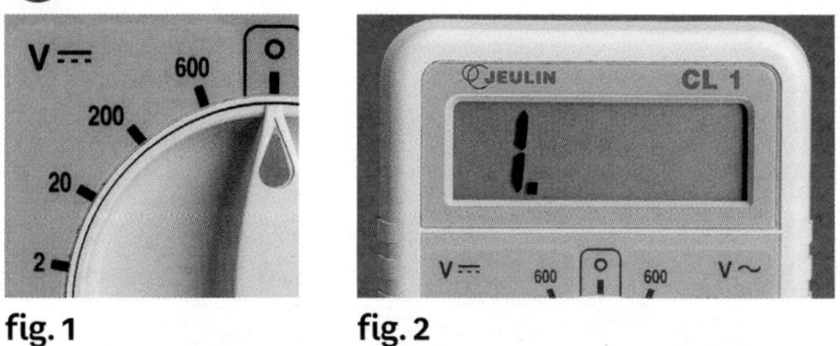

fig. 1 **fig. 2**

a. Quelle est la valeur des quatre calibres de ce voltmètre (**fig. 1**) ? N'oublie pas de préciser l'unité.

b. Quel calibre faut-il choisir pour commencer une mesure ? Pourquoi ?

c. Quelle est l'erreur quand le voltmètre affiche « 1. » (**fig. 2**) ?

4 Savoir lire un résultat — COMPÉTENCE TRANSVERSALE

a. Quelle est la tension entre les bornes de la pile ? N'oublie pas l'unité.

b. Quel est le calibre utilisé pour cette mesure ?

c. Pourrait-on faire cette mesure en utilisant un calibre plus petit ? Justifie.

d. Quel serait le résultat affiché sur l'écran si l'on permutait les connexions sur la pile ?

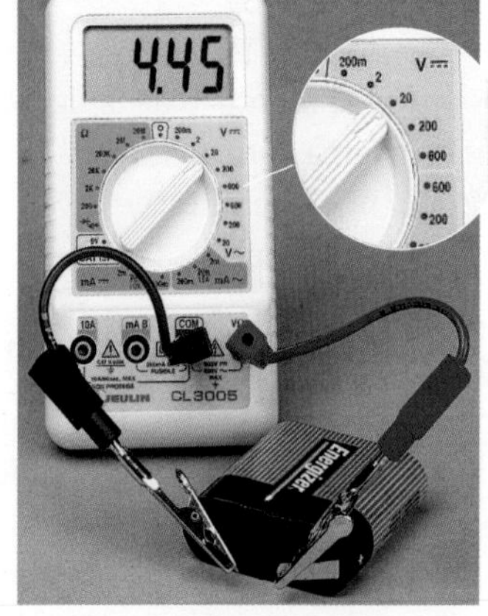

5 Mesurer la tension d'une pile

Tu souhaites vérifier la valeur de la tension entre les bornes de la pile plate.

a. Quel est le calibre le mieux adapté à cette mesure ? Justifie ta réponse.

b. Quelles sont les connexions à réaliser ?

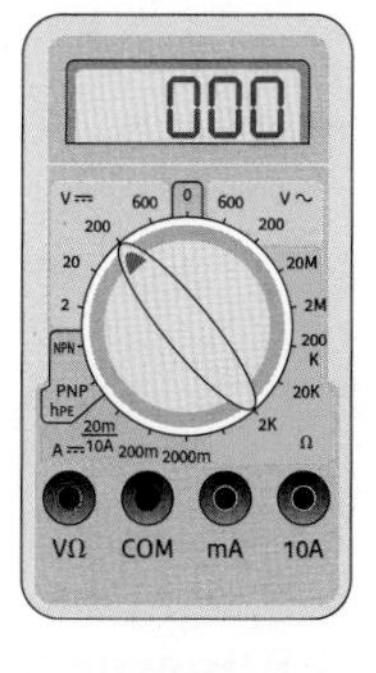

6 Adapter une lampe à une pile

On branche successivement entre les bornes d'une pile de 4,5 V, trois lampes dont les tensions nominales sont respectivement : 1,5 V, 4 V et 6 V.

a. Quelle est la lampe qui brille le moins ? Justifie ta réponse.

b. Quelle est la lampe en surtension ? Justifie ta réponse.

c. Quelle est la lampe la mieux adaptée au générateur ? Pourquoi ?

Exercices

J'utilise mes connaissances

7 Représenter des voltmètres sur un schéma

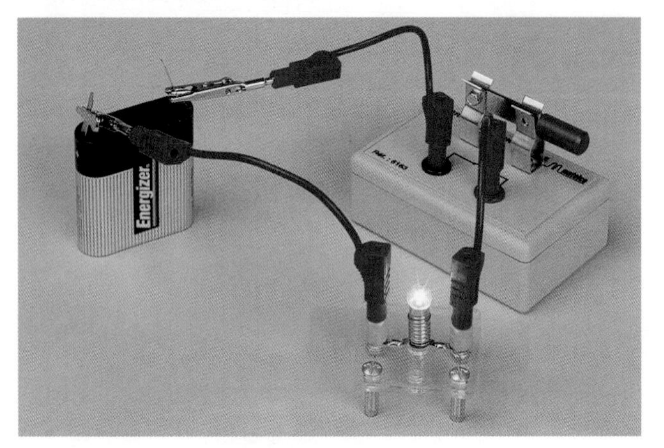

On réalise le montage de la figure ci-dessus.
Fais le schéma normalisé de ce circuit et ajoute les trois appareils qui mesurent respectivement la tension entre les bornes de la lampe, de la pile et de l'interrupteur.

8 Choisir le bon schéma de montage

On veut connaître la tension entre les bornes de la lampe.
a. Parmi les trois montages ci-dessous, quel est celui qui permettra d'effectuer cette mesure ?
b. Quelles sont les erreurs commises dans les deux autres montages ?

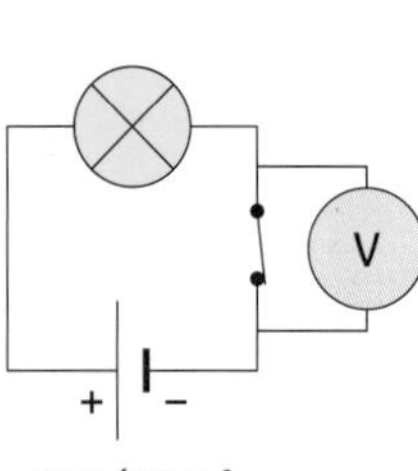

montage 1

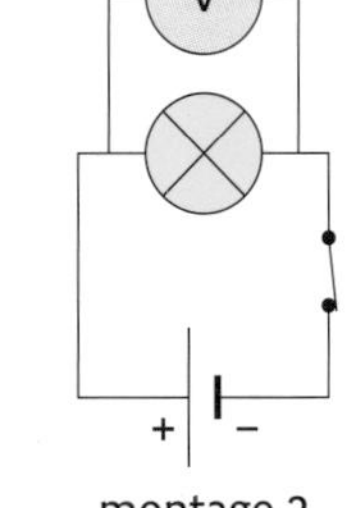

montage 2

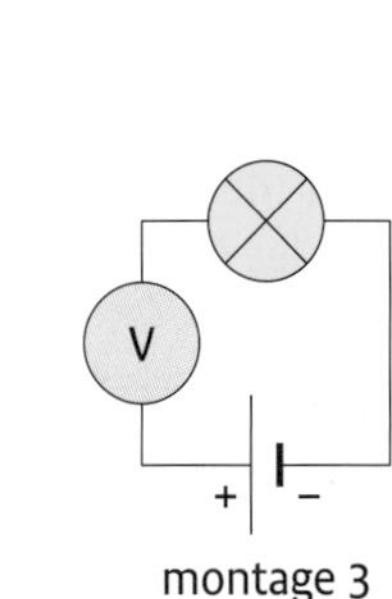

montage 3

9 Repérer la tension nominale

a. Quelle est la tension nominale de cette lampe ?
b. Kévin l'alimente avec une pile plate et, constatant qu'elle ne s'allume pas, il affirme qu'elle est grillée. Kévin se trompe ! Explique pourquoi.

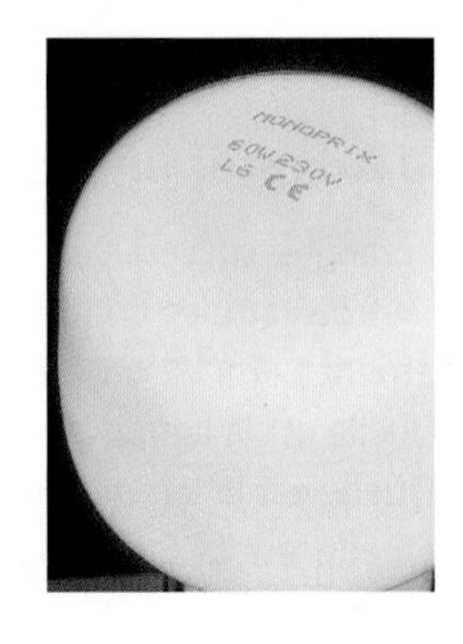

10 Analyser un montage et prévoir les résultats des mesures

a. Fais le schéma normalisé du montage représenté sur la photographie.
b. Le circuit est-il ouvert ou fermé ? Justifie ta réponse.
c. Quelle est la tension :
- U_L entre les bornes de la lampe L ?
- U_F entre les bornes du fil F ?
- U_K entre les bornes de l'interrupteur K ?
- U_G entre les bornes du générateur G ?

11 Effectuer des conversions

Recopie et complète les égalités suivantes :

a. 1 V = ... mV
b. 5 V = ... kV
c. 325 mV = ... V
d. 0,03 V = ... mV
e. 100 000 V = ... kV
f. 0,23 kV = ... mV

12 Corriger une erreur de montage

a. Fais le schéma normalisé du circuit électrique représenté sur la photographie.
b. La valeur affichée est négative. Que faut-il faire pour y remédier ?
c. Quelle est la tension aux bornes du générateur ? Est-il neuf ou usagé ?
d. La tension nominale de la lampe est 3,5 V. Cette lampe est-elle bien adaptée à ce générateur ? Justifie ta réponse.

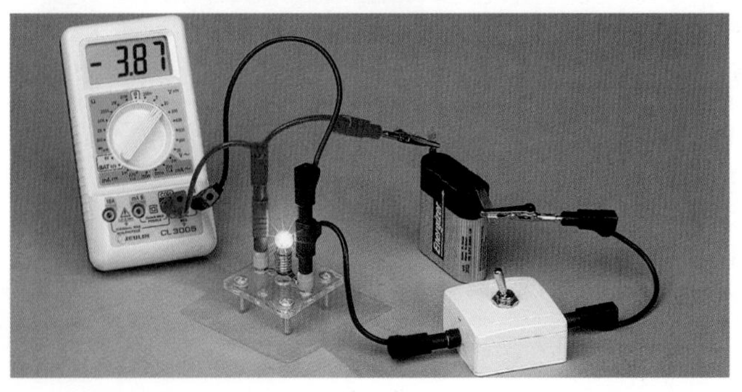

J'approfondis mes connaissances

13 Retrouver les valeurs de la tension

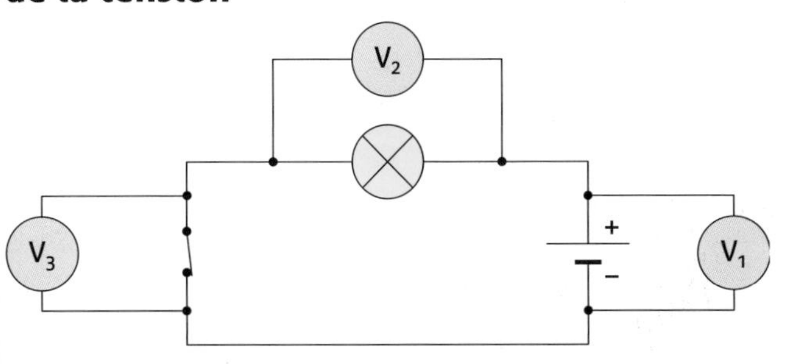

Reproduis le schéma et place les bornes « V » et « COM » sur chaque voltmètre.

Le voltmètre V_1 affiche une tension : $U_1 = 6$ V.

a. Quelle est la valeur U_2 de la tension mesurée par V_2 ?

b. Quelle est la valeur U_3 de la tension mesurée par V_3 ?

c. On ouvre l'interrupteur. Que valent alors U_1, U_2 et U_3 ?

14 Associer des piles

fig. 1 Pile plate décortiquée.

fig. 2 Pile rectangulaire décortiquée.

a. Rappelle les valeurs de la tension entre les bornes d'une pile ronde puis d'une pile plate et enfin d'une pile rectangulaire.

b. Examine les figures 1 et 2 et justifie les associations de pile rondes qui sont réalisées dans la pile plate et dans la pile rectangulaire.

15 Un peu de maths

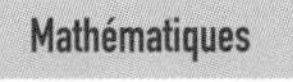

Lors d'une mesure de tension, un voltmètre affiche comme résultat : 220 V.

La notice technique de l'appareil indique que la précision de la mesure est à 1,5 % près.

a. Peut-on affirmer que 220 V est un résultat exact de la mesure ? Comment faut-il interpréter l'indication de la notice ?

b. Exprime le résultat de la mesure sous la forme d'un encadrement.

16 Alimenter une lampe avec plusieurs piles

On a utilisé la même lampe (tension nominale 4,5 V) et des piles identiques, de 1,5 V chacune, pour réaliser ces deux montages.

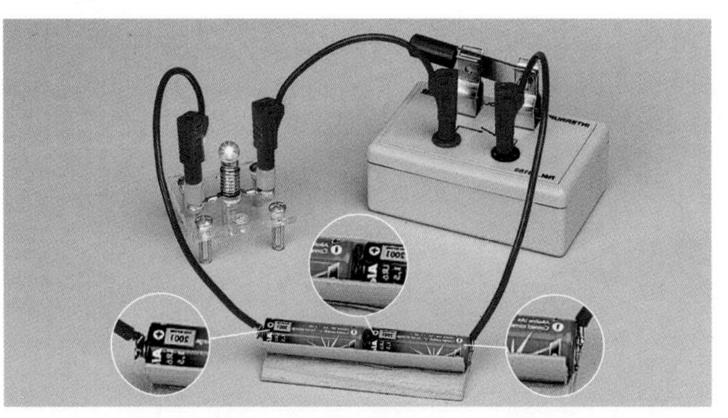

fig. 1 Deux piles en série de 1,5 V alimentent une lampe de 4,5 V.

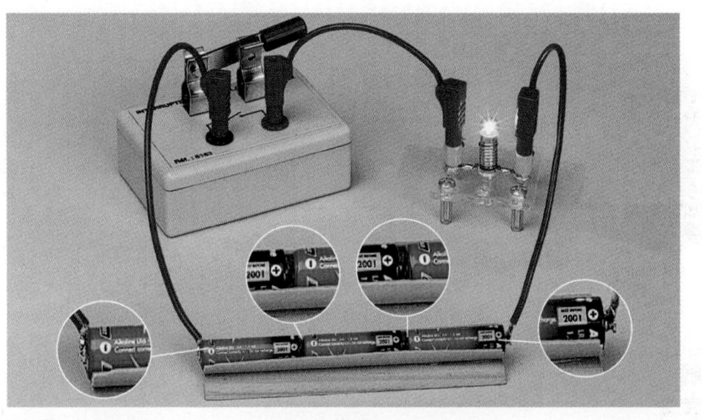

fig. 2 Trois piles en série alimentent la même lampe.

a. Fais le schéma des deux circuits (tu dois représenter toutes les piles en repérant les + et les –). Précise, sous chaque schéma, l'éclat de la lampe : normal, faible ou très faible.

b. Quelle est la tension entre les bornes de la lampe dans chaque cas ?

c. Par quelle pile unique pourrait-on remplacer les trois piles dans le montage de la figure 2 ?

17 Un peu d'histoire

Le nom de l'unité de tension, le volt, vient du nom propre Volta. Recherche qui était ce personnage célèbre et quelle a été sa principale invention.

Alessandro Volta (1745-1827).
Gravure du XIXe siècle.

18 Physics in English

A voltmeter has different possible range settings: 0,2 V, 2 V, 20 V, 200 V, 1 000 V.

Choose the best range setting to make these voltage measurements: 4,5 V, 12 V, 150 mV, 1,5 V, 110 V.

Chapitre

8 La grandeur « intensité » et sa mesure

De nombreuses observations nous ont montré que, dans un circuit, le courant électrique peut être plus ou moins intense.
Apprenons à mesurer une nouvelle grandeur physique : l'intensité du courant.

1. Les éclats de ces deux lampes sont différents : les courants qui les traversent n'ont pas la même intensité. Comment se mesure l'intensité ? Avec quelle unité s'exprime-t-elle ? ► Activité 1

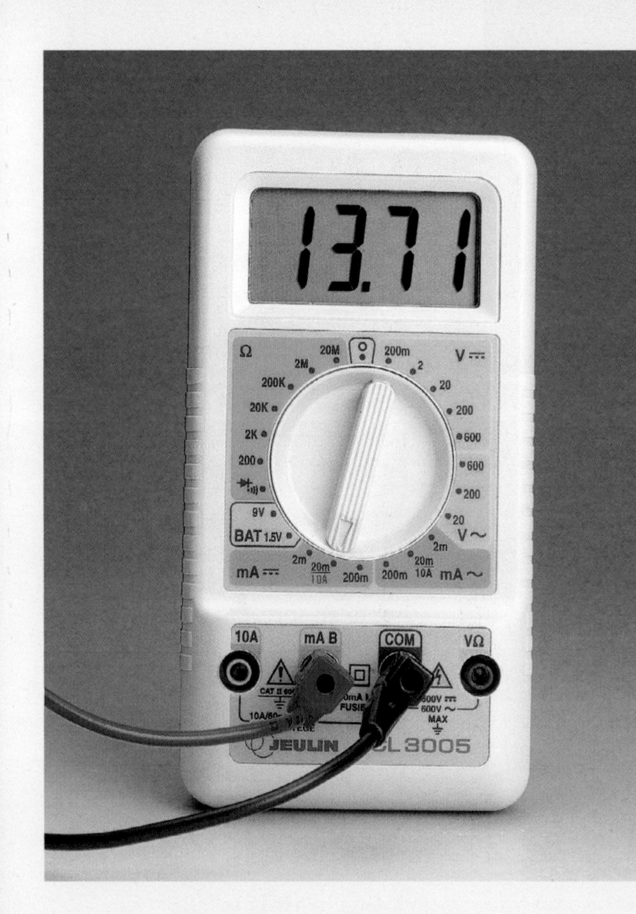

2. Quelle fonction du multimètre utilise-t-on ? Comment le connecter ? Quel renseignement lit-on sur l'écran ?

► Activité 2

Objectifs

- Connaître l'unité de l'intensité du courant
- Savoir si l'intensité est la même en tout point d'un circuit en série et si elle varie en fonction de l'ordre des dipôles
- Expliquer l'expression « intensité nominale »
- Brancher un multimètre utilisé en ampèremètre (Compétence expérimentale)
- Mesurer une intensité (Compétence expérimentale)

3. Que signifie cette inscription sur le culot de la lampe ?

► Activité 3

Activités

Comment mesurer l'intensité du courant ?

MATÉRIEL : • une pile plate • une lampe • un interrupteur • un multimètre • quatre fils de connexion (deux rouges, un noir, un vert) • deux pinces crocodiles

DÉROULEMENT : Réalisons le montage de la figure 1, puis intercalons un ampèremètre* dans ce circuit afin de mesurer l'intensité du courant (**fig. 2**).

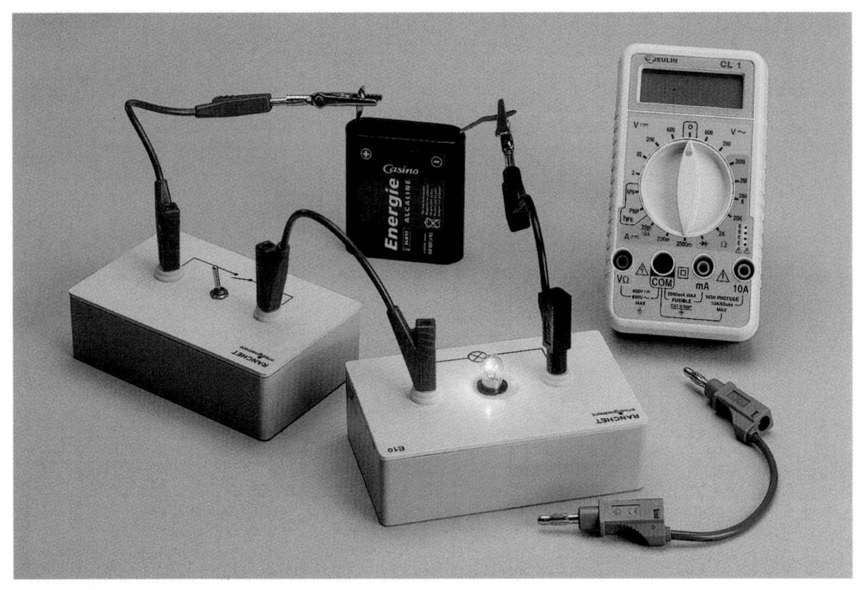

fig. 1

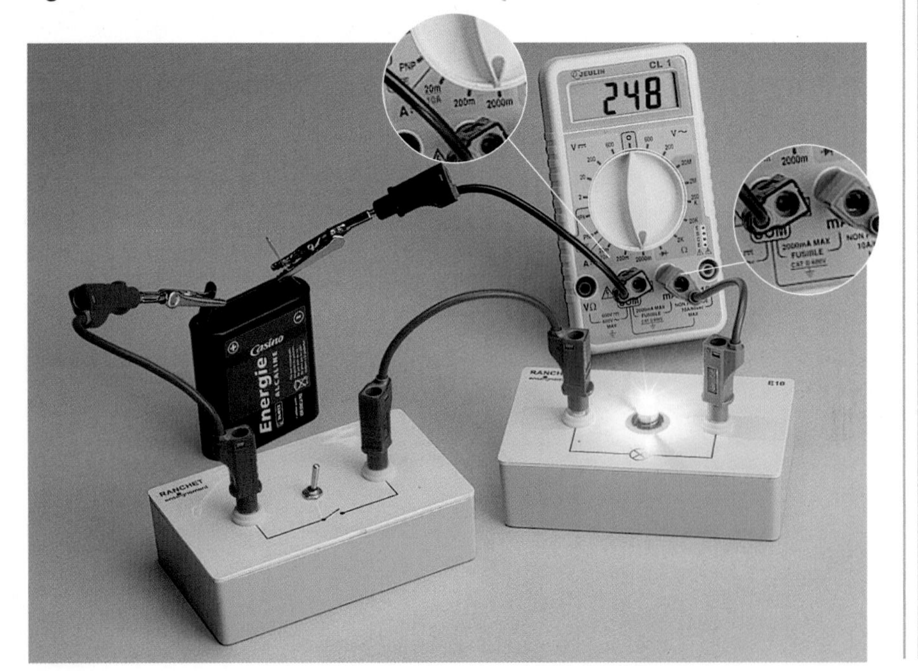

fig. 2

Questions

1 Combien faut-il de fil(s) de connexion supplémentaire(s) pour passer du montage de la figure 1 à celui de la figure 2 ? L'ampèremètre est-il branché en série ou en dérivation (fig. 2) ?

2 Par quelle borne de l'ampèremètre le courant entre-t-il ? Par quelle autre borne en sort-il ? Fais le schéma normalisé du montage correspondant à la figure 2 (le symbole de l'ampèremètre est : –(A)–).

3 Dans quel secteur place-t-on le sélecteur ? Quel calibre a-t-on utilisé ?

4 Quelle est la valeur de l'intensité du courant dans le circuit ? Précise l'unité.

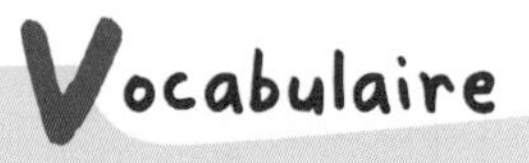

ATTENTION

IL NE FAUT JAMAIS BRANCHER UN AMPÈREMÈTRE EN DÉRIVATION : L'APPAREIL SERAIT EN COURT-CIRCUIT.

Remarque

Sur un ampèremètre, il existe deux bornes : « 10 A » et « mA ». On utilise « mA » pour des mesures inférieures à 2 000 mA.

Vocabulaire

Ampèremètre : appareil qui permet de mesurer l'intensité du courant électrique.

ACTIVITÉ 2 L'intensité est-elle la même en tout point d'un circuit ?

MATÉRIEL : • une pile plate • une lampe • une résistance • trois multimètres • six fils de connexion • deux pinces crocodiles

DÉROULEMENT : Comparons les valeurs de l'intensité du courant en différents points du circuit (**fig. 3**). Changeons ensuite l'ordre des dipôles et notons les résultats des mesures (**fig. 4**).

Questions

1 L'intensité du courant est-elle la même en tout point du circuit ? Justifie ta réponse.

2 L'intensité du courant dépend-elle de l'ordre de connexion des dipôles ? Justifie ta réponse.

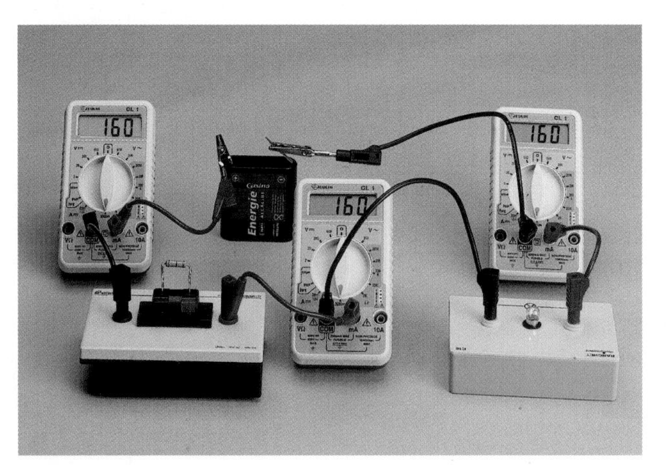

fig. 3

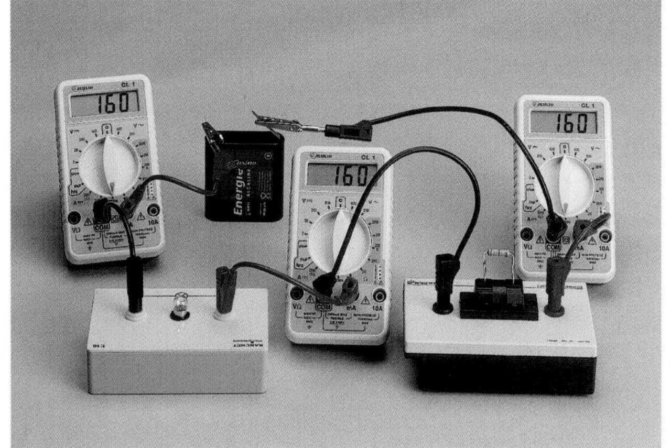

fig. 4

ACTIVITÉ 3 Qu'appelle-t-on intensité nominale ?

MATÉRIEL : • une pile ronde • une pile plate • une pile rectangulaire • un multimètre • une lampe d'intensité nominale 0,2 A • trois fils de connexion • deux pinces crocodiles

DÉROULEMENT : Observons l'éclat de la lampe alimentée successivement par chacune des trois piles (**fig. 5, 6, et 7**), puis comparons, dans chaque montage, l'intensité du courant et l'intensité inscrite sur le culot de la lampe (appelée intensité nominale de la lampe).

Questions

1 Qu'observe-t-on si l'intensité du courant qui traverse la lampe est différente de son intensité nominale (fig. 5 et 7) ?

2 À quelle condition une lampe éclaire-t-elle normalement ?

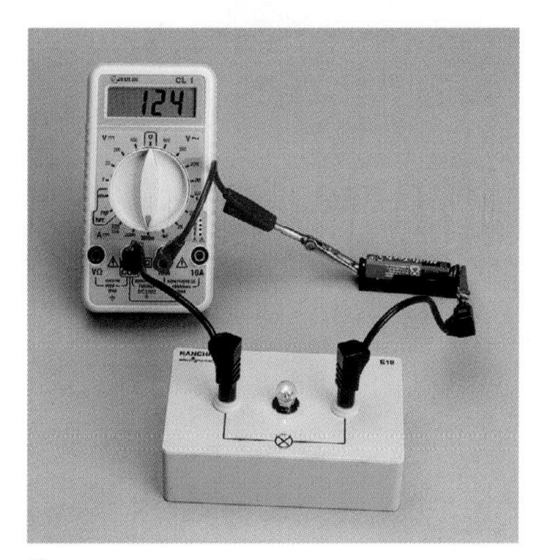

fig. 5

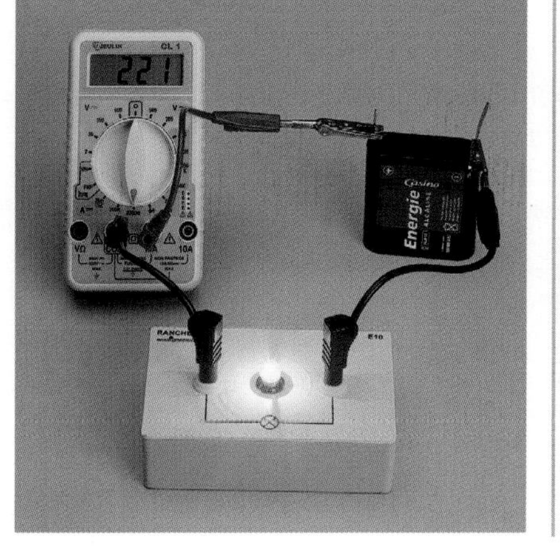

fig. 6

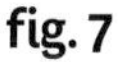

fig. 7

Cours

Mesurer l'intensité du courant électrique

Voir **Activité 1**

a. L'unité et l'appareil de mesure

L'intensité du courant électrique s'exprime en ampère (symbole A). Il existe également des multiples et des sous-multiples de l'ampère :
le kiloampère (kA), le milliampère (mA) et le microampère (µA).
1 kA = 1000 A ; 1 mA = 0,001 A ; 1 µA = 1×10^{-6} A
L'intensité se mesure avec un ampèremètre, qui a pour symbole —(A)—.

b. Le branchement de l'ampèremètre

Un ampèremètre se monte en série; le courant doit entrer par la borne « 10 A » ou « mA » et sortir par la borne « COM » (**fig. 1**), sinon l'appareil affiche une valeur négative.

c. Le choix du calibre

Le calibre correspond à la valeur maximale que peut mesurer l'ampèremètre sans être détérioré. Par précaution, on débute la mesure en utilisant le calibre le plus grand. Une fois la valeur de l'intensité connue, on choisit le calibre immédiatement supérieur à cette mesure, afin d'améliorer la précision.

d. L'expression du résultat

Le résultat de la mesure est noté *I*. On écrit par exemple :
I = 0,248 A ou *I* = 248 mA.

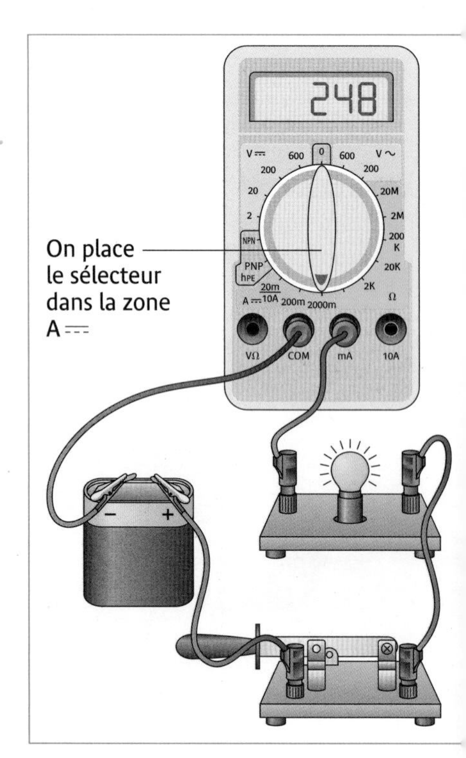

fig. 1 Pour intercaler un ampèremètre dans un circuit, il faut utiliser un fil supplémentaire.

Intensité du courant dans un montage en série

Voir **Activité 2**

Observation et Interprétation : Les trois ampèremètres indiquent la même valeur : *I* = 160 mA (**fig. 2**).
Si on permute l'ordre de connexion des dipôles, l'intensité ne varie pas (**fig. 3**).

Conclusion : L'intensité est la même tout au long d'un circuit en série. L'intensité ne dépend pas de l'ordre de connexion des dipôles.

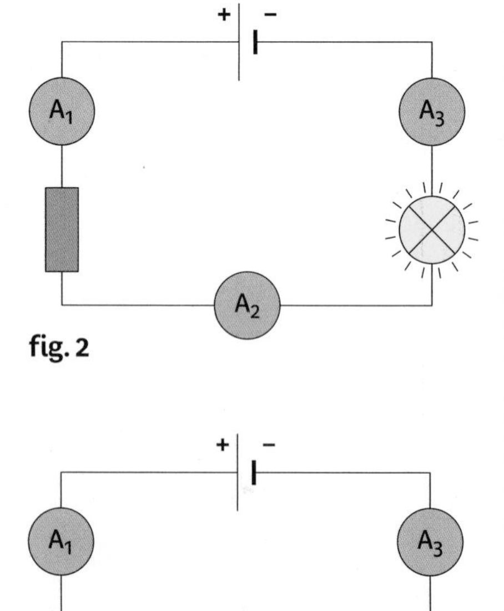

fig. 2

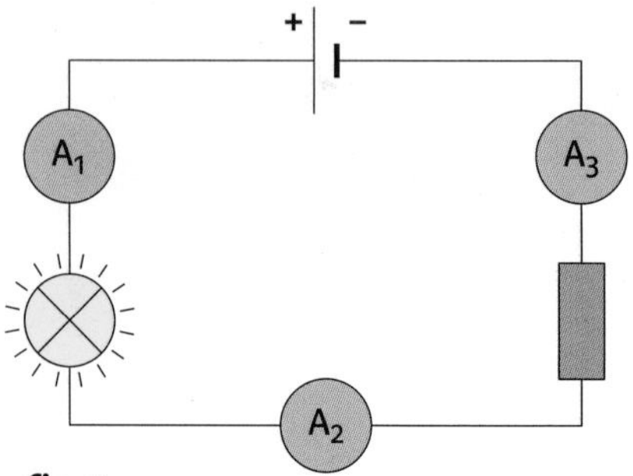

fig. 3

3 Intensité nominale

Voir **Activité 3**

Observation : L'intensité nominale (0,2 A) est inscrite sur le culot de la lampe. L'éclat de la lampe varie selon l'intensité du courant qui la traverse (**fig. 4**).

Générateur	Intensité nominale	Intensité mesurée	Éclat
Pile ronde	0,2 A	124 mA	Faible
Pile plate	0,2 A	221 mA	Normal
Pile rectangulaire	0,2 A	298 mA	Trop fort

Interprétation : La lampe brille normalement quand l'intensité du courant qui la traverse est proche de son intensité nominale.

Conclusion : L'intensité nominale est l'intensité du courant qui permet à la lampe de fonctionner normalement.

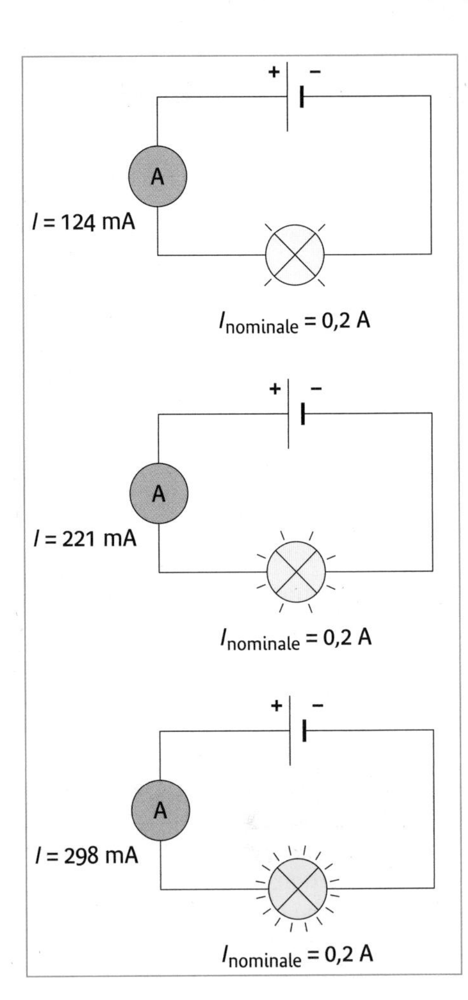

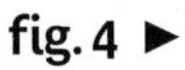
fig. 4 ►

L'essentiel

► **Contrôle tes connaissances** *en faisant l'exercice 1 page 125.*

Mesure de l'intensité du courant électrique

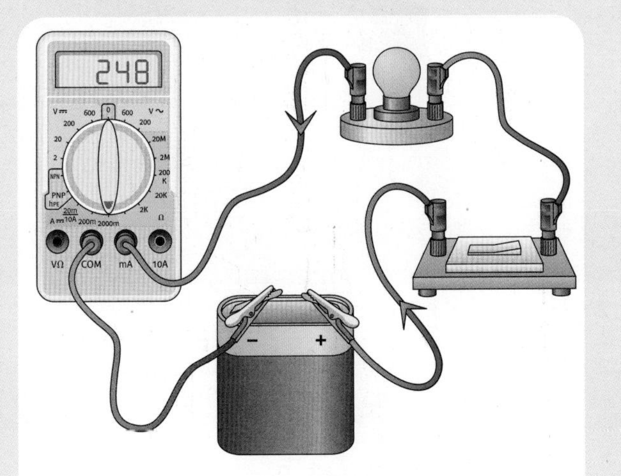

L'ampèremètre se monte en série. Le courant entre par « mA » ou par « 10 A » et sort par « COM ».

L'intensité est la même en tout point d'un circuit en série

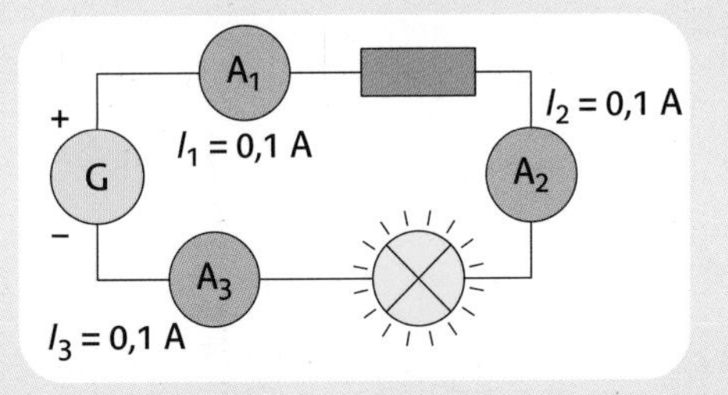

La lampe éclaire normalement

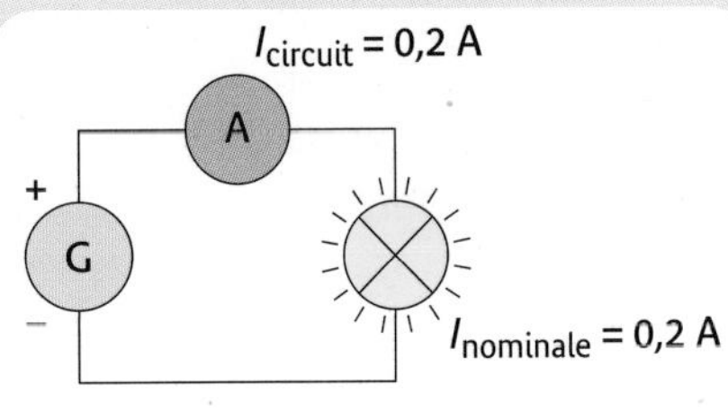

L'intensité qui traverse la lampe est égale à son intensité nominale.

Documents

Les ampères au service de notre corps

Santé

SVT

▸ Pour qu'un **muscle se contracte**, il faut que notre cerveau envoie un **influx nerveux** en direction du muscle. Cet influx se propage dans nos nerfs à la manière d'un **courant électrique**.

▸ Ce mode de fonctionnement des muscles justifie l'utilisation du courant dans diverses applications touchant au **corps humain**, à condition de respecter des **valeurs d'intensité** bien déterminées.

▸ Les appareils d'électrostimulation permettent de déclencher des **contractions musculaires** dans des zones du corps préalablement sélectionnées. Pour cela, on y répartit des **électrodes (fig. 1)** qui transmettent aux muscles un courant électrique d'intensité voisine de 10 mA. En modifiant le rythme des **stimulations électriques**, on fait varier la **fréquence** des contractions et on simule ainsi des **exercices physiques différents** : échauffement, relaxation, endurance… Les muscles travaillent sans que la personne ait l'impression de faire un effort. On peut dire qu'il s'agit d'une séance de « musculation » artificielle.

▸ En médecine, les **stimulateurs cardiaques**, souvent appelés « pacemaker », sont de minuscules générateurs (**fig. 2**). On les implante dans le corps des malades ayant des troubles du rythme cardiaque. Ces appareils envoient au cœur des **stimulations électriques** de quelques microampères, à des intervalles de temps précis, pour forcer le cœur à se contracter puis à se relâcher régulièrement, comme il le fait naturellement.

fig. 1 Appareil d'électrostimulation.

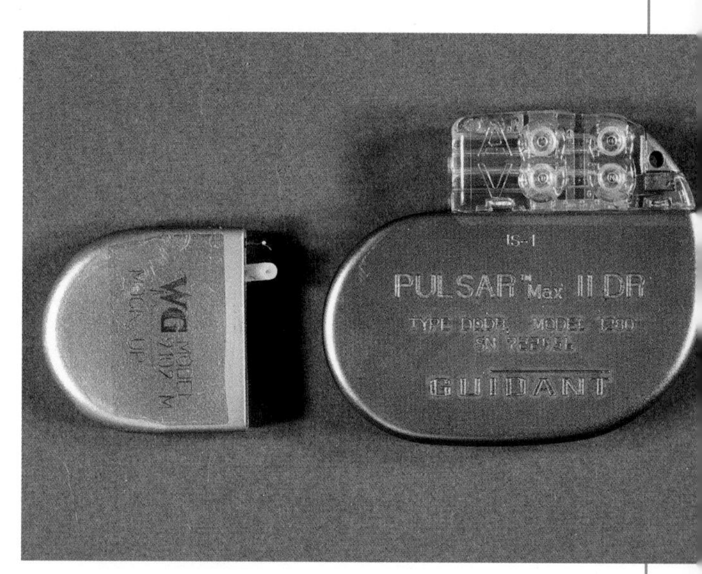

fig. 2 Stimulateur cardiaque.

Questions

1 Quel est le rôle des électrodes de l'appareil d'électrostimulation ?

2 Pourquoi compare-t-on l'électrostimulation à une séance de musculation « artificielle » ?

3 Pourquoi les personnes portant un pacemaker ne doivent-elles pas utiliser des appareils d'électrostimulation ?

Les ampèremètres au fil du temps

Histoire des sciences

▶ En 1820, le Danois Hans Christian Oersted découvre qu'une **aiguille aimantée** est **déviée** par le passage du **courant** dans un fil situé à proximité. Peu après, le physicien allemand Johann Schweigger (1779-1857) utilise cette découverte pour mettre au point le **premier appareil** de mesure du courant. Il le nomme « **multiplicateur** » (**fig. 3**) : plus le courant est intense, plus la déviation de l'aiguille est grande.

▶ Au XIXe siècle, les appareils se perfectionnent : l'aiguille devient plus fine et plus longue pour permettre une **lecture plus précise**. On place l'appareil dans un boîtier pour le rendre transportable et insensible aux courants d'air (**fig. 4**).

▶ Pour détecter de **très petites intensités** (de l'ordre du microampère), le savant français André Marie Ampère met au point, peu après 1820, un instrument qu'il appelle « **galvanomètre** » (**fig. 5**).

fig. 3 Le multiplicateur de Schweigger : le passage du courant dans la bobine de fil fait dévier l'aiguille située en dessous.

fig. 4

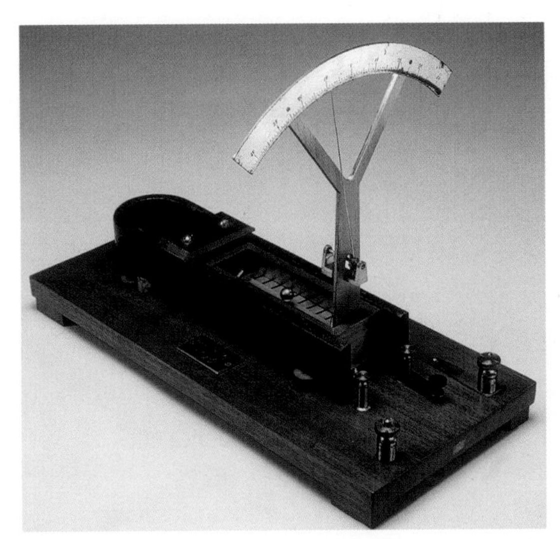

fig. 5 Un galvanomètre.

▶ De nos jours, on utilise encore des appareils à aiguille (**fig. 6**), mais beaucoup d'ampèremètres ont maintenant un **affichage digital** qui facilite grandement la lecture. La dernière évolution technique dans ce domaine est **l'auto-calibrage** : l'ampèremètre choisit automatiquement le meilleur calibre pour effectuer la mesure.

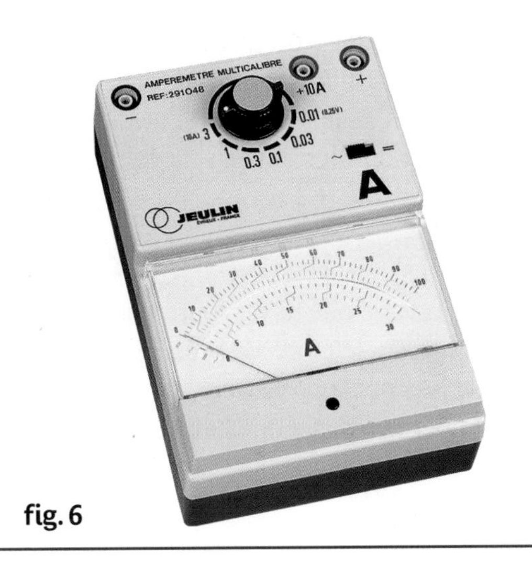

fig. 6

Questions

1 Qu'est-ce qui provoque la déviation de l'aiguille dans l'expérience d'Oersted ?

2 Quelles sont les principales évolutions des ampèremètres au XIXe siècle ?

3 Quelle est la particularité d'un galvanomètre ?

4 Recherche la signification de « microampère ».

5 En quoi consiste l'auto-calibrage ?

Ma démarche **d'investigation**

Compétences expérimentales à évaluer

- Brancher un multimètre utilisé en ampèremètre
- Mesurer une intensité

Le fabricant de multimètres Électral va sortir un nouveau modèle destiné au milieu scolaire.
Pour faire connaître ses produits, l'entreprise a lancé un concours dans plusieurs collèges.
Il s'agit de mesurer l'intensité du courant dans un montage comportant une pile, un interrupteur et une lampe.

Comment mesurer l'intensité du courant dans un circuit en série ?

➤ Mon matériel

Tu disposes du matériel classique d'électricité (pile, lampe…) et d'un multimètre.

➤ Je réfléchis

Fais le schéma du circuit électrique que tu souhaites réaliser.
Dresse la liste du matériel nécessaire.
Écris dans l'ordre les étapes que tu vas réaliser, en détaillant particulièrement celles qui concernent le multimètre.
Propose ta démarche au professeur.

➤ Je réalise le montage

Après accord du professeur, récupère le matériel puis réalise le montage.
N'oublie pas de le faire vérifier avant d'effectuer la mesure de l'intensité.

➤ Je communique mes résultats

Rédige la fiche que tu vas fournir au fabricant, en respectant le mode de présentation et le plan préconisés par le professeur, sans oublier d'indiquer le résultat de ta mesure d'intensité.

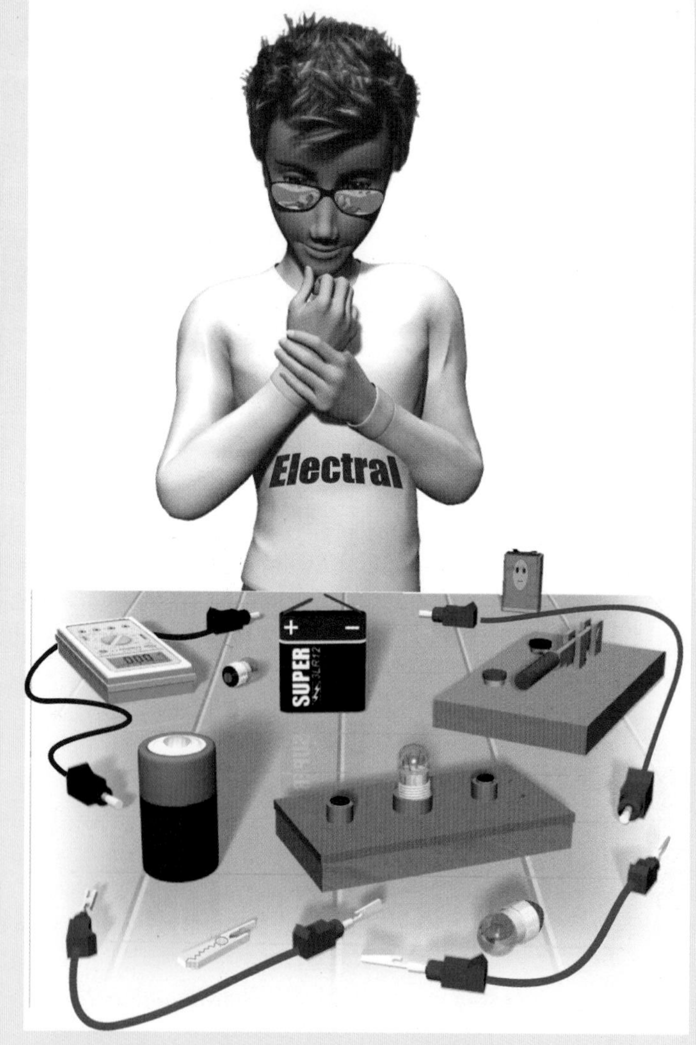

Exercices

Je contrôle mes connaissances

1 Je retrouve l'essentiel

Utilise les mots ou groupes de mots suivants pour compléter les phrases ci-dessous : *intensité nominale, grand, ampère, ampèremètre, A, précision, série, ordre de connexion, sortir, maximale, entrer, la même,* —(A)—.

L'intensité du courant électrique s'exprime en .... (symbole ....). On la mesure avec un .... (symbole .....). Cet appareil se branche toujours en .... Pour que la valeur affichée soit positive, le courant doit .... par la borne « A » et .... par la borne « COM ».

Le calibre correspond à la valeur .... que peut mesurer le multimètre sans être détérioré. Par précaution, on débute la mesure en utilisant le calibre le plus ...., puis on choisit éventuellement un calibre plus petit pour améliorer la ....

L'intensité est .... en tout point d'un circuit en série. Elle ne dépend pas de l' .... des dipôles.

Une lampe éclaire normalement si l'intensité qui la traverse est égale à son ....

→ **Solutions page 222.**

2 Convertir

a. 2A = ... mA

b. 56 mA = ... A

c. 12 A = ... kA

d. 0,047 A = ... mA

e. 3 μA = ... x 10^{-3} mA

f. 7A = 7 x 10····· μA

3 Connaître le matériel d'électricité

On veut mesurer l'intensité du courant dans un montage en série formé d'une pile, d'un interrupteur et d'un moteur.

a. Schématise le montage à réaliser.

b. La position de l'ampèremètre dans le circuit a-t-elle de l'importance ? Pourquoi ?

c. La photographie présente-t-elle la totalité du matériel nécessaire pour réaliser le circuit ? Justifie ta réponse.

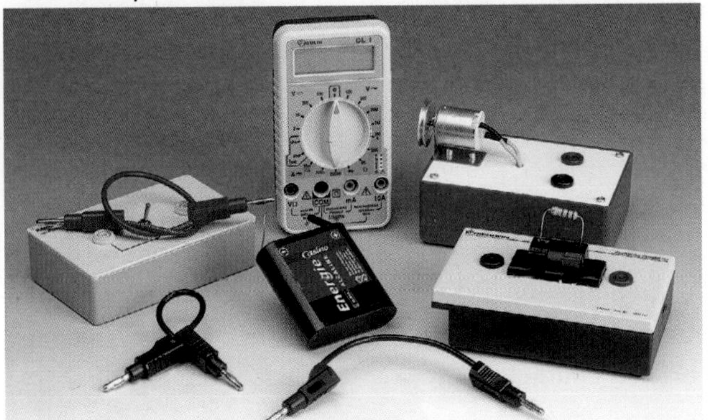

4 Placer un ampèremètre

On souhaite mesurer l'intensité du courant qui traverse la lampe dans chaque montage (**fig. 1** et **fig. 2**).

Reproduis les schémas en ajoutant l'appareil nécessaire pour mesurer l'intensité et indique les bornes « A » et « COM ».

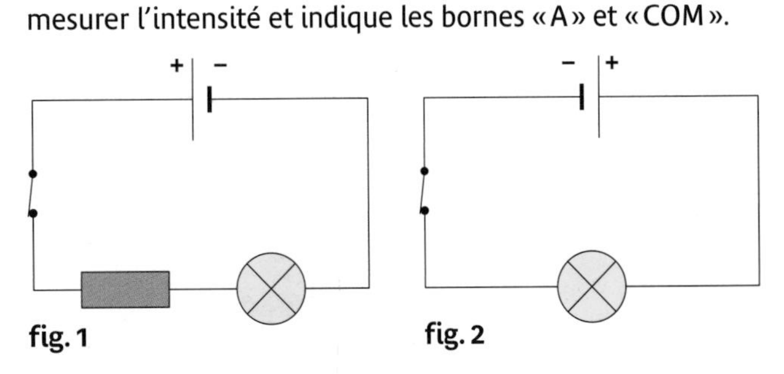

5 Choisir le meilleur calibre

Voici les calibres disponibles sur un ampèremètre : 2 mA, 20 mA, 200 mA, 10 A.

Choisis le calibre le mieux adapté pour mesurer chacune des intensités suivantes : 0,16 A, 4 A, 0,15 mA, 15 mA.

6 Savoir connecter un ampèremètre

a. Dans quel montage l'ampèremètre est-il correctement branché ?

b. Quelles sont les erreurs commises dans les deux autres montages ?

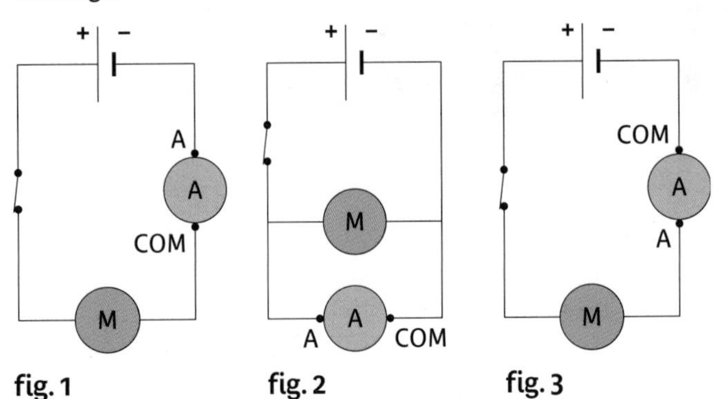

7 Identifier les bornes d'une pile

La lampe est alimentée par une pile cachée dans une boîte. Observe le dessin puis précise le signe des bornes A et B en expliquant ton raisonnement.

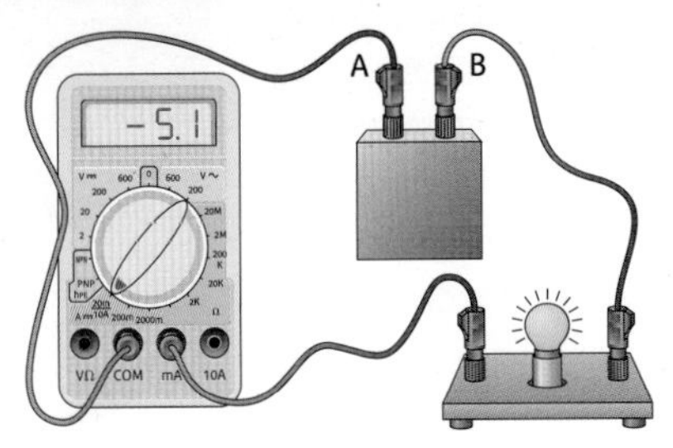

Exercices

J'utilise mes connaissances

8 Comprendre les réglages d'un ampèremètre

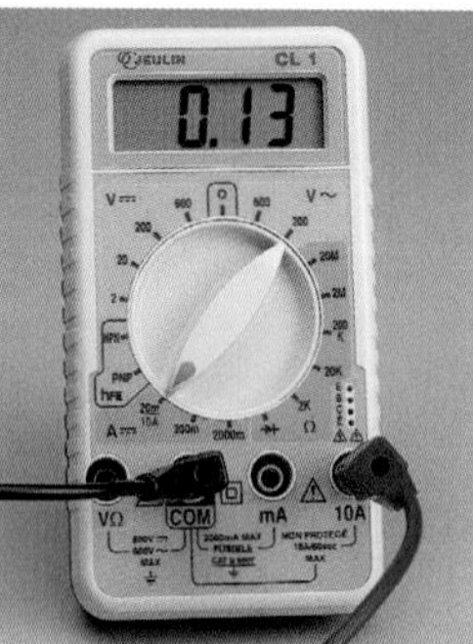

a. Sur cet ampèremètre, quel est le calibre utilisé ?
b. L'appareil indique-t-il 0,13 A ou 0,13 mA ? Justifie ta réponse.
c. Le calibre est-il bien choisi ? Pourquoi ?
d. Par quelle borne le courant entre-t-il dans l'appareil ? Par laquelle en sort-il ?

9 Inverser le sens du courant

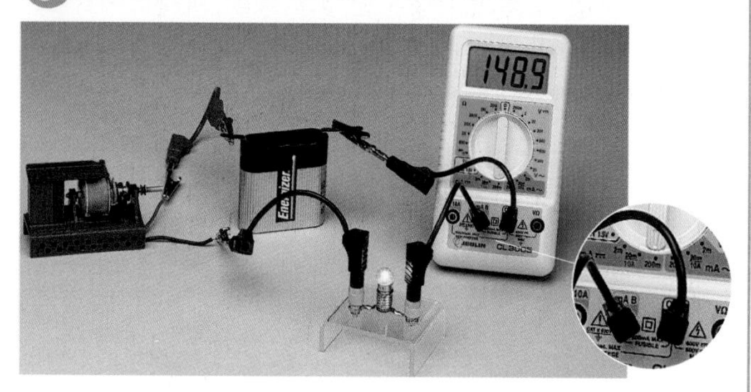

Qu'observerais-tu dans ce montage si l'on permutait les connexions aux bornes de la pile ?

10 Améliorer la précision d'une mesure

Manon mesure l'intensité du courant avec un ampèremètre qui possède les calibres suivants : 10 A, 2 A, 200 mA, 20 mA.
a. Rappelle la signification du mot calibre.
b. Par quel calibre Manon doit-elle débuter son expérience ?
c. En utilisant le plus fort calibre, l'appareil affiche 0,09 A. Comment peut-on améliorer la précision de la mesure ?

11 Adapter une lampe à un générateur

a. Que signifie l'indication gravée sur le culot de cette lampe ?

b. Sur le culot de trois lampes différentes, on lit : 0,1 A, 0,3 A et 60 mA.
Quelle lampe brille normalement lorsqu'elle est traversée par un courant d'intensité 100 mA ? Justifie ta réponse.
c. Comment brilleraient les deux autres lampes si elles étaient traversées par ce même courant ?

12 Schématiser et simplifier un montage

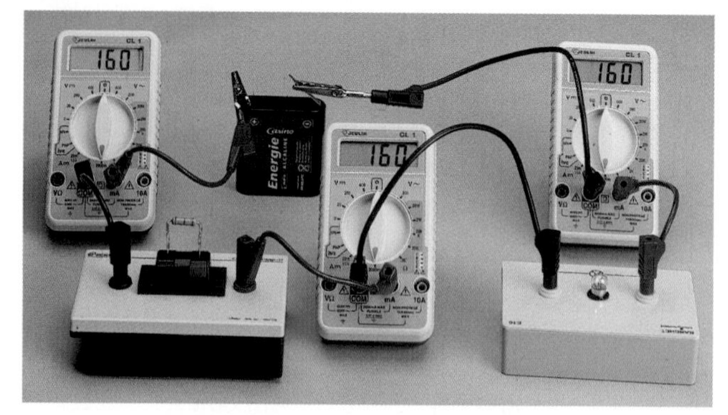

On veut connaître l'intensité du courant qui traverse la lampe.
a. L'utilisation des trois ampèremètres, comme sur la photographie, est-elle nécessaire ? Pourquoi ?
b. Fais le schéma normalisé d'un circuit qui comporte seulement les éléments nécessaires.

13 Prévoir des résultats de mesure

L'ampèremètre A_1 indique 16,2 mA.
a. Choisis parmi les valeurs suivantes celle qui est affichée par le deuxième ampèremètre : 32,4 mA ; 8,1 mA ; 16,2 mA. Justifie ta réponse.
b. Quelles seraient les valeurs mesurées par les ampèremètres si on inversait le sens de branchement de la diode ?

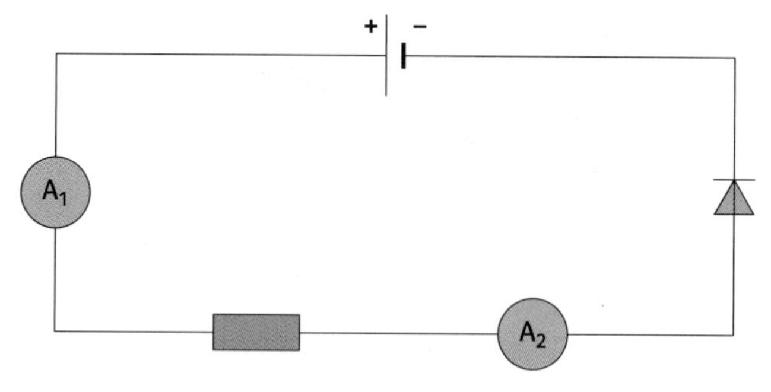

14 Contrôler un résultat

Gaétan place le sélecteur de l'ampèremètre sur le calibre 200 mA. Il annonce alors qu'il lit 0,3 A. Est-ce possible ? Justifie ta réponse.

15 Connaître les règles de sécurité

Pour connaître l'intensité du courant débité par une pile de 4,5 V, Antoine souhaite brancher directement l'ampèremètre sur les deux bornes de la pile. Agathe le dissuade de le faire. Pourquoi a-t-elle raison ?

J'approfondis mes connaissances

16 Corriger les connexions

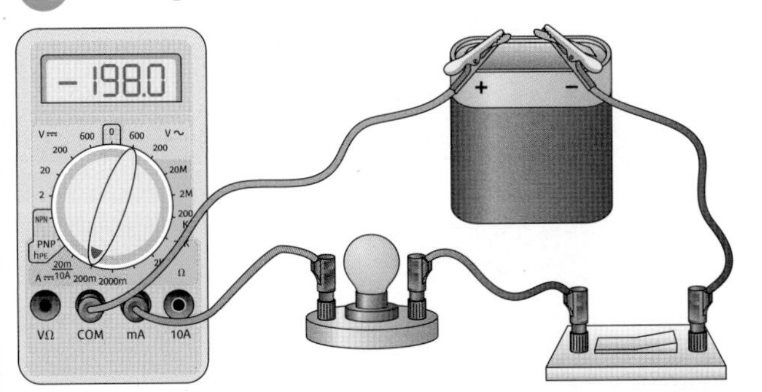

a. Cet ampèremètre n'est pas bien connecté. Quelles modifications peut-on faire pour obtenir une mesure correcte ?
b. Quelle serait la valeur affichée si le montage était bien fait ?
c. Quelle est l'intensité du courant dans le circuit ?

17 Analyser puis prévoir

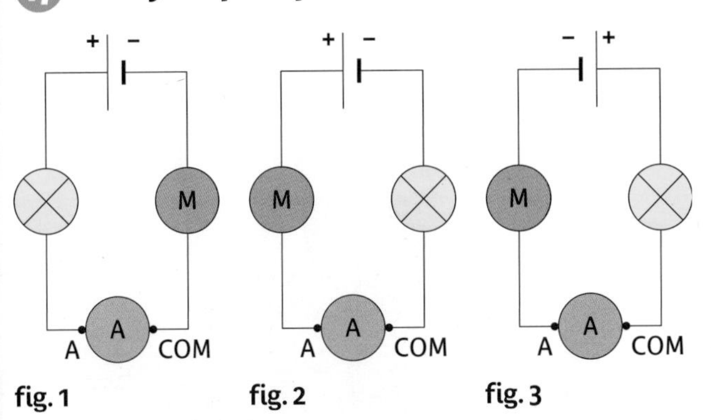

fig. 1 fig. 2 fig. 3

On utilise des dipôles identiques pour réaliser ces trois circuits. L'ampèremètre mesure une intensité de 317 mA dans le circuit de la figure 1.
a. Qu'est-ce qui distingue les montages des figures 1 et 2 ?
b. Qu'est-ce qui distingue les montages des figures 2 et 3 ?
c. Quelle valeur lira-t-on sur l'ampèremètre de la figure 2 ? Sur l'ampèremètre de la figure 3 ? Dans chaque cas, justifie ta réponse.

18 Utiliser la notation scientifique

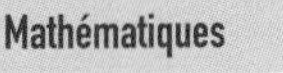

En notation scientifique, on utilise un nombre compris entre 1 et 9, suivi d'une puissance de 10. Par exemple :
- 143 mA s'écrit $1{,}43 \times 10^{2}$ mA,
- 0,759 A s'écrit $7{,}59 \times 10^{-1}$ A.

Écris les intensités suivantes en notation scientifique :
- 263 mA
- 42,3 mA
- 0,095 A
- 38 A
- 5 kA
- 19 μA

19 Utiliser les intensités nominales

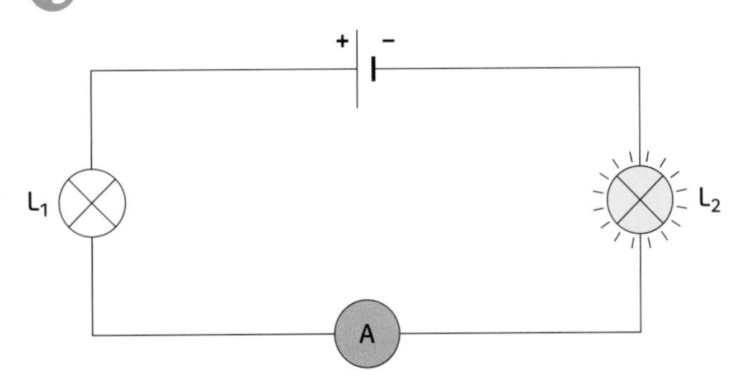

Pour réaliser ce circuit, on a utilisé deux lampes différentes : L_1 ($I_{nominale}$ = 0,4 A) et L_2 ($I_{nominale}$ = 60 mA).
On constate que la lampe L_2 éclaire normalement, tandis que la lampe L_1 reste éteinte.
a. Pourquoi la lampe L_1 ne brille-t-elle pas ?
b. Quel est l'ordre de grandeur de l'intensité affichée sur l'ampèremètre ?

20 Différencier ampèremètre et voltmètre

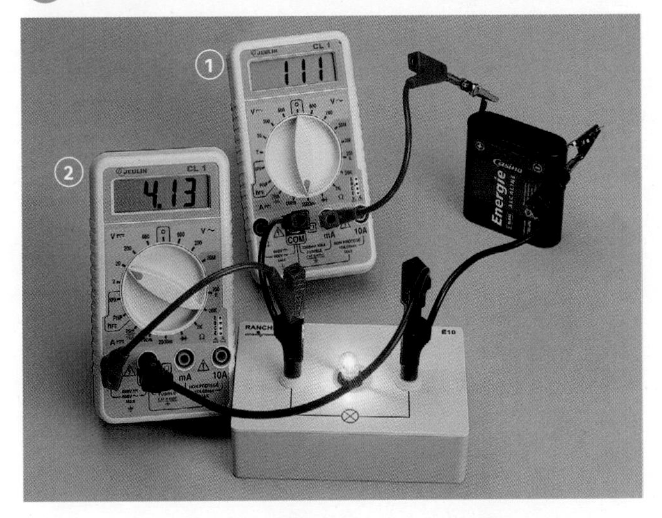

a. Observe la photographie puis schématise le montage.
b. Quelle grandeur mesure le multimètre n° 1 ?
Justifie ta réponse.
c. Quelle grandeur mesure le multimètre n° 2 ?
Justifie ta réponse.
d. Écris le résultat de chaque mesure en précisant l'unité.

21 Physics in English

Sue asserts: «There is no current in that circuit.» Andrew says there is current between the positive terminal of the battery and the switch. Who is right? Suggest an experiment to support your hypothesis. You can draw a diagram.

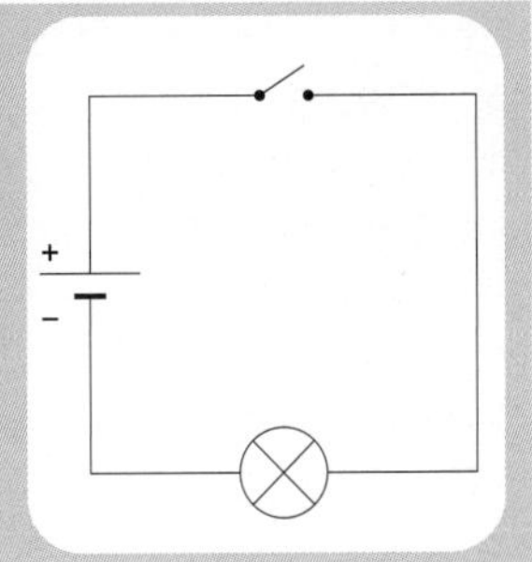

Chapitre

9 Lois des tensions et des intensités dans les circuits

Nous avons vu que le bon fonctionnement d'un dipôle dépendait des valeurs de l'intensité du courant qui le traverse et de la tension entre ses bornes. Quand différents dipôles sont associés dans le même circuit, la « répartition » de la tension du générateur et la circulation du courant obéissent à des lois électriques. Quelles sont ces lois ?

1. Pourquoi faut-il éviter de faire fonctionner plusieurs appareils sur la même prise ?
► Activité 1

2. À la maison, le branchement de nos appareils électriques se fait toujours en dérivation. Pourquoi ? ► Activité 2

3. Pourquoi les petites lampes de la guirlande (tension nominale 9 V) fonctionnent-elles normalement sur une prise 220 V ?

► Activité 2

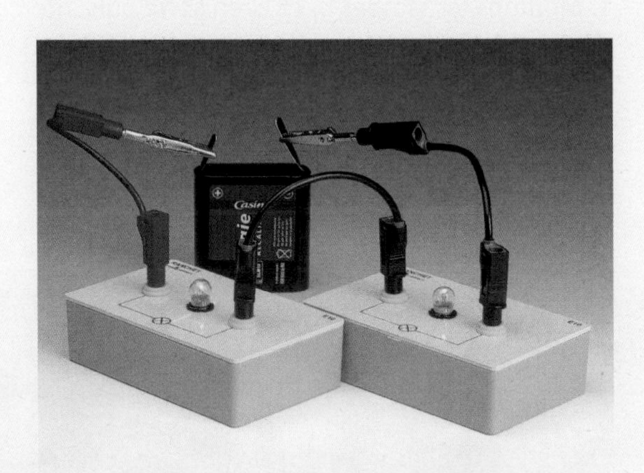

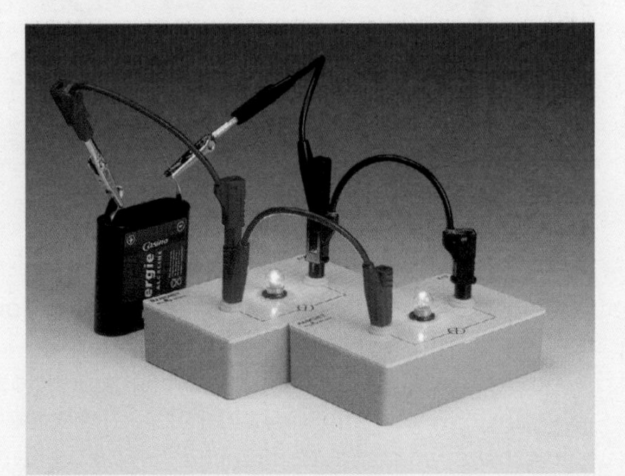

4. Bien que l'on utilise la même pile et les mêmes lampes dans les deux montages, les effets obtenus sont très différents. Pouvait-on prévoir ce résultat ? Comment l'expliquer ?

► Activités 1 et 2

Objectifs

- Savoir repérer sur un schéma ou sur un circuit les différentes branches et les nœuds éventuels
- Connaître les lois de l'intensité et de la tension et comprendre leur caractère universel (indépendant de l'objet)
- Vérifier l'additivité de la tension dans un circuit série (Compétence expérimentale)
- Vérifier l'unicité de l'intensité dans un circuit série (Compétence expérimentale)
- Vérifier l'additivité des intensités dans un circuit comportant des dérivations (Compétence expérimentale)

Activités

Quelles sont les lois concernant l'intensité du courant ?

MATÉRIEL : • trois multimètres • un générateur de collège • deux lampes L_1 et L_2 différentes • six fils de connexion

DÉROULEMENT :

1. Montons les lampes L_1 et L_2 en **série** puis intercalons trois ampèremètres A_1, A_2 et A_3 pour mesurer l'intensité en différents points du circuit (**fig. 1**). Notons les résultats I_1, I_2 et I_3 de ces mesures.

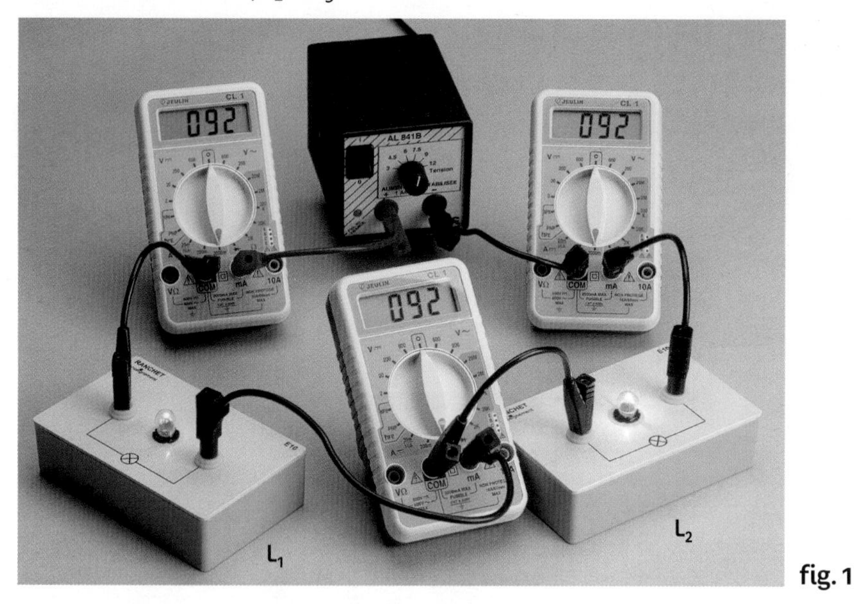

fig. 1

2. Montons les lampes L_1 et L_2 en **dérivation**. Ajoutons trois ampèremètres mesurant respectivement :
- l'intensité I_g du courant dans la branche principale (celle du générateur),
- l'intensité I_1 dans une branche dérivée (celle de la lampe L_1),
- l'intensité I_2 dans l'autre branche dérivée (celle de la lampe L_2) (**fig. 2**).

Notons les résultats I_g, I_1 et I_2 de ces mesures.

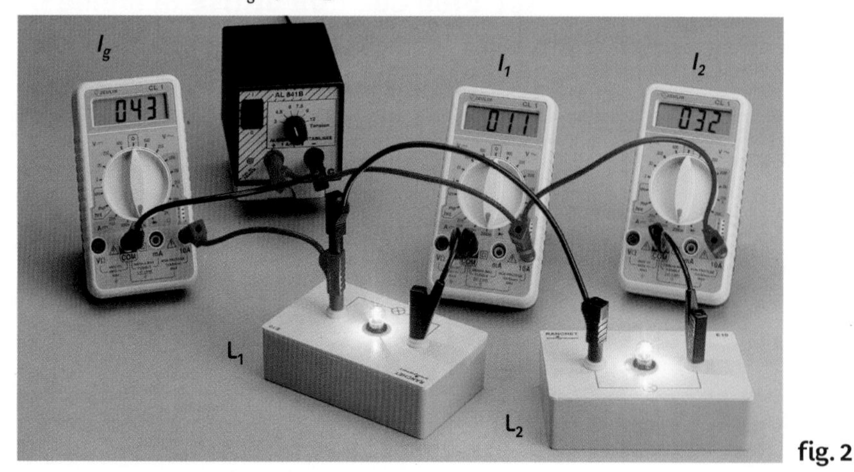

fig. 2

Questions

1 Les résultats des mesures vérifient la « loi d'unicité de l'intensité dans un montage en série » (fig. 1).
Énonce cette loi.

2 Fais le schéma normalisé du circuit de la figure 2 et indique les deux nœuds* A et B du circuit. Représente sur ton schéma :
- en vert la branche* principale du circuit,
- en bleu une branche dérivée,
- en jaune l'autre branche dérivée,
- par des flèches le sens du courant dans chaque branche.

3 Compare l'intensité du courant I_g dans la branche principale et la somme des intensités I_1 et I_2 du courant dans les branches dérivées.
Écris la relation entre I_g, I_1 et I_2 et énonce la loi correspondante.

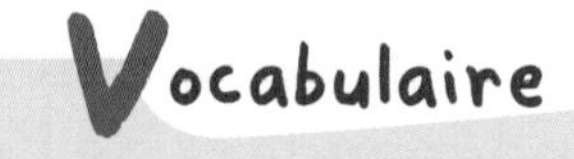

Nœud : point d'un circuit où aboutissent plus de deux conducteurs parcourus par le courant. La somme des intensités des courants arrivant à un nœud est égale à la somme des intensités des courants partant de ce nœud.

Branche : partie d'un circuit allant d'un nœud jusqu'à un autre.

ACTIVITÉ 2

Quelles sont les lois concernant la tension ?

MATÉRIEL : • trois multimètres • un générateur de collège • deux lampes L_1 et L_2 différentes • dix fils de connexion

DÉROULEMENT :

1. Montons les lampes L_1 et L_2 en **série** (**fig. 3**) et mesurons successivement la tension U_g entre les bornes du générateur, la tension U_1 entre les bornes de la lampe L_1 et la tension U_2 entre les bornes de la lampe L_2. Notons les résultats de ces mesures.
Recommençons les mesures après avoir inversé les positions de L_1 et L_2 dans le circuit (**fig. 4**).

Questions

1 Les valeurs des tensions dépendent-elles de l'ordre des dipôles dans le circuit (fig. 3 et 4) ?

2 Quelle est la tension U_g entre les bornes du générateur (fig. 3) ? Compare ce résultat à la somme des tensions aux bornes de chacun des deux récepteurs (fig. 3).

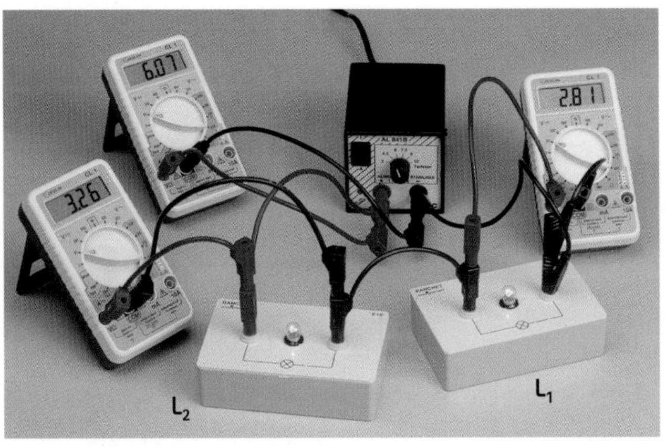

fig. 3

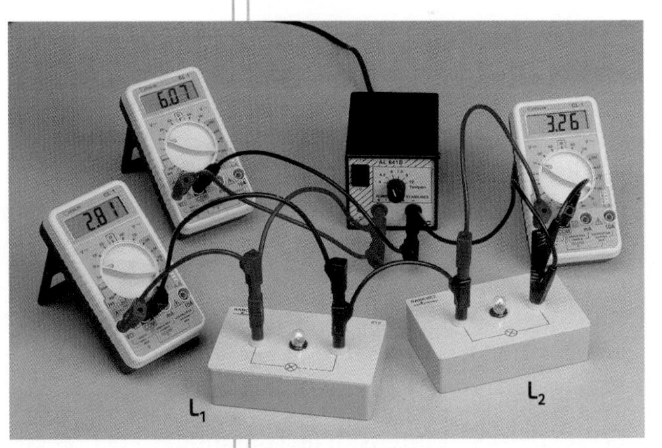

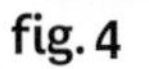
fig. 4

2. Montons les lampes L_1 et L_2 en **dérivation** puis mesurons U_g (tension entre les bornes du générateur), U_1 (tension entre les bornes de la lampe L_1) et U_2 (tension entre les bornes de la lampe L_2) (**fig. 5**).

3 Écris la relation entre U_g, U_1 et U_2. Cette relation exprime la loi d'additivité des tensions dans un circuit en série (fig. 3 et 4). Énonce cette loi.

4 Que remarques-tu en comparant les valeurs de U_g, U_1 et U_2 (fig. 5) ?
Écris une relation entre U_g, U_1 et U_2 puis énonce la loi des tensions dans un circuit en dérivation.

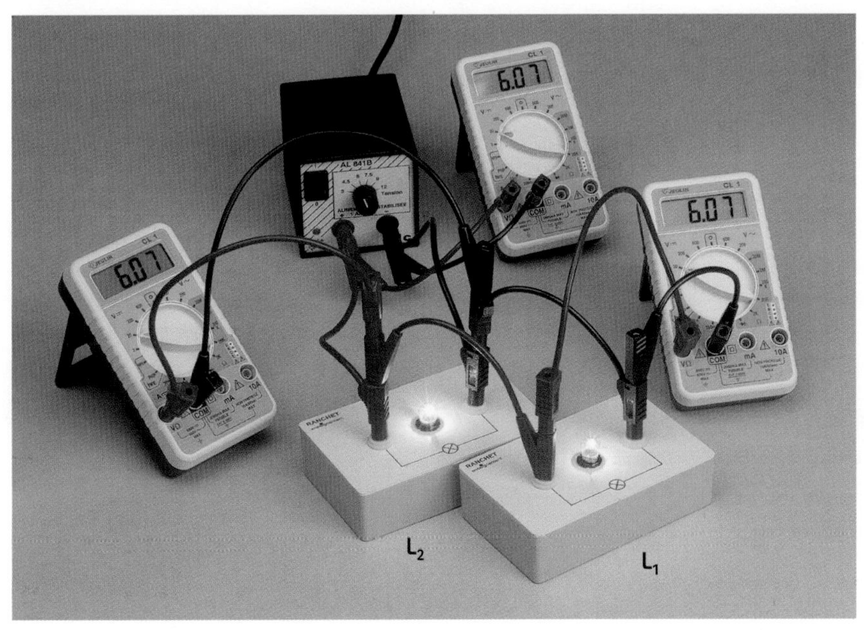

fig. 5

Cours

Les lois de l'intensité

Voir **Activité 1**

a. Dans un circuit en série

Observation et interprétation : Les lampes sont différentes, elles ne brillent pas du même éclat (**fig. 1**) mais elles sont parcourues par le même courant électrique : $I_1 = I_2 = I_3$.

Conclusion : L'intensité garde la même valeur tout au long d'un circuit en série ; c'est la loi d'unicité de l'intensité.

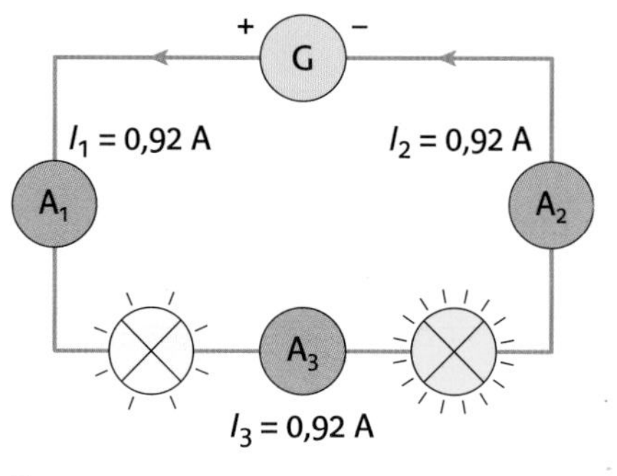

fig. 1 Circuit en série.

b. Dans un circuit en dérivation

Observation et interprétation :

I = 0,43 A et $I_1 + I_2$ = (0,11 + 0,32) A = 0,43 A

Au point M, le courant principal I se divise en deux courants dérivés I_1 et I_2 (**fig. 2**). Au point N, les deux courants dérivés s'additionnent pour donner le courant principal : $I = I_1 + I_2$.

Les points M et N où aboutissent plus de deux fils parcourus par le courant sont les « nœuds » du circuit.

Conclusion : L'intensité du courant dans la branche principale du circuit est égale à la somme des intensités des courants dans les branches dérivées. C'est la loi d'additivité des intensités dans un montage en dérivation.

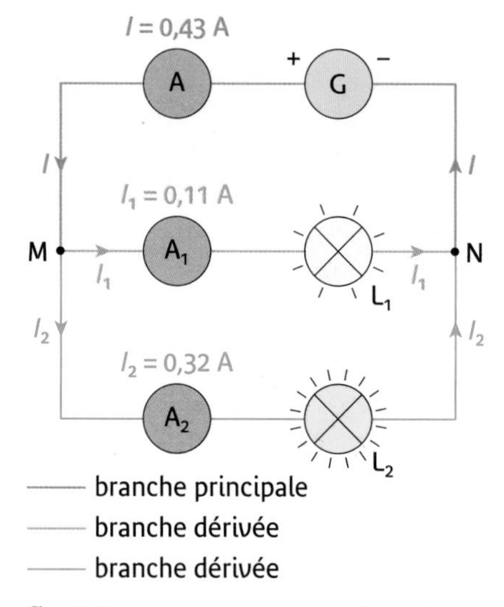

fig. 2 Circuit comportant des dérivations.

Les lois de la tension

Voir **Activité 2**

a. Dans un circuit en série

Observation et interprétation : Les résultats des mesures ne changent pas si l'on déplace l'ordre des dipôles dans le circuit (**fig. 3**).

U_g = 6,07 V et $U_1 + U_2$ = (2,81 + 3,26) V = 6,07 V.

La tension du générateur est répartie sur les deux lampes : $U_g = U_1 + U_2$.

Conclusion : La tension aux bornes du générateur est égale à la somme des tensions aux bornes des différents récepteurs montés en série. C'est la loi d'additivité des tensions dans un montage en série.

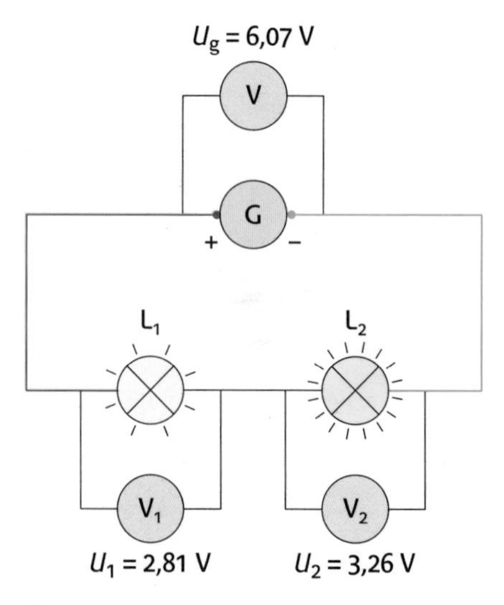

fig. 3 Circuit en série.

b. Dans un circuit en dérivation

Observation et interprétation : On retrouve la tension du générateur aux bornes de chaque dipôle (**fig. 4**) car chacun d'eux est directement relié au générateur : $U_g = U_1 = U_2$.

Conclusion : La tension est la même aux bornes de différents dipôles montés en dérivation. C'est la loi d'égalité de la tension dans un montage en dérivation.

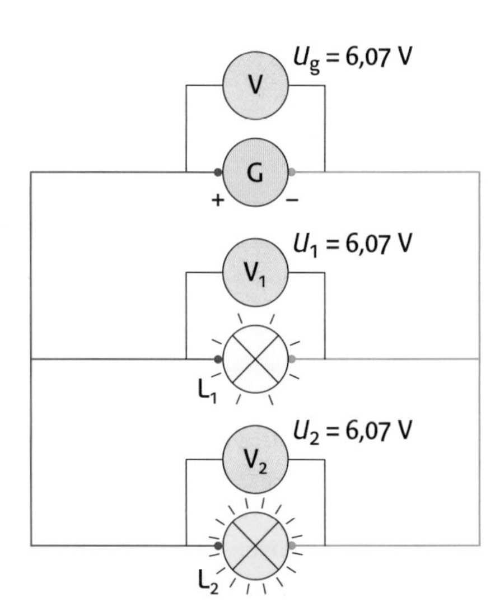

fig. 4 Circuit comportant des dérivations.

L'essentiel

► **Contrôle tes connaissances** *en faisant l'exercice 1 page 137.*

La loi de l'intensité dans un circuit en série

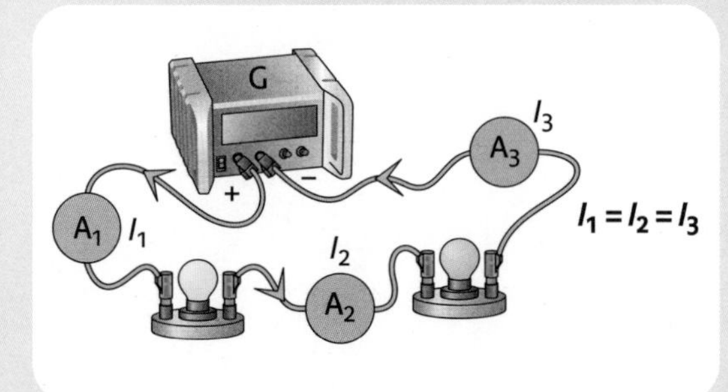

La loi de la tension dans un circuit en série

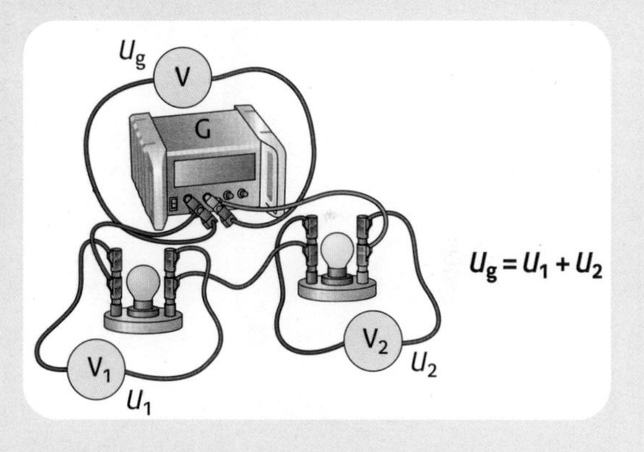

La loi de l'intensité dans un circuit en dérivation

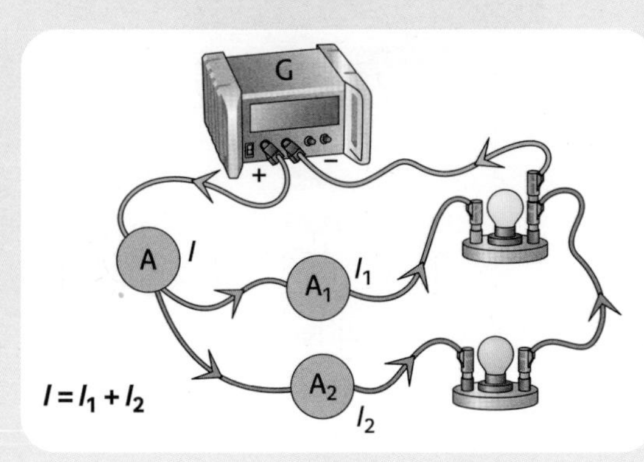

La loi de la tension dans un circuit en dérivation

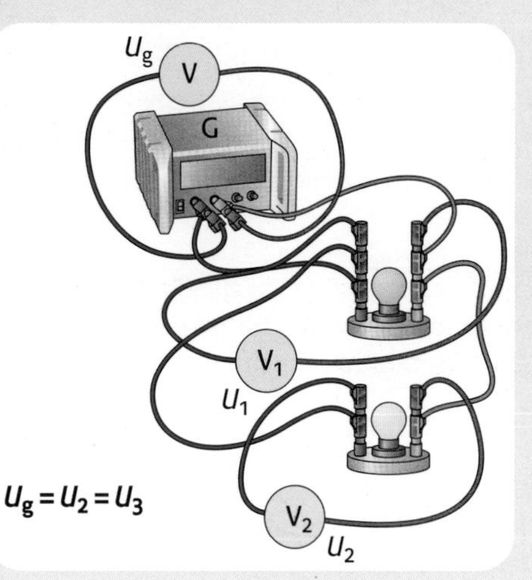

Documents

Les lois électriques sont universelles

▶ Quand on modifie un circuit, en ajoutant un composant par exemple, les mesures d'intensité et de tension varient mais les **lois d'unicité et d'additivité** s'appliquent toujours.

▶ Pour vérifier cette affirmation, nous avons réalisé le circuit de la figure 1. On y retrouve les lampes L_1 et L_2 déjà utilisées dans les activités mais un composant supplémentaire apparaît : le moteur.

▶ Dans ce circuit (**fig. 1**), certains éléments sont montés en série et d'autres sont montés en dérivation.

▶ Les résultats des mesures affichés sur les ampèremètres et les voltmètres (**fig. 1**) nous permettent de vérifier trois lois électriques :
- l'additivité des intensités dans un montage en dérivation,
- l'additivité des tensions entre les bornes des récepteurs montés en série,
- l'égalité des tensions entre les bornes d'éléments montés en dérivation.

▶ D'autres mesures, faites sur des circuits différents, nous conduiraient toujours aux mêmes conclusions. Les **lois électriques** s'appliquent à tous les cas de figure ; elles sont **universelles** !

fig. 1

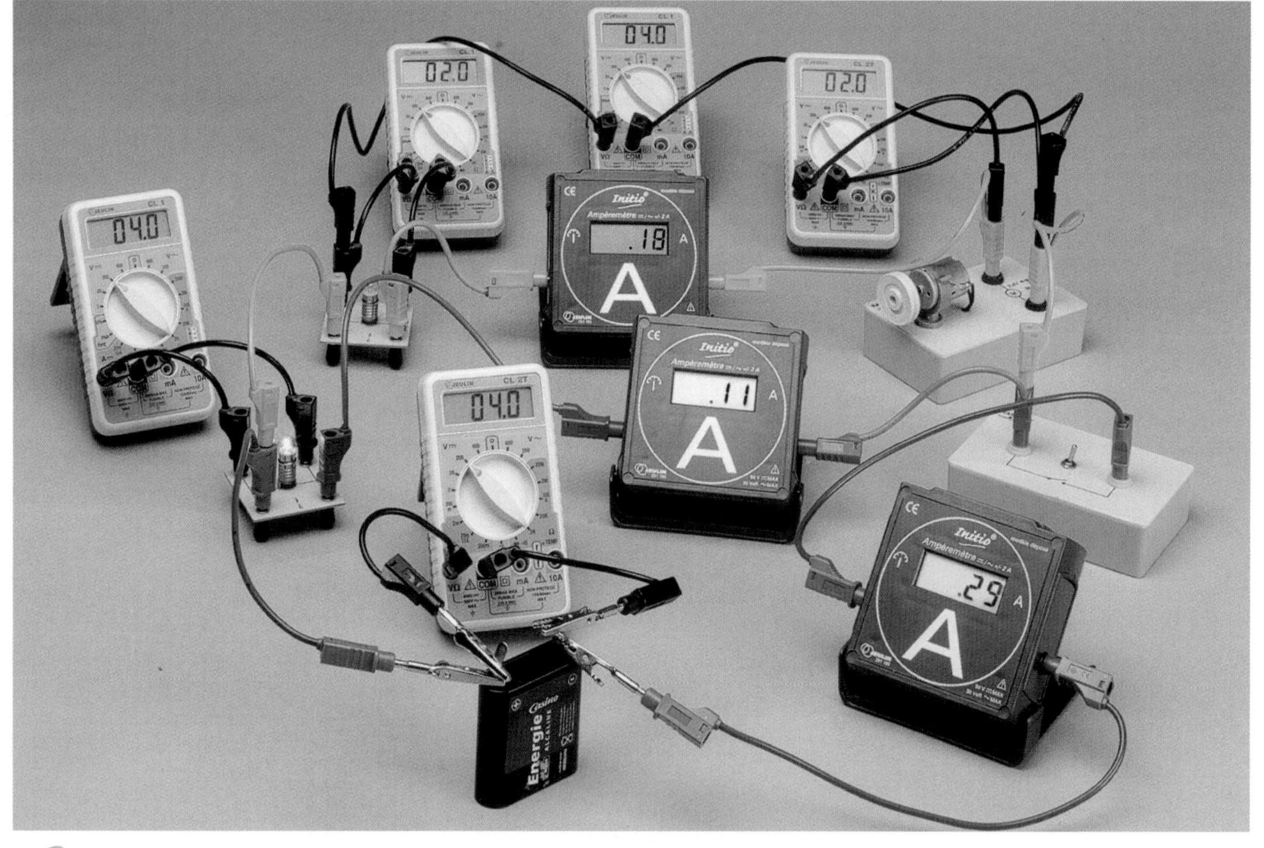

Questions

1 Réalise le schéma normalisé du circuit et repère les deux nœuds. Utilise trois couleurs différentes pour représenter la branche principale et les deux branches dérivées.

2 Quels sont les deux récepteurs montés en série ?

3 Explique pourquoi les résultats des mesures mettent en évidence :
- la loi d'additivité des intensités ?
- la loi d'additivité des tensions ?
- l'égalité des tensions entre les bornes de différents récepteurs montés en dérivation ?

fig. 2

Au quotidien

Pourquoi ne faut-il pas surcharger une prise multiple ?

▸ Le passage d'un courant dans une prise multiple **surchargée** peut causer un **incendie** (**fig. 2**). Pourquoi ? Nous allons vérifier que la réponse est donnée par une des lois de l'électricité.

▸ Voyons ce qui se passe quand on connecte successivement plusieurs appareils sur la même prise.

▸ Quand un seul appareil est en fonctionnement, le circuit forme une seule boucle (**fig. 3**) : c'est le même courant I_1 qui traverse la lampe L_1 et la paille de fer.

▸ Si l'on monte une deuxième lampe L_2, en dérivation avec L_1, elle est traversée par un courant I_2 mais l'intensité dans la branche principale du circuit (celle du générateur et de la paille de fer) vaut alors $I_1 + I_2$ (**fig. 4**).

▸ Si on ajoute, dans le circuit précédent, un troisième appareil traversé par un courant I_3, l'intensité du courant dans la branche principale vaut : $I_1 + I_2 + I_3$. Cette intensité est trop forte pour la paille de fer : elle brûle (**fig. 5**). C'est ce qui se passe quand on surcharge une prise multiple. Lors de chaque branchement, l'intensité dans la branche principale du circuit augmente. Si elle dépasse la **limite maximale** prévue (**fig. 6**), on dit qu'il y a « **surintensité** » donc danger !

▸ Nous constatons que la réponse à la question du départ est donnée par la **loi de l'intensité** dans un montage en dérivation : l'intensité dans la branche principale du circuit est égale à la somme des intensités dans les branches dérivées.

Section des fils	1,5 mm²	2,5 mm²	4 mm²	6 mm²
Intensité maximale	10 A	20 A	25 A	32 A

fig. 6 L'intensité maximale dépend de la section du fil.

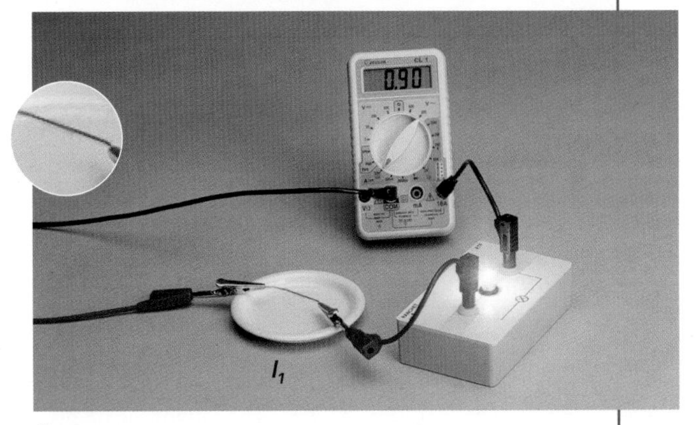

fig. 3

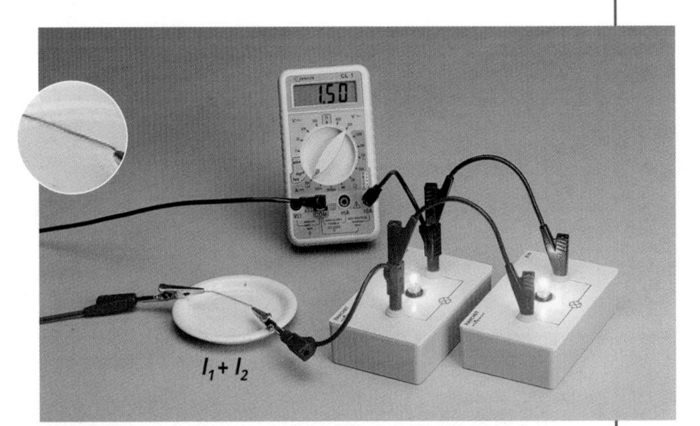

fig. 4

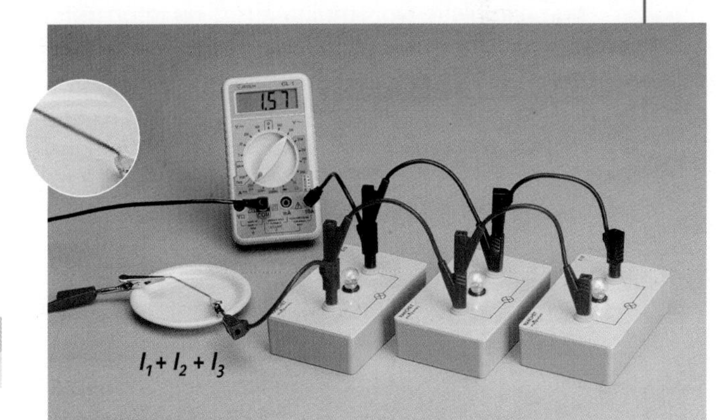

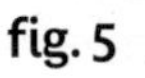

fig. 5

Questions

1 Les appareils branchés sur une prise multiple sont-ils montés « en série » ou « en dérivation » ?

2 Comment varie l'intensité dans la branche principale d'un circuit quand le nombre de branches dérivées augmente ?

3 On dispose des appareils suivants : un grille-pain ($I_{nominale}$: 8 A), un sèche-cheveux ($I_{nominale}$: 3 A) et une cafetière électrique ($I_{nominale}$: 6 A). Peuvent-ils fonctionner sans danger sur la même prise, simultanément ? Deux par deux ? Justifie. (*On donne la section des fils qui alimentent la prise : 1,5 mm².*)

Ma démarche **d'investigation**

Compétences expérimentales à évaluer

- Vérifier l'additivité de la tension dans un circuit série
- Vérifier l'unicité de l'intensité dans un circuit série
- Vérifier l'additivité des intensités dans un circuit comportant des dérivations

Dans un vieux livre d'électricité très abîmé, on lit, avec difficulté, en conclusion du chapitre sur les lois électriques :

– dans un montage en série, l'intensité du courant est la même en tout point du circuit,
– dans un montage en série, la tension du générateur se répartit sur les différents récepteurs,
– dans un montage en dérivation, l'intensité du courant dans la branche principale est égale à la somme des intensités dans les branches dérivées.

Sur les pages précédentes, on découvre les trois schémas des montages (fig. 1, 2 et 3) réalisés pour aboutir à cette conclusion. Mais hélas, les résultats des mesures ne sont plus lisibles !

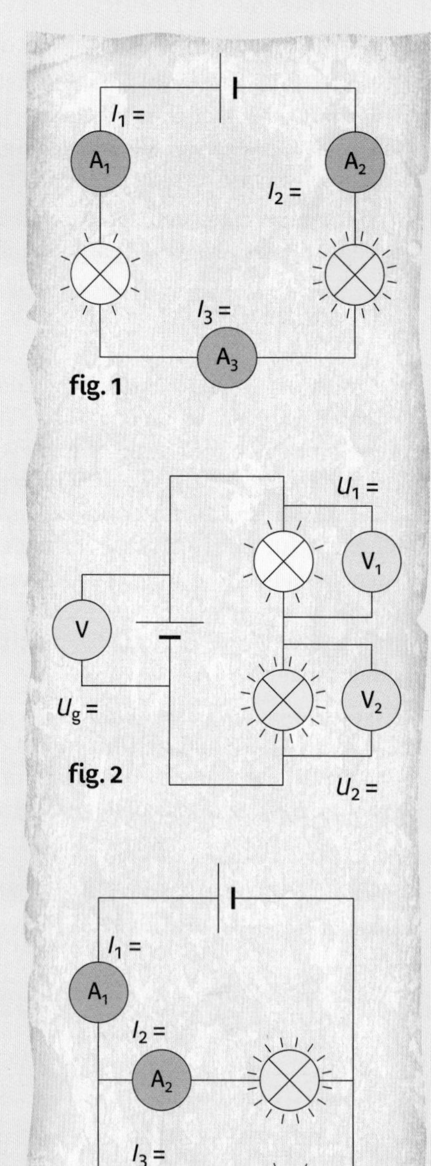

Comment retrouver les résultats des mesures et vérifier ces trois lois d'électricité ?

➤ Mon matériel

Ta boîte de matériel contient : des fils de connexion, deux lampes, un moteur, un générateur, deux pinces crocodiles, une diode, une pile plate, trois multimètres, un interrupteur et une fiche triple.

➤ Je réfléchis

À partir du schéma de chacun des circuits, dresse la liste du matériel nécessaire pour chaque montage.

➤ Je réalise le montage

Après accord du professeur, récupère le matériel puis réalise le premier montage.
Fais le vérifier avant de brancher le générateur.
Effectue les mesures et note les résultats.
Procède de la même façon pour les deux autres montages.

➤ Je communique mes résultats

Rédige un compte-rendu où l'énoncé de chaque loi sera précédé du schéma du montage et des résultats des mesures.
Tu respecteras le mode de présentation et le plan préconisés par le professeur.

Exercices

Je contrôle mes connaissances

1 Je retrouve l'essentiel

Utilise les mots ou groupes de mots suivants pour compléter les phrases ci-dessous : *les branches dérivées, montés en série, partant, montés en dérivation, arrivant, intensité, somme des tensions, nœuds, la branche principale, d'égalité des tensions, d'unicité, deux.*

L'............. garde la même valeur tout au long d'un circuit en série ; c'est la loi .... de l'intensité.
La tension aux bornes du générateur est égale à la .... aux bornes des différents récepteurs .... ; c'est la loi d'additivité des tensions dans un montage en série.
L'intensité du courant dans .... du circuit est égale à la somme des intensités des courants dans .... ; c'est la loi d'additivité des intensités dans un montage en dérivation.
Les points du circuit où aboutissent plus de .... fils parcourus par le courant sont des .... du circuit. La somme des intensités des courants .... à un nœud est égale à la somme des intensités des courants .... de ce nœud.
La tension est la même aux bornes de différents dipôles .... ; c'est la loi .... dans un montage en dérivation.

→ Solution page 222.

2 Repérer les nœuds d'un circuit

a. Fais le schéma normalisé du circuit. Utilise trois couleurs différentes pour représenter la branche principale et les deux branches dérivées.
b. Repère les deux nœuds du circuit. Indique par des flèches (sur les fils) le sens du (des) courant(s) qui arrive(nt) et du (des) courant(s) qui part(ent).

3 Appliquer les lois de l'intensité

a. Sur la figure 1, L_1 et L_2 sont deux lampes différentes. L_1 brille plus que L_2. L'ampèremètre A_2 affiche 0,15 A.
Que lit-on sur A_1 ? Que lit-on sur A_3 ? Justifie tes réponses.
b. Sur la figure 2, l'ampèremètre A_4 indique 0,6 A et l'ampèremètre A_2 affiche 0,2 A.
Que lit-on sur A_1 ? Que lit-on sur A_3 ? Justifie tes réponses.

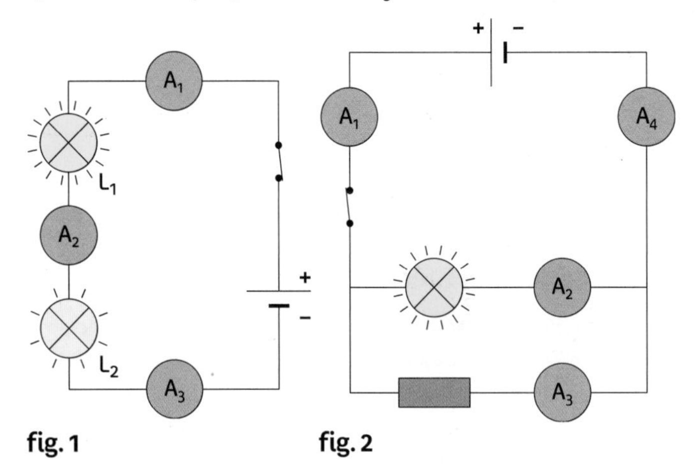

fig. 1 fig. 2

4 Appliquer les lois de la tension

a. Sur la figure 1, le voltmètre V_1 donne le résultat de la mesure : U_1 = 4,5 V.
Quelle est la tension U_2 mesurée par V_2 ? Justifie ta réponse.
Quelle est la tension U_3 mesurée par V_3 ? Justifie ta réponse.
b. Sur la figure 2, on peut lire sur l'écran du voltmètre V_1 : 4,6 V. Le voltmètre V_3 indique 2,4 V.
Quelle est la valeur de la mesure sur V_2 ? Justifie ta réponse.

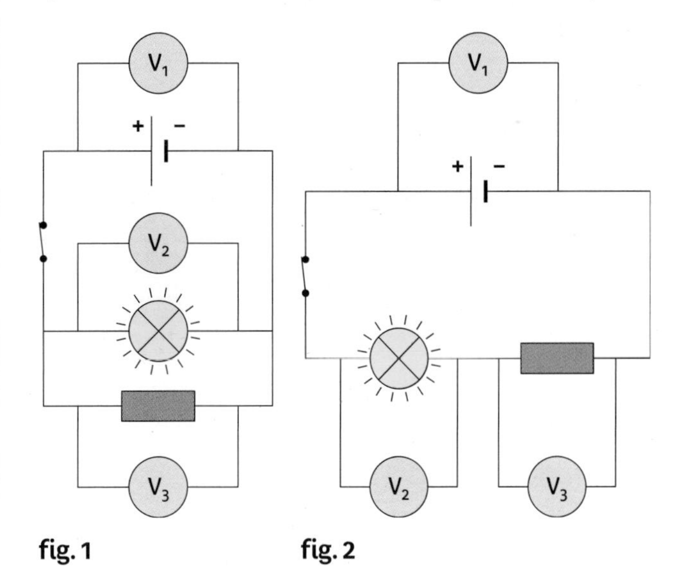

fig. 1 fig. 2

Exercices

J'utilise mes connaissances

5 Identifier un appareil de mesure

Reproduis le schéma et ajoute les symboles des appareils de mesure. Justifie tes choix.

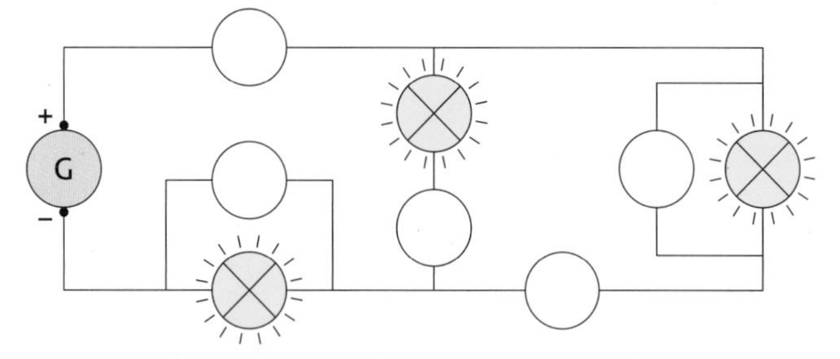

6 Distinguer branche principale et branches dérivées

On a représenté quatre nœuds de différents circuits électriques. Le sens du courant dans chaque branche est fléché et les intensités sont notées I_1, I_2 et I_3.

a. Précise, pour chaque situation, quelle est l'intensité dans la branche principale du circuit : I_1, I_2 ou I_3.

b. Dans chaque cas, quelle est la relation qui unit I_1, I_2 et I_3 ?

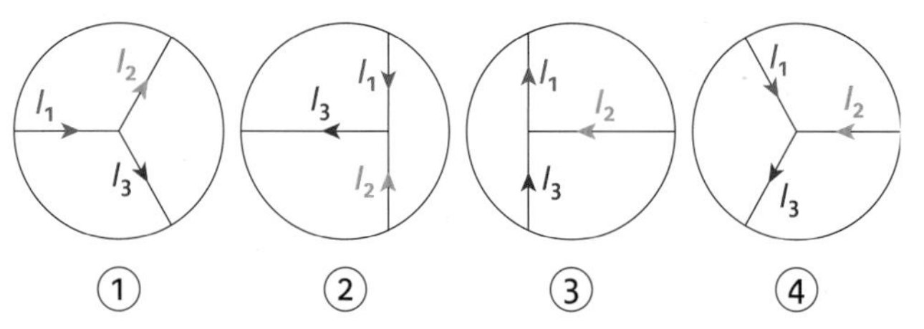

7 Associer une loi et un schéma

a. Associe chacun des schémas (**fig. 1**, **2**, **3**, et **4**) à l'une des relations suivantes : $I_1 = I_2 + I_3$ $U_1 = U_2 + U_3$ $I_1 = I_2 = I_3$ $U_1 = U_2 = U_3$

b. Énonce la loi électrique qui s'applique à chaque cas.

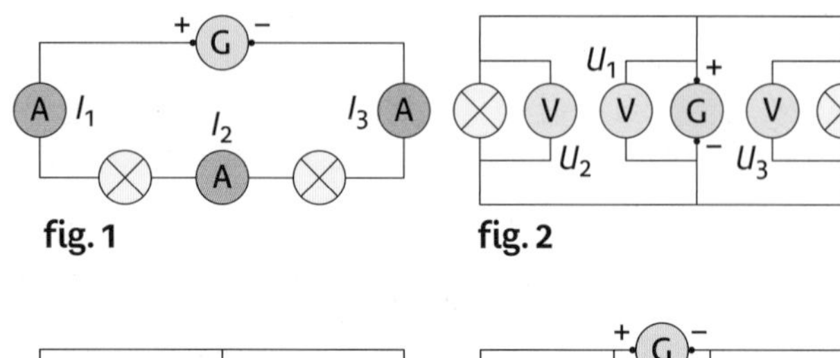

fig. 1 **fig. 2**

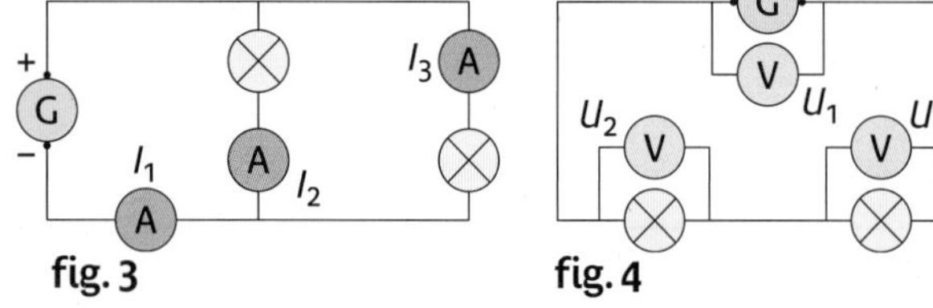

fig. 3 **fig. 4**

8 « Lire » une photo de montage

La tension entre les bornes de la pile vaut 4,5 V.
Peut-on connaître, sans faire de mesure, la tension entre les bornes de chaque lampe :
– si ces trois lampes sont identiques ?
– si elles sont différentes ?
Justifie tes réponses.

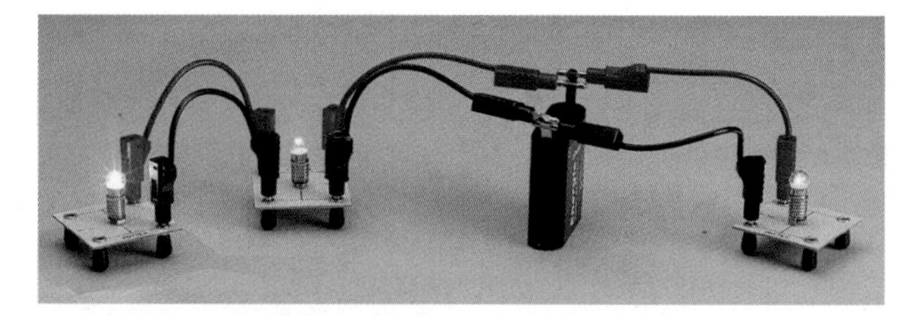

9 Raisonner à partir d'une photographie

COMPÉTENCE TRANSVERSALE

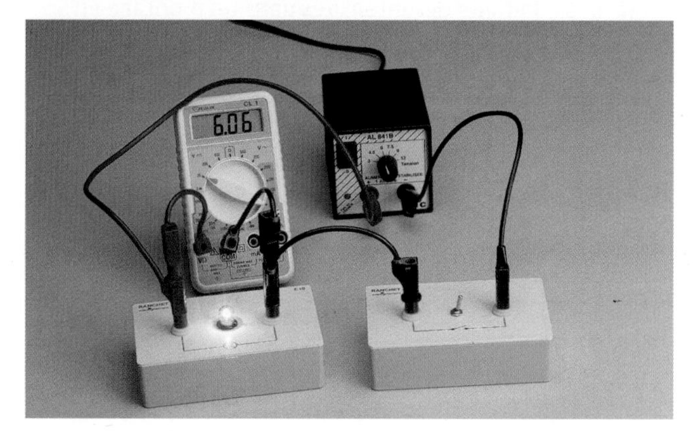

a. Fais le schéma normalisé du circuit.

b. Quelle est la tension entre les bornes du générateur ? Justifie ta réponse.

c. On remplace l'interrupteur par une lampe identique à la première. Fais le schéma normalisé du circuit.

d. Quelle est alors la tension entre les bornes de cette deuxième lampe ? Justifie ta réponse.

10 Additionner des intensités

Dans ce montage, A_1 indique 0,18 A et A_3 indique 0,28 A.

a. Quelle est la valeur affichée sur l'ampèremètre A_2 ? Justifie ta réponse.

b. Les deux lampes sont-elles identiques ? Justifie ta réponse.

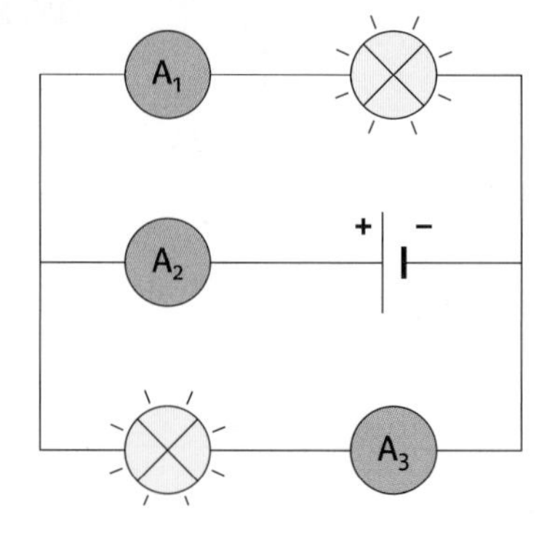

J'approfondis mes connaissances

11 Appliquer les lois dans un circuit mixte

Sur ce montage l'ampèremètre A_1 indique 300 mA et l'ampèremètre A_2 affiche 0,122 A. La tension entre les bornes du générateur vaut 4,5 V tandis que sur le voltmètre V, on lit : $U = 2$ V.

a. Quelle est l'intensité qui traverse la lampe L_2 ?
b. Quelle est l'intensité qui traverse la lampe L_3 ?
c. Quelle est l'intensité qui traverse la lampe L_1 ?
d. Quelle est la tension entre les bornes de la lampe L_2 ?
e. Quelle est la tension entre les bornes de la lampe L_3 ?
f. Quelle est la tension entre les bornes de la lampe L_1 ?
Justifie toutes tes réponses.

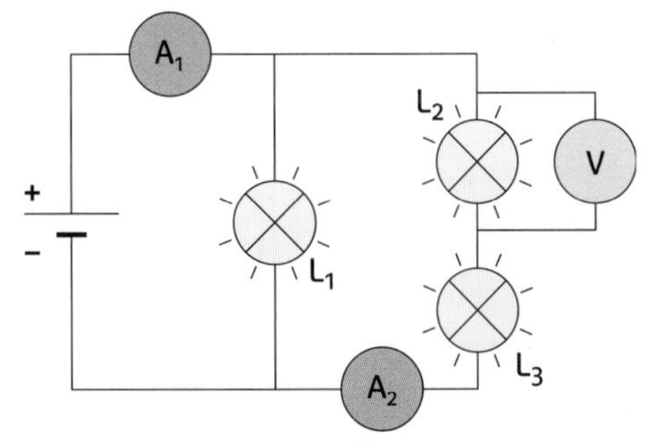

12 Interpréter une photographie

Les deux lampes L_1 et L_2 sont identiques. La tension entre les bornes de la pile est 4,4 V.

a. Que vaut la tension entre les bornes de chaque lampe sur la figure 1 ? Justifie ta réponse.
b. Que vaut la tension entre les bornes de chaque lampe sur la figure 2 ? Justifie ta réponse.

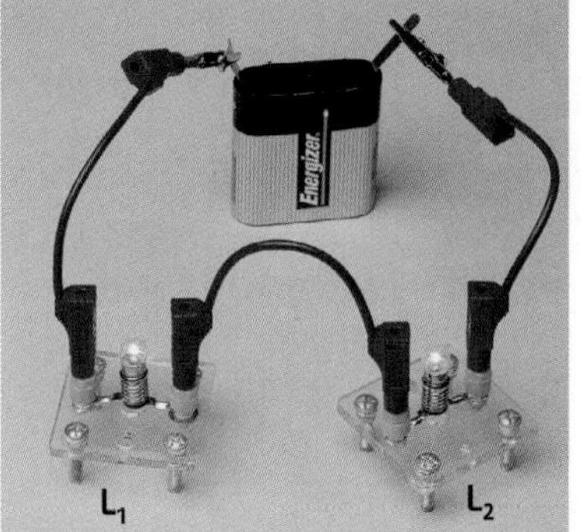

fig. 1

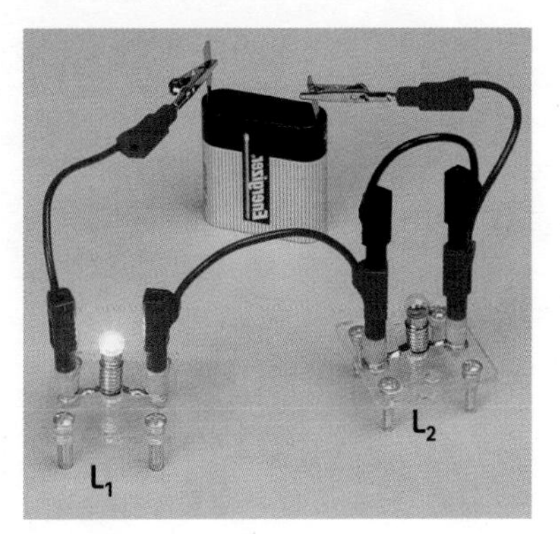

fig. 2

13 Analyser un circuit et prévoir les résultats des mesures

Quand l'interrupteur est fermé (**fig. 1**), le voltmètre V_1 affiche 4,2 V et V_2 affiche 2,6 V.
Reproduis le tableau (**fig. 2**) et complète-le.

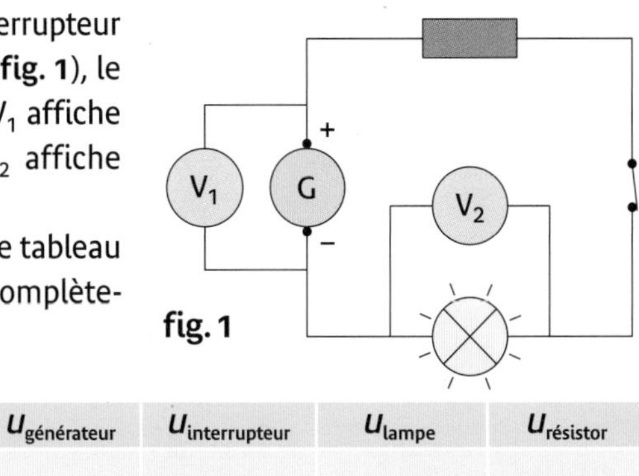

fig. 1

	$U_{générateur}$	$U_{interrupteur}$	U_{lampe}	$U_{résistor}$
Circuit fermé				
Circuit ouvert				

fig. 2

14 Faire de la physique au quotidien

Sur cette photographie, on distingue quatre cordons : trois alimentent des appareils électriques, tandis que le quatrième est relié à une prise du secteur.

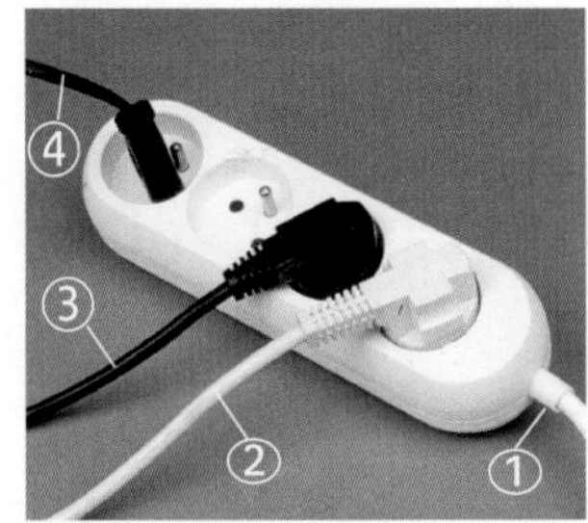

a. Quel est le cordon relié à la prise du secteur ?
b. Pourquoi ce montage ne peut-il être un montage en série ?
c. Quelle est la tension entre les bornes de chaque appareil connecté à la multiprise ? Justifie ta réponse.
d. Comment varie l'intensité dans les fils reliés à la prise du secteur quand le nombre d'appareils en fonctionnement sur la multiprise augmente ? Quel est le danger ? Pourquoi conseille-t-on de brancher des appareils qui consomment peu d'électricité ?

Aide : la tension entre les bornes d'une prise du secteur est de 220 V.

15 Physics in English

These Christmas fairy ligths receive mains electricity (220 V). Each lamp had a rated voltage of $U = 10$ V.

a. Explain why these lamps cannot be wired in parallel.
b. How many lamps are necessary for all the lamps to ligth up? Justify your answer.

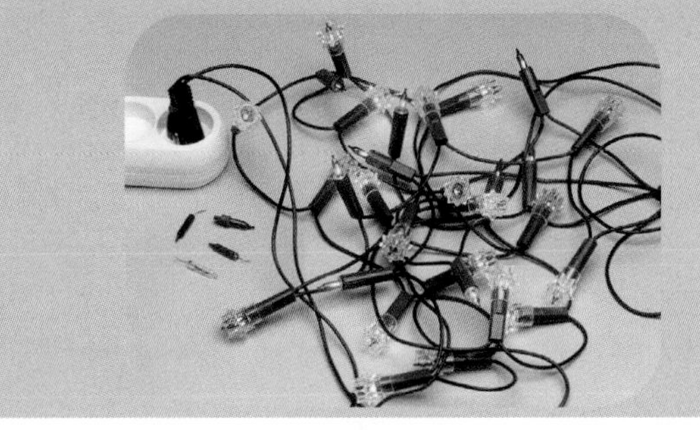

Chapitre

10 La résistance électrique

Que signifie « résister » au passage du courant ? Tous les dipôles sont-ils résistants ? Apprenons à mesurer la valeur de la résistance électrique et étudions son influence dans un circuit.

1. Nous avons déjà rencontré en 5e ces composants aux anneaux colorés : ce sont des résistors. Ils ont pour symbole —▭—. Quel est leur rôle dans un circuit électrique ?

► Activités 2 et 3

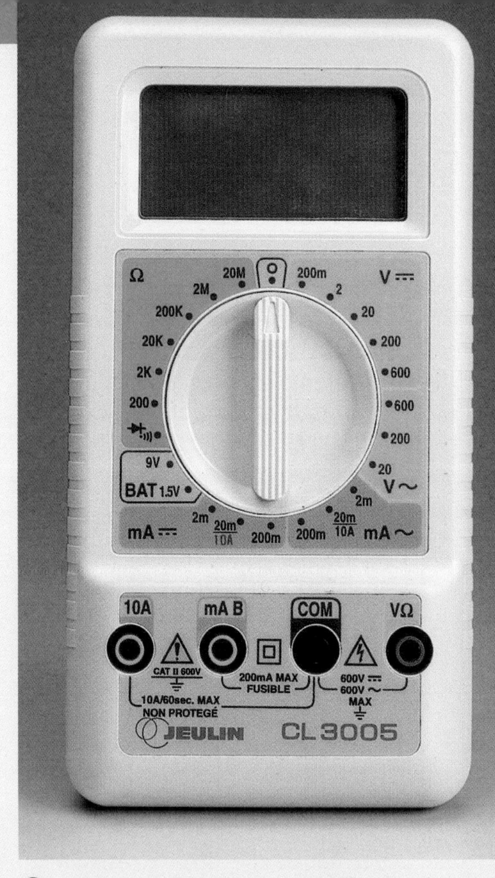

2. Que signifie le symbole « Ω » ?

► Activité 1

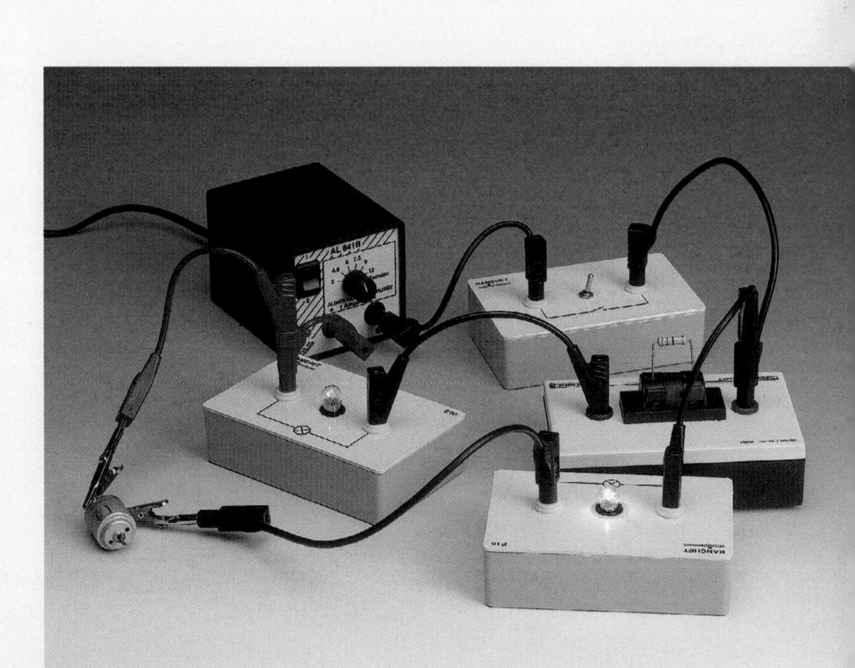

3. Tous les récepteurs résistent-ils au passage du courant électrique ?

► Activités 1, 2 et 3

Objectifs

- Connaître l'unité de la résistance électrique
- Savoir que pour un générateur donné :
  - l'intensité varie selon la « résistance » branchée à ses bornes
  - plus la résistance est grande, plus l'intensité est petite
- Utiliser un multimètre en ohmmètre (Compétence expérimentale)

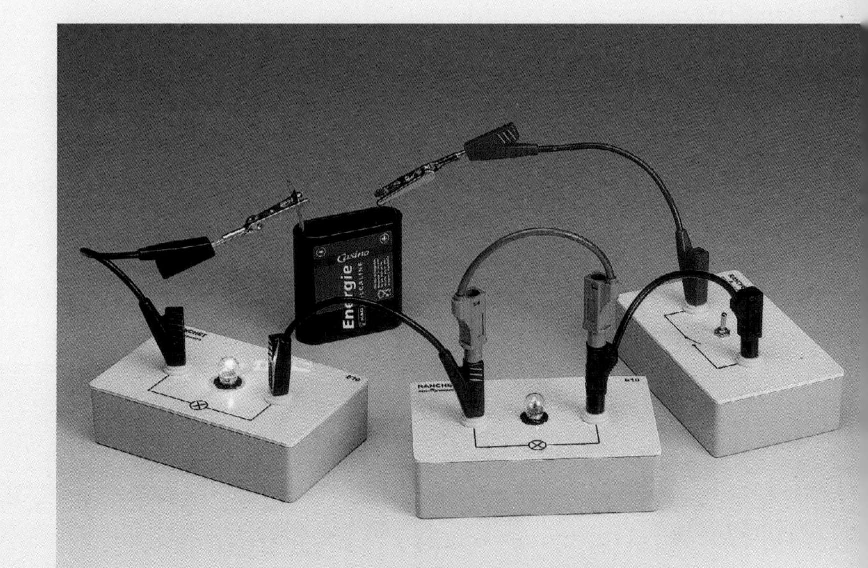

4. Que provoquerait le court-circuit de l'ensemble des récepteurs de ce montage en série ?
Pourrait-on, sans danger, court-circuiter un récepteur monté en dérivation ? ► Activité 4

Activités

Comment mesurer une résistance ?

MATÉRIEL : • un multimètre • deux résistors R_1 et R_2 différents (communément appelés « résistances ») • un interrupteur • une lampe • deux fils de connexion • deux pinces crocodiles

DÉROULEMENT : Utilisons le multimètre en fonction « ohmmètre* » pour mesurer la valeur de la résistance électrique* de différents dipôles (**fig. 1**). Notons les résultats dans un tableau (**fig. 2**).

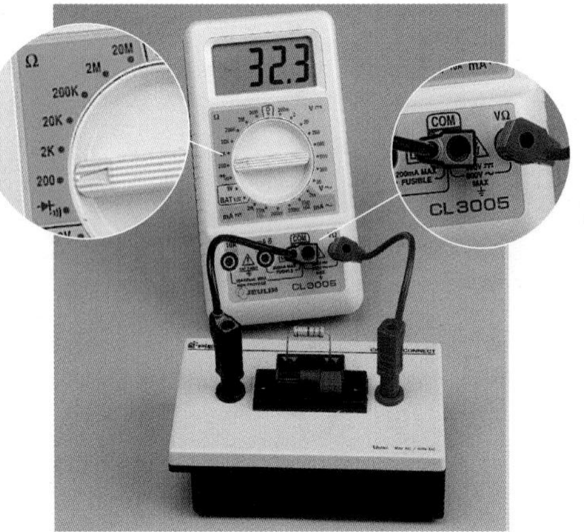

fig. 1

Nom du dipôle	Résistance en ohms (Ω)
Résistor R_1	
Résistor R_2	
Interrupteur fermé	
Interrupteur ouvert	
Lampe	
Fil de connexion	

fig. 2

Questions

1 Quelles bornes du multimètre utilise-t-on pour mesurer la résistance électrique d'un dipôle (fig. 1) ? Quels sont les différents calibres disponibles pour la fonction ohmmètre (fig. 1) ?

2 Classe les dipôles, du plus résistant au moins résistant. Quels sont ceux dont la résistance est négligeable ?

3 Qu'est-ce qui caractérise un interrupteur ouvert ?

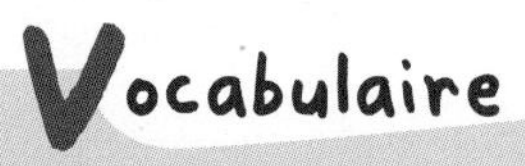

Vocabulaire

Ohmmètre : appareil qui permet de mesurer la résistance électrique d'un dipôle.

Résistance électrique : capacité à s'opposer au passage du courant.

Activité 2 : Quel est l'effet de la résistance sur l'intensité du courant ?

MATÉRIEL : • une pile plate • un résistor R_1 • une lampe • un multimètre • trois fils de connexion • deux pinces crocodiles

DÉROULEMENT : Mesurons l'intensité du courant dans deux circuits n'ayant pas la même résistance électrique (**fig. 3 et 4**).

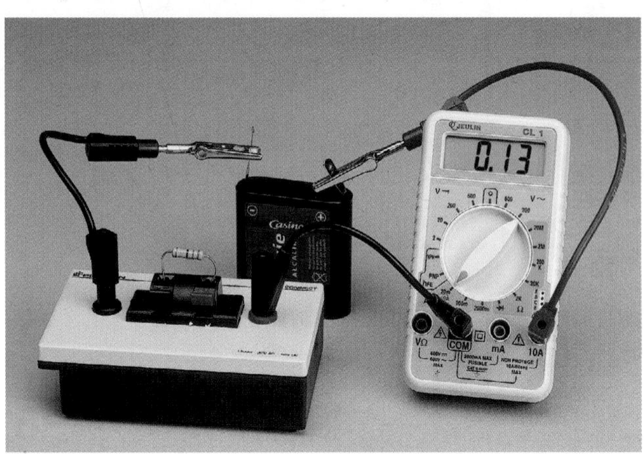

fig. 3

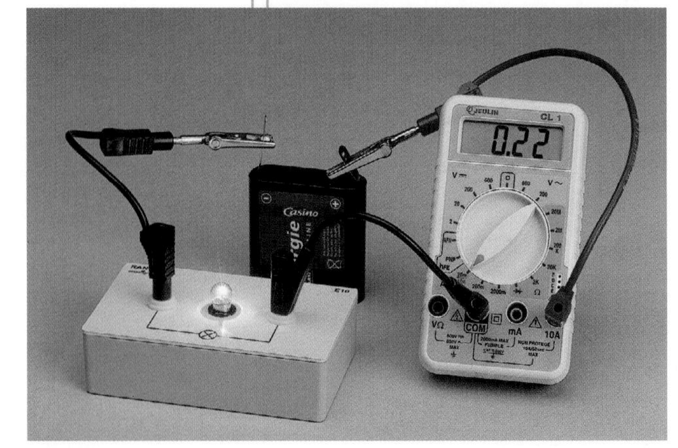

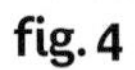

fig. 4

Questions

1 Compare l'intensité du courant dans les deux circuits (fig. 3 et 4). Puis, compare la résistance (fig. 2) de chaque récepteur dans chaque montage.

2 Comment évolue l'intensité du courant lorsque la résistance augmente ? Justifie ta réponse.

ACTIVITÉ 3 Le nombre de récepteurs en série modifie-t-il l'intensité du courant ?

MATÉRIEL : • une pile plate • un résistor R_1 • une lampe • un multimètre • cinq fils de connexion • deux pinces crocodiles

DÉROULEMENT : Ajoutons le résistor R_1 en série dans le circuit de la figure 4 et mesurons l'intensité du courant (**fig. 5**).
Court-circuitons ensuite la lampe (**fig. 6**).

Questions

1 Comment varie l'intensité du courant quand on ajoute un récepteur en série (fig. 4 et 5) ? Trouve une explication.

2 Fais le schéma du circuit de la figure 6 en indiquant le trajet du courant lors du court-circuit.

3 Compare l'intensité du courant dans les montages des figures 3 et 6. Pourquoi pouvait-on prévoir ce résultat ?

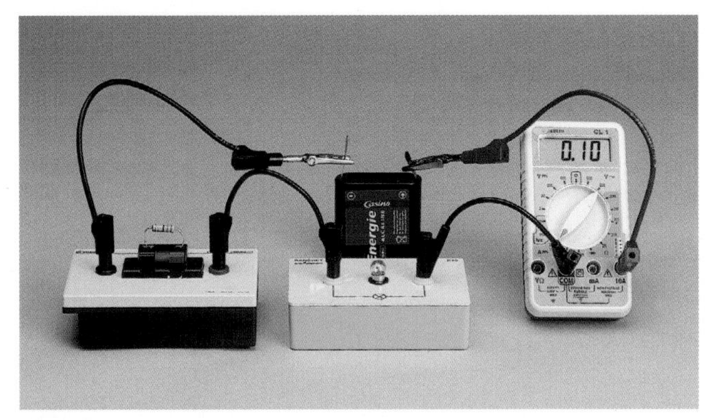

fig. 5

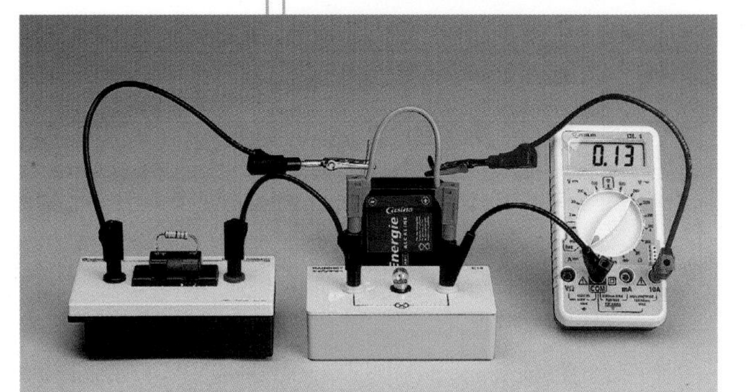

fig. 6

ACTIVITÉ 4 Quel est l'effet d'un court-circuit de l'ensemble des résistances ?

MATÉRIEL : • une pile plate • deux lampes • de la laine de fer • une soucoupe • six fils de connexion • quatre pinces crocodiles

DÉROULEMENT : Montons les deux lampes en série puis court-circuitons l'ensemble des deux lampes. Observons le résultat (**fig. 7**).
Montons les lampes en dérivation (**fig. 8**) et court-circuitons une seule des deux lampes. Observons alors la laine de fer (**fig. 8**).

Questions

1 Fais le schéma normalisé des deux circuits (fig. 7 et 8) et indique par des flèches le trajet du courant. Le courant traverse-t-il les récepteurs court-circuités ?

2 Pourquoi dit-on que le générateur est court-circuité dans chacun des montages ? Pourquoi la laine de fer brûle-t-elle chaque fois ?

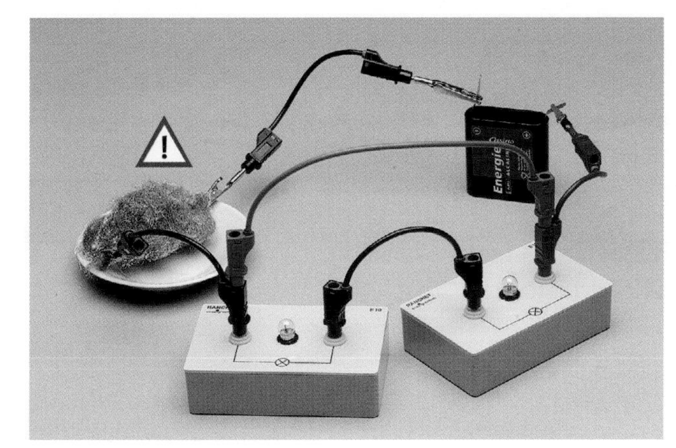
fig. 7

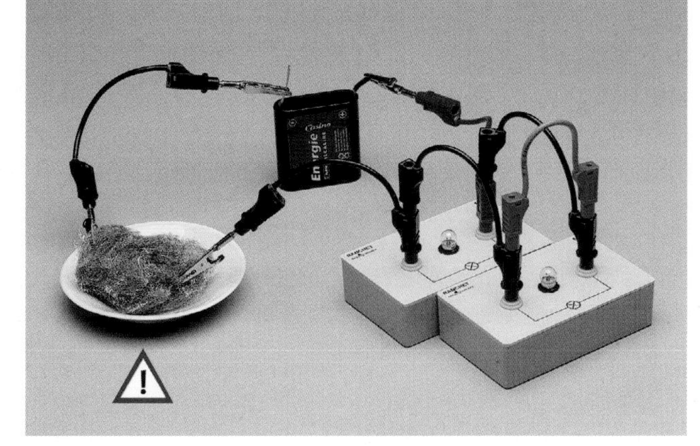
fig. 8

Cours

 La résistance électrique

Voir **Activité 1**

OBSERVATION : La résistance électrique s'exprime en ohm (symbole Ω). On utilise également des multiples de l'ohm : le kilohm (kΩ) et le mégohm (MΩ) :
1 kΩ = 1 000 Ω et 1 MΩ = 1 000 kΩ = 1 000 000 Ω.
La résistance électrique se mesure avec un ohmmètre (**fig. 1**), qui a pour symbole —(Ω)—
La mesure de la résistance des différents récepteurs donne les résultats du tableau ci-contre (**fig. 2**).

INTERPRÉTATION : Les très bons conducteurs (interrupteur fermé…) ont une résistance électrique quasiment nulle. Quand l'interrupteur est ouvert, sa résistance est si grande qu'on ne parvient pas à la mesurer.

CONCLUSION : Tous les dipôles possèdent une résistance électrique plus ou moins grande. On dit qu'ils sont plus ou moins résistants au passage du courant.

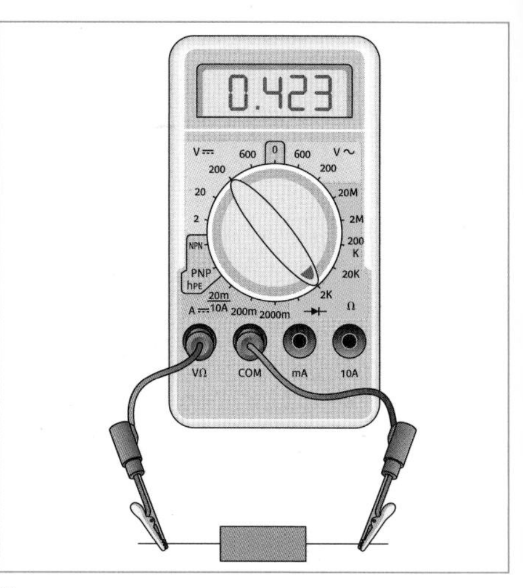

fig. 1 Un ohmètre ne s'utilise qu'avec des dipôles récepteurs isolés (hors de tout circuit). Le sens de branchement n'a pas d'importance.

Récepteur	Résistance (Ω)
Résistor R_1	38,9 Ω
Résistor R_2	12,4 Ω
Interrupteur fermé	0,3 Ω
Interrupteur ouvert	Si grande qu'on ne peut pas la mesurer
Lampe	2,1 Ω
Fil	0,3 Ω

fig. 2

 Effet de la résistance sur l'intensité du courant

Voir **Activité 2**

OBSERVATION ET INTERPRÉTATION : En remplaçant le résistor (**fig. 3**) par la lampe (**fig. 4**), l'intensité du courant augmente. L'intensité du courant dépend de la nature du récepteur et de sa résistance électrique : la lampe résiste moins que le résistor au passage du courant.

CONCLUSION : Pour un même générateur, lorsque la résistance électrique du circuit diminue, l'intensité du courant augmente, et vice versa.

3 Nombre de récepteurs montés en série et intensité du courant

Voir **Activité 3**

OBSERVATION : Quand les deux récepteurs sont associés en série, l'intensité du courant est plus faible (**fig. 3, 4** et **5**). En court-circuitant la lampe (**fig. 6**), tout se passe comme si elle n'existait plus (**fig. 3** et **6**).

INTERPRÉTATION : Tous les récepteurs résistent au passage du courant ; leurs effets s'ajoutent lorsqu'ils sont montés en série. Un récepteur court-circuité n'est plus traversé par le courant.

CONCLUSION : Dans un montage en série, l'intensité du courant diminue quand le nombre de récepteurs augmente. Le court-circuit d'un récepteur supprime sa résistance au passage du courant.

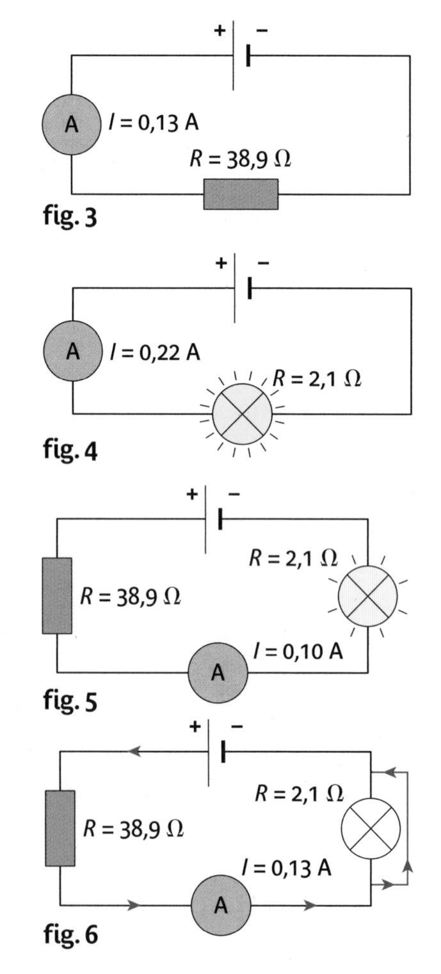

Court-circuit du générateur et fusible

Voir **Activité 4**

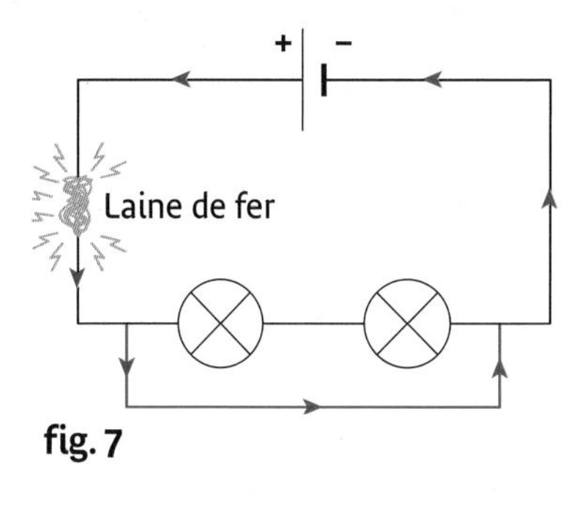

fig. 7

OBSERVATION : La laine de fer s'enflamme dès que l'on court-circuite les deux lampes du montage en série (**fig. 7**), ou l'une des deux lampes du montage en dérivation (**fig. 8**).

INTERPRÉTATION : Dans les deux cas, le courant passe par le fil du court-circuit, il ne traverse plus de récepteur. Les deux bornes du générateur sont directement reliées par des fils sans résistance : il est en court-circuit.

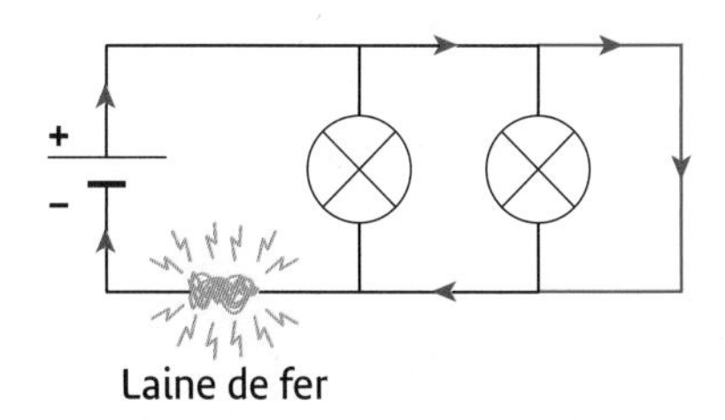

fig. 8 La laine de fer joue le rôle de fusible : sa destruction ouvre le circuit et protège les autres éléments du circuit.

CONCLUSION : Un générateur fournit de l'énergie à l'ensemble du circuit. Lors d'un court-circuit, l'augmentation brutale de l'intensité du courant provoque la destruction, sous l'effet de la chaleur, de l'élément le plus fragile du circuit; c'est le principe du fusible.

L'essentiel

► **Contrôle tes connaissances** *en faisant l'exercice 1 page 149.*

L'ohmmètre

$R = 1{,}52\ \Omega$

Un ohmmètre ne s'utilise qu'avec des dipôles récepteurs isolés (hors de tout circuit). Le sens de branchement n'a pas d'importance.

La résistance électrique change l'intensité du courant

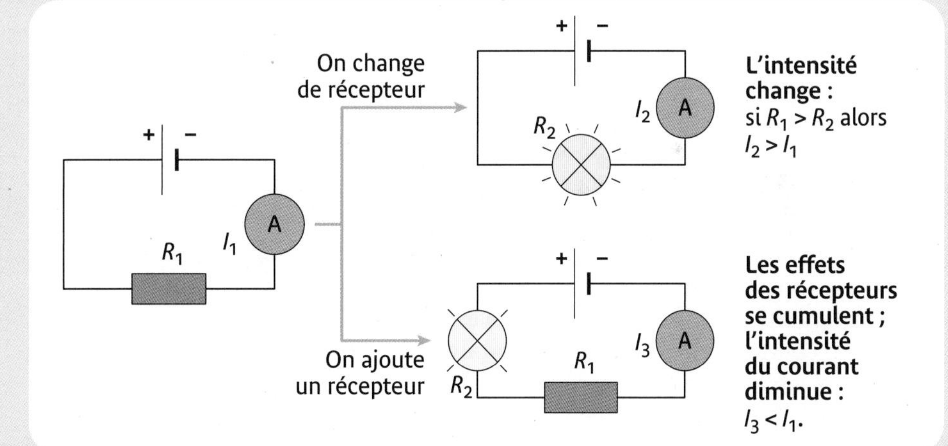

Le courant ne rencontre aucune résistance si on court-circuite...

... la totalité des récepteurs du montage en série.

... une branche dérivée du montage en dérivation.

L'intensité du courant augmente dangereusement

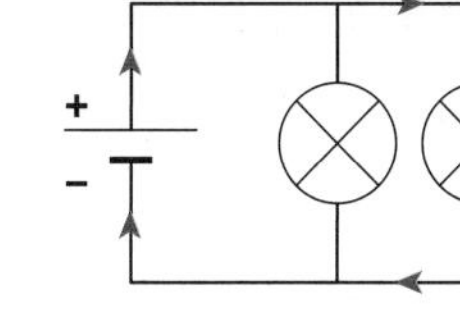

Documents

Ça chauffe avec l'effet Joule !

Énergie — Au quotidien

fig. 1

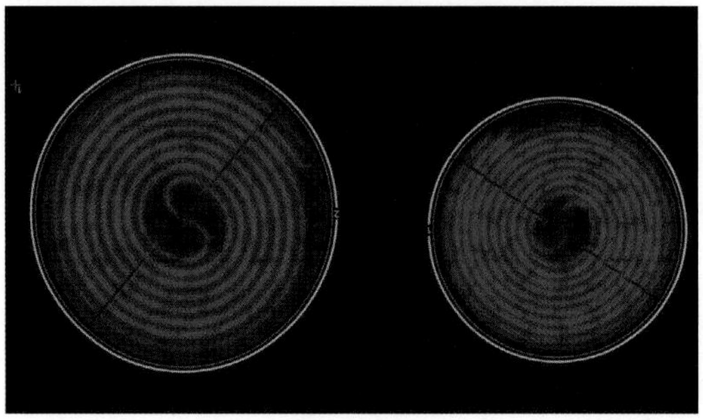

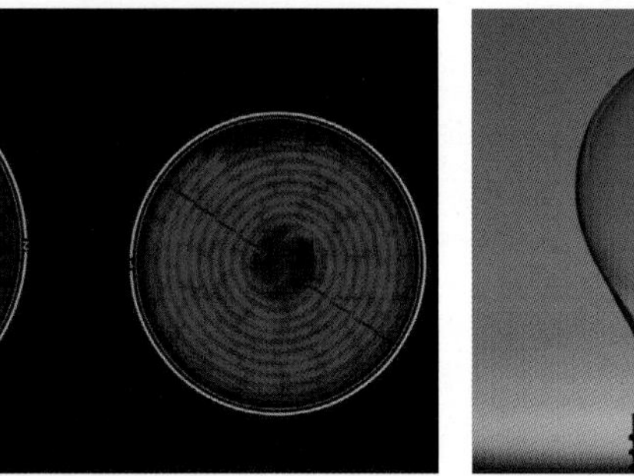

fig. 2

fig. 3

▸ Le passage du courant électrique dans les récepteurs provoque parfois un fort **dégagement de chaleur** : c'est «**l'effet Joule**», du nom du physicien anglais James Prescott Joule (1818-1889). Ce phénomène trouve de **multiples applications** dans notre vie quotidienne, qu'il s'agisse de nous chauffer, de nous éclairer, et même de nous protéger.

▸ C'est par exemple l'**augmentation de température** des fils de désembuage sur la vitre arrière des voitures (**fig. 1**) qui provoque l'évaporation de la buée ou la fusion du givre.

▸ C'est encore le passage du courant qui, portant au rouge les «résistances» de la plaque (**fig. 2**), permet la **cuisson des aliments** par effet Joule.

▸ Cet effet Joule se manifeste aussi dans les **lampes à incandescence** : l'énergie électrique porte le filament à plus de 2200 °C : on dit qu'il est «chauffé à blanc» (**fig. 3**). Il émet alors de la lumière et produit, hélas, de la chaleur qui est inutile.

▸ Dans une installation électrique (**fig. 4**), pour protéger les appareils d'une trop forte intensité du courant et éviter les risques d'incendie en cas de court-circuit, on utilise des **fusibles** (**fig. 5**). Chaque **fusible** est calibré à partir d'une valeur d'intensité choisie par le fabricant. Il s'échauffe grâce à l'effet Joule (**fig. 6**) puis fond (**fig. 7**). Le circuit est alors ouvert : le courant ne circule plus, tout danger est écarté.

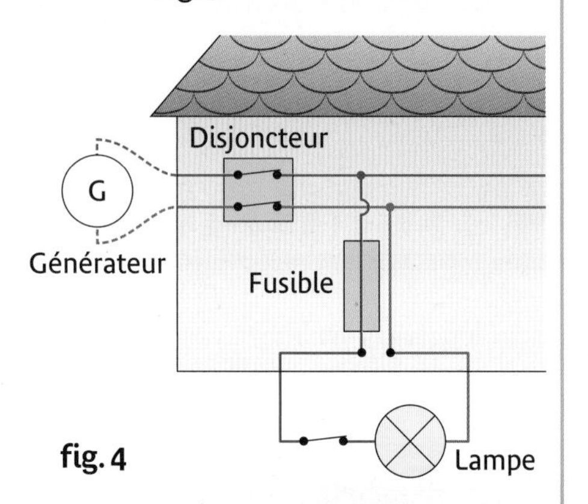

fig. 4

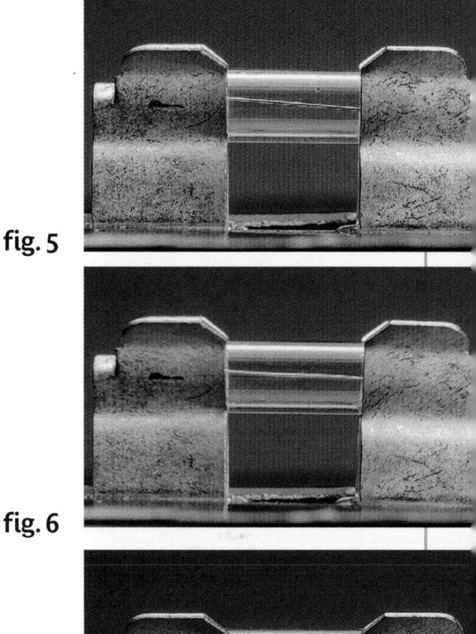

fig. 5

fig. 6

fig. 7

Questions

1 Qu'est-ce que l'effet Joule ?

2 Comment un fusible protège-t-il les installations électriques d'une trop grande intensité ?

3 Cite d'autres exemples d'appareils qui utilisent l'effet Joule.

B2i En te connectant sur http://www.infoscience.fr/index.php3, utilise la rubrique «biographies» pour rechercher des renseignements sur James Prescott Joule.

Des résistances très particulières

Au quotidien

Technologie

L'électronique a grandement favorisé le développement de certains types de « **résistances** » aux capacités surprenantes.

Les **potentiomètres** sont des **résistances** que l'on ajuste à l'aide d'un bouton. Une plus ou moins grande partie du composant est alors traversée par le **courant électrique**, ce qui modifie la résistance, donc l'intensité.
C'est ce que nous faisons pour augmenter ou diminuer le volume sonore d'une chaîne hi-fi, lorsque nous réglons la luminosité d'un lampadaire, ou encore quand nous appuyons plus ou moins fortement sur un bouton de manette de jeux vidéos (**fig. 8**).

fig. 8 Manette de jeu vidéo.

fig. 9 Thermistances.

D'autres dipôles voient leur **résistance** varier selon la **température** : on les appelle des « **thermistances** » (**fig. 9**). Elles servent souvent à commander des systèmes de régulation de chaleur : climatisation d'une voiture, mise en route de ventilateurs dans les ordinateurs, thermostats de radiateurs ou de plaques de cuisson.

Enfin, les **photorésistances** (**fig. 10**) changent de valeur en fonction de la **lumière** qu'elles reçoivent. Dans l'obscurité, leur résistance peut dépasser un million d'ohms, alors qu'elle vaut seulement quelques ohms en pleine lumière.
Ces photorésistances commandent un système d'ouverture et de fermeture de circuit utilisés pour le déclenchement automatique d'éclairages extérieurs ou des phares d'automobiles.

DÉCOUVRIR UN MÉTIER

TECHNICIEN(NE) ÉLECTRONICIEN(NE)

voir p. 218

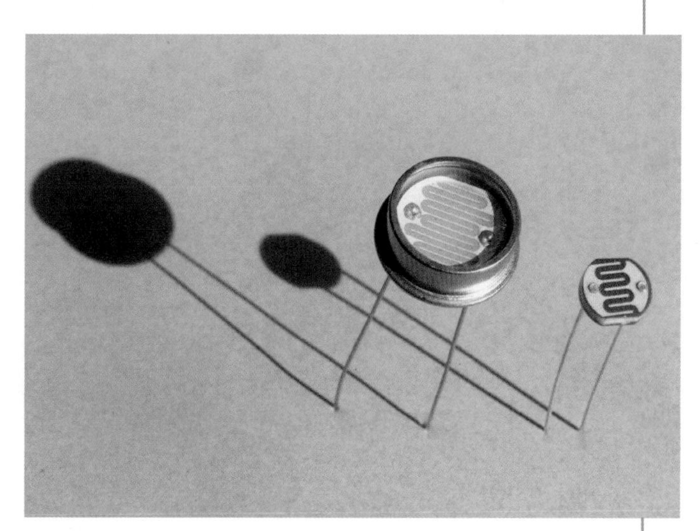

fig. 10 Photorésistances.

Questions

1 Quelles sont les trois familles de « résistances » particulières décrites dans ce document ?

2 Comment un potentiomètre permet-il de modifier l'intensité du courant qui le traverse ?

3 Dans quel but utilise-t-on des thermistances ?

4 Comment évolue la valeur d'une photorésistance quand elle reçoit plus de lumière ?

Ma démarche **d'investigation**

Compétence expérimentale à évaluer

- Utiliser un multimètre en ohmmètre

Victor sait que pour « protéger » une DEL (diode électroluminescente) d'une trop grande intensité du courant, il faut toujours l'associer à un résistor (fig. 1). La DEL qu'il souhaite utiliser doit être montée en série avec un résistor de 330 Ω. Victor pourrait utiliser le code des couleurs. Mais hélas, il se rend compte qu'il a égaré la fiche. Victor compte sur toi pour l'aider à choisir le bon résistor.

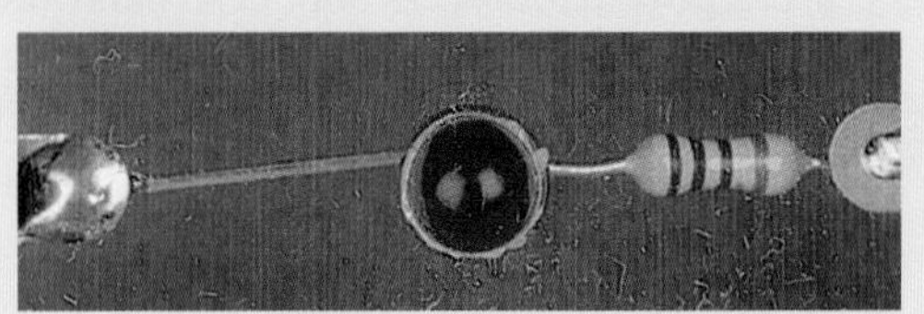

fig. 1 DEL associée à un résistor.

Comment mesurer la résistance électrique de ces différents résitors ?

➤ Mon matériel

Tu disposes des résistors de Victor, d'un multimètre, d'une pile, de fils de connexion ainsi que de pinces crocodiles.

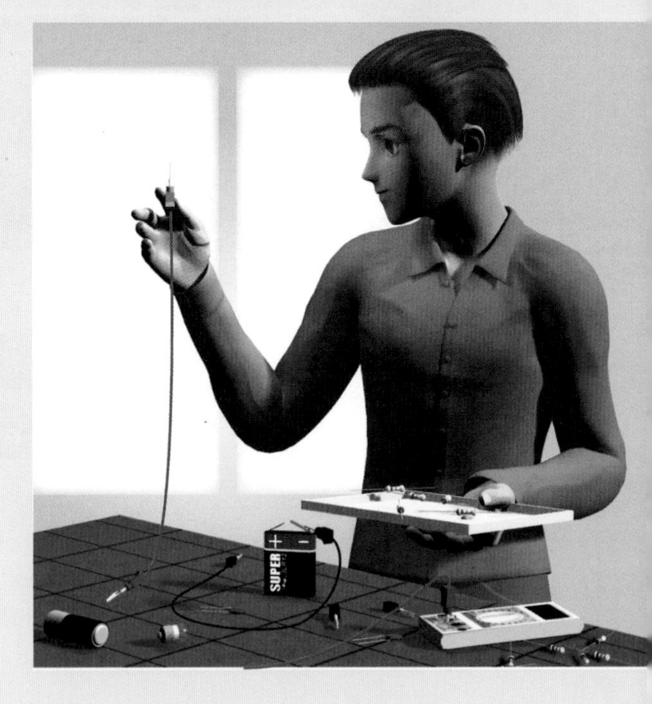

➤ Je réfléchis

Écris dans l'ordre les étapes de ta démarche, en détaillant particulièrement celles qui concernent le multimètre : position du sélecteur, choix du calibre, branchement.
Tu peux faire des schémas pour expliquer.
Propose ensuite ton projet au professeur.

➤ Je réalise le montage

Après accord du professeur, récupère le matériel puis réalise les expériences.
N'oublie pas de faire vérifier ton montage avant d'effectuer la mesure de la valeur de la résistance électrique.

➤ Je communique mes résultats

Rédige le compte-rendu de tes expériences pour expliquer à Victor comment tu as procédé. Indique-lui les résultats des mesures que tu as effectuées. Tu respecteras le mode de présentation et le plan préconisés par le professeur.

Je contrôle mes connaissances

1 Je retrouve l'essentiel

Utilise les mots ou groupes de mots suivants pour compléter les phrases ci-dessous : *ohm, dérivation, ohmmètre, résistance, ajoutent, générateur, « COM », dipôles, augmente, isolé, ensemble, Ω, série, résistants, supprime, diminue, importance,* —(Ω)—.

L'unité de résistance électrique est l'.......... (symbole ....). Une résistance électrique se mesure avec un .... (symbole ....); il suffit de connecter le dipôle .... (hors du circuit) sur les bornes « Ω » et .... de l'appareil puis de choisir le calibre. Le sens de branchement n'a pas d'...........
Tous les .... possèdent une .... électrique plus ou moins grande : ils sont plus ou moins .... au passage du courant.
Dans un circuit électrique, lorsque la résistance ...., l'intensité du courant diminue. Si on place des récepteurs supplémentaires dans un montage en série, leurs effets s'............ : l'intensité du courant ....
En court-circuitant un récepteur, on .... l'effet de sa résistance sur l'intensité du courant.
Dans un montage en ...., il ne faut jamais court-circuiter l'............ des récepteurs.
Dans un montage en ...., court-circuiter une branche dérivée revient à court-circuiter le ....

→ **Solution page 222.**

2 Interpréter des schémas

COMPÉTENCE TRANSVERSALE

Dans ces trois montages, on dispose de piles et de lampes identiques, mais de résistors différents.
Quelle lampe brillera le plus fortement ?
Justifie ta réponse.

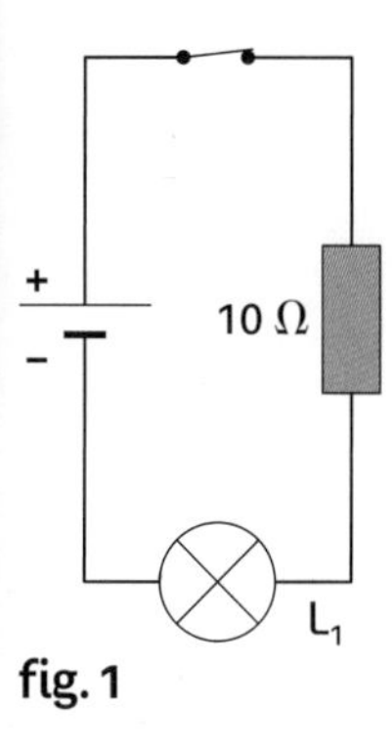

fig. 1

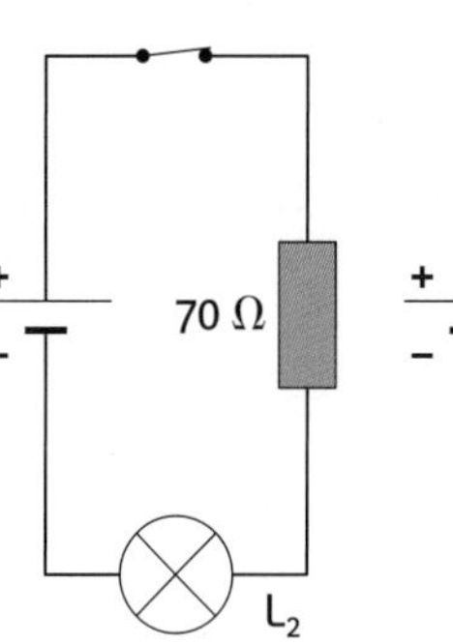

fig. 2

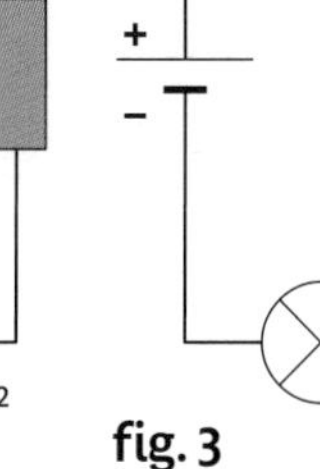

fig. 3

3 Lire une mesure

a. Quel calibre a-t-on sélectionné ?
b. Écris le résultat de la mesure effectuée.
c. Pour obtenir ce résultat, on a connecté l'appareil de mesure sur un résistor. Fais le schéma du montage.
d. Que devient le résultat si l'on inverse les connexions sur le multimètre ?

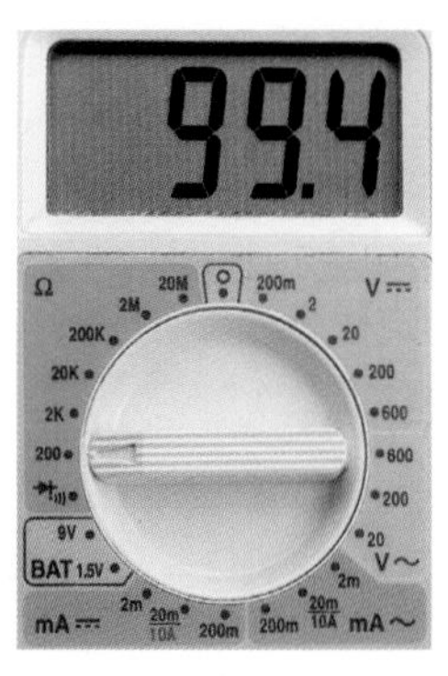

4 Connecter un ohmmètre

On souhaite connaître la résistance d'un dipôle.
a. Quelle fonction du multimètre doit-on utiliser ?
b. Dans quel secteur faut-il placer le sélecteur ?
c. Quelles bornes de l'appareil faut-il connecter ?
d. Le sens de branchement du dipôle a-t-il de l'importance ?

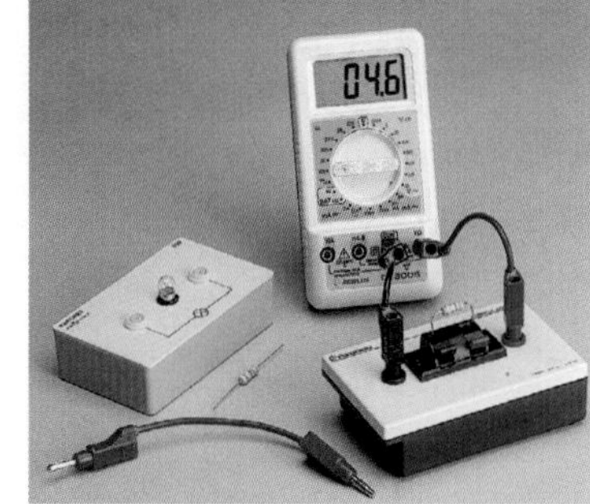

5 Choisir le meilleur calibre

Les calibres disponibles sur un ohmmètre sont : 200 Ω ; 2 kΩ ; 20 kΩ ; 200 kΩ et 20 MΩ. Lequel choisirais-tu pour mesurer avec la meilleure précision possible les résistances suivantes : 33 Ω ; 2200 Ω ; 220 Ω ; 0,12 KΩ ; 5600 kΩ ; 2,2 MΩ ?

6 Compare les effets de deux résistors

Dans ces deux circuits, on utilise la même pile et la même lampe, mais des résistors R_1 et R_2 différents.
a. Dans quel montage l'intensité est-elle la plus grande ?
Justifie ta réponse.
b. Quel est le résistor le plus résistant ? Pourquoi ?

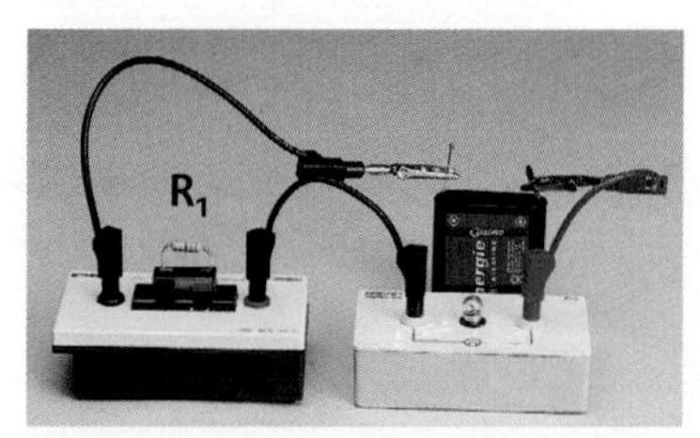

fig. 1

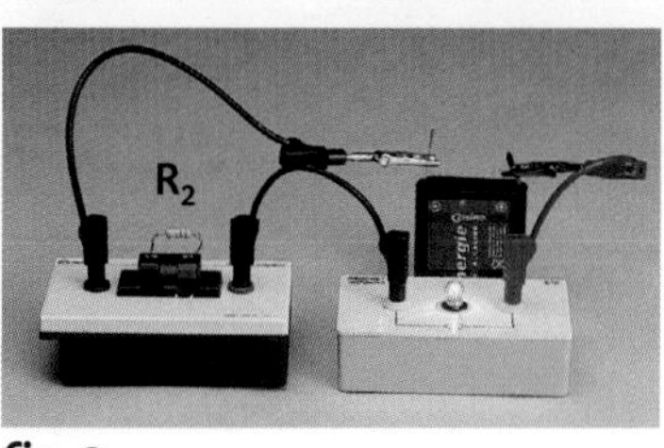

fig. 2

Exercices

J'utilise mes connaissances

7 Convertir

a. 34 kΩ = ... Ω
b. 3 572 Ω = ... kΩ
c. 2 mΩ = 2 x 10 .... Ω
d. 574 kΩ = ... MΩ
e. 0,96 kΩ = 9,6 x 10 .... Ω
f. 18 x 10^{-3} MΩ = ... kΩ

8 Classer deux conducteurs selon leur résistance

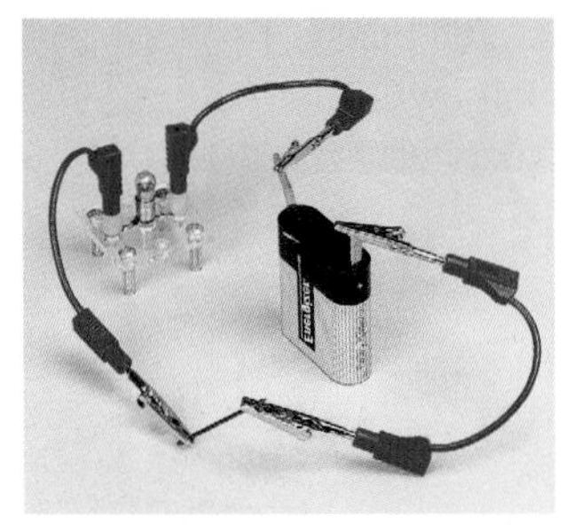

fig. 1 Montage comportant une mine de graphite.

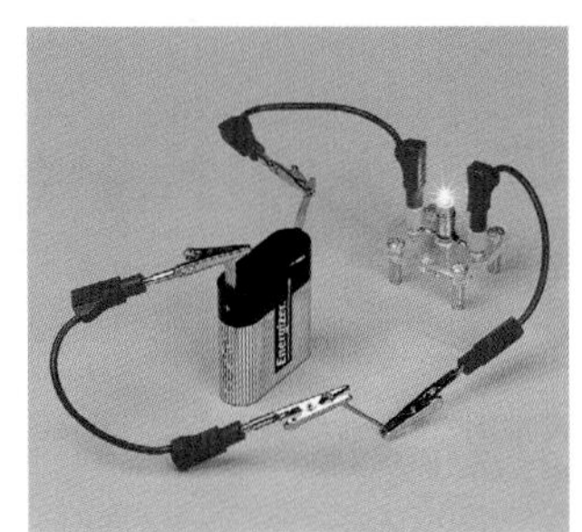

fig. 2 Montage comportant un fil de cuivre.

a. La mine de graphite est-elle plus résistante ou moins résistante que le fil de cuivre ? Justifie ta réponse.
b. Propose une autre méthode pour comparer la résistance de ces objets.

9 Prévoir l'éclat des lampes

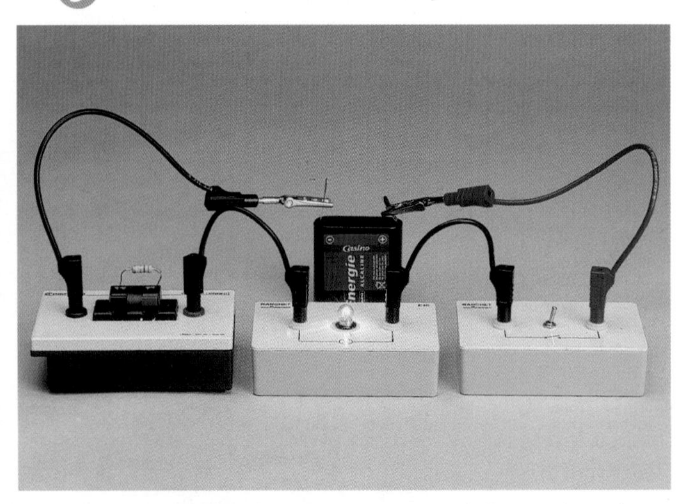

a. Que se passera-t-il dans le montage ci-dessus si on ajoute une lampe en série ?
b. Que va-t-on observer si on court-circuite le résistor ? Pourquoi ?

10 Retrouver des résultats d'expériences

Florence réalise les trois montages schématisés (**fig. 1, 2** et **3**) avec des générateurs et des lampes identiques. Pour faire le compte-rendu de ses expériences à la maison, elle note au brouillon les valeurs des intensités mesurées : 120 mA, 310 mA et 220 mA.
Au moment de rédiger son compte-rendu, Florence ne se souvient plus de l'ordre dans lequel elle a relevé ces mesures. Peux-tu lui expliquer à quel montage se rapporte chacune des mesures ? Justifie tes choix.

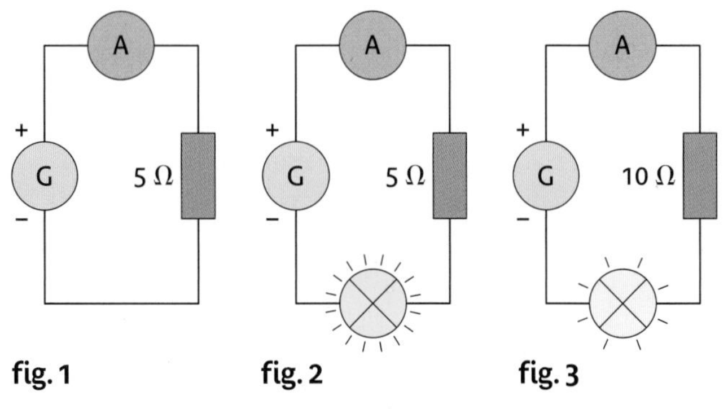

fig. 1 **fig. 2** **fig. 3**

11 Mesurer la résistance du corps humain

Lucille veut mesurer la valeur de sa résistance, avec les mains sèches, puis quand elles sont mouillées.
a. Avec quel appareil peut-elle effectuer cette mesure ?
b. Comment doit-elle procéder ?
c. Elle trouve 0,1 MΩ avec les mains sèches, et 350 Ω avec les mains mouillées. Convertis 0,1 MΩ en ohm.
d. Sa résistance est-elle plus élevée quand ses mains sont mouillées ou sèches ?

12 Danger du court-circuit

a. Comment varie l'éclat de L_2 si on supprime le court-circuit de L_1 ? Justifie ta réponse.
b. Explique pourquoi il ne faut pas court-circuiter les deux lampes en même temps.
c. On décide de monter L_1 et L_2 en dérivation. Le court-circuit d'une seule lampe sera-t-il dangereux ? Pourquoi ?

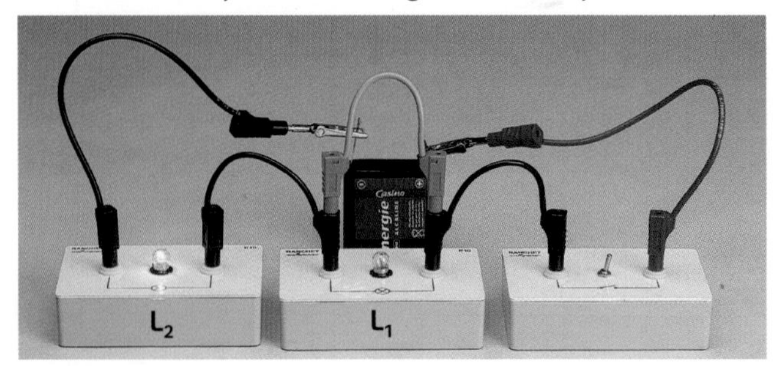

J'approfondis mes connaissances

13 Contrôler un résultat

Mathieu a récupéré un résistor dans un appareil usagé. Il veut vérifier la valeur de sa résistance.

a. Calcule la valeur de la résistance de ce résistor par le code des couleurs. Tu exprimeras le résultat sous la forme d'un encadrement. *(Aide : tu peux utiliser le code des couleurs situé à la fin de ton livre.)*

b. L'ohmmètre de Mathieu indique une mesure de 322 Ω. Ce résultat est-il compatible avec le résultat précédent ?

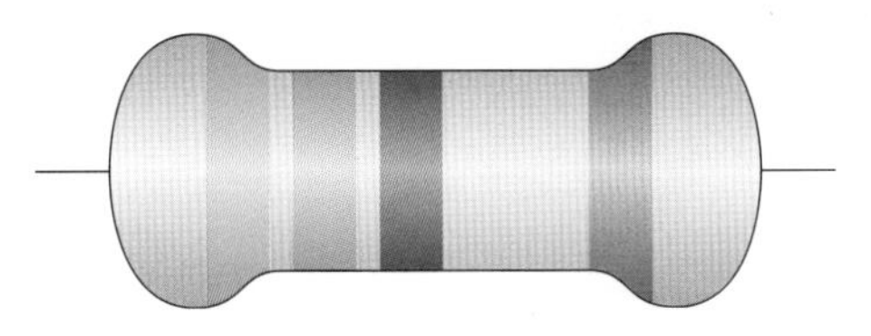

14 Repérer un dipôle défectueux

a. La résistance d'une lampe grillée est-elle la même que celle d'une lampe en bon état ? Justifie ta réponse.

b. Comment pourrais-tu vérifier ta réponse en utilisant un ohmmètre ?

15 Comprendre l'affichage d'un ohmmètre

Le professeur propose de mesurer la résistance électrique d'une règle en matière plastique.

L'ohmmètre affiche « 1. » quel que soit le calibre utilisé : 200 Ω ; 2 kΩ ; 20 kΩ ; 200 k Ω et 20 MΩ.

a. Pour Sandy, la règle a une résistance de 1 ohm.

b. Pour Mickaël, l'ohmmètre est en panne.

c. Pour Martin, la règle a une résistance trop grande pour être mesurée.

Qui a raison et pourquoi ?

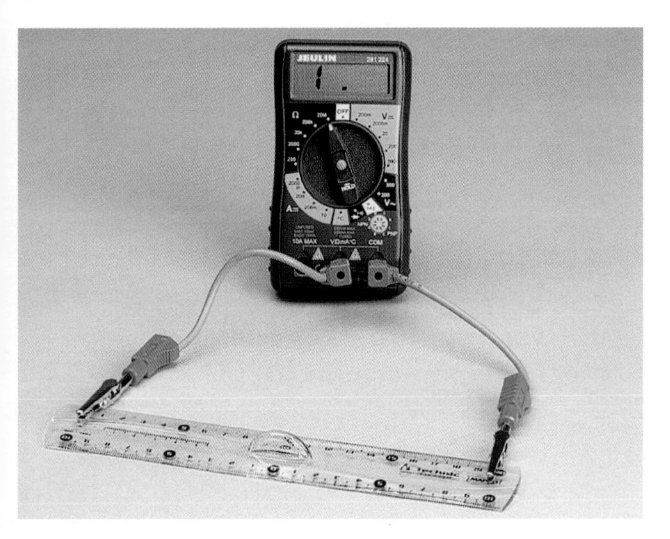

16 Utiliser un graphique

Mathématiques

Une thermistance (*voir document page 147*) est un composant utilisé pour fabriquer, par exemple, des thermomètres électroniques. Sur le graphique, on a tracé les variations de la résistance d'une thermistance en fonction de la température.

a. Quelle est la valeur de la résistance à 10 °C ?

b. Pour quelle température la résistance atteint-elle 50 kΩ ?

c. Comment évolue la résistance de ce composant lorsque la température augmente ?

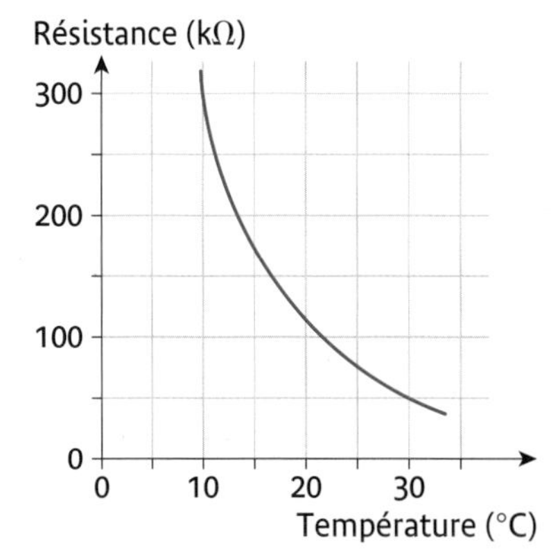

17 Expliquer le fonctionnement d'un appareil

Au quotidien

a. Comment varie la luminosité de cette lampe lorsqu'on agit sur le curseur ? Quelle grandeur électrique est alors modifiée ?

b. Recherche à l'aide du document page 147 le nom du composant électronique, placé dans le boîtier, qui permet d'obtenir ce résultat.

18 Physics in English

Choose the correct answer from the list.
Justify your answer.

a. The terminals of the ohmmeter are inverted.

b. The resistance is 1 Ω.

c. The resistance of this component is superior to the chosen range setting.

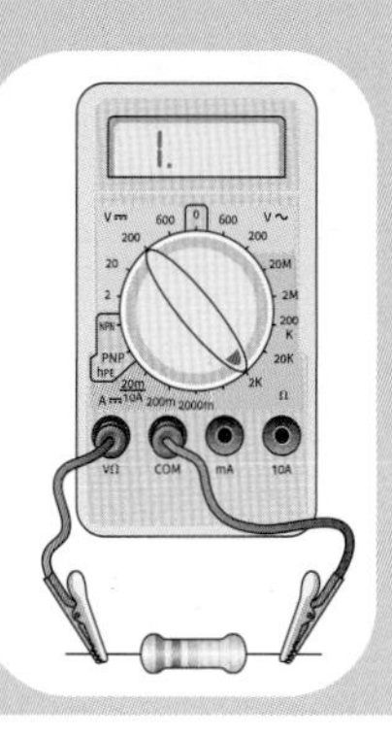

Chapitre

11 La loi d'Ohm

Dans un circuit électrique, si l'on modifie la tension du générateur, l'intensité du courant varie aussi. Tension et intensité sont des grandeurs bien distinctes mais clairement liées l'une à l'autre.
Nous savons aussi que la résistance des dipôles régule l'intensité du courant.
Existe-t-il une relation mathématique simple entre tension, résistance et intensité ?

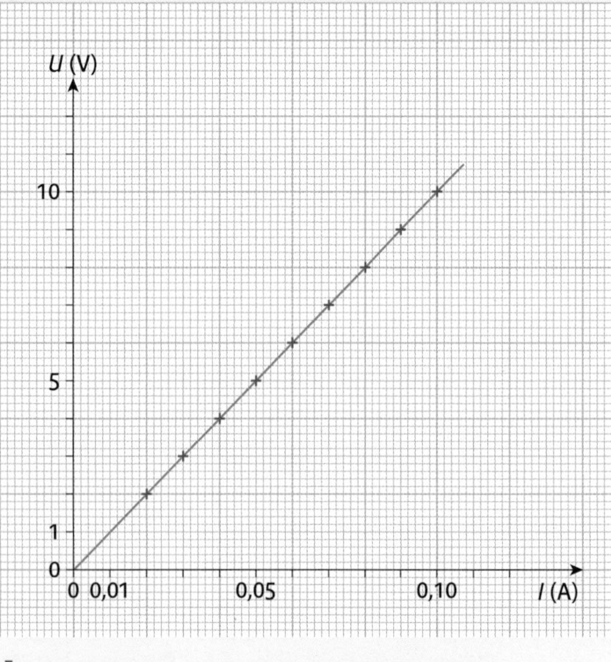

1. Comment tracer puis interpréter ce graphique ? ► Activité 1

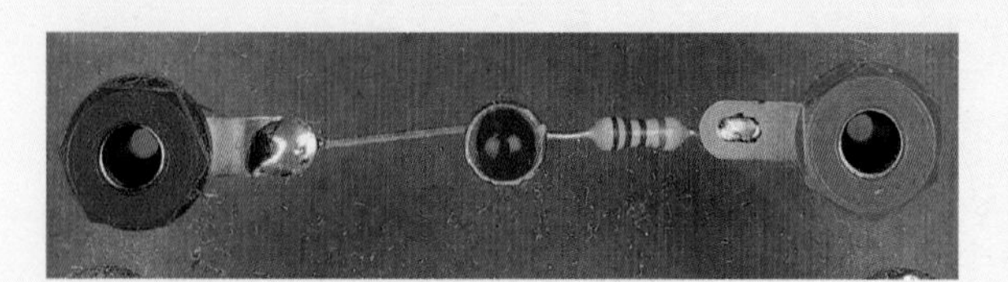

2. Peut-on prévoir, grâce à la loi d'Ohm, quelle résistance utiliser pour protéger une diode électroluminescente (DEL) ?
► Activité 2

3. Pendant son utilisation, le filament d'une lampe supporte plus de 2 500 °C. Pourquoi grille-t-il le plus souvent, à froid, lors de l'allumage ?

► Activité 2

Objectifs

- Savoir tracer la caractéristique d'un dipôle ohmique
- Découvrir la loi d'Ohm et savoir l'utiliser
- Schématiser puis réaliser un montage permettant d'aboutir à la caractéristique d'un dipôle ohmique (Compétence expérimentale)
- Présenter les résultats des mesures sous forme de tableau (Compétence expérimentale)
- Tracer la caractéristique d'un dipôle ohmique (Compétence expérimentale)

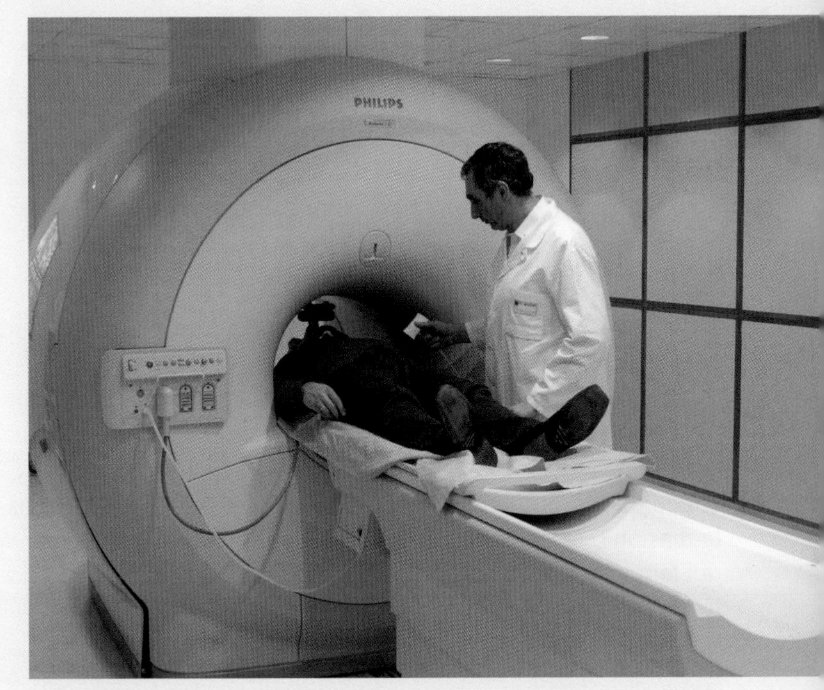

4. Le fonctionnement de cet appareil nécessite un courant de très forte intensité. Comment obtenir un tel courant tout en conservant une tension électrique normale ?

► Activité 2

Activités

ACTIVITÉ 1 Qu'appelle-t-on « caractéristique » d'un dipôle ?

MATÉRIEL : • un générateur de tension réglable • deux multimètres • un résistor (R = 100 Ω) • cinq fils de connexion

DÉROULEMENT :

1. Pour tracer la caractéristique du résistor R, nous réalisons le montage de la figure 1.

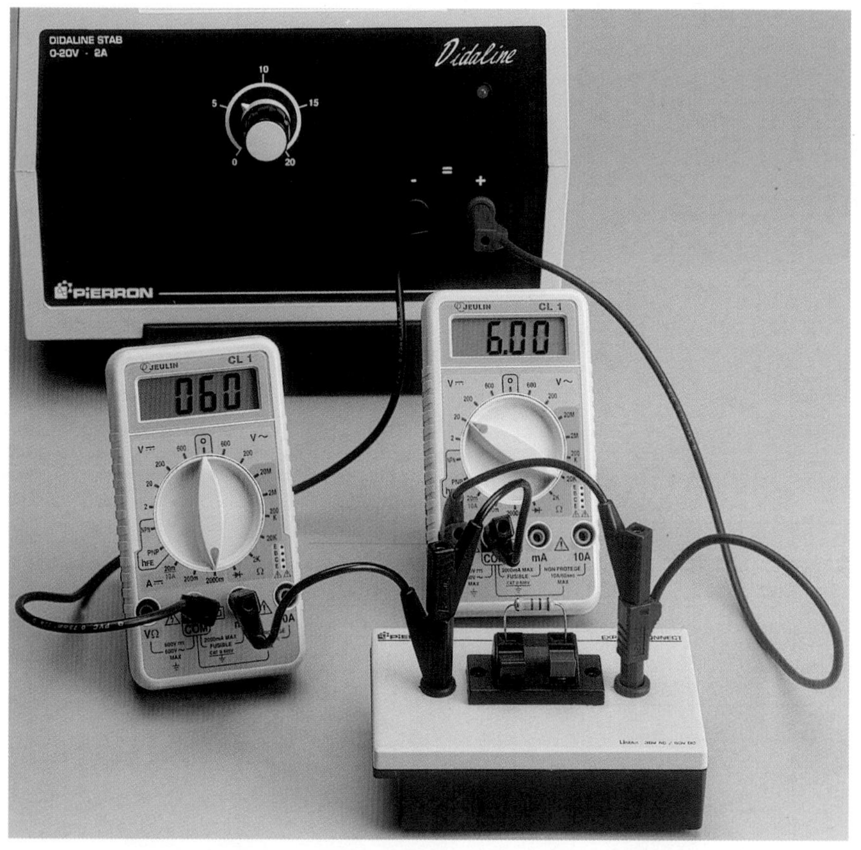

fig. 1

2. Pour différents réglages de la tension du générateur, mesurons la tension *U* aux bornes du résistor et l'intensité *I* du courant qui le traverse.
Notons chaque couple de valeurs dans un tableau (**fig. 2**).

U en (V)	0	1,00	2,00	3,00	4,00	5,00	6,00	7,00	8,00
I en (mA)	0	9	18	28	37	48	60	68	78

fig. 2

Questions

1 Schématise le montage de la figure 1. Le symbole du générateur réglable est + –

2 Que vaut l'intensité *I* du courant dans le circuit quand la tension *U* aux bornes du résistor est nulle ?

3 Réalise le graphique représentant les variations de cette tension *U* en fonction de l'intensité *I* du courant qui traverse le résistor.
Tu prendras comme échelle :
- ordonnées : 1 cm pour 1 V,
- abscisses : 1 cm pour 10 mA.

4 Trace à la règle la droite la plus proche des points (attention ! elle passe forcément par l'origine des axes).

Remarque

La courbe obtenue s'appelle **la caractéristique du résistor *R*.**

ACTIVITÉ 2 Exploitation d'un document informatique B2i

MATÉRIEL : • un ordinateur • un logiciel tableur

DÉROULEMENT :

1. Reprenons le montage électrique de la figure 1 en utilisant successivement trois résistors différents : $R_1 = 33\ \Omega$; $R_2 = 100\ \Omega$; $R_3 = 220\ \Omega$. Exploitons les résultats des mesures enregistrées dans un logiciel tableur (**fig. 3**).

$R_1 = 33\ \Omega$

U en (V)	0	3,00	4,50	6,00	7,50	9,00
I en (A)	0	0,090	0,136	0,181	0,225	0,269
U/I						

$R_2 = 100\ \Omega$

U en (V)	0	3,00	4,50	6,00	7,50	9,00
I en (A)	0	0,030	0,045	0,060	0,075	0,091
U/I						

$R_3 = 220\ \Omega$

U en (V)	0	3,00	4,50	6,00	7,50	9,00
I en (A)	0	0,014	0,021	0,028	0,035	0,042
U/I						

fig. 3

2. À l'aide du logiciel tableur, traçons les caractéristiques des trois résistors sur le même graphique (**fig. 4**).

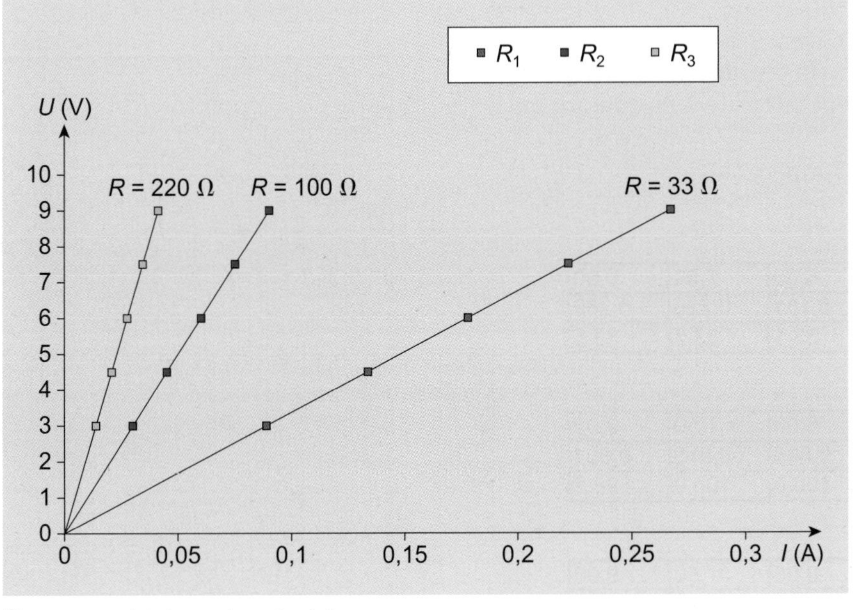

fig. 4 Caractéristiques de trois résistors.

Questions

1 Reproduis le premier tableau de la figure 3 et complète, à l'aide du logiciel tableur, la ligne du quotient U/I. Que remarques-tu ? Complète de la même façon les deux autres tableaux.

2 En observant les caractéristiques des trois résistors (fig. 4), explique pourquoi on peut affirmer que la tension U et l'intensité I sont proportionnelles.

3 La pente de la droite (fig. 4) dépend-elle de la valeur de la résistance ? Justifie ta réponse.

4 Pour chaque tableau, compare le résultat du quotient U/I à la valeur de la résistance. Quelle est la relation mathématique entre U, I et R ? Cette relation s'appelle la loi d'Ohm.

Cours

Caractéristique d'un dipôle

Voir Activité 1

Observation et interprétation : On réalise le montage (**fig. 1**) et on fait varier la tension du générateur.

Le symbole est un générateur de tension réglable.

Le voltmètre mesure la tension *U* aux bornes du dipôle. L'ampèremètre mesure l'intensité *I* qui le traverse.

On trace le graphique (**fig. 2**) en reportant les valeurs de la tension *U* en ordonnées et celles de l'intensité *I* en abscisses.

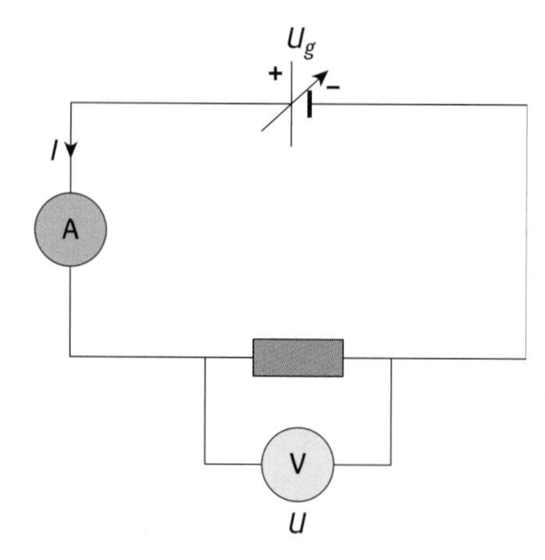

fig. 1 Montage permettant de tracer la caractéristique d'un dipôle.

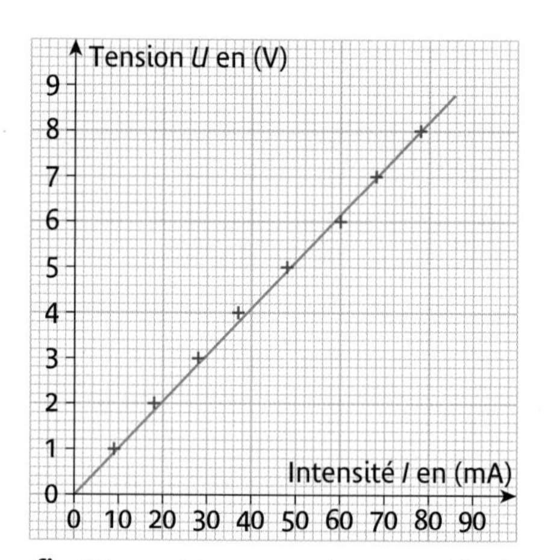

fig. 2 Les points sont pratiquement alignés avec l'origine. On trace alors la droite qui passe par l'origine et le plus près possible des points.

Conclusion : La caractéristique d'un dipôle est le graphique représentant les variations de la tension *U* entre ses bornes en fonction de l'intensité *I* du courant qui le traverse.
Dans le cas d'un résistor, la caractéristique est une droite qui passe par l'origine.

La loi d'Ohm

Voir Activité 2

Observation et interprétation : On trace les caractéristiques des trois résistors à partir des résultats des mesures (**fig. 3**). Ce sont des droites qui passent par l'origine (**fig. 4**) ; les valeurs de *U* et de *I* sont donc proportionnelles.

Dans les trois cas, le quotient $\frac{U}{I}$ est pratiquement constant et égal à la valeur *R* de la résistance (**fig. 3**).

On peut donc écrire : $\frac{U}{I} = R$; ou encore $U = R \times I$: c'est la loi d'Ohm.

Conclusion : Énoncé de la loi d'Ohm : la tension *U* aux bornes d'un dipôle ohmique de résistance *R* et l'intensité *I* du courant qui le traverse vérifient la formule $U = R \times I$.
Avec *U* en volt (V), *R* en ohm (Ω), *I* en Ampère (A).

R=33Ω

U en (V)	0	3,00	4,50	6,00	7,50	9,00
I en (A)	0	0,090	0,136	0,181	0,225	0,269
U/I		33,3	33,1	33,1	33,3	33,5

R=100Ω

U en (V)	0	3,00	4,50	6,00	7,50	9,00
I en (A)	0	0,030	0,045	0,060	0,075	0,091
U/I		100,0	100,0	100,0	100,0	98,9

R=220Ω

U en (V)	0	3,00	4,50	6,00	7,50	9,00
I en (A)	0	0,014	0,021	0,028	0,035	0,042
U/I		214,3	214,3	214,3	214,3	214,3

fig. 3 Données enregistrées dans un logiciel tableur.

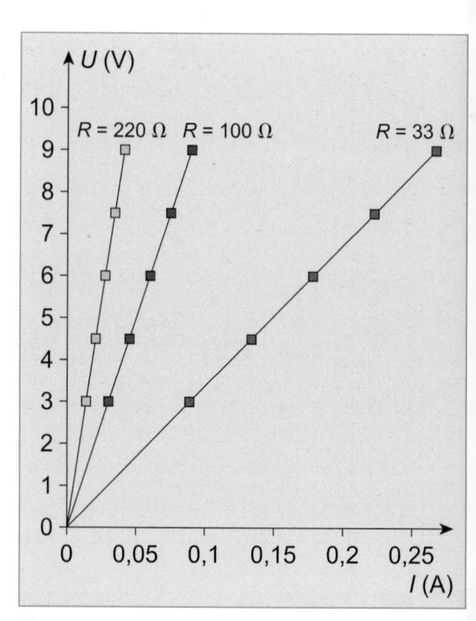

fig. 4 La pente de la droite augmente lorsque la valeur de la résistance augmente.

3 Utilisation de la loi d'Ohm

Voir **Activités 1** et **2**

La loi d'Ohm peut s'écrire de trois façons différentes :

$$R = \frac{U}{I}$$

$$I = \frac{U}{R}$$

$$U = R \times I$$

Elle nous permet donc de calculer :
- la résistance R du dipôle (quand on connaît U et I),
- l'intensité I qui le parcourt (quand on connaît U et R),
- la tension U entre ses bornes (quand on connaît R et I).

Pour n'importe quel dipôle ohmique, le calcul de la résistance peut aussi se faire à partir du tracé de sa caractéristique (**fig. 5**).

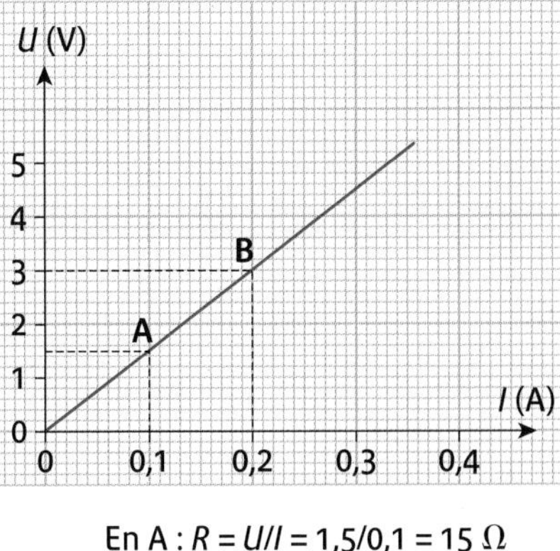

En A : $R = U/I = 1{,}5/0{,}1 = 15\ \Omega$
En B : $R = U/I = 3/0{,}2 = 15\ \Omega$

fig. 5

4 Caractéristique d'une lampe

Dans le cas de la lampe, la résistance n'est pas constante. En effet, elle augmente avec la température, donc avec l'intensité du courant. Ceci explique que sa caractéristique ne soit pas une droite (**fig. 6**).

Remarques :
- La caractéristique d'un dipôle est une droite seulement si la résistance du dipôle reste constante, quelle que soit l'intensité du courant qui le traverse.
- Le générateur fournit de l'énergie au dipôle, celui-ci s'échauffe et transfère sous forme de chaleur vers l'extérieur l'énergie reçue.

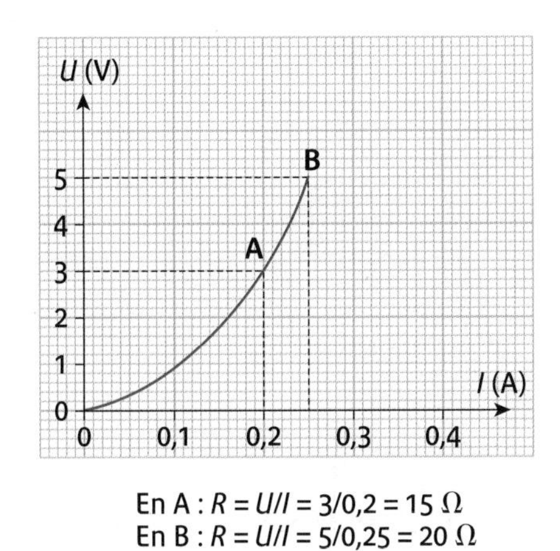

En A : $R = U/I = 3/0{,}2 = 15\ \Omega$
En B : $R = U/I = 5/0{,}25 = 20\ \Omega$

fig. 6

L'essentiel

► **Contrôle tes connaissances** *en faisant l'exercice 1 page 161.*

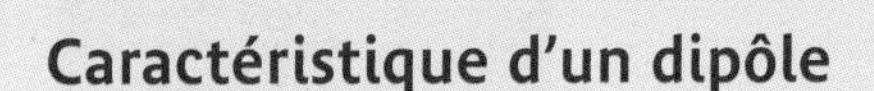

Caractéristique d'un dipôle

Schéma du montage

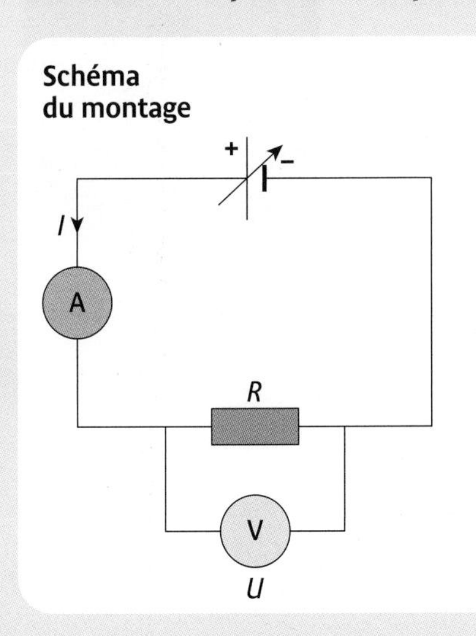

Caractéristique d'un résistor

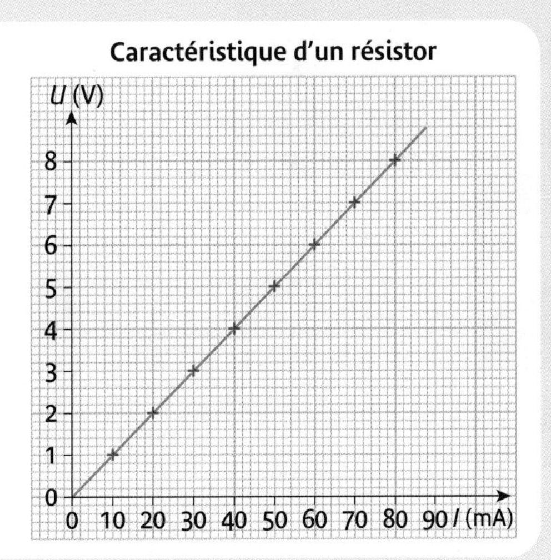

Loi d'Ohm

$$U = R \times I$$

U (V) R (Ω) I (A)

Documents

Les supraconducteurs

Technologie

Les **supraconducteurs** sont des matériaux dont la **résistance** s'annule au-dessous d'une certaine température. Ce sont en quelque sorte des **conducteurs parfaits**.

Leur histoire commence en 1911, quand H. K. Onnes, un physicien néerlandais, constate que du mercure refroidi à – 269 °C n'a plus aucune résistance électrique ! Sa **découverte** ouvre des **perspectives** dans tous les domaines nécessitant des **courants de grande intensité** : transport de l'énergie électrique, création de champs magnétiques très intenses à l'aide d'électro-aimants.

En effet, la **loi d'Ohm** indique que pour une tension donnée, l'intensité du courant augmente si la résistance du circuit diminue. En parvenant à « annuler » la résistance du conducteur, on peut alors imaginer qu'il sera parcouru par un courant extrêmement intense.

Depuis, les recherches ont avancé. Aujourd'hui, on sait concevoir des matériaux supraconducteurs, à des températures plus « élevées », de l'ordre de – 173 °C que l'on atteint facilement avec du diazote liquide (*voir page 49*).

Des **applications** existent déjà, comme le train à lévitation (**fig. 1**). Il est maintenu 10 à 15 cm au-dessus des rails par une force de répulsion gigantesque, créée grâce à des électro-aimants utilisant des supraconducteurs (**fig. 2**). La suppression du frottement des roues permet alors d'atteindre des vitesses exceptionnelles.

L'utilisation la plus courante intervient dans les machines d'imagerie médicale. Des électro-aimants en matériau supraconducteur forment un tunnel dans lequel est allongé le patient (**fig. 3**). Le champ magnétique créé par ces électro-aimants est si important qu'on peut visualiser, avec l'aide de l'informatique, une image en trois dimensions avec une précision de l'ordre du millimètre ! (**fig. 4**).

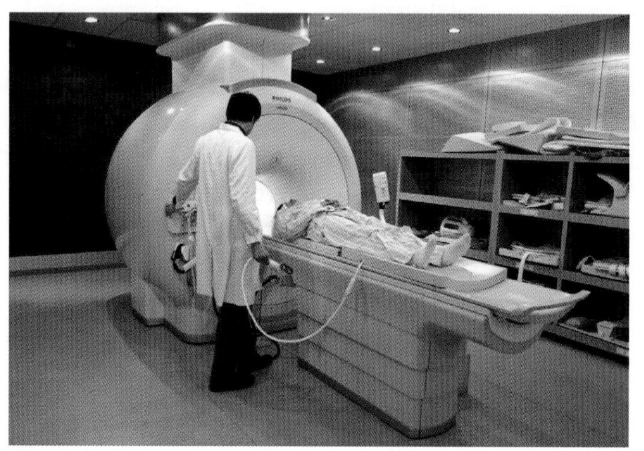

fig. 3 Cet appareil d'IRM (Imagerie par Résonance Magnétique) va permettre de visualiser les tissus mous (muscles, ligaments, tendons, artères…) et les os.

fig. 2 Lorsqu'on approche un aimant d'un supraconducteur, il subit une force de répulsion qui le maintient en lévitation.

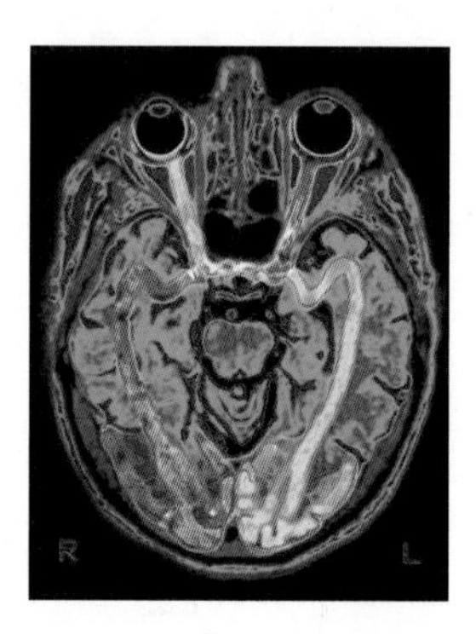

fig. 4 Coupe de la tête observée à l'aide de l'IRM.

fig. 1 Le projet japonais de MAGLEV est le train le plus rapide du monde avec 581 km/h.

Questions

1 Comment varie la résistance du mercure quand on le refroidit ?

2 Quel est l'intérêt d'utiliser un supraconducteur dans un circuit électrique ?

3 Pourquoi le train à lévitation peut-il aller très vite ? Dans quel domaine utilise-t-on le plus couramment des supraconducteurs ?

B2i Recherche sur internet d'autres domaines d'application des supraconducteurs.
http://www.futura-sciences.com/comprendre/d/dossier103-4.php

Pourquoi une lampe « grille »-t-elle à l'allumage ?

Au quotidien

Lorsqu'une lampe fonctionne, la **température** de son **filament** atteint 2 500 °C à 3 000 °C selon le modèle. À ces températures, une partie du filament en tungstène se sublime : il passe directement de l'état solide à l'état gazeux. Ainsi, au fil des jours, le filament est de plus en plus mince et donc de plus en plus fragile. L'usure n'étant pas uniforme, certaines zones se fragilisent plus que d'autres (**fig. 5**).

La **loi d'Ohm** nous permet de comprendre pourquoi le filament d'une lampe se casse le plus souvent à l'éclairage. Prenons l'exemple d'une lampe dont les valeurs nominales sont 3,5 V et 200 mA.
Le tracé de sa **caractéristique** (**fig. 6**) permet de vérifier que cette lampe, alimentée sous sa tension nominale (3,5 V), est bien traversée par un courant de 200 mA. Cependant, un ohmmètre connecté à cette lampe, isolée et froide, mesure une **résistance** de 1,7 Ω (**fig. 7**).

Par conséquent, au moment précis où nous connectons la lampe à un générateur réglé sur 3,5 V, l'intensité du courant qui la traverse vaut : $I = U/R$. $I = 3{,}5/1{,}7 = 2{,}0$ A soit 2 000 mA, ce qui représente environ 10 fois l'intensité nominale.

On comprend que l'**échauffement** qui en résulte puisse être fatal à son filament surtout s'il est fragilisé !

En fait, la **résistance** du filament augmente avec sa **température**. S'il ne se casse pas lors de l'allumage, le filament s'échauffe en un laps de temps très court, sa résistance grandit et l'intensité du courant retrouve alors une valeur « normale ». Le danger est passé !

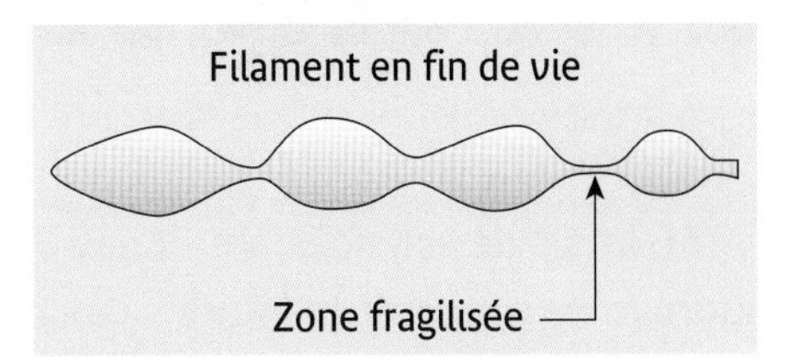

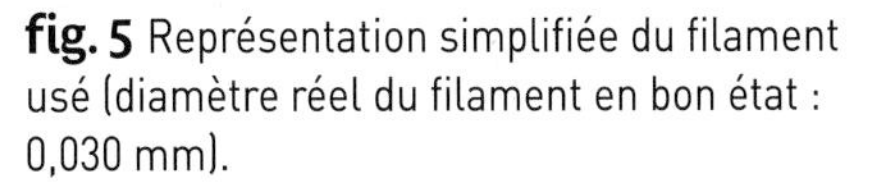

fig. 5 Représentation simplifiée du filament usé (diamètre réel du filament en bon état : 0,030 mm).

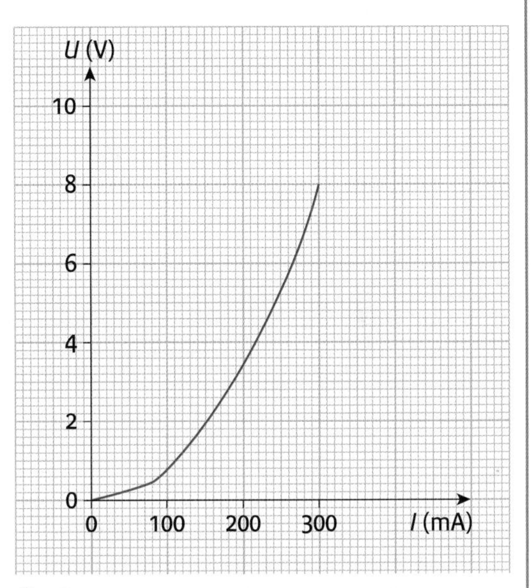

fig. 6 Caractéristique d'une lampe de valeurs nominales 3,5 V et 200 mA.
L'allure de cette caractéristique montre que, contrairement à ce qui a été vu pour un résistor, le quotient *U/I* n'est pas constant. Il augmente en même temps que l'intensité du courant qui traverse le filament, c'est-à-dire en même temps que la température.

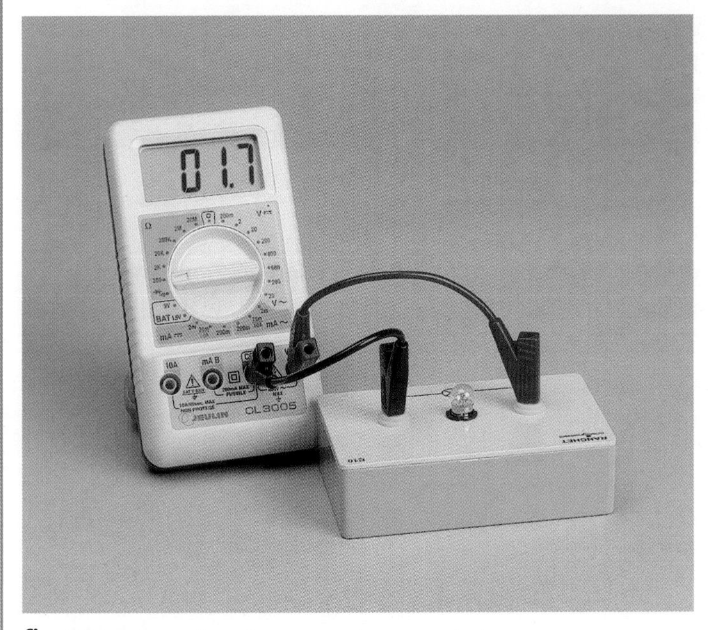

fig. 7 Résistance d'une lampe de valeurs nominales 3,5 V et 200 mA « à froid ».

Questions

1 **De quel métal est fait le filament d'une lampe à incandescence ? Le texte indique qu'il se « sublime » ; qu'est-ce que cela signifie ?**

2 **Utilise le tracé de la caractéristique pour calculer la résistance du filament quand l'intensité vaut 50 mA puis quand elle vaut 150 mA.**

3 **Comment varie la résistance du filament de la lampe quand sa température augmente ? Justifie ta réponse à partir des résultats de la question 2.**

Ma démarche **d'investigation**

Compétences expérimentales à évaluer

- Schématiser puis réaliser un montage permettant d'aboutir à la caractéristique d'un dipôle ohmique.
- Présenter les résultats des mesures sous forme de tableau.
- Tracer la caractéristique d'un dipôle ohmique.

Le professeur de sciences physiques a chargé Paul et Myriam de préparer la future séance de travaux pratiques. Il s'agit de tracer la caractéristique d'un résistor. Paul et Myriam doivent proposer à leur professeur une fiche qui lui permettra de vérifier le travail des élèves.
Cette fiche indiquera le schéma du montage à réaliser, présentera les mesures dans un tableau ainsi que le tracé de la caractéristique du résistor.

Comment obtenir la caractéristique d'un résistor ?

➤ Je réfléchis

Imagine le montage que tu dois réaliser pour tracer la caractéristique du résistor et schématise-le sur une feuille d'essai.
Dresse la liste du matériel nécessaire.
Propose ton projet au professeur.

➤ Je réalise mon expérience

Après l'accord du professeur, récupère le matériel puis réalise l'expérience.

➤ Je communique mes résultats

Rédige la fiche que Paul et Myriam doivent rendre, en respectant le mode de présentation préconisé par le professeur. Tu dois faire apparaître le schéma du montage, le tableau de résultats, le tracé de la caractéristique (sur papier millimétré).

Exercices

Je contrôle mes connaissances

1 Je retrouve l'essentiel

Utilise les mots ou groupes de mots suivants pour compléter les phrases ci-dessous : *tension, caractéristique, résistor, ohmique, loi d'Ohm, proportionnelles, l'intensité.*

La .... d'un dipôle est le graphique qui représentant les variations de la .... entre ses bornes en fonction de .... du courant qui le traverse.
Dans le cas d'un ...., la caractéristique est une droite qui passe par l'origine : les valeurs de *U* et de *I* sont alors ....
D'après la ...., la tension *U* aux bornes d'un dipôle .... et l'intensité *I* du courant qui le traverse vérifient la relation : $U = R \times I$.

→ **Solution page 222.**

2 Schématiser un montage

COMPÉTENCE TRANSVERSALE

Maxime a schématisé un montage permettant de tracer la caractéristique d'un résistor, mais il a oublié un appareil de mesure !

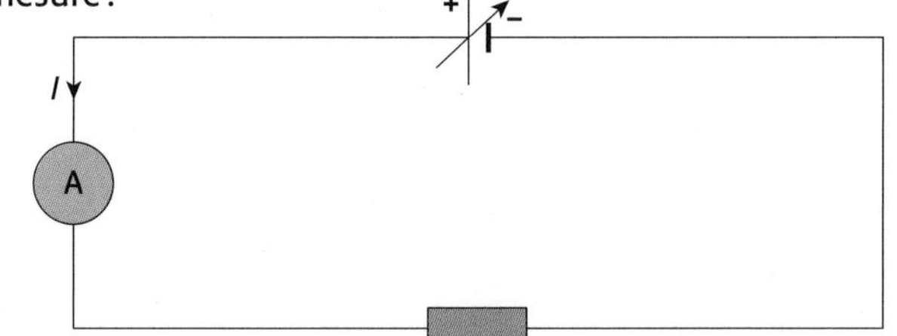

a. Quels sont les deux appareils de mesure à utiliser pour tracer une caractéristique ? Que mesurent-ils ?
b. Reproduis ce schéma et complète-le.
c. Quel est le dipôle représenté par ce symbole ?
d. Quelle est l'utilité d'un tel dipôle dans ce montage ?

3 Tracer la caractéristique d'un dipôle

Amir et Mathieu ont mesuré la tension *U* aux bornes d'un dipôle et l'intensité *I* du courant qui le traverse. Leurs résultats sont notés dans le tableau suivant.

Tension (V)	0	2	4,5	6	7,5	9
Intensité (mA)	0	42	96	124	158	190

a. Trace la caractéristique de ce dipôle. Tu prendras comme échelle :
- ordonnées : 1 cm pour 1 V,
- abscisses : 1 cm pour 20 mA.

b. Calcule le quotient *U*/*I* pour chaque couple de valeur, sauf (0,0). Que remarques-tu ?
c. Ce dipôle est-il un résistor ? Justifie ta réponse.

4 Lire un graphique

COMPÉTENCE TRANSVERSALE

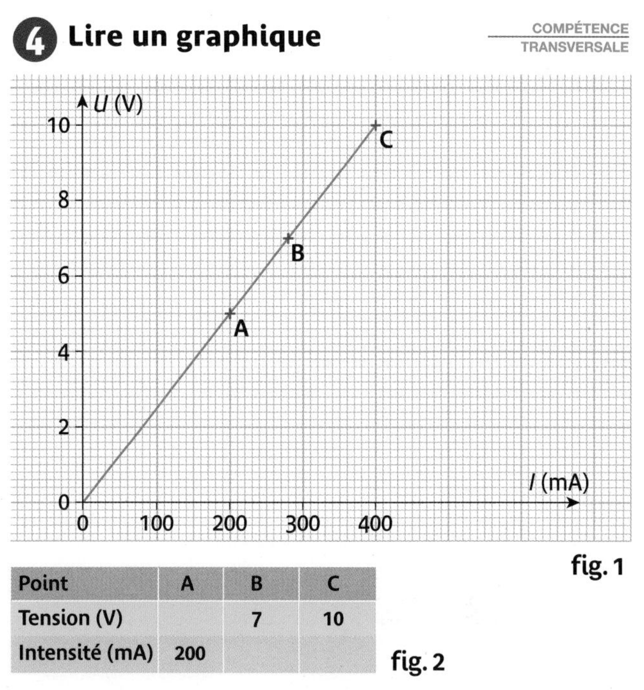

fig. 1

Point	A	B	C
Tension (V)		7	10
Intensité (mA)	200		

fig. 2

Complète les valeurs manquantes du tableau (**fig. 2**) à l'aide de la caractéristique d'un dipôle représentée sur la figure 1.

5 La loi d'Ohm

a. Énonce la loi d'Ohm puis exprime-la sous trois formes différentes.
b. Quelles grandeurs représentent les lettres *U*, *I* et *R* ? Quelles sont les unités de ces trois grandeurs ?

6 Comparer les caractéristiques

Des élèves ont tracé les caractéristiques **a**, **b** et **c** de trois résistors : $R_1 = 50\ \Omega$, $R_2 = 100\ \Omega$, $R_3 = 250\ \Omega$.

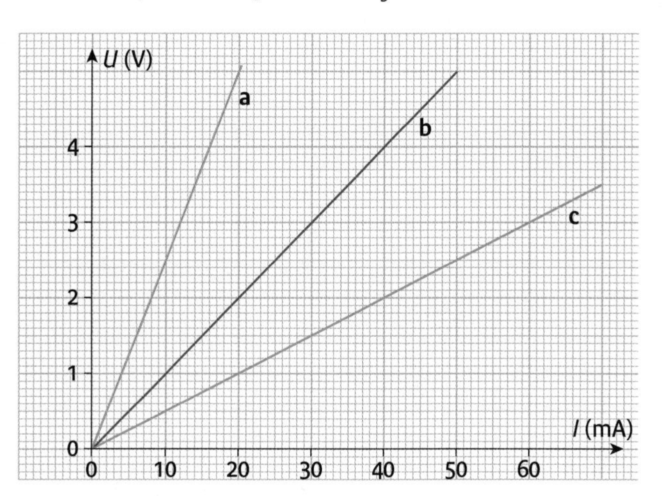

Sans faire de calculs, indique à quel résistor correspond chaque caractéristique. Justifie tes choix.

Exercices

J'utilise mes connaissances

7 Reconnaître la caractéristique d'un résistor

Clémence regarde par curiosité dans le cahier d'électricité de son grand frère. Sur une page, elle y voit ces quatre graphiques.

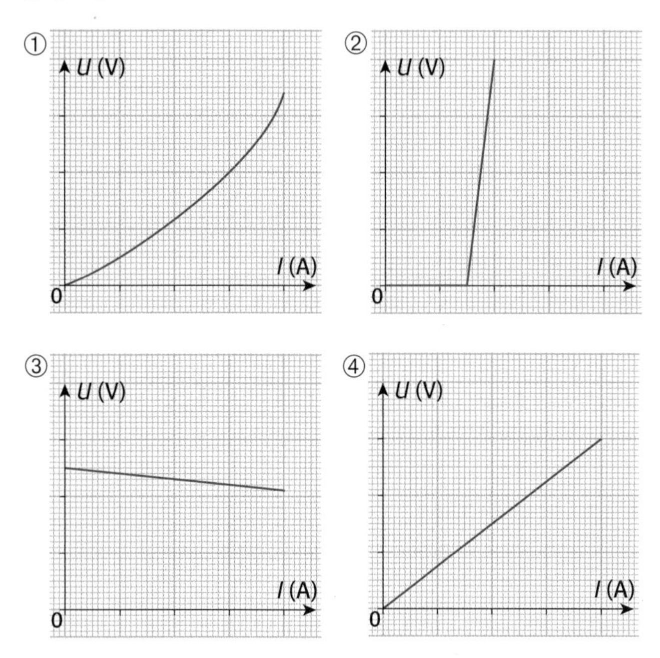

a. Les courbes ci-dessus caractérisent-elles le même dipôle ? Justifie ta réponse.
b. Quelle est celle qui a été obtenue avec un résistor ? Justifie ta réponse.

8 Appliquer la loi d'Ohm

a. Florence connecte une pile « plate » aux bornes d'un résistor R_1 = 220 Ω. La tension à ses bornes vaut alors 4,4 V. Calcule l'intensité du courant qui parcourt le résistor.
b. Elle change ensuite de pile et constate que l'intensité qui traverse le résistor devient 41 mA. Calcule la tension aux bornes du résistor. A-t-elle utilisé une pile « rectangulaire » 9 V ou une pile « ronde » 1,5 V ?
c. Florence utilise maintenant un autre résistor R_2 avec une pile « rectangulaire ». La tension aux bornes du résistor vaut alors 8,9 V et l'intensité du courant 19 mA.
R_2 est-il un résistor de 330 Ω ou 470 Ω ?
Justifie ta réponse.

9 Retrouver des mesures

Pendant la séance de travaux pratiques sur la caractéristique d'un dipôle, Nessim et Benjamin ont noté leurs résultats dans un tableau. Malheureusement, leur feuille a été tachée et ils ne peuvent plus lire certaines valeurs.

U (V)	4,70	6,81	
I (A)	0,010		0,020
U/I		470	470

a. Complète ce tableau.
b. Ce dipôle est-il un résistor ? Justifie ta réponse.
c. En déduire la résistance de ce dipôle.

10 Exploiter une caractéristique

Ce graphique représente la caractéristique d'un résistor.

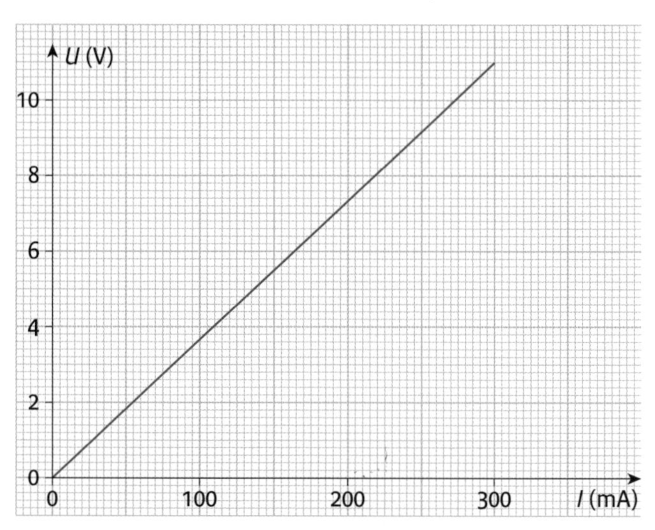

a. Détermine graphiquement l'intensité qui parcourt le résistor s'il est soumis à une tension de 6 V.
b. Quand l'intensité vaut 225 mA, que vaut la tension aux bornes du résistor ?
c. Calcule la résistance de ce résistor.

11 Longueur d'un fil

a. Si on connecte une pile 4,5 V sur une bobine de fil d'étendage (fil de fer gainé) de 20 m de long, on peut mesurer une intensité de 440 mA. Calcule la résistance de cette bobine.
b. On refait la même expérience mais avec un fil de 10 m. Cette fois, l'intensité vaut 880 mA. Calcule la résistance de cette deuxième bobine.
c. Peut-on dire que la résistance d'un fil métallique est proportionnelle à sa longueur ? Utilise les résultats précédents pour justifier ta réponse.

J'approfondis mes connaissances

12 Étudier une lampe

a. Quelles sont les caractéristiques nominales de cette lampe ?
b. Quelle est la résistance de la lampe lorsqu'elle fonctionne normalement ?
c. La mesure, hors circuit et à froid, de la résistance de cette lampe donne $R_f = 2{,}1\ \Omega$. Compare les valeurs de la résistance de la lampe, hors circuit et en fonctionnement. Comment expliques-tu cette différence ? *(Aide : voir page 159.)*
d. Calcule l'intensité à travers un dipôle ohmique de résistance 2,1 Ω quand la tension entre ses bornes vaut 4,5 V.
e. À partir des résultats précédents, explique pourquoi les lampes grillent le plus souvent à l'allumage.

13 Comprendre le montage d'un ampèremètre

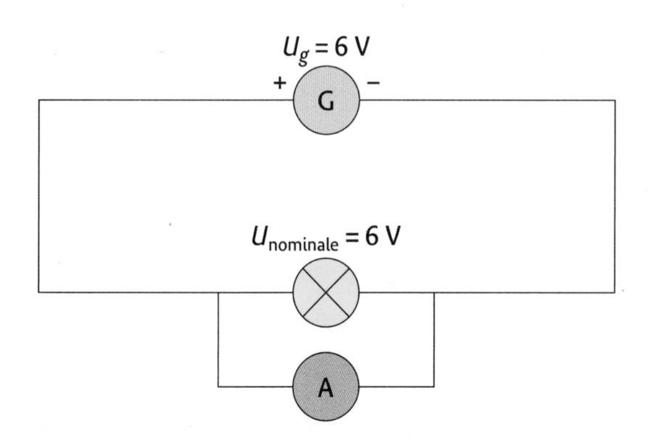

La notice d'un multimètre de collège indique :
- Résistance entre les bornes « A » et « COM » : 0,8 **Ω**,
- Protection par fusible : 2 A.

a. Yannick, qui n'est pas toujours très attentif, réalise le montage ci-dessus. Calcule l'intensité du courant qui parcourt l'ampèremètre.
b. Le fusible de l'ampèremètre est-il détruit ? Justifie ta réponse.
c. Explique à Yannick son erreur et propose un schéma du circuit qu'il aurait dû faire.
d. L'ampèremètre, correctement monté, indique 0,125 A. Calcule la tension entre ses bornes.
e. Quelle est alors la tension aux bornes de la lampe ? Son fonctionnement est-il modifié par la présence de l'ampèremètre ? Justifie ta réponse.

14 Protéger une DEL avec un résistor

Une DEL est un dipôle relativement « fragile ». L'intensité du courant qui la traverse ne doit pas dépasser 25 mA. Pour la protéger, on la monte en série avec une résistance dite de « protection » : R_p.

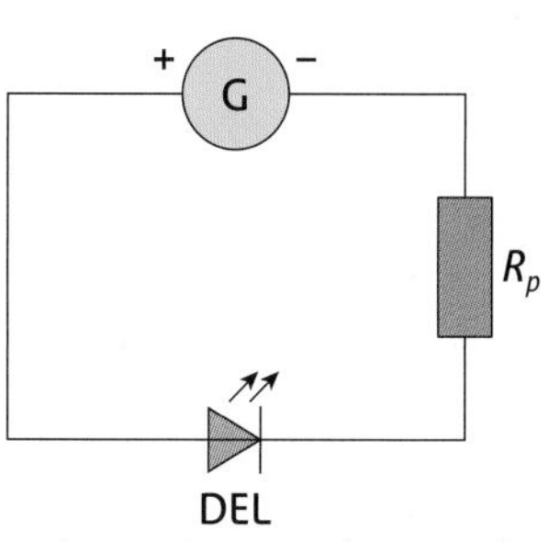

a. Dans le montage de la figure 2, la tension aux bornes du générateur vaut 6 V et la tension entre les bornes de la DEL vaut 1,6 V. Utilise une loi des tensions pour calculer la tension aux bornes de la résistance R_p.
b. Calcule la valeur de la résistance R_p pour que l'intensité du courant dans le circuit soit de 25 mA au maximum.
c. Dans le commerce, on trouve des résistances de : 100 Ω, 220 Ω, 330 Ω. Laquelle choisirais-tu pour protéger cette DEL ? Justifie ton choix.

15 Caractéristique d'une lampe

Un groupe d'élèves a relevé, dans un tableau, les mesures de tension et d'intensité pour tracer la caractéristique d'une lampe.

U en (V)	0	0,50	1,00	2,00	3,00	4,00	5,00	6,00	7,00	8,00	9,00
I en (mA)	0	30	42	61	77	90	102	113	123	132	141

a. Trace la caractéristique de la lampe. Tu prendras pour échelle :
- ordonnées : 1 cm pour 1 V,
- abscisses : 1 cm pour 10 mA.

b. L'allure de cette caractéristique permet-elle de dire que la résistance de la lampe est constante ? Justifie ta réponse.
c. Détermine graphiquement les valeurs de la tension quand l'intensité vaut 50 mA, puis 75 mA et enfin 120 mA. Calcule la résistance de la lampe pour chacune de ces intensités.
d. Justifie l'allure de cette caractéristique, à partir de l'affirmation suivante : « la résistance du filament d'une lampe augmente en même temps que sa température ».

16 Physics in English

The voltage across the terminals of the resistor is 4.4 V. Without using an ammeter, how can you find the amperage of the current flowing through the motor? Justify your answer.

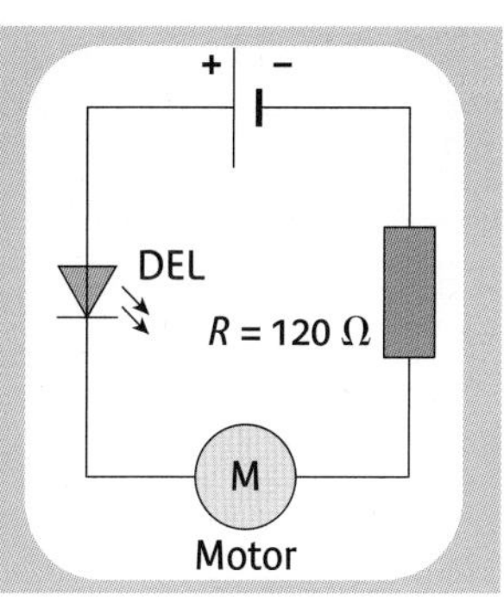

J'ai déjà des connaissances...

... sur les conditions nécessaires pour la vision

... sur la diffusion de la lumière

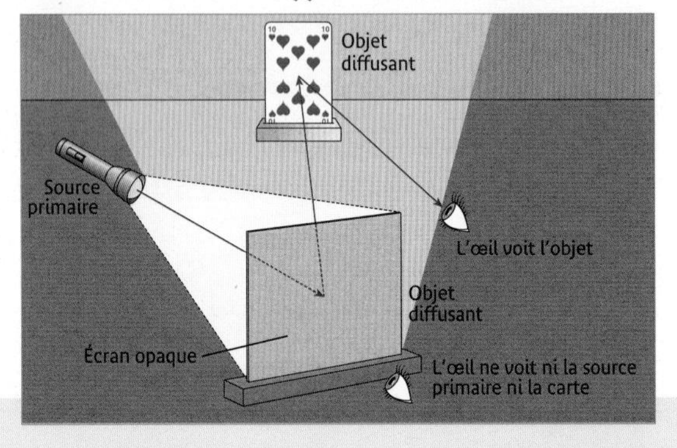

... sur la propagation de la lumière

Je teste mes connaissances

1. On voit un objet :

a. s'il est éclairé et qu'il renvoie de la lumière vers nos yeux.

b. même s'il n'est pas éclairé.

c. car nos yeux envoient de la lumière vers l'objet.

2. Un matériau transparent :

a. ne laisse pas passer la lumière.

b. laisse passer la lumière.

c. absorbe toute la lumière.

3. Un matériau opaque :

a. laisse passer une partie de la lumière.

b. laisse passer toute la lumière.

c. ne laisse pas passer la lumière.

4. Un objet diffusant :

a. absorbe toute la lumière qu'il reçoit.

b. est transparent.

c. renvoie dans toutes les directions une partie de la lumière qu'il reçoit.

5. Dans un milieu transparent et homogène, la lumière :

a. ne se déplace pas.

b. se propage toujours en ligne droite.

c. ne se propage pas toujours en ligne droite.

6. On représente un rayon de lumière :

a. par une ligne droite fléchée dans le sens de la propagation.

b. par une droite, non fléchée.

c. par un faisceau de lumière.

→ **Solution page 222.**

La lumière : couleurs et images

Chapitre

12 Lumières colorées et couleur des objets

Le monde est coloré. La lumière du Soleil est dite blanche pourtant nous recevons des objets qui nous environnent, une multitudes de lumières colorées.
Quelle est la composition de la lumière solaire ?
Comment produire des lumières colorées ?
La couleur d'un objet dépend-elle de la lumière qui l'éclaire ?

1. Les couleurs de l'arc-en-ciel vont du rouge au violet. D'où proviennent toutes ces couleurs ?
► Activité 1

**2. Que sont ces objets ?
Quel est leur rôle ?
Quel rapport y a-t-il entre eux ?** ▶ Activité 2

**3. Comment obtenir des lumières colorées ?
Différentes lumières colorées peuvent-elles « s'additionner » ?** ▶ Activité 3

Objectifs

- Décomposer la lumière blanche et reconnaître un spectre continu
- Connaître le rôle d'un filtre et additionner des lumières colorées
- Faire le lien entre la couleur d'un objet, la lumière reçue et la lumière absorbée
- Obtenir des lumières colorées par : (Compétence expérimentale)
  - utilisation de filtres
  - décomposition de la lumière blanche par un réseau ou un prisme
  - diffusion de la lumière blanche à l'aide d'écrans colorés
  - superposition de lumières colorées

4. Comment expliquer la couleur de ces fruits ? ▶ Activité 4

Activités

Activité 1 Quelle est la composition de la lumière blanche ?

MATÉRIEL : • un projecteur de diapositives • une fente diapositive • un réseau sur son support • un écran

DÉROULEMENT : Éclairons l'écran et observons-le (**fig. 1**). Plaçons la fente à l'intérieur du projecteur et notons l'effet obtenu sur l'écran (**fig. 2a** et **2b**). Plaçons le réseau sur le trajet du faisceau et observons l'écran (**fig. 3a** et **3b**).

fig. 1

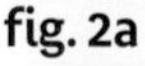

fig. 2a

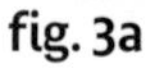

fig. 3a

Questions

1 Quelle est la couleur de la lumière émise par le projecteur (fig. 1) ?

2 La fente modifie-t-elle la couleur de la lumière (fig. 2) ?

3 Lorsqu'on ajoute le réseau, quelle différence observe-t-on (fig. 3) ?

4 On dit que le réseau décompose la lumière, quelle est donc la composition de la lumière blanche ?

fig. 2b La fente limite le faisceau de lumière et lui donne la forme d'une bande verticale.

fig. 3b Le réseau est constitué d'un matériau transparent à la surface duquel on a gravé une série de traits très fins et très resserrés (530 traits/mm).

Activité 2 Comment obtenir des lumières colorées ?

Matériel : • un projecteur de diapositives • une fente diapositive • un écran • un réseau • des filtres colorés (rouge, bleu, vert) sur pied

Déroulement : Reproduisons le spectre de la lumière blanche (**fig. 4**). Plaçons un filtre coloré rouge entre la source de lumière et le réseau. Observons la couleur du faisceau (au centre) et le spectre de la lumière qui a traversé le réseau (sur les côtés) (**fig. 5**). Recommençons avec un filtre bleu (**fig. 6**) puis avec un filtre vert (**fig. 7**).

◄ fig. 4

◄ fig. 5

◄ fig. 6

◄ fig. 7

Questions

1 Quelle est la couleur de la lumière après avoir traversé le filtre rouge ? Après avoir traversé le filtre bleu ? Après avoir traversé le filtre vert ?

2 Compare le spectre de décomposition des lumières colorées avec celui de la lumière blanche.

3 Pour obtenir de la lumière colorée, ajoute-t-on ou supprime-t-on « quelque chose » à la lumière blanche ? Justifie ta réponse.

4 Quel est le rôle d'un filtre coloré ?

Activité 3 Comment recomposer la lumière blanche ?

MATÉRIEL : • trois projecteurs de diapositives munis chacun d'un filtre (un rouge, un vert, un bleu) • un écran blanc

DÉROULEMENT : On projette sur l'écran trois faisceaux de lumière colorée (**fig. 8**). On peut les orienter et ils peuvent donc se superposer (**fig. 9**).

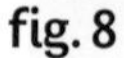
fig. 8

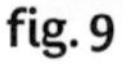
fig. 9

Questions

1 Quelles couleurs observe-t-on sur l'écran de la figure 8 ?

2 Qu'observe-t-on sur l'écran (fig. 9) lorsque deux faisceaux se recouvrent ? Quand les trois faisceaux se recouvrent ?

3 Recopie le tableau (fig. 10) et complète la dernière colonne.

4 Pourquoi dit-on que le magenta est la couleur complémentaire du vert ? Quelle est la couleur complémentaire du jaune ? Justifie ta réponse.

Remarque

● correspond à la couleur magenta.

● correspond à la couleur cyan.

Faisceau	Faisceau	Faisceau	Couleur observée
rouge		bleu	
rouge	vert		
	vert	bleu	
rouge	vert	bleu	

fig. 10 Addition de lumières colorées.

Activité 4 — De quoi dépend la couleur des objets ?

MATÉRIEL : • un projecteur • trois filtres (rouge, vert, bleu) • un écran • un carton noir sur lequel on a collé quatre objets modélisés : une fraise, un nuage, une plante verte et un blue-jean

DÉROULEMENT :

1. Éclairons d'abord l'ensemble en lumière blanche et observons (**fig. 11**).

2. Éclairons ensuite en lumière rouge (**fig. 12**), puis en lumière bleue (**fig. 13**) et enfin en lumière verte (**fig. 14**).

3. Reproduisons puis complétons le tableau (**fig. 15**) en indiquant dans les cases vides si l'objet **diffuse** ou **absorbe** la lumière qu'il reçoit.

fig. 11 Objets éclairés en lumière blanche.

fig. 12 Objets éclairés en lumière rouge.

fig. 13 Objets éclairés en lumière bleue.

fig. 14 Objets éclairés en lumière verte.

	Fraise	Nuage	Plante verte	Blue-jean	Carton noir
Lumière rouge					
Lumière bleue					
Lumière verte					

fig. 15

Questions

1 Dans quel cas voyons-nous tous les objets ?

2 Quel objet diffuse toutes les lumières colorées ? Quel élément les absorbe toutes ? Justifie tes réponses.

3 Quelle lumière colorée diffuse la fraise ? Quelle(s) lumière(s) absorbe-t-elle ?

4 Pourquoi voit-on la fraise rouge lorsqu'elle est éclairée en lumière blanche ?

Remarque

- Un objet diffuse lorsqu'il renvoie la lumière qu'il reçoit.
- Un objet absorbe lorsqu'il ne renvoie pas la lumière qu'il reçoit.

Cours

1 Composition de la lumière blanche

Voir Activité 1

Observation : Lorsqu'un faisceau de lumière blanche traverse le réseau, on observe sur l'écran une série de bandes colorées (**fig. 1**).

Interprétation : Le réseau décompose la lumière blanche. L'ensemble des bandes colorées observées constitue le spectre de la lumière blanche.

Conclusion : La lumière blanche est composée de toutes les lumières colorées ; on dit que son spectre est complet.

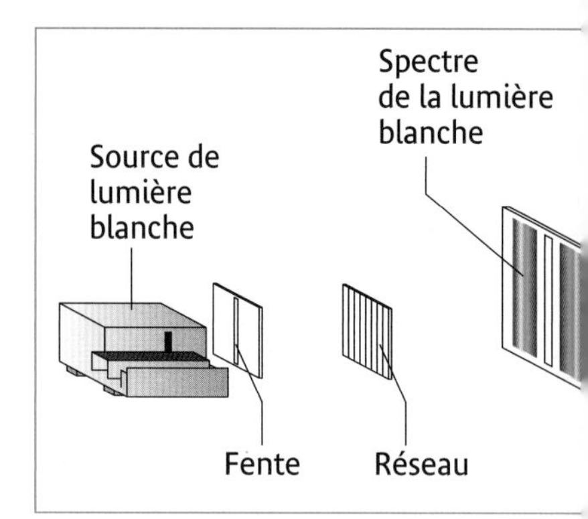

fig. 1 La lumière blanche est décomposée en traversant le réseau.

2 Rôle des filtres colorés

Voir Activité 2

Observation : Le spectre d'une lumière colorée par un filtre (**fig. 2**) n'est pas complet ; il ne contient pas toutes les couleurs du spectre de la lumière blanche. L'allure du spectre obtenu dépend de la couleur du filtre (**fig. 3**).

Interprétation : Un filtre ne laisse pas passer toutes les lumières colorées.

Conclusion : Un filtre est une matière transparente qui absorbe certaines lumières colorées et en laisse passer d'autres.

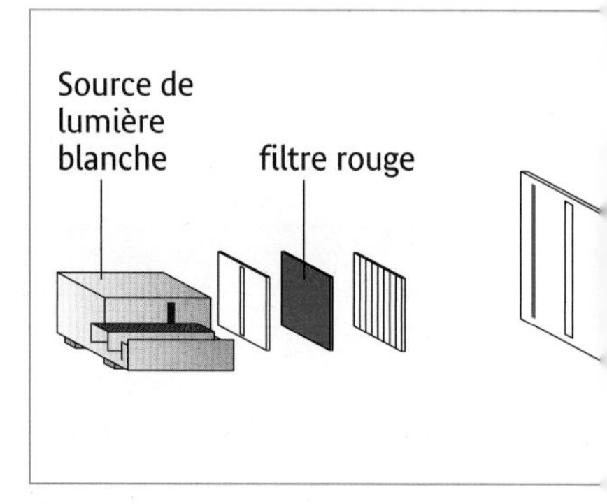

fig. 2 La lumière colorée par le filtre traverse le réseau pour être décomposée.

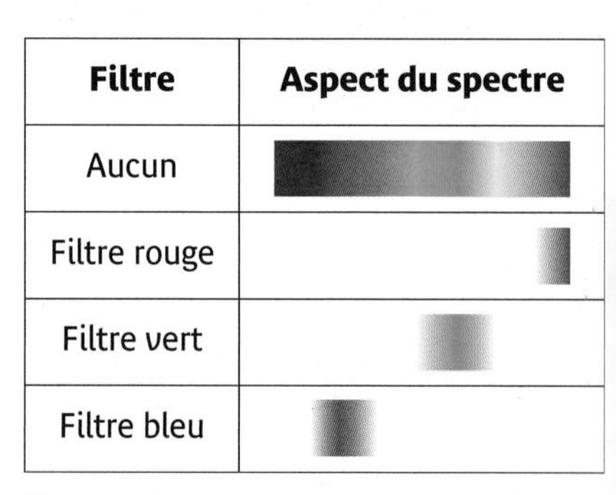

Filtre	Aspect du spectre
Aucun	
Filtre rouge	
Filtre vert	
Filtre bleu	

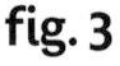

fig. 3

3 Addition de lumières colorées

Voir Activité 3

Observation : On éclaire un écran blanc avec trois faisceaux de lumières différentes : rouge, bleue et verte. Dans les zones où les faisceaux se superposent deux à deux, de nouvelles couleurs apparaissent : magenta, cyan et jaune (**fig. 4**). Lorsque les trois faisceaux se recouvrent, l'écran est blanc.

Interprétation : Les différentes lumières colorées peuvent s'additionner pour former d'autres lumières colorées.
On obtient de la lumière blanche en reconstituant son spectre complet, c'est-à-dire en additionnant par exemple un faisceau rouge, un vert et un bleu.

Conclusion : En superposant des lumières colorées, on peut produire de nouvelles teintes de lumière. On réalise alors une synthèse additive.

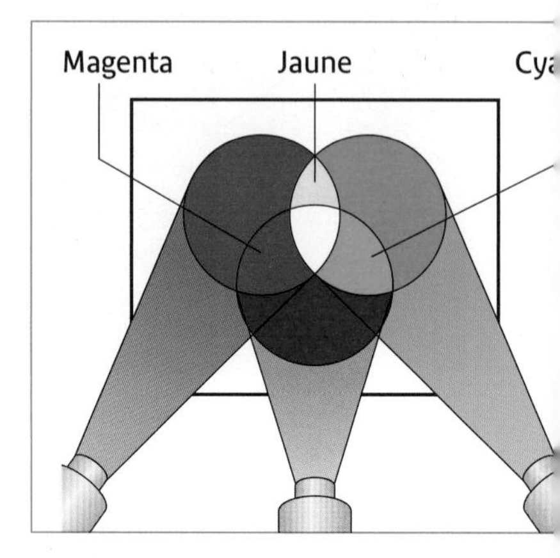

fig. 4 Les trois lumières colorées choisies (rouge, bleue et verte) permettent de reconstituer le spectre complet de la lumière blanche. Elles sont appelées « primaires ».

4 Couleur des objets

Voir **Activité 4**

OBSERVATION : Notre œil ne perçoit pas de la même façon des objets éclairés par des lumières différentes (**fig. 5**).

INTERPRÉTATION : Tous les objets ne diffusent pas toutes les lumières colorées qu'ils reçoivent. Ainsi la fraise diffuse la lumière rouge et absorbe les autres. Le nuage diffuse toutes les lumières colorées et le carton les absorbe toutes (**fig. 5**).

	Fraise	Nuage	Plante verte	Blue-jean	Carton noir
Lumière rouge	diffusée	diffusée	absorbée	absorbée	absorbée
Lumière bleue	absorbée	diffusée	absorbée	diffusée	absorbée
Lumière verte	absorbée	diffusée	diffusée	absorbée	absorbée

fig. 6

Remarques :

- La lumière blanche contient toutes les lumières colorées, elle permet donc d'observer tous les objets colorés.
- Les lumières colorées transportent de l'énergie. Un objet noir qui les absorbe toutes s'échauffera davantage qu'un objet blanc qui les diffusent toutes.

CONCLUSION : La couleur d'un objet dépend de la composition de la lumière qu'il diffuse mais aussi de celle qu'il reçoit.

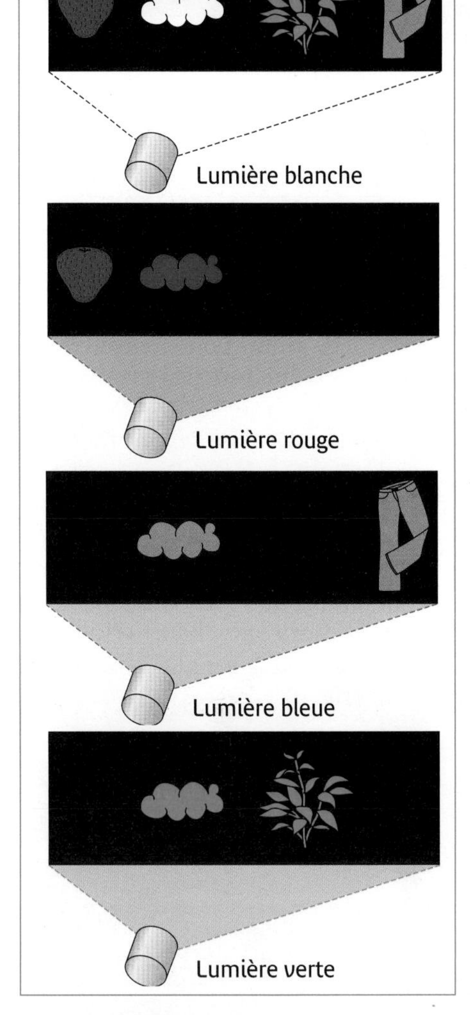

fig. 5 ▶

L'essentiel

► **Contrôle tes connaissances** *en faisant l'exercice 1 page 177.*

Les couleurs de la lumière

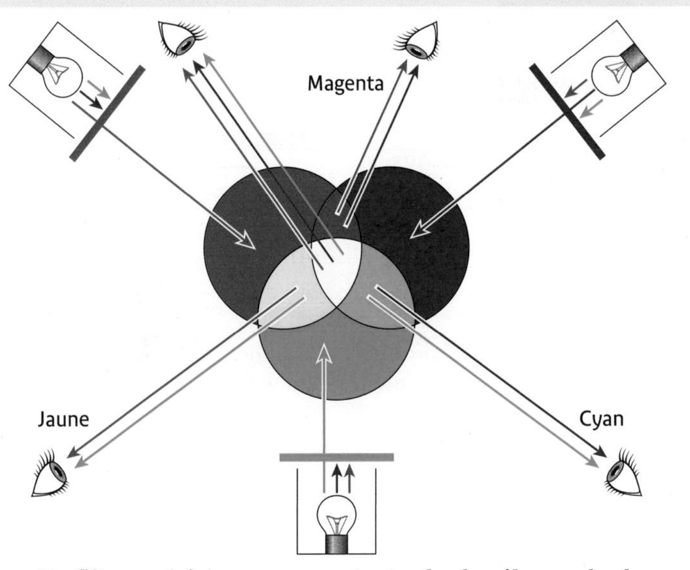

**Un filtre ne laisse pas passer toutes les lumières colorées.
On obtient de la lumière blanche par addition de lumières colorées.**

La couleur des objets

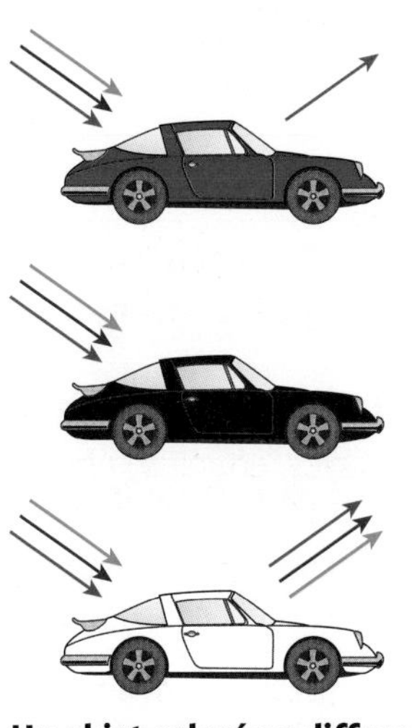

Un objet coloré ne diffuse pas toute la lumière qu'il reçoit.

Documents

Histoire des sciences

NEWTON découvre les couleurs de la lumière blanche

Au cours de l'année 1666, Newton poursuit ses études à Cambridge. L'université ferme à cause de la peste et il se retrouve en vacances. Il en profite pour poursuivre ses expériences sur la **décomposition de la lumière** par un prisme. Voici comment il racontera lui même, quelques années plus tard, la naissance de cette idée :
«*Au début de l'année 1666, je me procurai un prisme de verre* (**fig. 1**) *pour réaliser la célèbre expérience des couleurs. Ayant à cet effet obscurci ma chambre et fait un petit trou dans les volets, pour laisser entrer une quantité convenable de rayons du Soleil, je plaçai mon prisme contre ce trou, pour renvoyer les rayons sur le mur opposé. Ce fut d'abord très plaisant de contempler les couleurs vives et intenses ainsi produites. Mais au bout d'un moment je me mis à les examiner plus soigneusement…* » (**fig. 2**).

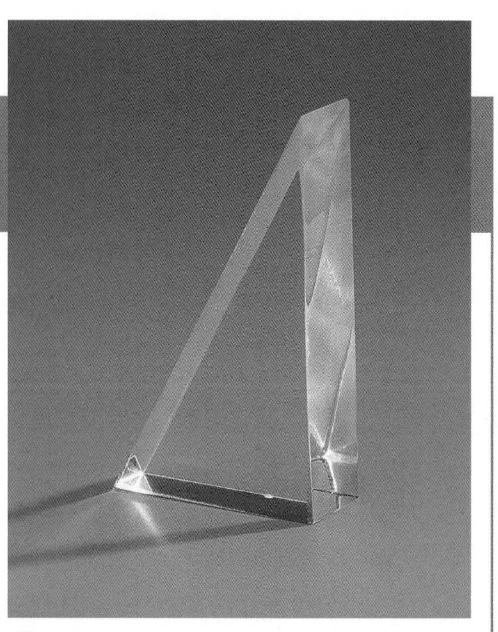

fig. 1 Le prisme est un simple morceau de verre de section triangulaire.

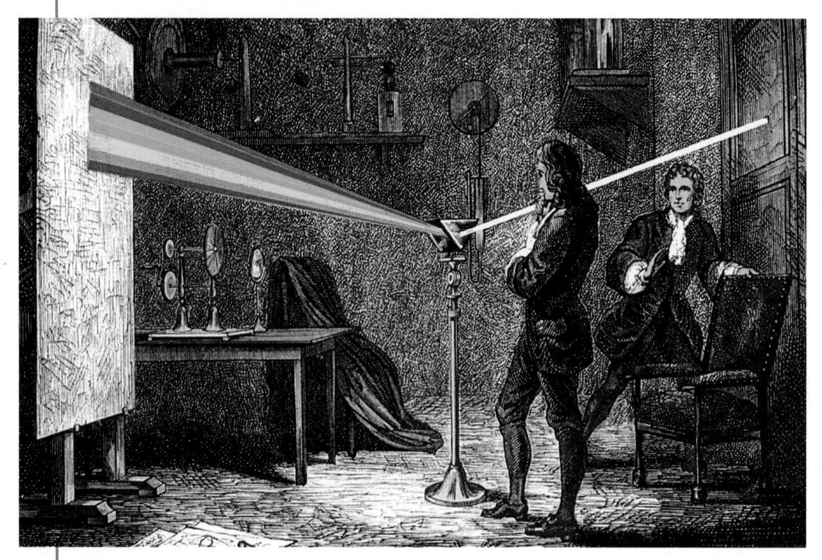

fig. 2

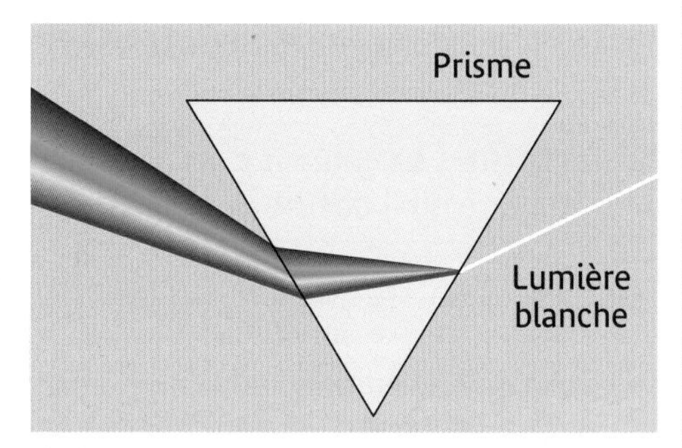

fig. 3 En traversant le prisme, les rayons se séparent : les violets, les plus déviés, se situent en haut du spectre, les rouges en bas.

Au terme de ses réflexions, Newton tient la preuve que la **lumière blanche** du Soleil est en fait constituée de **rayons colorés**.
En traversant le prisme, tous les rayons ne sont pas déviés de la même manière (**fig. 3**); ils forment alors une bande colorée allant systématiquement du rouge au violet, comme l'arc-en-ciel.
À la sortie du prisme, on n'observe plus de lumière blanche; elle a été décomposée.

Questions

1 Quelle source de lumière blanche utilise Newton?

2 Quel objet utilise-t-il pour décomposer la lumière? Comment s'appelle cette succession de couleurs «vives et intenses» qu'il observe sur le mur?

3 Quelles sont les deux couleurs extrêmes du spectre de la lumière blanche?

B2i Qui était Newton? Fais une recherche au CDI sur le personnage de Newton et ses principales découvertes.

DÉCOUVRIR UN MÉTIER
ÉCLAIRAGISTE
voir p. 219

L'arc-en-ciel

Au quotidien

◗ Tout le monde est surpris par la magie et la beauté d'un arc-en-ciel.

◗ L'arc-en-ciel ressemble à un pont géant ou à une porte (**fig. 4**). Il est souvent nommé « le chemin du ciel ». À Hawaii, en Polynésie, en Autriche, au Japon et pour quelques tribus amérindiennes, l'arc-en-ciel est le chemin que les âmes prennent dans leur route vers le ciel. En Norvège, un géant du nom de Heimdal se tient sur un pont arc-en-ciel et fait la communication entre le ciel et la Terre.

◗ L'arc-en-ciel est visible quand le Soleil se trouve derrière l'observateur (**fig. 5**). Il se forme sur un rideau de pluie, un nuage, la bruine d'un jet d'eau… En fait, il peut apparaître chaque fois que le Soleil éclaire de fines gouttelettes d'eau, de l'ordre du millimètre (**fig. 5**).

fig. 4 Les couleurs de l'arc-en-ciel.

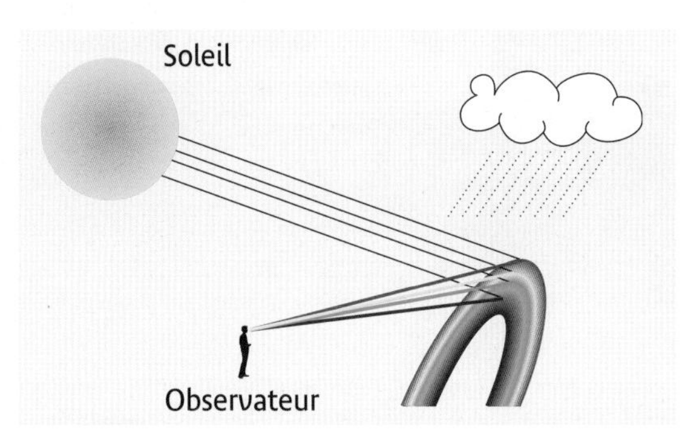

fig. 5 L'arc-en-ciel nous permet de voir toutes les lumières colorées qui constituent la lumière blanche.

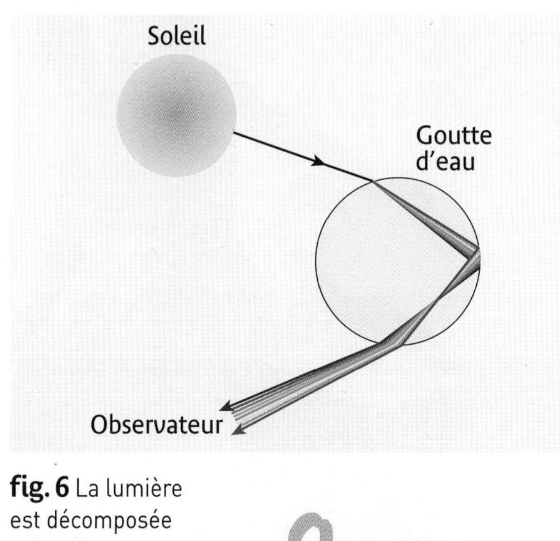

fig. 6 La lumière est décomposée puis elle est réfléchie.

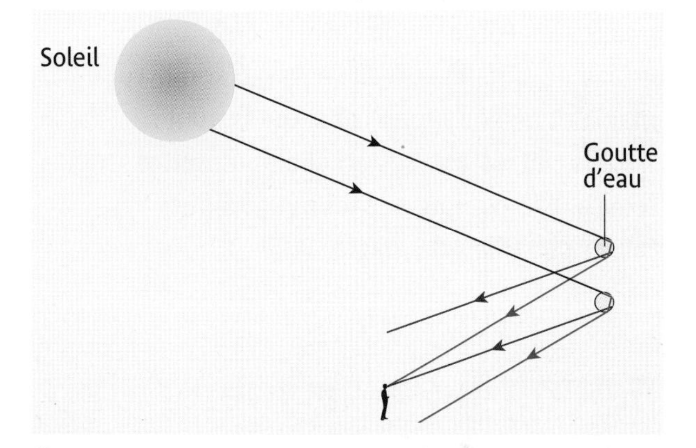

fig. 7 La lumière rouge provient des gouttes les plus hautes et la lumière violette des gouttes les plus basses.

◗ Chaque gouttelette d'eau se comporte un peu comme un prisme (*voir document page 174*). Dans un premier temps, elle décompose la lumière blanche pour donner toutes les couleurs du spectre, du rouge au violet. Puis la lumière se réfléchit sur le fond de la gouttelette et ressort dans l'air, comme s'il y avait un miroir au fond de la goutte d'eau (**fig. 6**).

◗ Les différents rayons de lumières colorées ne « repartent » pas dans la même direction. Ainsi, l'œil de l'observateur reçoit des lumières colorés provenant de gouttes situées à des altitudes différentes (**fig. 7**).

Questions

1 **Dans quelles conditions peut-on voir un arc-en-ciel ?**

2 **Pour expliquer le phénomène, à quoi compare-t-on chaque goutte d'eau ?**

3 **Les différentes lumières colorées qui arrivent dans l'œil de l'observateur proviennent-elles de gouttes situées à la même altitude ?**
Refais le schéma de la figure 7 et complète-le en modélisant une goutte qui envoie de la lumière jaune dans l'œil de l'observateur.

Ma démarche **d'investigation**

Compétence expérimentale à évaluer

Obtenir des lumières colorées par :
- utilisation de filtres,
- décomposition de la lumière blanche par un réseau ou un prisme,
- diffusion de la lumière blanche à l'aide d'écrans colorés,
- superposition de lumières colorées.

Pour épater ses amis, Lisa veut faire des tours de magie et « changer » la couleur des objets.
Elle dispose du matériel suivant :
- une petite balle blanche et une feuille de papier A4, blanche,
- une feuille cartonnée de couleur rouge,
- deux sources de lumière blanche,
- un filtre bleu et un filtre vert,
- une fente diapositive et un réseau.

Lisa souhaite que ses amis voient successivement la balle, de couleur rouge, et la feuille de papier A4, de couleur cyan. Elle veut également leur faire apparaître les couleurs de l'arc-en-ciel.
Mais Lisa ne sait plus où elle a rangé son livre de magie et ne se rappelle plus quels sont les « trucs » et les astuces qu'elle doit mettre en œuvre. Elle compte sur toi pour l'aider à réaliser ses tours de magie.

fig. 1

Que doit faire Lisa pour obtenir ces lumières colorées ?

➤ Je réfléchis

Imagine sur une feuille de recherche les différents montages qui te permettront successivement :
- de voir la balle, rouge,
- de voir la feuille A4, cyan,
- d'observer sur la feuille blanche les couleurs de l'arc-en-ciel.

Dresse pour chaque objet la liste du matériel dont tu as besoin pour obtenir la couleur demandée.

➤ Je réalise

Pour chaque montage, après accord du professeur, récupère le matériel et réalise l'expérience.

fig. 2

➤ Je communique mes résultats

Rédige un compte-rendu pour expliquer ta démarche en respectant le mode de présentation et le plan préconisés par le professeur. Enfin, montre à Lisa que les grands magiciens utilisent beaucoup les sciences physiques pour réaliser leurs tours.

Exercices

Je contrôle mes connaissances

1 Je retrouve l'essentiel

Utilise les mots ou groupe de mots suivants pour compléter les phrases ci-dessous : *laisse passer, lumières colorées, absorbe, diffuse, reçoit, nouvelles, synthèse additive, blanche, superposition.*

La lumière .... est composée de toutes les ....
Un filtre .... certaines lumières colorées et en .... d'autres.
La .... de lumières colorées peut produire de .... teintes de lumières ; c'est la ....
La couleur d'un objet dépend de la lumière qu'il .... et de celle qu'il ....

→ **Solution page 222.**

2 Schématiser un montage et ajouter une légende

COMPÉTENCE TRANSVERSALE

Schématise ce montage et ajoute la légende suivante : *source de lumière blanche, fente, réseau, spectre continu de la lumière blanche*.

3 Modéliser le rôle d'un filtre coloré

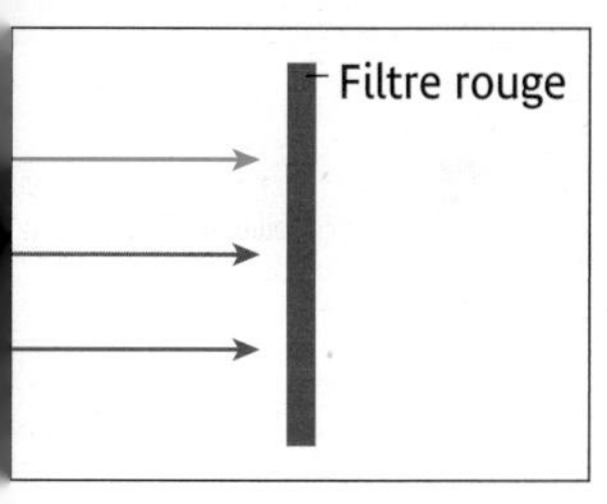

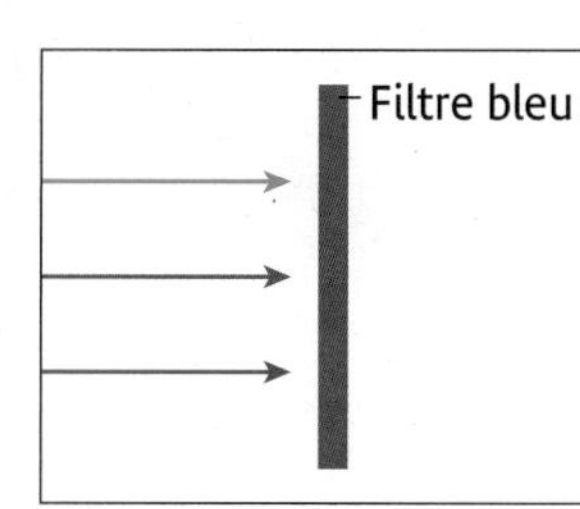

Chacun des filtres est éclairé en lumière blanche.
Reproduis et complète les dessins ci-dessus en ajoutant la lumière transmise.

4 Associer une lumière colorée et son spectre

Attribue l'un des spectres ci-dessus à chacune des lumières suivantes : lumière blanche, lumière transmise par un filtre bleu, lumière transmise par un filtre vert.
Justifie à chaque fois ta réponse.

5 Superposer des lumières colorées

Lors d'un spectacle, plusieurs projecteurs équipés de filtres colorés sont dirigés vers la scène.
Détermine la couleur de la lumière que l'on obtient sur scène si on superpose :

a. Un faisceau de lumière rouge et un faisceau de lumière verte.
b. Un faisceau de lumière verte et un faisceau de lumière bleue.
c. Un faisceau de lumière rouge et un faisceau de lumière bleue.
d. Des faisceaux de lumière rouge, de lumière verte et de lumière bleue.

6 Distinguer diffuser et absorber

Cette photo a été réalisée à la lumière du jour. Imagine que les mêmes objets soient éclairés par un faisceau de lumière rouge.
Quelle serait la couleur de la tomate ? de l'œuf ? des feuilles de salade ? de l'assiette ? et de la nappe ? Justifie tes réponses en utilisant les verbes diffuser et absorber.

Exercices

J'utilise mes connaissances

7 Lumière colorée et couleur des objets

Les pommes vertes sont posées sur une table à la lumière du jour.

a. Quelle serait leur couleur si on les éclairait en lumière verte ? Justifie ta réponse.
b. Comment nous apparaîtraient-elles si on les éclairait en lumière rouge ? Justifie ta réponse.

8 Décomposer la lumière blanche

1. Sur la figure 1, un faisceau de lumière blanche arrive sur un prisme de verre placé devant un écran.
a. Qu'observe-t-on sur l'écran ?
b. Peut-on dire que le prisme se comporte comme un réseau ? Justifie ta réponse.

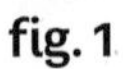

fig. 1

2. Éclairons un CD en lumière blanche (fig. 2).
a. Qu'observe-t-on ?
b. Quelle conclusion peut-on tirer concernant le CD ?

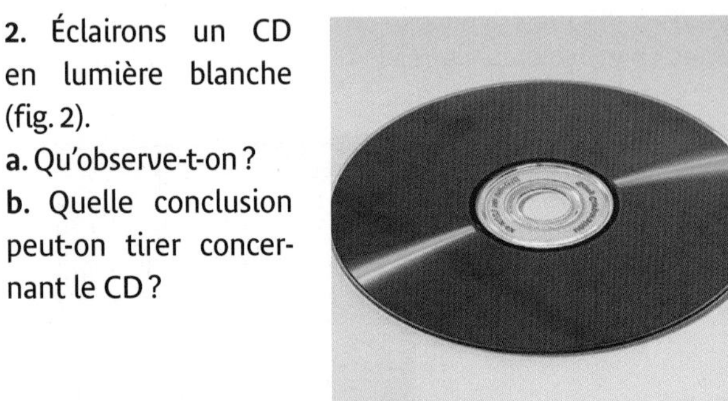

fig. 2

9 Additionner des lumières colorées

Tu disposes de trois sources de lumière (une rouge, une verte et une bleue) et d'un écran. Comment fais-tu pour produire sur l'écran :
a. Une tache de lumière jaune ?
b. Une tache de lumière cyan ?
c. Une tache de lumière magenta ?

10 Soustraire des lumières colorées à la lumière blanche

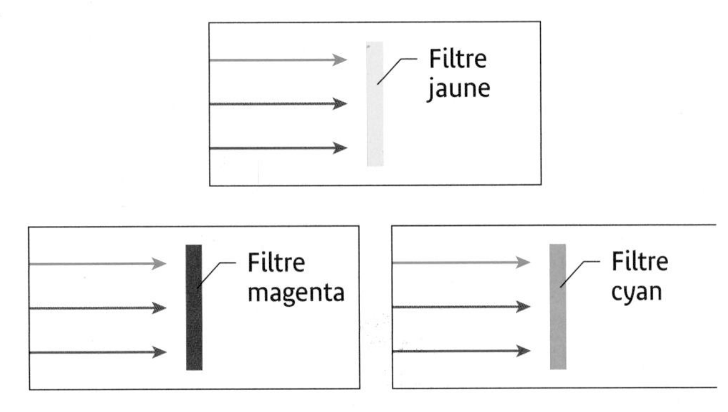

Les trois filtres ci-dessus reçoivent de la lumière blanche.
a. Quelle est la composition de la lumière à l'entrée du filtre jaune ? Quelle est la couleur de la lumière qu'il transmet ?
b. Reproduis et complète les schémas ci-dessus en représentant la lumière transmise par chacun des filtres.

11 Comparer filtres et objets

Écris les deux phrases en utilisant les mots justes.
a. En lumière blanche, un objet bleu diffuse la lumière *rouge/bleue/verte* et absorbe la lumière *rouge/bleue/verte.*
b. En lumière blanche, un filtre bleu laisse passer la lumière *rouge/bleue/verte* et absorbe la lumière *rouge/bleue/verte.*

12 Physics in English

The coloured objects below diffuse light.

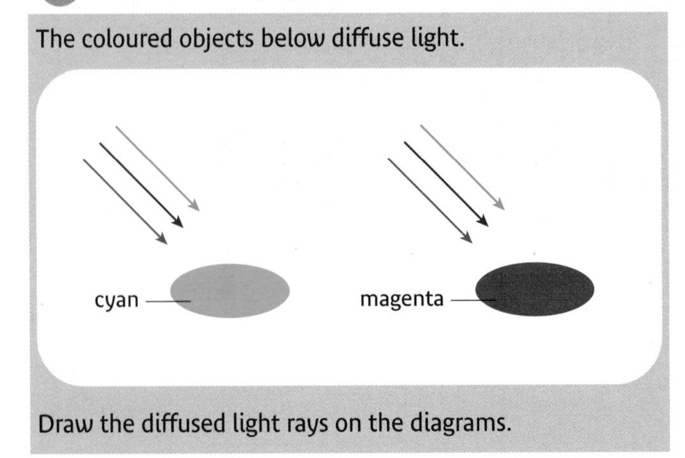

Draw the diffused light rays on the diagrams.

J'approfondis mes connaissances

13 Reconnaître un filtre

Sur la première image, on observe le drapeau en lumière blanche. Sur les deux suivantes, le même drapeau est vu à travers un filtre. Détermine quel est le filtre utilisé dans chacun des cas. Justifie tes réponses.

14 Retrouver la couleur d'un objet en lumière blanche

L'un de ces crayons de couleur est éclairé avec différentes lumières colorées :

a. En lumière rouge, il apparaît rouge.
b. En lumière bleue, il apparaît bleu.
c. En lumière verte, il apparaît noir.

Quelle est la couleur de ce crayon lorsqu'il est éclairé en lumière blanche ?

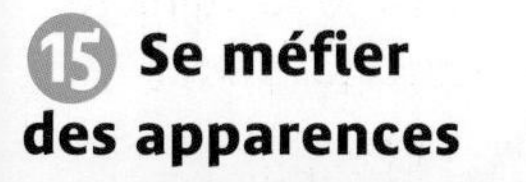

15 Se méfier des apparences

La nuit, les routes sont éclairées par des lampes au sodium produisant de la lumière jaune. Passent successivement cinq véhicules qui, à la lumière du jour, sont respectivement rouge, vert, bleu, blanc et noir. Un observateur posté à un carrefour note la couleur des cinq véhicules dans l'ordre de leur passage : rouge, vert, noir, jaune et noir.
Fait-il des erreurs ? Justifie ta réponse.

16 Solutions de liquides colorés

Les chimistes utilisent parfois un spectroscope à prisme pour déterminer les caractéristiques d'un liquide coloré, et notamment sa concentration. L'appareil trace une courbe, la courbe d'absorbance. Cette courbe montre quelles sont les lumières colorées absorbées (ou transmises) par le liquide.

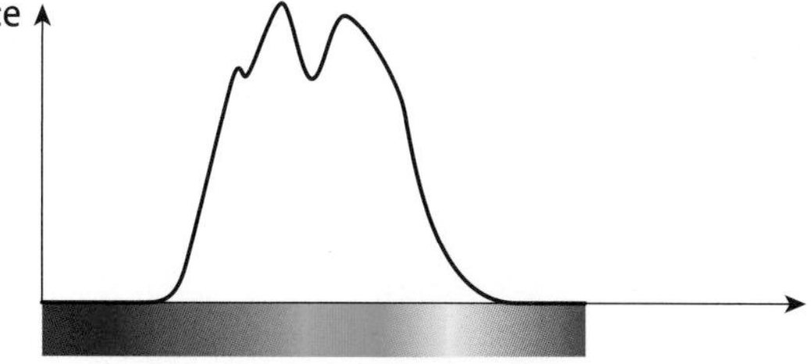

a. Dans cet appareil, quel composant permet de séparer les différentes lumières colorées ?
b. Quelles sont les lumières colorées les plus absorbées ?
c. Quelles sont les lumières colorées transmises ?
d. De quelle couleur verrions-nous ce liquide à la lumière du jour ?
e. Pour déterminer la concentration de la solution, on utilise la lumière colorée pour laquelle l'absorbance est maximale. Quelle est cette lumière colorée ?

17 Synthèse additive et téléviseur

Si tu regardes l'écran d'un téléviseur de très près, tu constateras que l'image est formée d'une multitude de points ou de petits traits verts, bleus ou rouges, ce sont des luminophores. Chaque triplet (rouge, vert, bleu) est appelé pixel.

fig. 1 Les luminophores

Les trois luminophores peuvent être « éclairés » ou « éteint » séparément. Ils sont si près les uns des autres que l'œil « mélange » les lumières colorées venant du même pixel.

a. De quelle couleur voyons-nous un pixel dont le luminophore bleu est « éteint » ? Justifie ta réponse.
b. Dans la figure 2, quels sont les luminophores éclairés dans la zone de la neige ? Dans celle du ciel ? Dans celle de la forêt ?
c. Pourquoi les luminophores sont-ils rouges, verts et bleus ?

fig. 2

Chapitre

13 Les lentilles

Tous les instruments d'optique utilisent des lentilles : du microscope optique, qui permet de voir des objets invisibles à l'œil nu, à la lunette astronomique, qui permet d'observer les astres lointains.
Quelle est l'action d'une lentille sur un faisceau de lumière ?
Qu'est-ce qui caractérise chaque lentille ?
Les lentilles peuvent-elles présenter un danger ?

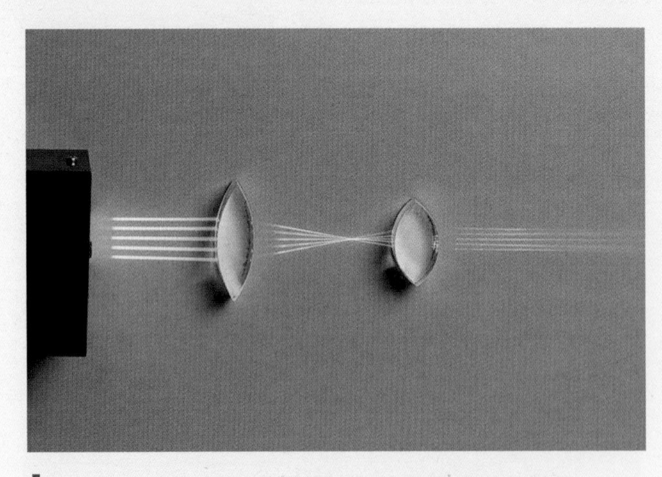

1. Que se passe-t-il quand la lumière traverse ces différentes lentilles ?
► Activité 1

2. Verre ardent, ou pyrographe, réalisé par Lavoisier au XVIIIe siècle. Comment cet appareil pouvait-il graver le bois en brûlant sa surface ? ► Activité 2

3. Comment obtenir l'image nette de l'avion sur le mur ? ► Activité 4

4. Cette lunette est constituée de plusieurs lentilles. Selon quelle caractéristique celles-ci sont-elles choisies ?
► Activités 3 et 4

Objectifs

- Reconnaître une lentille convergente et déterminer sa distance focale
- Savoir qu'une lentille convergente concentre l'énergie du Soleil et reconnaître le danger
- Savoir former des images avec des lentilles convergentes
- Distinguer une lentille convergente d'une lentille divergente (Compétence expérimentale)
- Trouver le foyer d'une lentille convergente et estimer sa distance focale (Compétence expérimentale)
- Positionner une lentille convergente par rapport à un objet pour obtenir une image nette sur l'écran (Compétence expérimentale)

ACTIVITÉ 1 Comment distinguer les lentilles convergentes et divergentes ?

MATÉRIEL : • quatre lentilles de forme différente • quatre supports de lentilles • un écran

DÉROULEMENT :

1. Examinons la forme de chaque lentille (**fig. 1**).

fig. 1 Des lentilles différentes.

2. Utilisons les supports pour placer les lentilles de la figure 1 face au Soleil avec, derrière elles, un écran. Plaçons l'écran à environ 30 cm des lentilles puis voyons ce qui se passe en le rapprochant des lentilles (**fig. 2**).

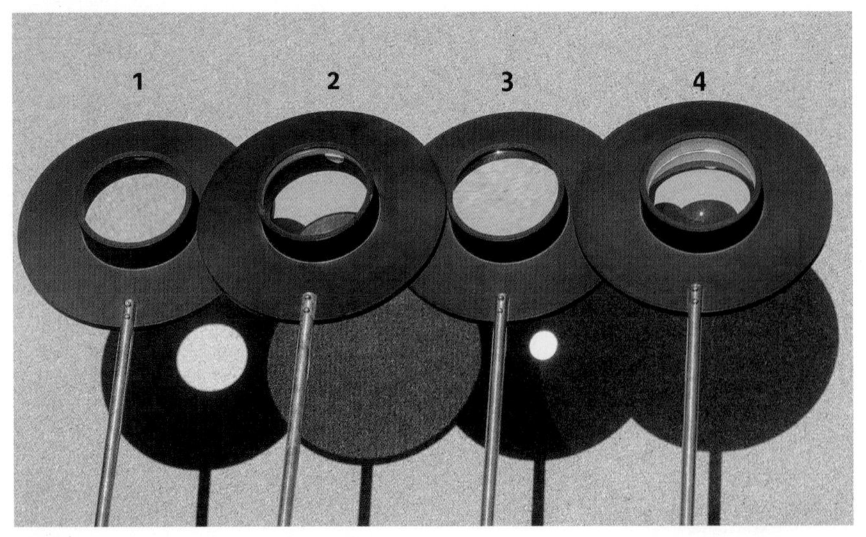

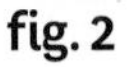
fig. 2

Questions

1 Classe les lentilles en deux catégories selon leur forme (fig. 1). Justifie tes choix.

2 Quelles sont les lentilles qui font converger* les rayons du Soleil ? Lesquelles les font diverger* (fig. 2) ?

3 Distingue dans le classement précédent les lentilles divergentes et les lentilles convergentes.

4 Sur la figure 2, quelle est la lentille la plus convergente ? Justifie ton choix.

5 En comparant les figures 1 et 2, précise quelle caractéristique physique permet de repérer la lentille la plus convergente. Justifie ta réponse.

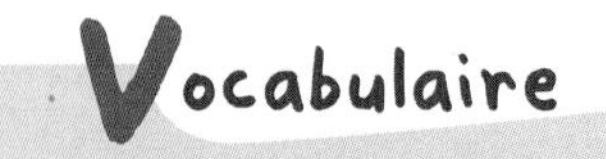

Converger : se diriger vers un seul et même point.

Diverger : s'écarter de plus en plus l'un de l'autre.

ACTIVITÉ 2 Comment mettre en évidence le foyer d'une lentille convergente ?

MATÉRIEL : • une lentille convergente et son support • deux thermomètres scotchés sur une planchette • une feuille de dessin de couleur sombre

DÉROULEMENT :

1. Maintenons la planchette perpendiculaire aux rayons du Soleil. Déplaçons la lentille de manière à former un cercle lumineux sur le réservoir d'un des deux thermomètres (**fig. 3**).
Comparons les températures lues sur chaque thermomètre.

fig. 3

2. Fixons la feuille colorée sur la planchette puis déplaçons la lentille de façon à former sur la feuille une tache lumineuse, la plus petite possible (**fig. 4**). Observons.

fig. 4

Questions

1 Une lentille convergente concentre l'énergie solaire. Justifie cette affirmation à partir des températures affichées par les deux thermomètres (fig. 3).

2 Lorsque la tache lumineuse est la plus petite possible, on dit qu'elle est au foyer* de la lentille. Recherche dans un dictionnaire le sens du mot « foyer ». Explique pourquoi ce mot est utilisé pour caractériser une lentille (fig. 4).

3 Fais un dessin où tu représenteras les rayons du Soleil entre la lentille et le foyer.

4 Pourquoi ne faut-il jamais regarder le Soleil au travers d'une lentille convergente ?

ATTENTION ⚠

ON NE REGARDERA JAMAIS LE SOLEIL DIRECTEMENT À TRAVERS UNE LENTILLE CONVERGENTE, LA CONCENTRATION DE L'ÉNERGIE POUVANT CRÉER DES LÉSIONS IRRÉVERSIBLES.

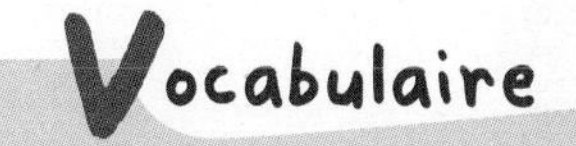

Vocabulaire

Foyer : point situé sur l'axe d'une lentille convergente où se concentrent les rayons de lumière issus d'une source lointaine.

Activités

Activité 3 Comment caractériser une lentille ?

MATÉRIEL : • deux lentilles convergentes L_1 et L_2 • une lampe munie d'un peigne • une règle graduée • une équerre

DÉROULEMENT :

1. Grâce à la lampe et au peigne, créons un ensemble de rayons de lumière parallèles. Plaçons sur le trajet de ces rayons la lentille convergente L_1 (**fig. 5**). Mesurons la distance focale de la lentille, c'est-à-dire la distance entre le centre de la lentille et son foyer.

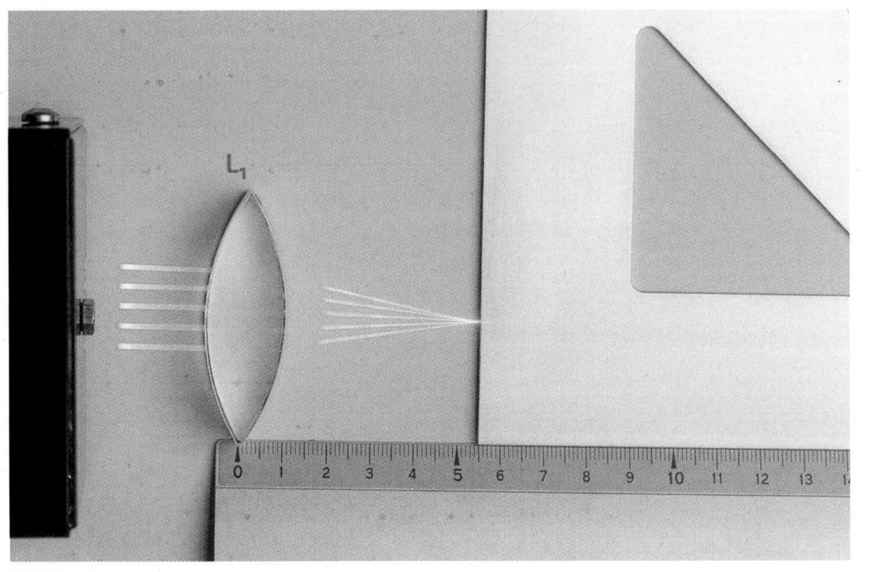

fig. 5

2. Recommençons avec la lentille L_2 (**fig. 6**).

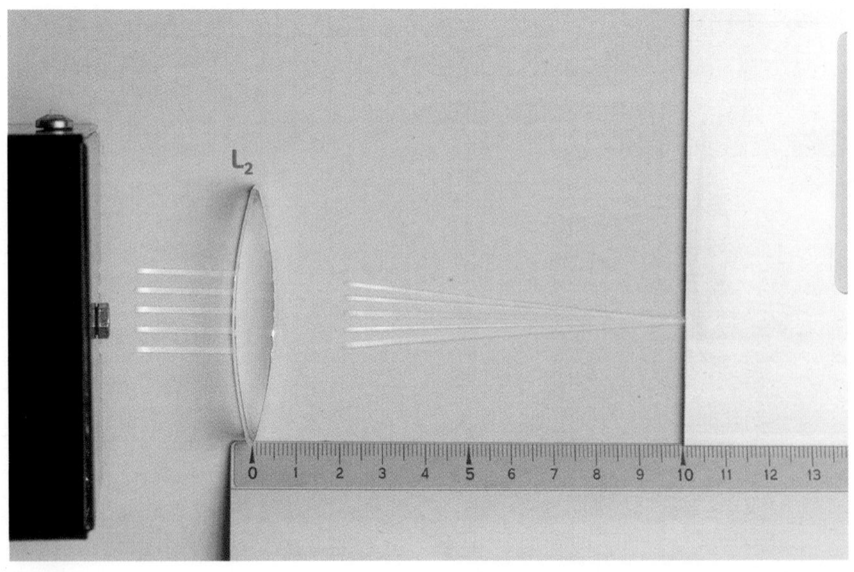

fig. 6

Questions

1 Quelle est la distance focale de chaque lentille (fig. 5 et 6) ?

2 D'après leur forme, quelle est la lentille la plus convergente (fig. 5 et 6) ?

3 Lorsqu'une lentille est plus convergente qu'une autre, que peut-on dire de sa distance focale ?

4 Parmi tous les rayons traversant la lentille, un seul n'est pas dévié : lequel ? Par où passe-t-il ?

5 Schématise la lentille et le trajet des rayons de lumière. Repasse en rouge celui qui est confondu avec l'axe optique*.

Remarque

Les faisceaux obtenus avec le peigne étant très fins, on les assimile à des rayons.

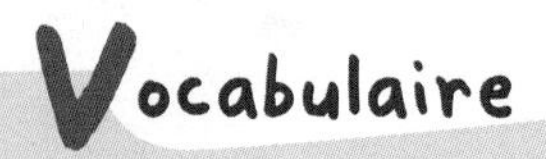

Vocabulaire

Axe optique : droite passant par le centre d'une lentille et son foyer.

ACTIVITÉ 4 Comment obtenir une image nette avec une lentille convergente ?

MATÉRIEL : • une lampe à incandescence • une lentille convergente de distance focale 10 cm • un écran

DÉROULEMENT :

1. Séparons la lampe et la lentille d'une distance inférieure à la distance focale (9 cm par exemple). Essayons ensuite d'obtenir une image nette du filament de la lampe en déplaçant l'écran (**fig. 7**).

fig. 7

2. Séparons la lampe et la lentille d'une distance supérieure à la distance focale (11 cm par exemple) (**fig. 8a**).
Déplaçons ensuite l'écran pour obtenir une image nette (**fig. 8b**).

fig. 8a

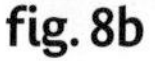

fig. 8b

3. Éloignons l'objet de la lentille et retrouvons une image nette en rapprochant l'écran de la lentille (**fig 9**).

fig. 9

Questions

1 Compare les deux expériences (fig. 7 et 8) puis précise à quelle condition on peut obtenir une image nette.

2 Recherche les détails permettant d'affirmer que l'image du filament est renversée.

3 Quand l'objet s'éloigne de la lentille, comment faut-il déplacer l'écran pour retrouver une image nette (fig. 9) ? Comment évolue alors la taille de l'image ?

4 Que se passerait-il si l'on approchait (fig. 9) l'objet de la lentille ?

Cours

1 Différents types de lentilles

Voir Activité 1

Observation et interprétation : Vues en coupe, certaines lentilles ont le bord plus mince que le centre. D'autres, au contraire, ont le bord plus épais (**fig. 1**). Un faisceau de lumière parallèle qui vient du Soleil est convergent derrière les premières, alors qu'il est divergent derrière les secondes (**fig. 2**).

Conclusion : Les lentilles convergentes (à bords minces) ont la propriété de faire converger les rayons de lumière. Les autres (à bords épais) sont dites divergentes.

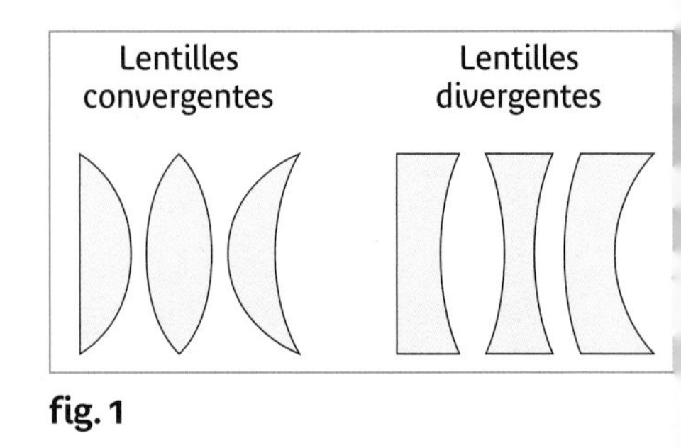

fig. 1

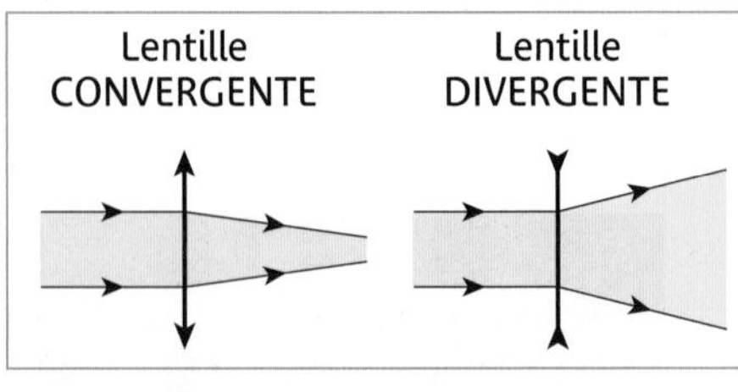

fig. 2 Schématisation des lentilles et des faisceaux de lumière qui les traversent.

2 Foyer d'une lentille convergente

Voir Activité 2

Observation et interprétation : Toute l'énergie lumineuse issue du Soleil qui arrive sur la lentille convergente est concentrée sur une très petite surface assimilable à un point : c'est l'image du Soleil. La température en ce point est alors très élevée (elle peut atteindre plusieurs milliers de degrés Celsius !), ce qui permet d'enflammer une feuille de papier (**fig. 3**).

Conclusion : Une lentille convergente concentre l'énergie lumineuse issue d'un objet lointain en un point appelé foyer.

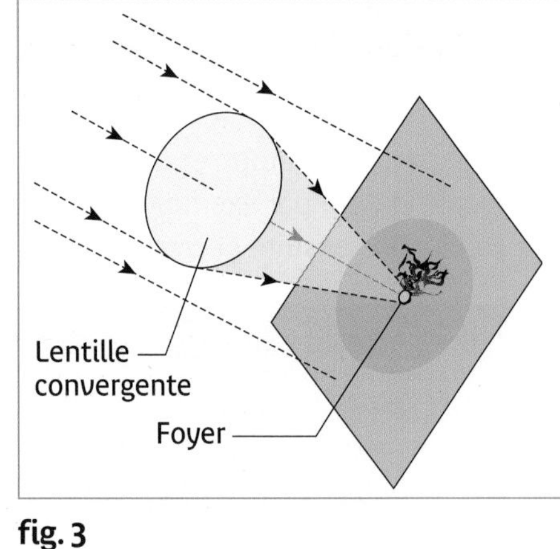

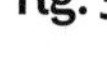

fig. 3

3 Distance focale

Voir Activité 3

Observation et interprétation : Tous les rayons de lumière issus d'une source éloignée convergent vers le foyer situé sur l'axe optique de la lentille (**fig. 4**). Un seul rayon n'est pas dévié, c'est celui qui passe par le centre de la lentille.

La distance qui sépare une lentille et son foyer caractérise cette lentille.

Conclusion : La distance entre le centre d'une lentille et son foyer s'appelle la distance focale.

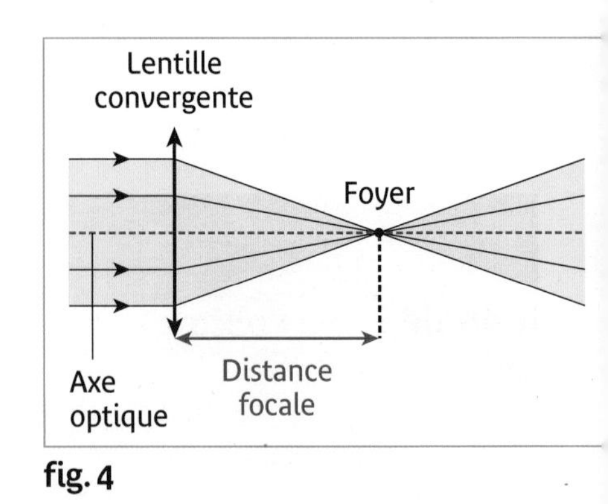

fig. 4

Des lentilles liquides révolutionnaires

Technologie

Au quotidien

▶ Le 13 juin 2006, la Société française de Physique a récompensé Bruno Berge* pour l'invention d'une lentille optique (**fig. 4**) dont on peut faire **varier la distance focale**.

▶ Cette lentille est constituée d'une capsule en verre renfermant deux liquides transparents qui ne se mélangent pas : l'eau et l'huile. On peut **déformer** cette lentille grâce à une **tension électrique**.

▶ En l'absence de tension, la surface de séparation entre l'eau et l'huile rend la lentille divergente (**fig. 5**).

▶ Lorsqu'une tension électrique est appliquée, la surface de séparation entre l'huile et l'eau change de courbure : la lentille devient convergente (**fig. 6**).

▶ En faisant **varier la tension**, la lentille est **plus ou moins convergente**, ce qui permet de régler sa distance focale de quelques centimètres à l'infini.

▶ Ces lentilles **révolutionnent** le monde de la **téléphonie mobile**. Jusqu'à présent, les téléphones portables pouvaient aussi faire des photos mais ils n'étaient pas équipés de zoom*, ceux-ci sont trop volumineux et usent rapidement les batteries.

▶ Ces nouvelles lentilles apportent une solution : leur faible consommation d'énergie et leur simplicité de fonctionnement permettent d'augmenter l'autonomie des appareils et d'en réduire la taille.
D'autres avantages comme leur plus grande robustesse, leur faible coût de revient et la rapidité de la mise au point qu'elles procurent, font d'elles un produit en plein essor.

fig. 4 La lentille, au centre, est maintenue et protégée par son support métallique.

Remarque

Bruno Berge, chercheur au CNRS, a mis au point en 1997 une technologie d'avant-garde permettant de créer des lentilles liquides aux propriétés révolutionnaires.

Remarque

Un zoom est un ensemble optique de distance focale variable.

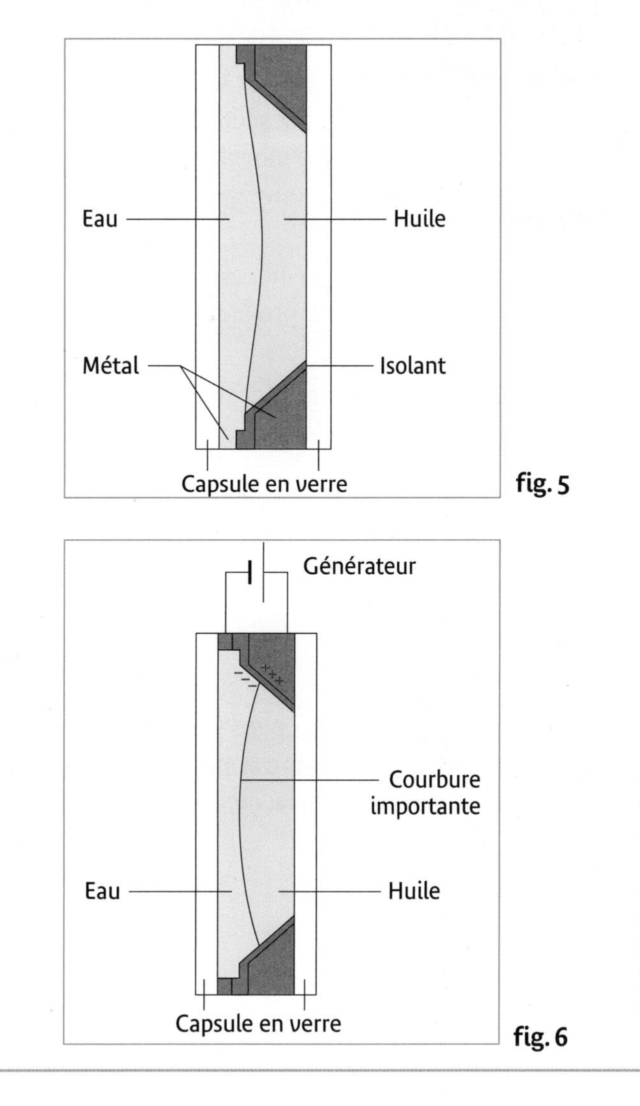

fig. 5

fig. 6

Questions

1 Quels sont les trois matériaux qui constituent la partie transparente de ces lentilles ?

2 Pourquoi l'eau et l'huile ont-elles été choisies ? Pourquoi pas de l'eau et de l'alcool par exemple ?

3 Que dire de la distance focale de ces lentilles ? Qu'ont-elles de « révolutionnaire » ?

4 Quels sont les avantages de ces lentilles par rapport aux zooms classiques ?

Ma démarche **d'investigation**

Compétences expérimentales à évaluer

- Positionner une lentille convergente par rapport à un objet pour obtenir une image nette sur un écran
- Distinguer une lentille convergente d'une lentille divergente
- Trouver le foyer d'une lentille convergente et estimer sa distance focale

Pour la fête de la science, ton professeur voudrait projeter avec un groupe d'élèves l'image du filament d'une lampe sur un écran en utilisant une lentille de distance focale 10 cm.
Pour cela, il t'a remis une boîte contenant trois lentilles convergentes et une lentille divergente.
Il te demande de mettre au point cette expérience. À toi de jouer !

Comment obtenir une image nette du filament ?

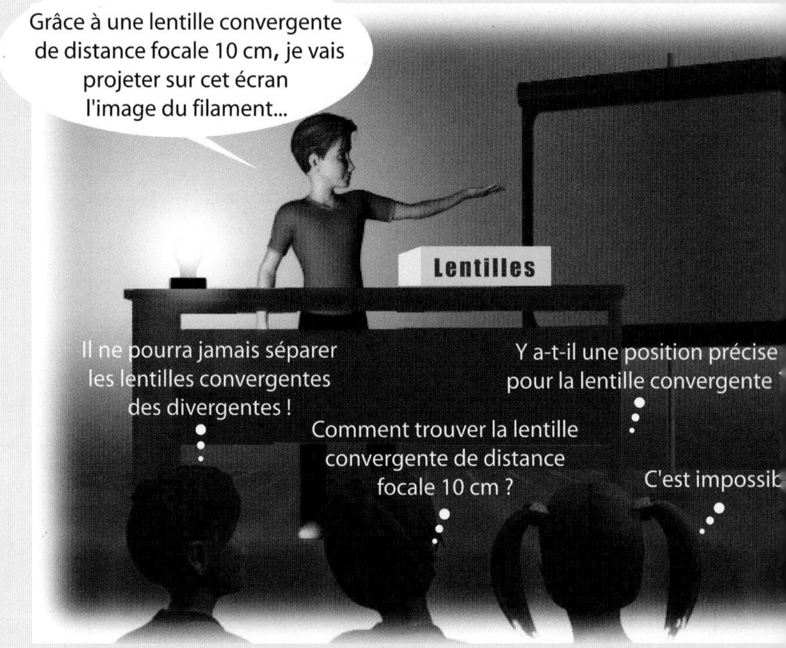

➤ Je réfléchis

Imagine un moyen simple pour séparer les lentilles convergentes des lentilles divergentes, puis un autre moyen pour identifier la lentille convergente de distance focale 10 cm.

Fais ensuite le schéma du montage que tu souhaites réaliser pour projeter l'image nette du filament sur un écran.

Dresse la liste du matériel nécessaire.

Propose ta démarche au professeur.

➤ Je réalise les expériences

Après accord du professeur, récupère le matériel puis réalise l'expérience.

➤ Je communique mes résultats

Rédige un compte-rendu de tes expériences, en respectant le plan préconisé par le professeur et en notant les remarques éventuelles.
Essaye de conclure sur la façon de faire pour obtenir l'image nette d'un objet sur un écran.

Je contrôle mes connaissances

1 Je retrouve l'essentiel

Utilise les mots ou groupes de mots suivants pour compléter les phrases ci-dessous : *concentrer, convergentes, distance focale, renversée, taille, divergentes, énergie, foyer.*

Il existe plusieurs types de lentilles : les lentilles .... (à bords épais) et les lentilles .... (à bords minces). Les lentilles convergentes ont pour propriété de .... les rayons de lumière. Si la source de lumière est loin de la lentille (Soleil par exemple), l'.......... se concentre en un point appelé .... de la lentille. La distance entre ce point et le centre de la lentille s'appelle la ....
Grâce à une lentille convergente, on peut obtenir sur un écran une image .... de l'objet. La .... de l'image dépend de la position de l'objet et de la lentille.

→ **Solution page 222.**

2 Distinguer les lentilles

Observe les lentilles photographiées ci-dessous et précise pour chacune si elle est convergente ou divergente. Justifie ta réponse.

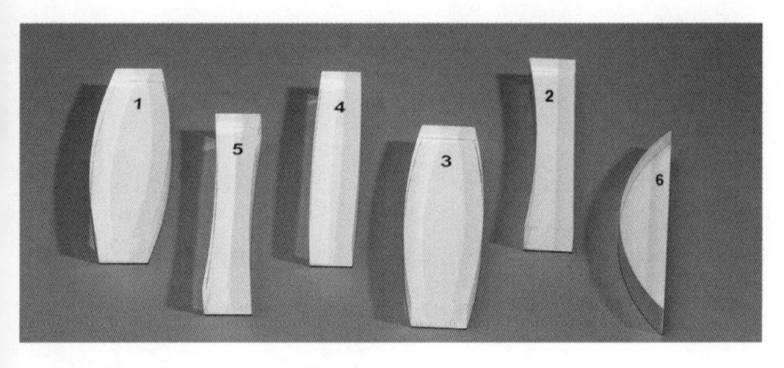

3 Classer des lentilles

Le même faisceau de lumière traverse quatre lentilles différentes cachées par un écran. Examine la forme du faisceau à la sortie de chaque lentille et classe-les en deux catégories : les convergentes et les divergentes. Justifie ta réponse.

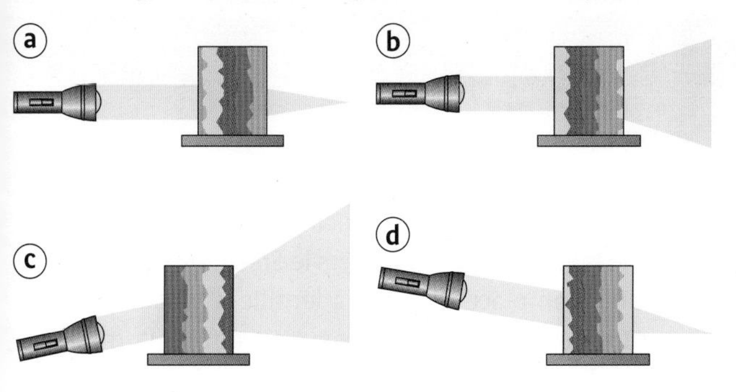

4 Reconnaître le danger d'une lentille

On réalise l'expérience photographiée ci-contre.

a. Décris ce que tu observes et conclus quant à l'influence d'une lentille convergente sur les rayons de lumière issus du Soleil.

b. Que se passe-t-il si cette expérience dure trop longtemps ?

5 Mesurer la distance focale

Une loupe est une lentille convergente.
Comment ferais-tu pour mesurer la distance focale de cette loupe ?

6 Retrouver la distance focale à partir d'un schéma

Andréas affirme que la lentille schématisée ci-dessous a une distance focale de 20 cm.
A-t-il raison ?
Justifie ta réponse.

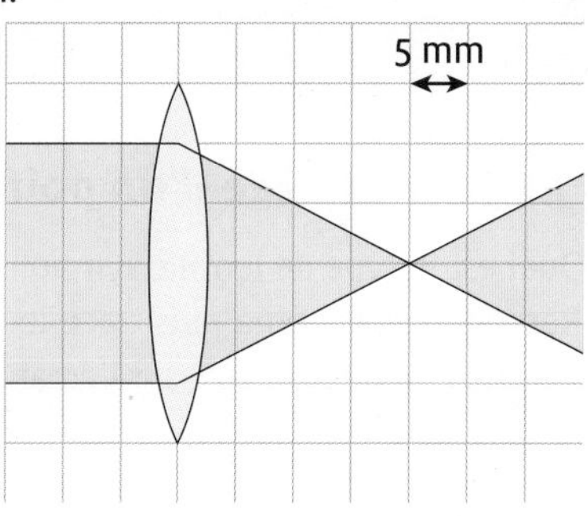

7 Positionner un objet

Pour quelle position ⓐ ou ⓑ de l'objet a-t-on une image nette sur l'écran ? Justifie ta réponse.

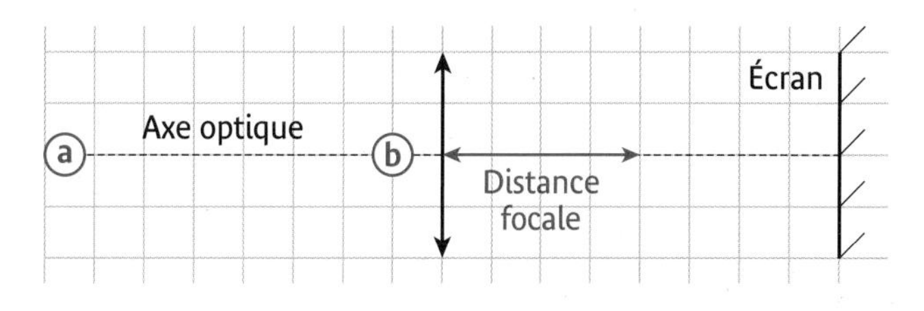

Exercices

J'utilise mes connaissances

8 Déterminer la distance focale d'une lentille

Une lentille est placée dans une cuve remplie de fumée qui rend le faisceau de lumière visible.

a. Fais un schéma de l'expérience. Trace l'axe optique de la lentille. Repère son foyer.
b. Calcule la distance focale de cette lentille.
On précise que l'aquarium mesure 43 cm de long.

9 Noter la particularité de certains rayons

a. La lentille utilisée pour réaliser cette expérience est-elle convergente ou divergente ? Justifie ta réponse.
b. Pourquoi les deux rayons ne sont-ils pas déviés ?

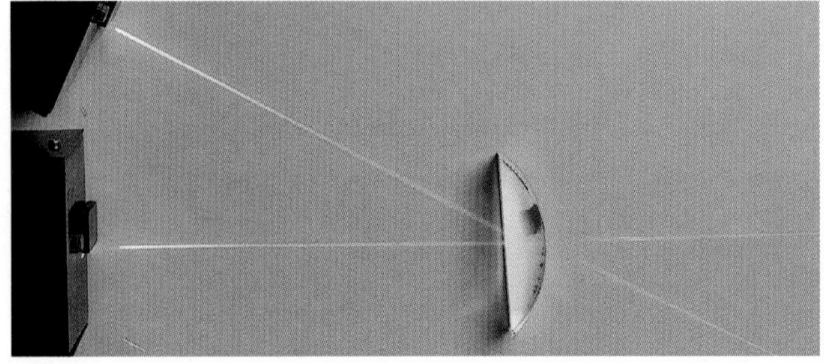

10 Situer l'image d'un point

a. Quel est le type de lentille symbolisée sur le dessin ?
b. Reproduis le schéma puis trace le rayon de lumière non dévié qui, issu de M, arrive sur l'écran en M'.

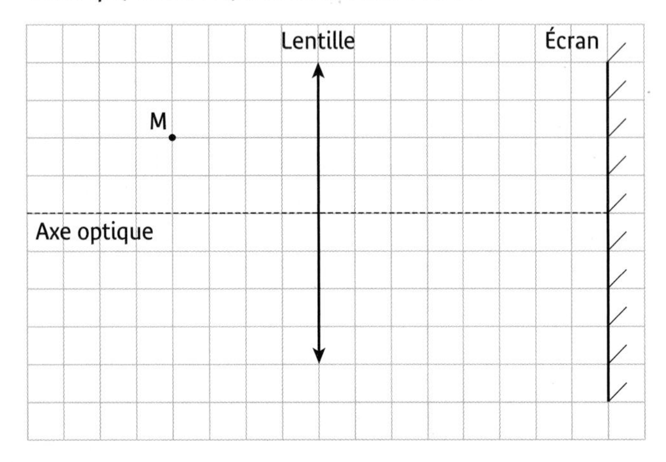

11 Tracer les rayons sortant d'une lentille

Cinq rayons de lumière parallèles arrivent sur une lentille convergente mais, à la sortie, le dessinateur distrait n'en a représenté qu'un seul.
a. Quel rayon faut-il prolonger pour situer facilement le foyer de cette lentille ? Justifie ta réponse.
b. Reproduis le schéma et trace le prolongement des quatre autres rayons.

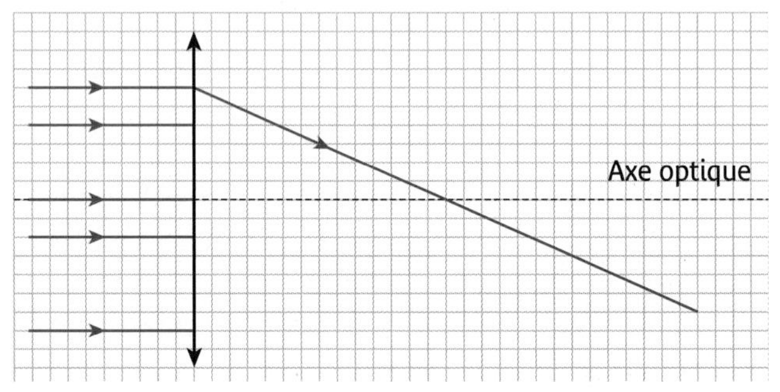

12 Reconnaître l'image donnée par une lentille

Une lentille permet de former l'image nette d'un objet (lettre F) sur un écran translucide.

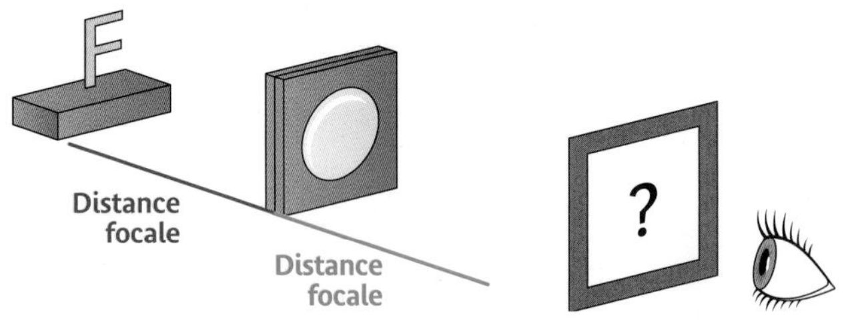

a. Quelle image l'observateur va-t-il voir ? Justifie ta réponse.

b. On éloigne l'objet de la lentille. Dans quel sens faut-il déplacer l'écran pour obtenir à nouveau une image nette ?

13 Prévoir la forme de l'image

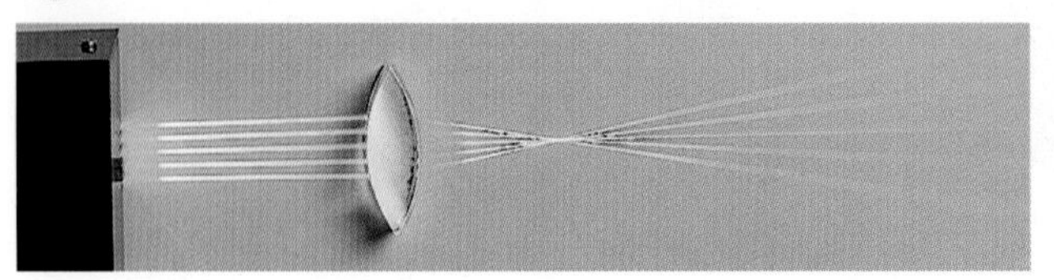

a. La photo est à l'échelle 1/20. Comment peux-tu vérifier que cette lentille a une distance focale de 28 cm ?
b. La même lentille est orientée vers le Soleil. Qu'observera-t-on sur un écran placé derrière la lentille, à 14 cm ? Pour quelle autre position de l'écran peut-on refaire la même observation ?

J'approfondis mes connaissances

14 Trouver la position d'une image

On ne connaît pas la distance focale de cette lentille mais on sait que l'image formée est deux fois plus grande que l'objet.

a. Reproduis le schéma et trace le rayon non dévié issu de B traversant la lentille.

b. Utilise ce rayon pour positionner l'image A'B' de AB.

c. Termine le tracé du rayon issu de B.

d. Place le foyer de la lentille et donne sa distance focale.

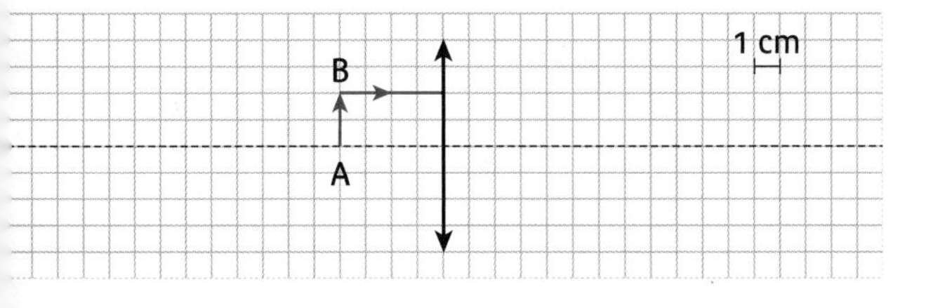

15 Situer le foyer

Hugo avait schématisé un objet AB et son image CD. Malheureusement les rayons de lumière issus de B qu'il avait tracés ont été effacés. Ces rayons permettaient de trouver le foyer de la lentille. Reproduis le schéma ci-dessous et trace deux rayons particuliers afin de trouver le foyer de la lentille. (*Voir document page 188.*)

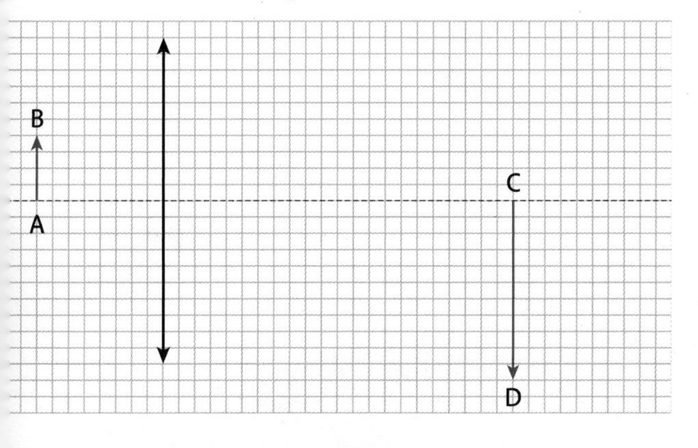

16 Associer deux lentilles

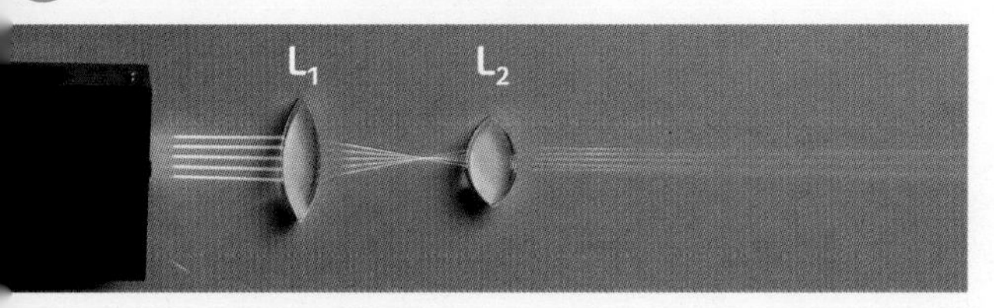

a. Pourquoi peut-on affirmer que L_1 et L_2 sont convergentes ?

b. Quelle est la plus convergente ? Justifie ta réponse.

c. Quelle est la particularité des rayons issus de la source ?

d. Quelle est la particularité géométrique des rayons après la traversée de L_2 ?

e. La photo a été réalisée à l'échelle 1/20. Quelle est la distance focale de L_1 ? Quelle est celle de L_2 ?

17 Chiffrer la concentration d'énergie

Une lentille de 2 cm de rayon est éclairée par un faisceau de rayons de lumière parallèles. Toute l'énergie reçue est concentrée sur une feuille en un cercle de rayon 2 mm.

a. Calcule la surface de la lentille en mm².

Donnée : la surface d'un cercle est : $S = \pi \times R \times R$

b. Calcule, en mm², la surface de la tache lumineuse.

c. Par quel nombre la surface du faisceau de lumière est-elle divisée entre la lentille et le papier ?

d. Que se passe-t-il si on place ce montage à la lumière du Soleil ?

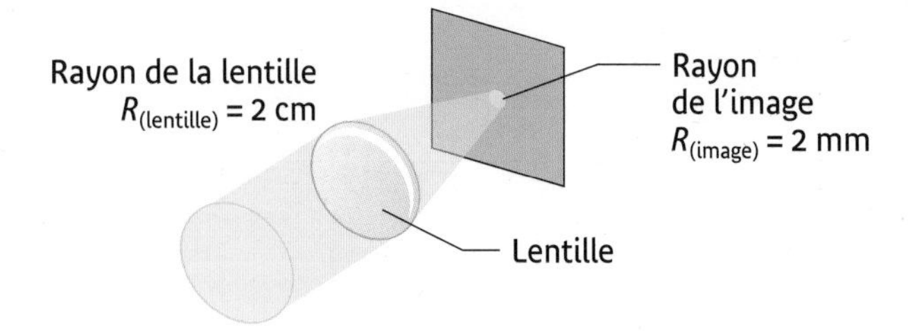

18 Découvrir la vergence

On nomme « vergence » d'une lentille l'inverse de sa distance focale. En appelant C la vergence et f la distance focale, on a la relation : $C = \frac{1}{f}$.

La vergence s'exprime en dioptrie (δ) et la distance focale en mètre (m).

a. Calcule la vergence C de la lentille schématisée ci-dessous.

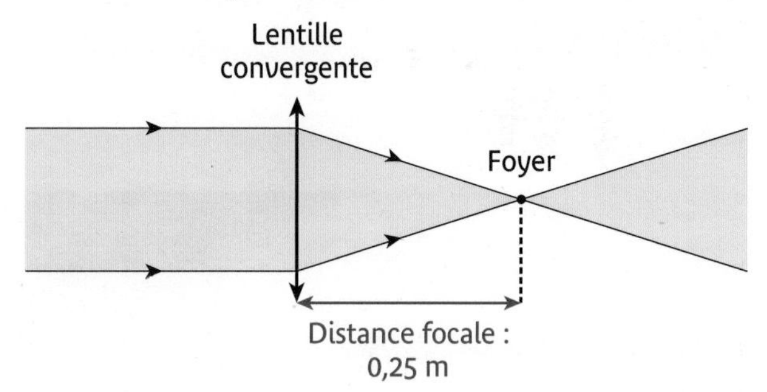

b. Quelle serait la vergence d'une lentille de 0,5 m de distance focale (fais un calcul mental) ?

c. Quelle serait la distance focale d'une lentille de 2,5 δ ?

19 Physics in English

Explain the reason why, on a bright and sunny day, a glass bottle can set fire to dry grass.

Chapitre

14 L'œil et la formation des images

Pour qu'un objet soit visible, la lumière qu'il émet doit atteindre nos yeux.
L'œil est l'élément essentiel de la vision.
Dans cet organe complexe et perfectionné se forment toutes les images des objets que nous voyons ; mais comment se forme l'image d'un objet ?
À quelles conditions est-elle nette ?
Quels peuvent être les défauts d'un œil ?

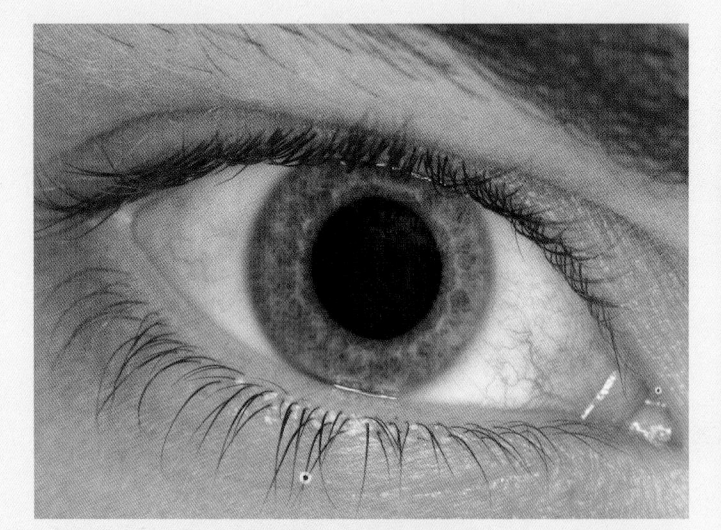

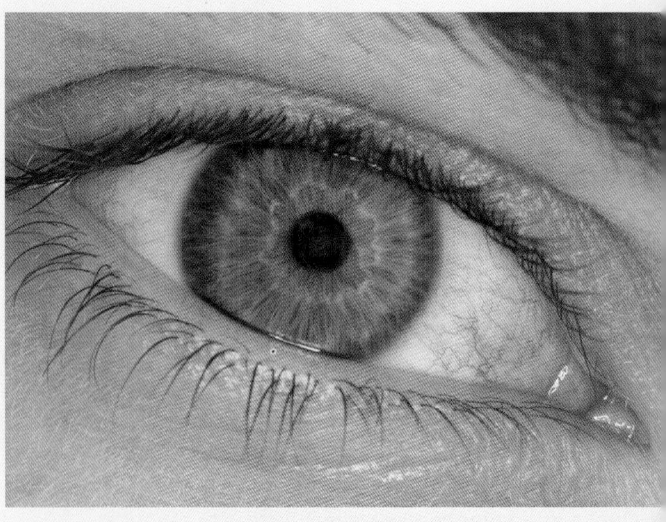

1. Comment notre œil est-il constitué ?
Par où la lumière pénètre-t-elle dans l'œil ? Où se forment les images ?

► Activité 1

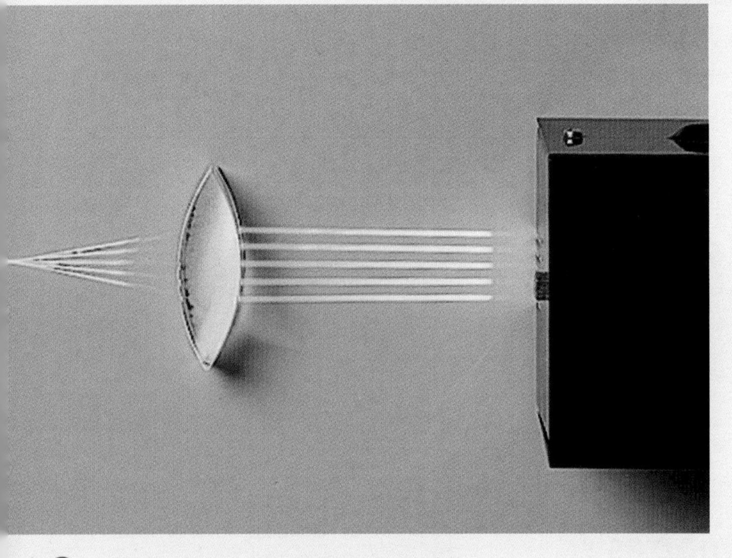

Objectifs

- Savoir modéliser l'œil et retenir qu'il est assimilable à une lentille convergente placée devant un écran
- Retenir que la vision résulte de la formation d'une image sur la rétine jouant le rôle d'écran
- Retenir la façon de corriger les défauts de l'œil (myopie, hypermétropie)

2. Peut-on assimiler un œil à une lentille convergente ?

► Activité 2

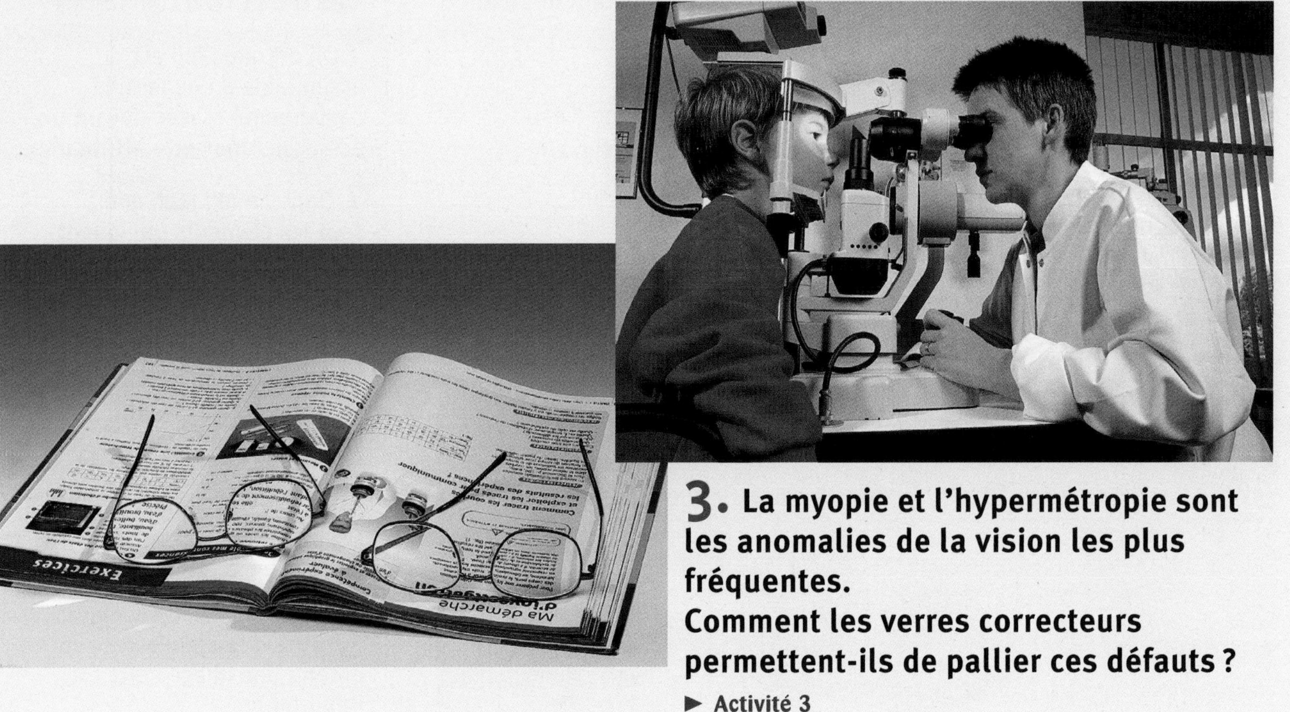

3. La myopie et l'hypermétropie sont les anomalies de la vision les plus fréquentes. Comment les verres correcteurs permettent-ils de pallier ces défauts ?

► Activité 3

Activités

ACTIVITÉ 1 Quel est le rôle de l'œil dans la vision ?

Pour voir un objet, il faut que la lumière issue de l'objet (**fig. 1a**) arrive sur la rétine (**fig. 1b**) où se forme l'image.

L'action de la lumière sur la rétine (5) engendre des influx nerveux qui sont transmis au cerveau par l'intermédiaire du nerf optique (6). Le cerveau traite simultanément les informations reçues par nos deux yeux, ce qui nous permet d'avoir une image unique et en trois dimensions.
La rétine est fragile : une trop grande quantité de lumière peut l'endommager. L'iris (7), partie colorée de l'œil, « règle » l'ouverture de la pupille (8) en fonction de la luminosité, et limite ainsi la quantité de lumière pénétrant dans l'œil.

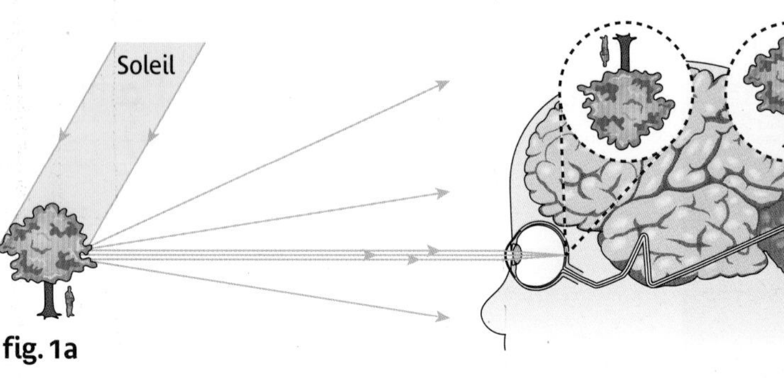

fig. 1a

Questions

1 Où se forme l'image des objets que nous observons ?

2 Quelles sont les parties transparentes de l'œil qui sont traversées par la lumière venant des objets ?

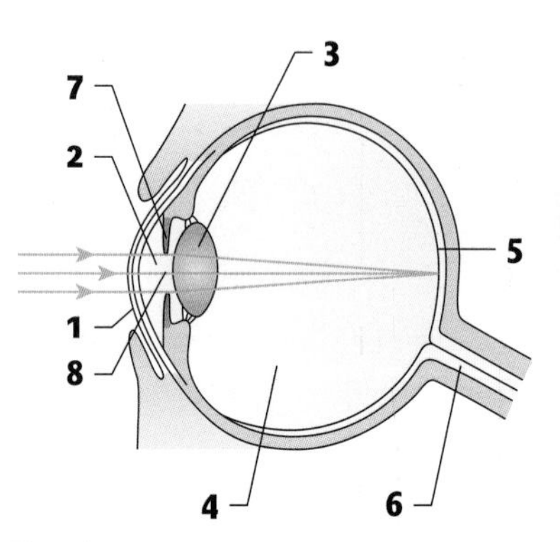

fig. 1b Les rayons de lumière traversent quatre milieux transparents : la cornée (1), l'humeur aqueuse (2), le cristallin (3) et l'humeur vitrée (4).

ACTIVITÉ 2 Comment se forment les images ?

MATÉRIEL : • une maquette de l'œil • un objet lumineux • le cristallin est modélisé par une poche que l'on peut déformer en injectant de l'eau

DÉROULEMENT :

1. Plaçons l'objet éclairé loin de l'œil puis « gonflons » la poche d'eau jusqu'à former une image nette sur le fond de la maquette (**fig. 2**).

2. Rapprochons l'objet de l'œil puis injectons à nouveau de l'eau dans la poche pour retrouver une image nette.

Questions

1 On dit que l'œil est assimilable à une lentille convergente placée devant un écran. Justifie cette affirmation.

2 Dans un œil réel, quels sont les éléments qui jouent le rôle de la lentille et quel est celui qui joue le rôle de l'écran ?

3 Si on rapproche l'objet de la maquette de l'œil, que faut-il faire pour que l'image redevienne nette ?

Remarque

Nous constatons que plus l'objet est placé près de l'œil, plus la quantité d'eau à injecter pour obtenir une image nette est importante.

Activité 3 Comment corriger les défauts de l'œil ?

Matériel : • un dispositif permettant d'obtenir un faisceau de rayons parallèles • un schéma de l'œil sur lequel on place différentes lentilles convergentes (focale 15, 20 et 25 cm) • une lentille divergente

Déroulement :

1. Modélisons un œil sain en plaçant sur le schéma de l'œil la lentille convergente de focale 20 cm (**fig. 3**) puis observons où se situe son foyer.

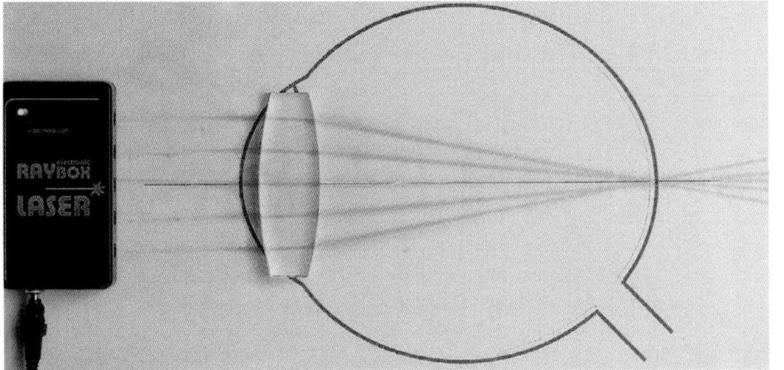

fig. 3 Œil sain.

2. Modélisons un œil myope. Pour cela, remplaçons la lentille précédente par celle de focale 15 cm (**fig. 4a**).
Observons où se situe le foyer et cherchons quelle autre lentille associer afin de déplacer le foyer sur la rétine (**fig. 4b**).

3. Pour modéliser un œil hypermétrope, plaçons sur le schéma de l'œil la lentille de focale 25 cm (**fig. 5a**). Notons la position du foyer et voyons avec quelle autre lentille on peut le déplacer sur la rétine (**fig. 5b**).

Questions

1 Un œil sain voit une image nette. Dans ce cas, où se situe le foyer (fig. 3) ?

2 Pourquoi un œil myope (fig. 4a) ne distingue-t-il pas une image nette ? Et un œil hypermétrope (fig. 5a) ?

3 Comment corrige-t-on la myopie (fig. 4b) ? Et l'hypermétropie (fig. 5b) ?

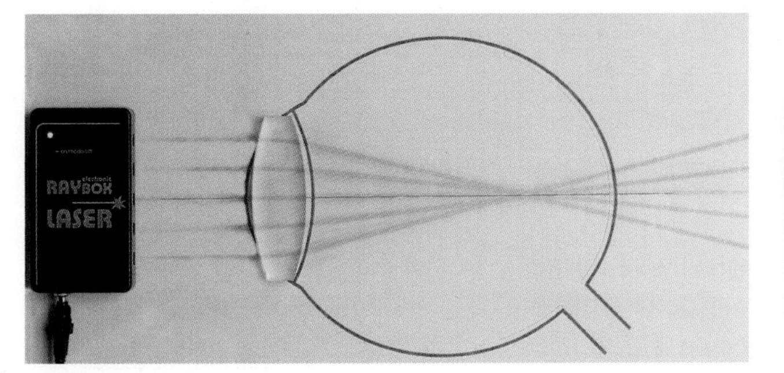

fig. 4a Œil myope.

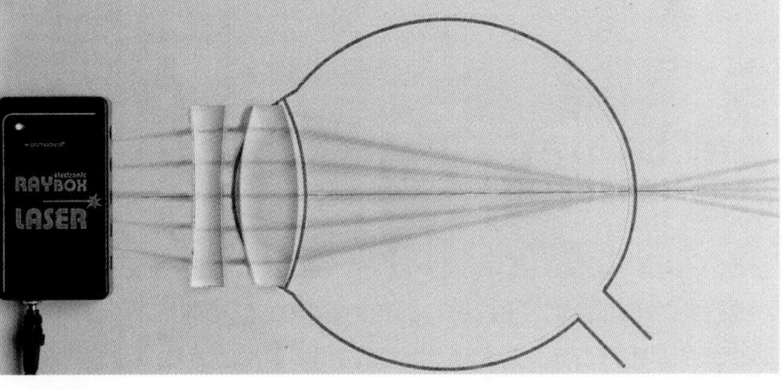

fig. 4b Œil myope corrigé.

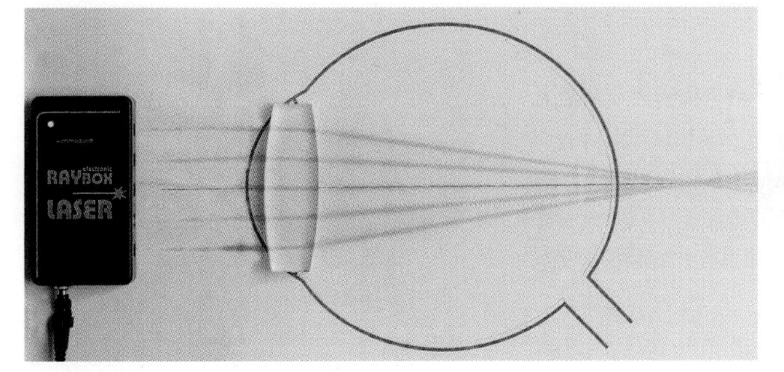

fig. 5a Œil hypermétrope.

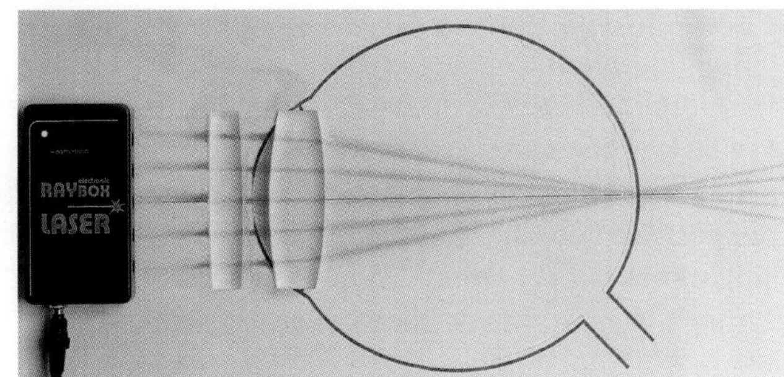

fig. 5b Œil hypermétrope corrigé.

Cours

1 L'œil et la formation de l'image

Voir **Activités 1** et **2**

Observation et interprétation : L'iris règle la quantité de lumière qui entre dans l'œil. Une membrane photosensible, la rétine, reçoit la lumière. La lumière venant des objets traverse un ensemble de corps transparents : cornée, humeur aqueuse, cristallin et humeur vitrée. Cet ensemble se comporte comme une lentille convergente : l'image renversée de l'objet se forme sur la rétine dont la fonction est semblable à celle d'un écran (**fig. 1**).

Remarque : Une membrane photosensible caractérise un corps dont le comportement dépend de la quantité de lumière reçue.

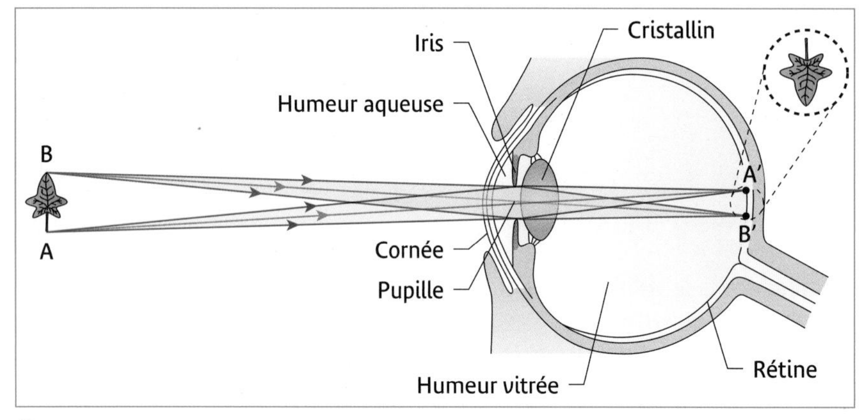

fig. 1 Formation d'une image dans l'œil.

Conclusion : L'œil est l'organe de base de la vision. On le modélise par une lentille convergente et un écran.

2 La netteté de l'image

Voir **Activité 2**

Observation : L'image d'un objet éloigné est nette lorsqu'elle se forme précisément sur l'écran, c'est-à-dire quand la distance focale de la lentille déformable (poche d'eau) coïncide avec la distance lentille-écran (**fig. 2a**). Lorsque l'objet se rapproche, son image est floue. Pour le voir nettement, on modifie la distance focale de la lentille en ajoutant de l'eau. En s'arrondissant, elle devient plus convergente (**fig. 2b**).

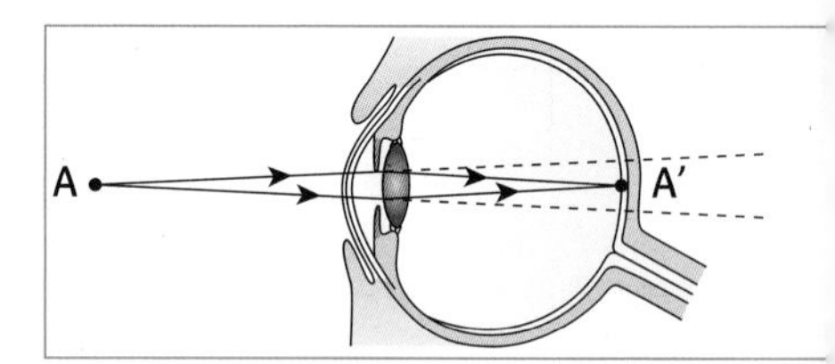

fig. 2a Quand l'objet est éloigné, la lentille est peu convergente.

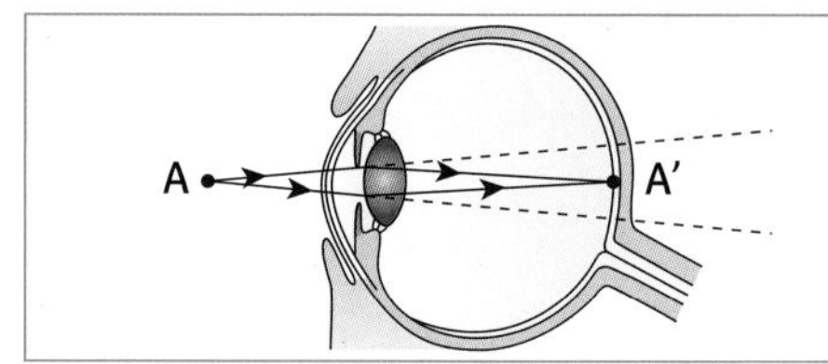

fig. 2b Quand l'objet se rapproche, on augmente la courbure de la poche pour la rendre plus convergente.

Interprétation : La poche d'eau matérialise le cristallin, et l'écran joue le rôle de la rétine. Quand la distance de l'œil à l'objet varie, la courbure du cristallin, sous l'action des muscles, varie également pour que l'image se forme toujours sur la rétine. C'est ce qu'on appelle l'accommodation. Elle est très rapide et se fait par réflexe. En une fraction de seconde, l'œil accommode de l'infini à une distance de quelques centimètres.

Remarque : L'accommodation a des limites. Un œil normal distingue nettement les objets situés entre l'infini et quinze centimètres environ, distance qui constitue le point de vision nette le plus rapproché. Ce point s'éloigne quand on vieillit : les personnes âgées voient mal de près.

Conclusion : Quand la distance de l'œil à l'objet varie, l'œil accommode. Il se comporte comme une lentille convergente déformable, sa distance focale varie.

3 Les corrections des défauts de l'œil

Voir **Activité 3**

Observation et interprétation : Une personne myope ne voit pas nettement les objets éloignés. L'œil myope est trop convergent : l'image d'un objet éloigné se forme en avant de la rétine (**fig. 3a**). Pour rendre l'œil moins convergent, on place devant lui une lentille divergente : l'image se forme alors sur la rétine (**fig. 3b**).
Un œil hypermétrope n'est pas assez convergent : l'image de l'objet se forme au-delà de la rétine (**fig. 4a**). On corrige ce défaut en plaçant devant l'œil une lentille convergente (**fig. 4b**).

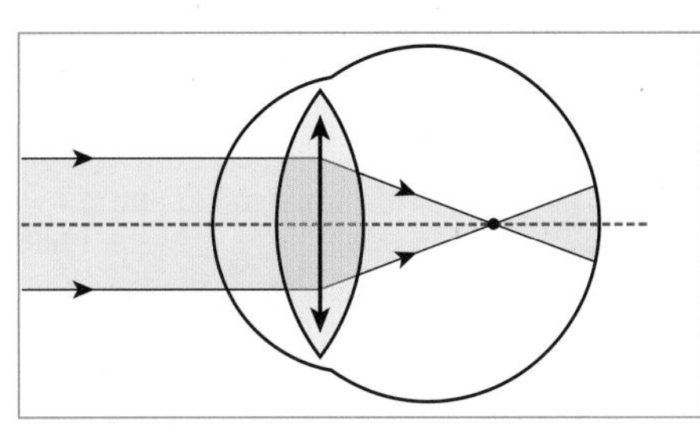

fig. 3a Œil myope.

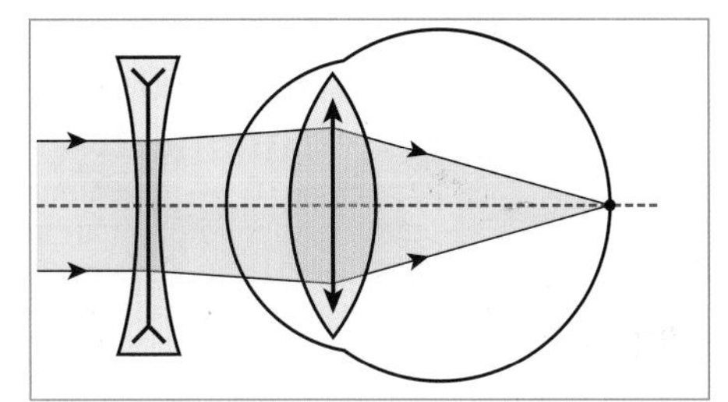

fig. 3b Œil myope corrigé.

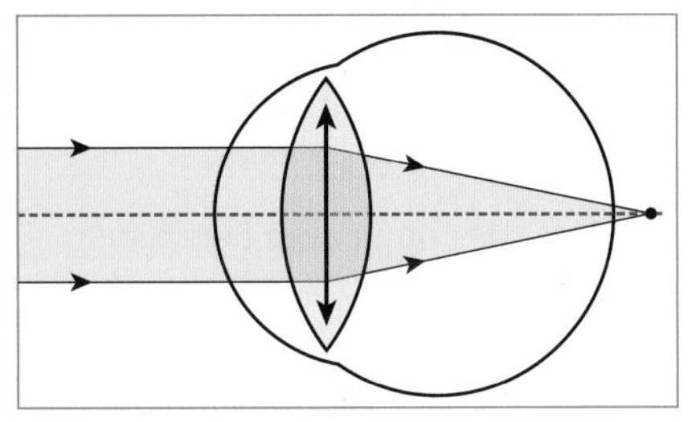

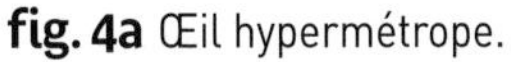

fig. 4a Œil hypermétrope.

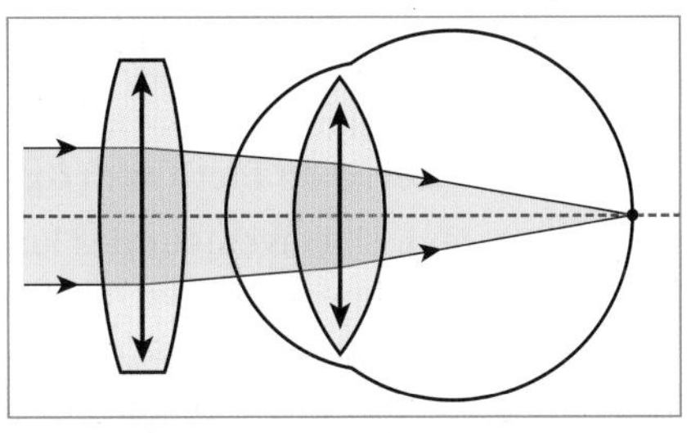

fig. 4b Œil hypermétrope corrigé.

Conclusion : L'association de l'œil et d'un verre correcteur bien adapté permet qu'une image nette se forme exactement sur la rétine.

Remarque : C'est l'ophtalmologiste qui décèle le(s) défaut(s) des yeux grâce à des appareils perfectionnés. Il prescrit alors la qualité des verres correcteurs puis l'opticien les fabrique en suivant ses indications.

L'essentiel

► **Contrôle tes connaissances** *en faisant l'exercice 1 page 203*

L'œil et sa modélisation

Les défauts de l'œil

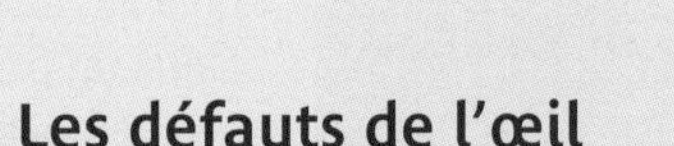

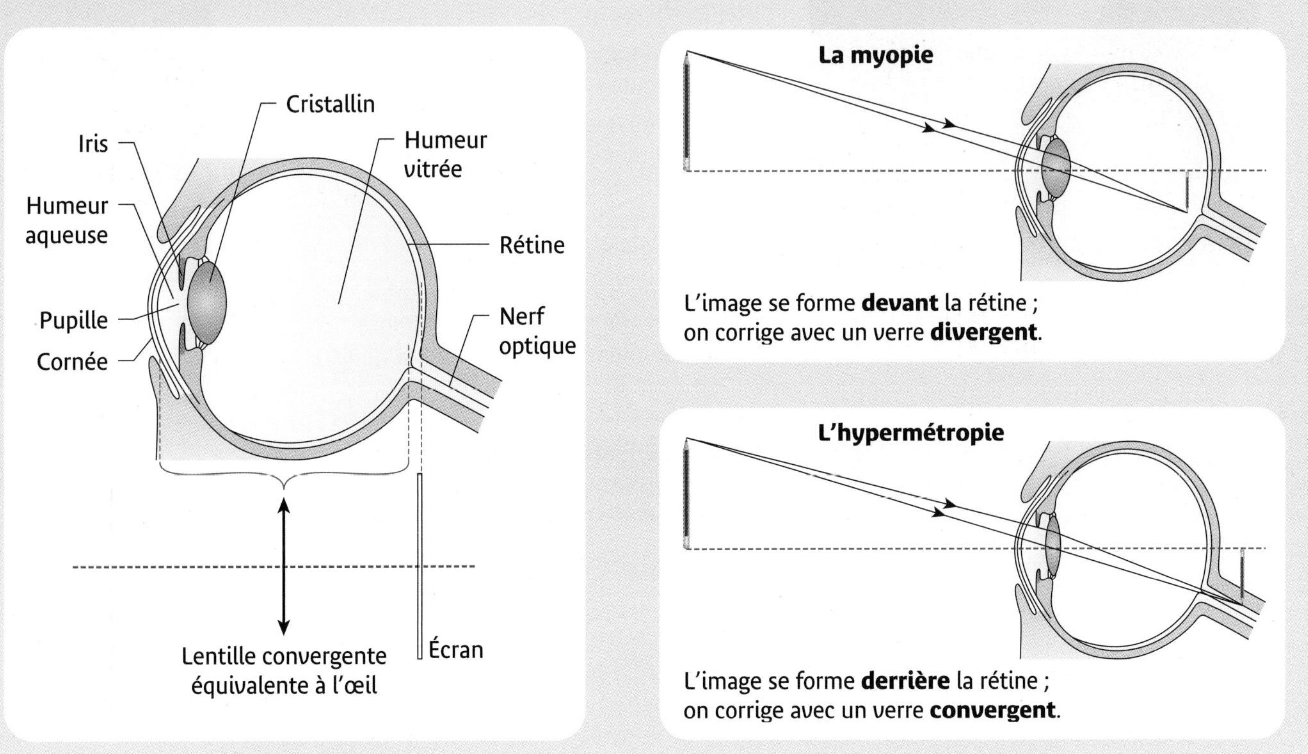

Histoire des sciences

Les troubles de la vue : une histoire ancienne

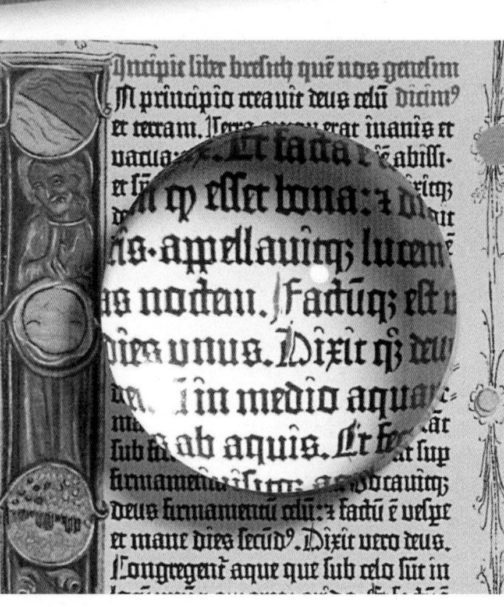

fig. 1 La « pierre de lecture » en béryl est l'ancêtre de la loupe. Posée sur un livre, elle en facilite la lecture par effet grossissant.

Si la myopie et la presbytie furent évoquées dès l'Antiquité par Aristote, l'invention des **lunettes** fut bien plus longue à venir.

Au premier siècle de notre ère, Sénèque remarque que, vus à travers **une boule de verre** remplie d'eau, les objets paraissent plus gros. On raconte aussi que l'empereur Néron (37-68 après J.-C.), très myope, regardait à travers une émeraude pour observer les combats de gladiateurs. La découverte de Sénèque reste dans l'ombre jusqu'au XIe siècle, où les moines copistes développent une « **pierre de lecture** » (**fig. 1**).

Le nom de l'inventeur des lunettes n'est pas connu avec certitude. Il semble que Roger Bacon (1214-1294) fut le premier à utiliser une **paire de lentilles** pour corriger la vue.

À la fin du XIIIe siècle, le physicien italien Salvino Degli Armati découvre que si on amincit la lentille ou si on change sa courbure, on peut **modifier la correction** qu'elle apporte et donc adapter les lunettes à chaque problème de vue.

fig. 2 Les bésicles étaient constituées de deux lentilles fixées sur une monture de bois ou de corne.

Les lunettes portent d'abord le nom de **bésicles**, terme venant de « béryl ». Tenues à la main ou pincées sur le nez, les bésicles (**fig. 2**) étaient lourdes, peu pratiques et instables. On fixa alors des rubans sur les côtés des montures pour les accrocher autour des oreilles. Ce n'est seulement qu'au XVIIIe siècle que naît l'idée de branches. Dans un premier temps, elles s'arrêteront aux tempes, puis leur taille idéale, jusqu'à l'oreille, s'imposa.

Quant au mot « **lunettes** », il découle de la forme des verres qui rappelle celle de « petites lunes ».

Aujourd'hui, les progrès technologiques permettent de fabriquer des lunettes de plus en plus performantes (verres plus fins, plus transparents, plus légers…) corrigeant tous les problèmes de vue.

Produits de consommation courante, les lunettes « de soleil » protègent aussi les yeux du rayonnement solaire (**fig. 3**).

fig. 3 Les lunettes : accessoires de mode ?

Questions

1 À quel objet du matériel d'optique te fait penser l'émeraude utilisée par Néron ?

2 Pourquoi les moines copistes développèrent-ils la « pierre de lecture » ?

3 De quel instrument actuel est-elle l'ancêtre ?

4 Pourquoi les bésicles étaient-elles difficiles à utiliser ?

5 Quelle amélioration leur fut peu à peu apportée ?

DÉCOUVRIR UN MÉTIER

OPTICIEN(NE) LUNETIER(ÈRE)

voir p. 219

Les yeux : des détecteurs de lumière

SVT

▸ La **rétine** d'un œil humain est constituée de deux types de cellules sensibles à la lumière : les cônes et les bâtonnets (**fig. 4**).

▸ Les **cônes** existent en trois types différents, sensibles à la lumière rouge, à la lumière verte ou à la lumière bleue. Les informations qu'ils recueillent, transmises au cerveau, permettent de percevoir les couleurs par synthèse additive du rouge, du vert et du bleu. Mais ils ne remplissent plus leur rôle lorsque la quantité de lumière qui entre dans l'œil est insuffisante.

▸ Contrairement aux cônes, les **bâtonnets** sont tous identiques. Ce sont des photorécepteurs extrêmement sensibles à la lumière. Ils permettent de voir dans des conditions d'éclairage faible, mais seulement en noir et blanc (nuances de gris). La vision nocturne est donc exempte de couleurs. Ne dit-on pas : « La nuit, tous les chats sont gris ! ».

▸ Cônes et bâtonnets sont donc **complémentaires** pour que nous puissions voir le jour comme dans la pénombre.

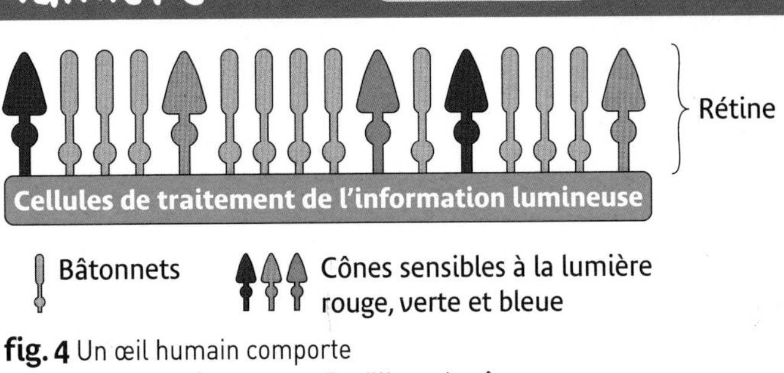

fig. 4 Un œil humain comporte 125 millions de bâtonnets et 5 millions de cônes.

Remarque

Un photorécepteur est une cellule réagissant à la lumière. Elle transforme l'énergie lumineuse en signal électrique.

Questions

1 Cite les deux types de photorécepteurs qui tapissent la rétine. Précise leur spécificité.

2 Pourquoi l'œil humain permet-il la vision des couleurs ?

3 Explique pourquoi nous percevons mal les couleurs la nuit ?

B2i En utilisant Internet, prépare un exposé pour ta classe sur ce qu'est le daltonisme (historique, vision du daltonien, exemples de test de dépistage...).

fig. 5 De manière à protéger cet œil très sensible, la pupille est réduite à une mince fente en pleine lumière.

Des yeux bien adaptés

SVT

▸ **L'œil du chat** est adapté à sa fonction de **chasseur nocturne**. Sa rétine comporte une grande quantité de bâtonnets. Cela rend ses yeux très performants même quand la lumière est faible. Ils lui permettent de chasser à la lueur des étoiles.

▸ En revanche, la rétine de l'œil du chat présente seulement deux types de cônes : des cônes sensibles à la lumière bleue et des cônes sensibles à la lumière verte. Le chat ne voit pas la couleur « rouge » !

▸ Si l'œil du chat est très adapté à la **vision de nuit**, il n'est pas très performant de jour.

▸ **L'œil de l'aigle** doit être adapté à la détection de proies de jour et à grande distance. Les bâtonnets sont très peu nombreux sur sa rétine alors que les cônes sont en plus grand nombre.

▸ L'aigle a donc une excellente **vision de jour** (probablement la meilleure acuité visuelle du règne animal). Cependant, lorsque la luminosité diminue, sa perception visuelle se dégrade rapidement.

fig. 6 L'œil de l'aigle doit répondre à des exigences totalement différentes de celles de l'œil du chat.

Questions

1 Quels photorécepteurs ont en commun la rétine de l'œil du chat et celle de l'œil de l'aigle ?

2 Pourquoi le chat « voit-il » bien la nuit, contrairement à l'aigle ?

Récréation **expérimentale**

Lorène et Habib doivent préparer un exposé pour le cours de sciences physiques. Ils vont présenter deux expériences montrant des détecteurs de lumière. Habib suggère d'utiliser ses connaissances en électricité, Lorène préfère la chimie.

Comment détecter la lumière ?

Les expériences

Dans deux tubes à essai (A et B) contenant une solution de nitrate d'argent, Lorène ajoute quelques gouttes d'une solution de chlorure de sodium. Elle place un carton opaque autour du tube B et laisse le tube A en pleine lumière (**fig. 1**). Une heure plus tard, elle retire le carton et observe le résultat (**fig. 2**).

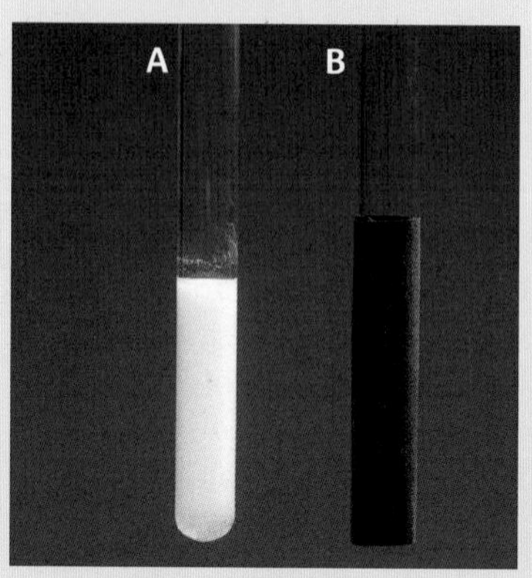

fig. 1 Les tubes A et B au début de l'expérience.

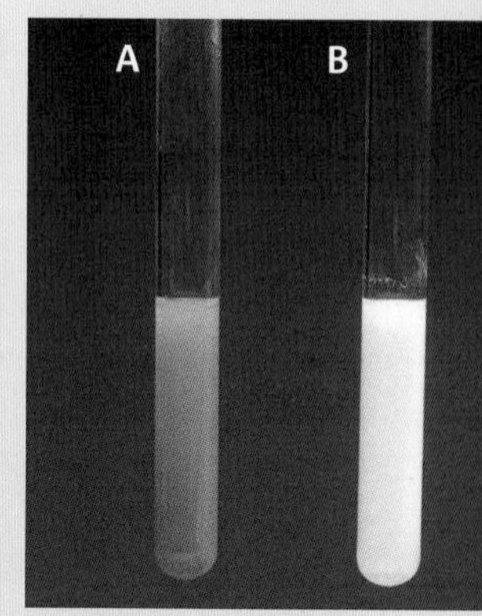

fig. 2 Les mêmes tubes une heure plus tard.

Habib réalise le montage en série d'une pile, d'une DEL et d'une photorésistance. Il éclaire d'abord la photorésistance avec une lampe de poche (**fig. 3**). Il dépose ensuite un carton opaque sur la photorésistance (**fig. 4**).

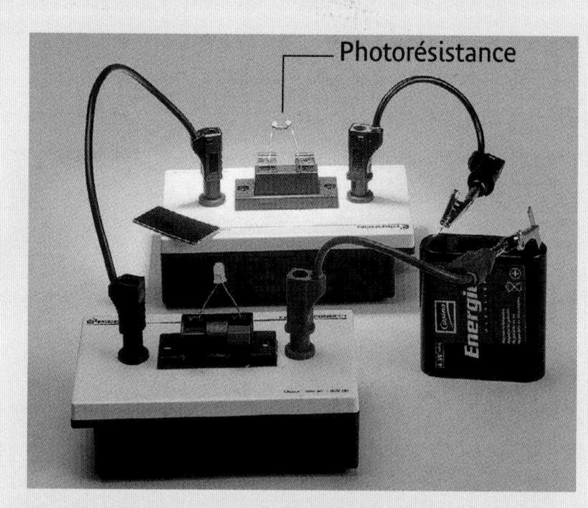

fig. 3 La DEL brille.

➤ Je réfléchis

Sur une feuille de recherche, fais les schémas qui décrivent l'expérience de Lorène.
Explique de manière détaillée les différentes étapes.
Réalise également le schéma électrique du montage d'Habib. *Le symbole d'une photorésistance est*

➤ Je réalise les expériences

Après accord du professeur, récupère le matériel et réalise les expériences.
N'oublie pas de noter tes observations.

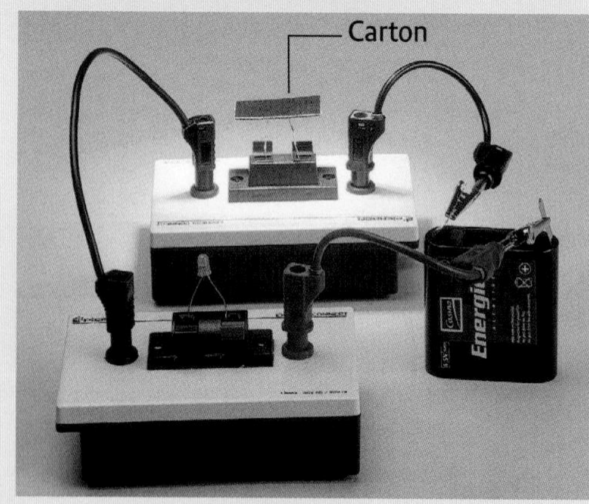

fig. 4 La DEL ne brille pas.

➤ Je communique mes résultats

En suivant le plan préconisé par le professeur, rédige un compte-rendu pour expliquer ce que tu as fait, ce que tu as observé, ainsi que les résultats que tu as obtenus.
Tu n'oublieras pas de dire comment les expériences choisies par Lorène et Habib permettent de détecter la lumière.

Exercices

Je contrôle mes connaissances

1 Je retrouve l'essentiel

Utilise les mots ou groupes de mots suivants pour compléter les phrases ci-dessous : *rayons de lumière, rétine, vision, écran, nette, au-delà, déformable, lentille, hypermétrope, verre correcteur, distance, former, myope, en avant.*

L'œil est l'organe de base de la .... Il comporte un ensemble d'éléments destinés à recevoir les .... venant des objets et à .... l'image de ces objets sur la ....
On modélise l'œil par une .... convergente et un ....
Quand la .... de l'œil à l'objet varie, l'œil accommode. Il se comporte comme une lentille convergente .... : sa distance focale varie.
Un œil .... est trop convergent : l'image d'un objet éloigné se forme .... de la rétine. Un œil .... n'est pas assez convergent, l'image de l'objet se forme .... de la rétine. L'association de l'œil et d'un .... bien adapté donne d'un objet une image .... sur la rétine.

→ **Solution page 222.**

2 Compléter un schéma

a. Nomme les quatre constituants de l'œil numérotés sur le schéma.
b. Quelle est leur propriété commune ?
c. Où se forme l'image des objets ?

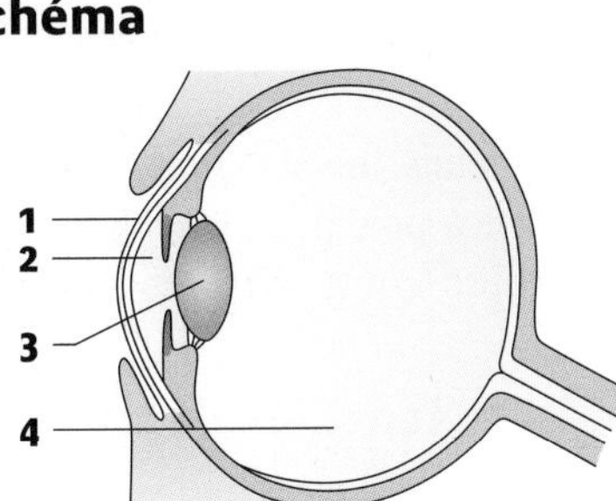

3 Comprendre le rôle de la pupille

Une personne a été photographiée à deux endroits différents : à l'extérieur au soleil et dans une pièce obscure. Dans chaque cas, un zoom est fait sur son œil (**fig. 1** et **fig. 2**).
a. Quelle différence remarques-tu entre les deux clichés ? Détermine l'endroit où a été prise chaque photographie.
b. Conclus en expliquant le rôle de l'iris sur l'ouverture de la pupille.

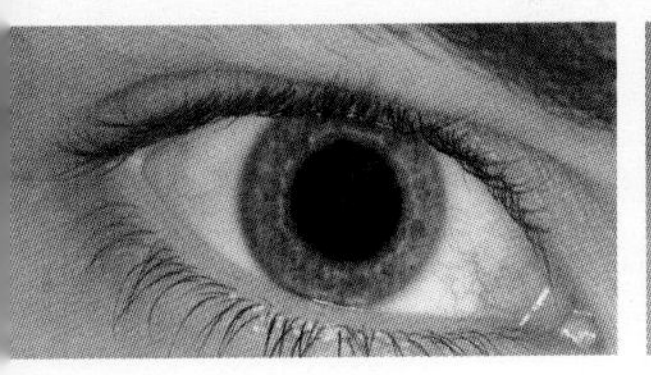

fig. 1 Pupille ouverte.

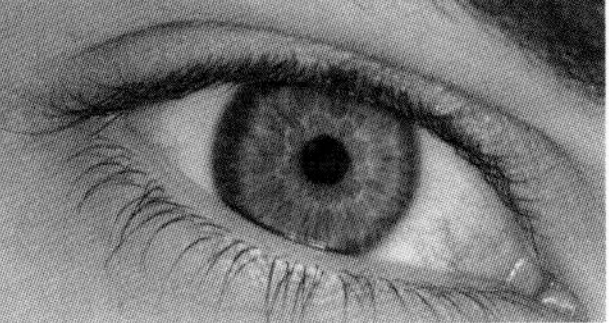

fig. 2 Pupille fermée.

4 Retrouver le sens « d'accommoder »

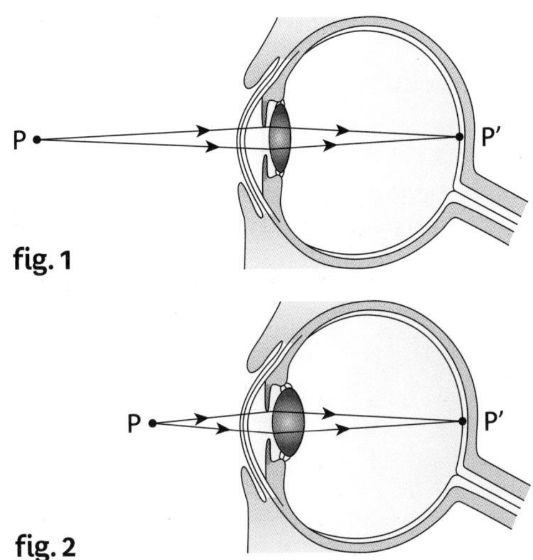

fig. 1

fig. 2

a. Un point P d'abord éloigné (**fig. 1**) se rapproche de l'œil (**fig. 2**) ; son image P' se forme toujours sur la rétine. On dit que l'œil « accommode ». Qu'est ce que cela signifie ?
b. Explique dans quel cas l'œil est le plus convergent.

5 Identifier les défauts de l'œil

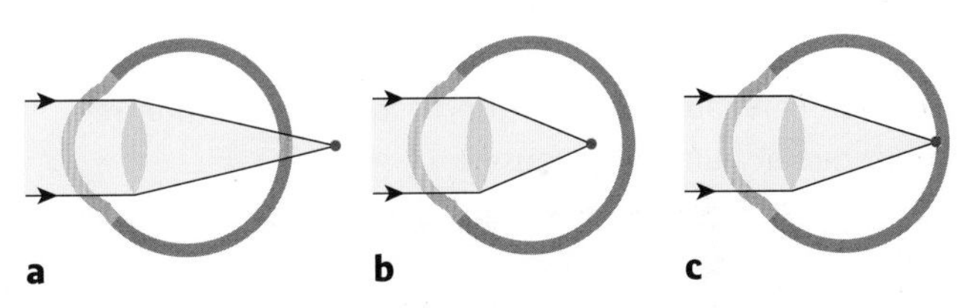

Repère parmi les différentes représentations : l'œil sain, l'œil myope et l'œil hypermétrope. Justifie tes réponses.

6 Modéliser l'œil

On peut réduire l'œil à un système optique constitué d'une lentille convergente, représentant les milieux transparents (parmi lesquels figure le cristallin), et d'un écran simulant la rétine.
Retrouve la légende du schéma ci-contre en utilisant les mots suivants : *écran, cristallin, lentille convergente, rétine.*

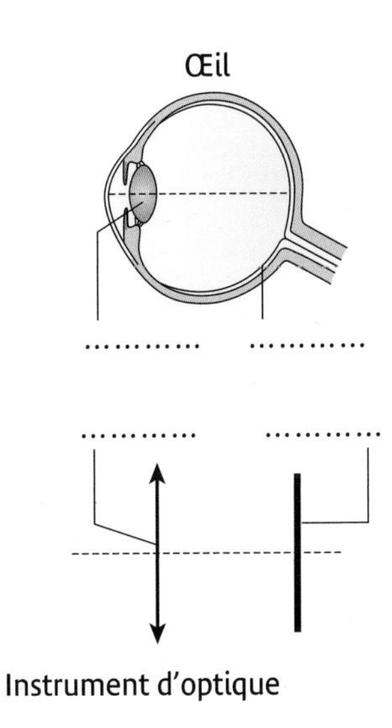

Exercices

J'utilise mes connaissances

7 Comparer deux systèmes optiques équivalents

Le montage ci-dessous est composé d'un objet éclairé, d'une lentille et d'un écran sur lequel se forme l'image de l'objet.

a. Dans le phénomène de la vision, quels sont les quatre éléments de la liste suivante qui jouent le rôle de la lentille : iris, cornée, cerveau, pupille, rétine, cristallin, humeur vitrée, nerf optique et humeur aqueuse ?

b. Quel(s) est (sont) celui (ceux) qui joue(nt) le rôle de l'écran ?

8 Évoquer le rôle de différents constituants de l'œil

Un rayon de lumière venant d'un objet traverse la cornée et le cristallin qui se comportent tous les deux comme des lentilles.

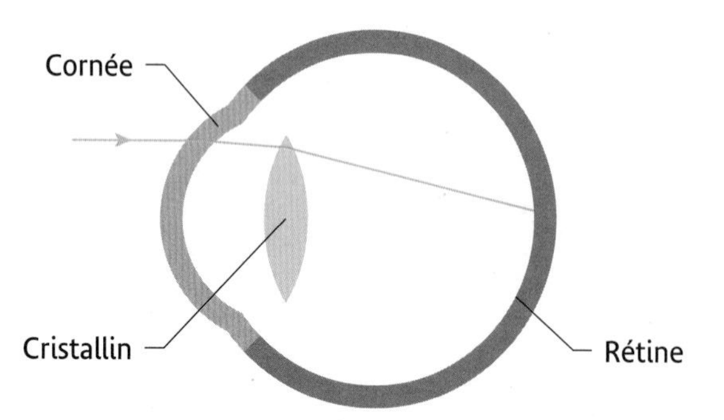

La cornée et le cristallin sont-ils des lentilles convergentes ou divergentes ?
Justifie ta réponse.

9 Analyser les défauts de l'œil

a. Quel type de lentille faut-il placer devant un œil myope (**fig. 1**) pour corriger son défaut ? Justifie ta réponse.

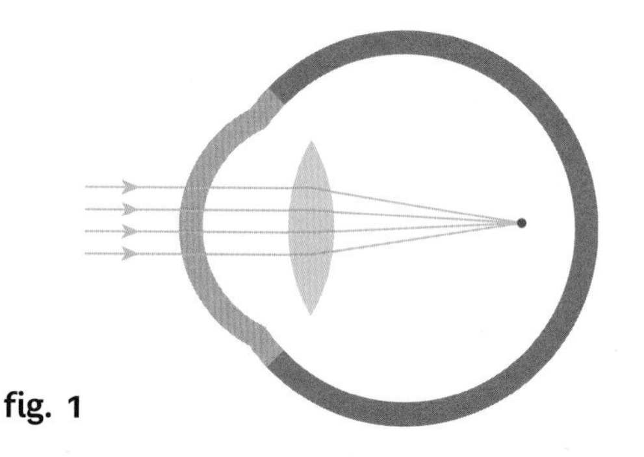

fig. 1

b. Quel type de lentille faut-il placer devant un œil hypermétrope (**fig. 2**) pour corriger son défaut ? Justifie ta réponse.

fig. 2

c. Reproduis les schémas, ajoute sur chacun la lentille correctrice puis trace les faisceaux de lumière en prenant en compte le rôle des verres correcteurs.

10 Les lentilles de contact

Au quotidien

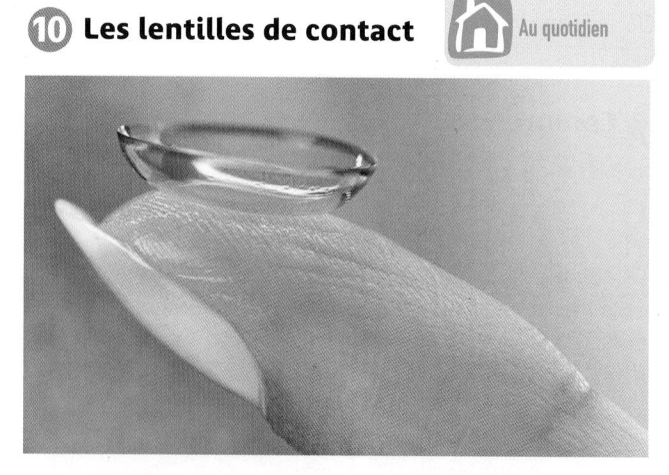

De nombreuses personnes choisissent de porter des lentilles de contact pour corriger leurs problèmes de vue.
Recherche quels peuvent être les avantages et les inconvénients des lentilles de contact par rapport aux lunettes.

J'approfondis mes connaissances

11 Reconnaître un détecteur de lumière

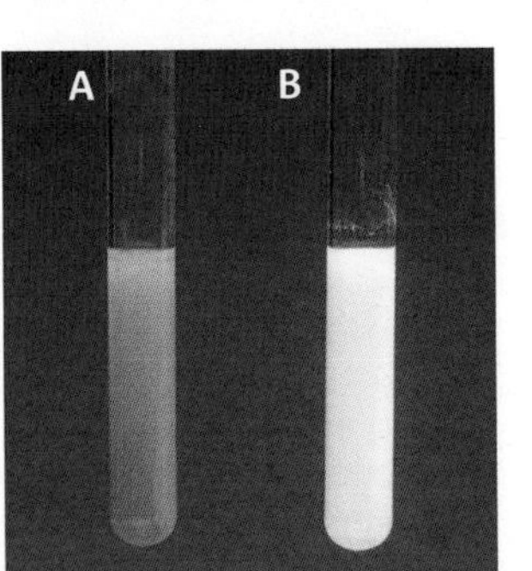

Dans deux tubes à essai A et B, contenant une solution de nitrate d'argent, on ajoute quelques gouttes d'une solution de chlorure de sodium : il se forme alors un précipité de chlorure d'argent.

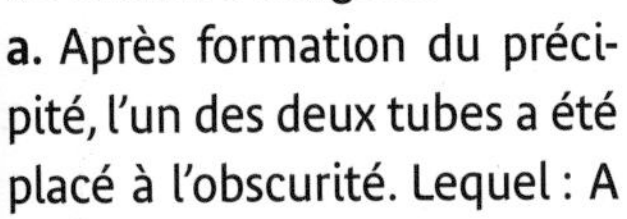

a. Après formation du précipité, l'un des deux tubes a été placé à l'obscurité. Lequel : A ou B ? Justifie ta réponse. *(Aide : voir p. 202)*.

b. Pourquoi peut-on dire que le chlorure d'argent est un « détecteur de lumière » ?

12 Voir sans œil !

SVT

Les méduses, les mollusques, les vers de terre... ne possèdent pas d'yeux mais sont pourtant capables de percevoir la lumière grâce à des photorécepteurs localisés sur leur peau. Sensibles à la lumière, ces derniers transmettent un influx nerveux au « cerveau ». L'animal repère ainsi les différentes intensités lumineuses.

a. Recherche ce qu'est un photorécepteur.

b. Pourquoi dit-on qu'un ver de terre a une sensibilité dermatoptique ?

13 Comparer l'appareil photo et l'œil

Au quotidien

Lorsqu'un photographe prend un cliché, il procède à certains réglages sur l'appareil.

Il réalise tout d'abord « la mise au point », c'est-à-dire qu'il règle l'objectif pour voir une image nette. Ensuite, il augmente ou diminue l'ouverture du diaphragme pour contrôler la quantité de lumière qui frappe la pellicule.

À quels éléments de l'œil peut-on comparer :
- l'objectif ?
- le diaphragme ?
- la pellicule ?

14 Avec l'âge, la vue « baisse »

La presbytie est un problème de vue qui touche 100 % des personnes à partir de 50 ans. Elle est due à un vieillissement du cristallin qui perd son pouvoir d'accommodation. On voit souvent les personnes presbytes tenir un livre à bout de bras pour pouvoir le lire.

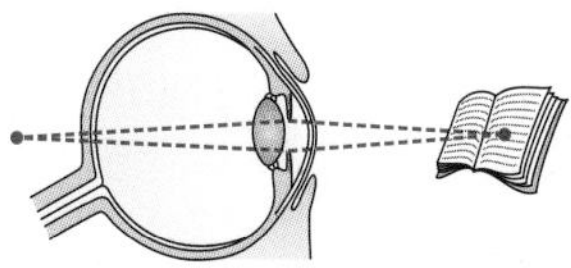

a. Où se forme l'image dans le cas d'un œil presbyte ?

b. À quel défaut « courant » de l'œil peut-on comparer la presbytie ? Justifie ta réponse.

c. Les lunettes corrigeant la presbytie sont-elles constituées de verres divergents ou convergents ? Explique ta réponse.

d. Pourquoi un myope voit-il sa vue s'améliorer en vieillissant ?

15 Objectif B2i

Dans l'œil, les rayons de lumières finissent par frapper la rétine avant d'être analysés par le cerveau. Deux types de photorécepteurs tapissent la rétine : les cônes et les bâtonnets. Recherche dans une encyclopédie ou sur Internet quelle fonction spécifique remplissent les cônes et les bâtonnets dans la vision.

16 Voir aussi avec le cerveau

Observe la figure ci-contre.

a. Compare, « à l'œil », la taille des deux cercles rouges. Lequel est le plus grand ?

b. Mesure maintenant, avec un double décimètre, le diamètre de chaque cercle rouge. Qu'en conclus-tu ?

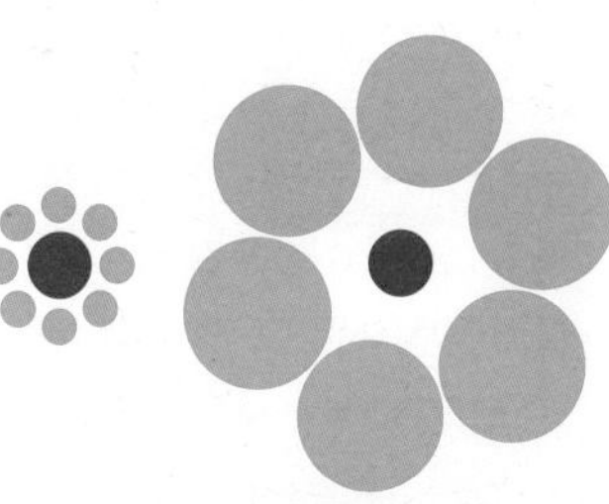

Illusion de Titchener

c. Pourquoi cette expérience montre-t-elle que le cerveau joue un rôle dans la perception visuelle ?

17 Physics in English

Look at the owl's eye.

a. What is so special about the pupil?

b. How can owls see so well at night?

c. Why do owls have trouble seeing in daylight?

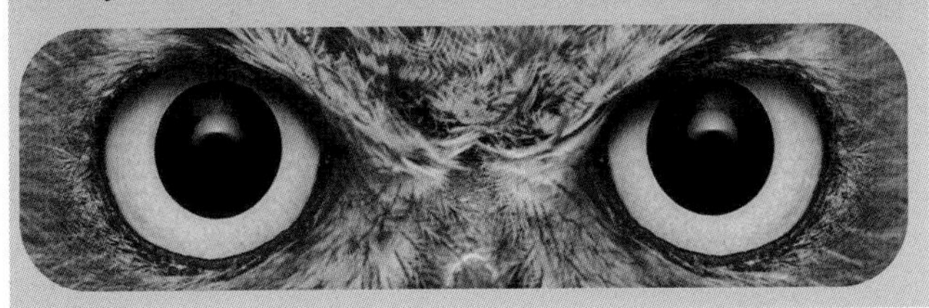

Chapitre

15 La vitesse de la lumière

Dans un milieu transparent et homogène, la lumière se propage-t-elle instantanément ou avec une vitesse précise ? Peut-on mesurer la vitesse de la lumière ? Découvrons les distances gigantesques de l'Univers grâce à la vitesse de la lumière.

1. Galilée a voulu, le premier, mesurer la vitesse de la lumière, sans y parvenir. Peut-on mesurer la vitesse de la lumière ?

► Activités 1 et 2

2. La lumière se propage-t-elle à la même vitesse dans tous les milieux transparents ? ► Activité 3

3. Comment évaluer la distance qui sépare notre planète de son satellite la Lune ? ► Activité 4

Objectifs

- Connaître la vitesse de la lumière dans le vide et retenir qu'elle se propage dans d'autres milieux matériels
- Utiliser les puissances de dix pour exprimer des distances dans l'Univers et des durées de propagation de la lumière

4. L'étoile la plus proche de la Terre est à 43 000 000 000 000 km de notre planète. N'existe-t-il pas une façon plus pratique d'exprimer les distances en astronomie ? ► Activités 5 et 6

Activité 1 — Peut-on mesurer la vitesse de la lumière ?

La vitesse de la lumière est si grande que, pendant très longtemps, on a cru qu'elle se propageait instantanément.

Les premières tentatives pour estimer cette vitesse furent entreprises par **Galilée** au XVIIe siècle. Il grimpa au sommet d'une colline avec une lampe, tandis qu'un de ses assistants se tenait sur une colline voisine, muni d'une autre lampe. Galilée devait produire un signal lumineux ; son assistant devait le renvoyer sitôt reçu. En mesurant le temps d'un aller-retour de la lumière, Galilée espérait calculer sa vitesse (**fig. 1**).

Les résultats ne furent pas probants car la distance était trop courte et les instruments de mesure trop peu précis. Galilée n'en conclut pas pour autant que la lumière avait un déplacement instantané. Il pensa plutôt que la vitesse de la lumière était trop grande pour être mesurée.

Un peu plus tard, en 1676, en observant les satellites de Jupiter (**fig. 2**), **Olaüs Römer** (1644-1710) montra pour la première fois que la lumière avait une vitesse bien déterminée. Ses connaissances lui permettaient de prévoir avec précision les éclipses de Io, satellite de Jupiter, lors de son passage dans le cône d'ombre de la planète (**fig. 3**). Par des observations méthodiques, Römer constata, au fil des jours, que les éclipses ne se produisaient pas au moment attendu. La disparition du satellite intervenait avec un décalage variable selon les périodes d'observation.

Römer comprit alors que ce décalage dépendait de la distance séparant la Terre et Jupiter et donc du temps que mettait la lumière pour atteindre la Terre (**fig. 3**). Ce constat lui permit d'affirmer que la lumière ne se propage pas instantanément : la lumière a donc une vitesse. À partir des mesures de Römer, les astronomes de l'époque déterminèrent un ordre de grandeur de la vitesse de la lumière : 212 000 km/s ; ce qui représente une erreur d'environ 30 %.

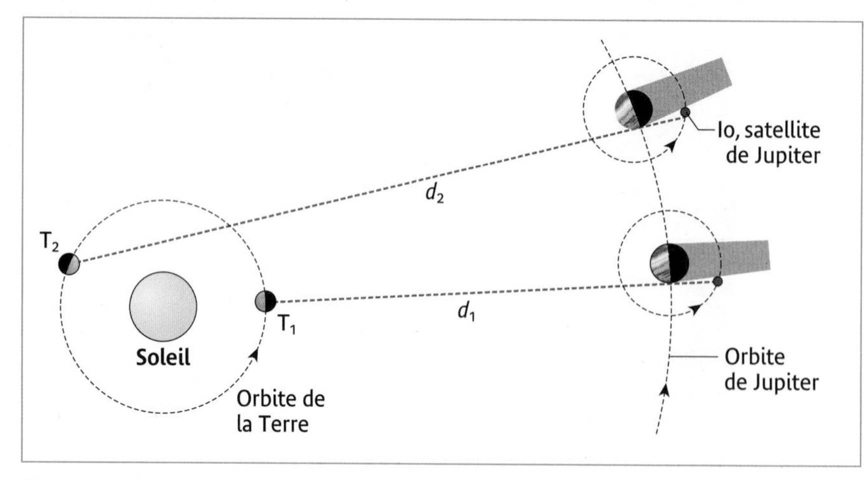

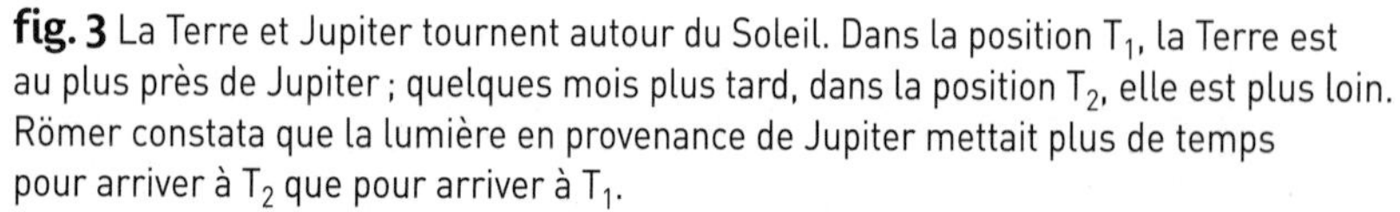
fig. 3 La Terre et Jupiter tournent autour du Soleil. Dans la position T_1, la Terre est au plus près de Jupiter ; quelques mois plus tard, dans la position T_2, elle est plus loin. Römer constata que la lumière en provenance de Jupiter mettait plus de temps pour arriver à T_2 que pour arriver à T_1.

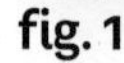
fig. 1

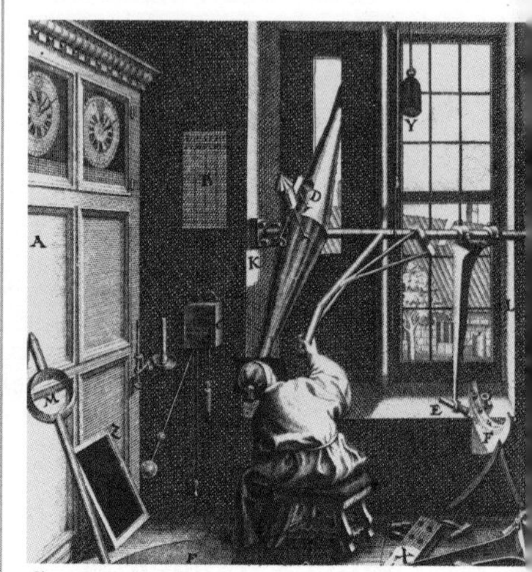
fig. 2 Römer observe à la lunette.

Questions

1 Pourquoi l'expérience de Galilée a-t-elle échoué ? Sinon, comment aurait-il calculé la vitesse de la lumière à partir de ses mesures ?

2 Römer évaluait la différence de temps de déplacement de la lumière entre T_1 et T_2. Quelle autre mesure lui fallait-il connaître pour calculer la vitesse de la lumière ?

3 Écris la relation mathématique qui unit v (la vitesse), d (la distance parcourue) et t (la durée du déplacement).

B2i Recherche des renseignements sur Olaüs Römer (tu peux utiliser la rubrique biographies du site internet http://www.infoscience.fr/index.php3).

ACTIVITÉ 2 Comment mesure-t-on la vitesse de la lumière ?

En utilisant des techniques plus modernes, des scientifiques de l'Observatoire de Paris ont reproduit en 2005 l'expérience de mesure de la vitesse de la lumière réalisée par Hippolyte Fizeau en 1849. Ils ont effectué un tir de laser (**fig. 4**) depuis l'Observatoire, en direction de miroirs réflecteurs disposés à Montmartre (**fig. 5**). Le faisceau de lumière était alors renvoyé vers un détecteur placé à l'Observatoire (**fig. 6**). Un système informatisé mesurait la durée de l'aller-retour de la lumière.

Grâce à des mesures par GPS (système de navigation et de localisation par satellite), l'Institut Géographique National avait déterminé la distance entre le lieu de tir et les miroirs de Montmartre (**fig. 7**). En divisant le double de cette distance par la durée d'un aller-retour, les scientifiques ont pu alors calculer la vitesse de la lumière.

Ils ont ensuite pu comparer leur résultat avec la valeur déjà connue de la vitesse de la lumière, qui est de 300 000 km/s.

Questions

1 Quelle expérience ont reproduit les scientifiques de l'Observatoire de Paris ?

2 Quelle distance sépare les deux lieux de cette expérience ?

3 Combien de temps a mis la lumière pour effectuer le parcours ?

4 Calcule la vitesse de la lumière d'après les résultats obtenus au cours de cette expérience. Tu donneras le résultat en km/s.

5 Compare ce résultat à la valeur réelle de la vitesse de la lumière.

fig. 4 Trajet du rayon laser lors du tir.

fig. 5 Miroirs réflecteurs situés à Montmartre.

fig. 6 La lumière du laser a mis $3{,}66 \times 10^{-5}$ secondes, (c'est-à-dire 0,0366 millième de secondes !) pour revenir jusqu'au détecteur.

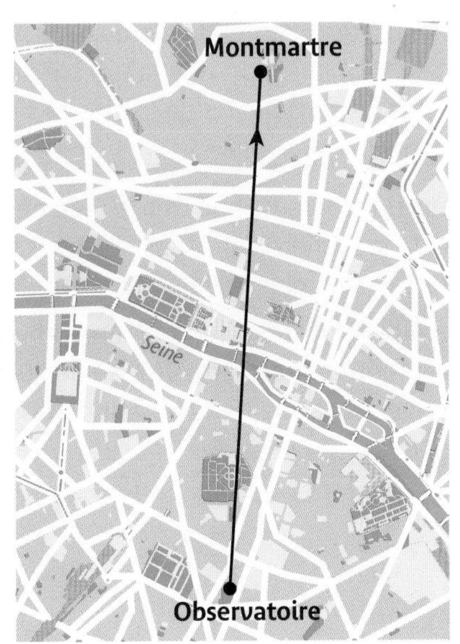

fig. 7 La distance entre l'Observatoire de Paris et les miroirs réflecteurs de Montmartre est de 5,5 km.

La vitesse de la lumière est-elle la même dans tous les milieux transparents ?

Au début du XIXe siècle, pour élaborer une théorie sur la nature de la lumière, les physiciens se trouvent confrontés à une question fondamentale : la vitesse de la lumière est-elle plus élevée dans l'eau ou dans l'air ? Ils connaissent déjà la vitesse de la lumière dans l'air, environ 300 000 km/s mais ils ne savent pas comment la mesurer dans l'eau.

fig. 8 François Arago (1786-1853).

fig. 9 Léon Foucault (1819-1868).

En 1838, le physicien français François Arago (**fig. 8**) imagine une expérience qui devrait lui permettre de répondre à la question. Hélas des problèmes de santé (perte de la vue) ne lui permettent pas de la réaliser.

Léon Foucault (1819-1868) (**fig. 9**) reprend les travaux d'Arago et réalise cette expérience en 1850. Il trouve alors que la vitesse de la lumière dans l'eau vaut à peu près les trois quarts de la vitesse de la lumière dans l'air, soit 225 000 km/s.

Il existe d'autres milieux transparents que l'air, le vide et l'eau. Actuellement, on a mesuré la vitesse de la lumière dans tous les corps transparents. C'est dans le vide que la vitesse est la plus grande (**fig. 10**).

Au début du XXe siècle, Albert Einstein (**fig. 11**), en établissant sa célèbre théorie de la relativité, montrera que cette vitesse de 300 000 km/s est en fait une limite supérieure que rien ne peut dépasser.

Milieu transparent	Vitesse de la lumière
Vide	300 000 km/s
Air	300 000 km/s
Eau	225 000 km/s
Alcool	220 000 km/s
Verre	200 000 km/s
Quartz	195 000 km/s
Diamant	124 000 km/s

fig. 10

fig. 11 Albert Einstein (1879-1955).

Questions

1 Qui a conçu une expérience pour comparer la vitesse de la lumière dans l'air et dans l'eau ?

2 La vitesse de la lumière est-elle la même dans tous les milieux ? Justifie ta réponse.

3 Quelle est, selon Einstein, la valeur maximale d'une vitesse ?

B2i Recherche des renseignements sur Léon Foucault (tu peux utiliser la rubrique biographies du site internet : http://www.infoscience.fr/index.php3).

ACTIVITÉ 4 Comment mesurer des distances avec la lumière ?

Aujourd'hui, on mesure « facilement » la distance Terre-Lune en effectuant des tirs laser sur un réflecteur posé à la surface de la Lune.

Un laser émet une impulsion lumineuse depuis la Terre (**fig. 12**) vers un réflecteur posé sur le sol lunaire (**fig. 13**). Une partie du faisceau lumineux est réfléchie vers la Terre (**fig. 14**).

La mesure de la durée t de son déplacement permet alors de calculer la distance d séparant la Terre et la Lune. La précision est de quelques centimètres.

fig. 12 Tir laser depuis la Terre en direction de la Lune.

fig. 13 Réflecteur posé sur la surface de la Lune. Le principe de la mesure est simple mais la visée est compliquée, notamment, par les mouvements respectifs de la Terre et de la Lune.

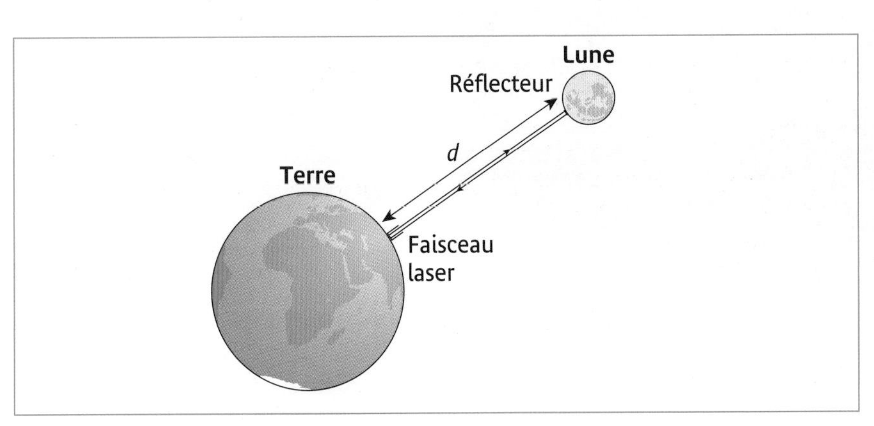

fig. 14 Le faisceau laser effectue un aller-retour entre la Terre et la Lune.

Questions

1 Explique le principe de la mesure décrit dans cette activité.

2 Énonce la relation mathématique qui permet de calculer une distance parcourue d quand on connaît la vitesse v du déplacement et sa durée t.

3 La durée écoulée entre l'émission et la réception du signal lumineux est de 2,56 s. Calcule la distance Terre-Lune.

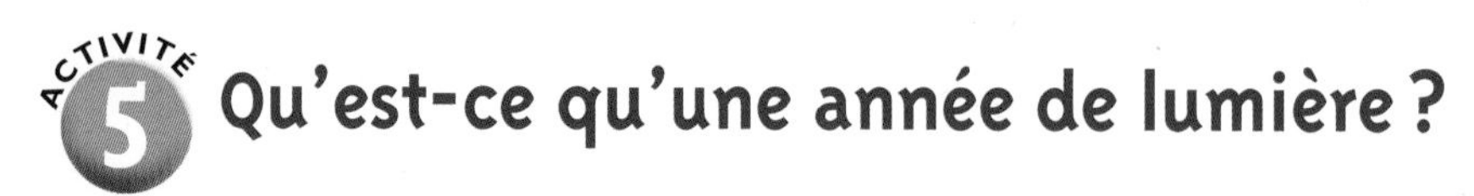

Activité 5 Qu'est-ce qu'une année de lumière ?

L'année de lumière est une unité de mesure. Contrairement à ce que l'on pourrait croire, l'année de lumière (en abrégé : a.l.) n'est pas une unité de temps comme la seconde ou l'année mais c'est une unité de longueur, comme le mètre ou le kilomètre. C'est la distance parcourue par la lumière, dans le vide, en un an.

Cette unité a été créée pour exprimer les distances gigantesques qui séparent les astres* dans l'Univers. Ceux-ci sont si éloignés que les unités classiques sont trop « courtes » pour rendre compte des distances.
En revanche, l'année de lumière (ou encore année-lumière) est parfaitement adaptée.

La lumière se déplaçant dans le vide spatial à la vitesse de 300 000 kilomètres par seconde, on peut calculer la distance *d*, parcourue en un an (**fig. 15**) :
d = 300 000 x 31 557 600 = 9 467 280 000 000 soit environ 9 460 milliards de kilomètres. Ainsi 1 a.l. = 9 460 000 000 000 km.

Proxima du Centaure (**fig. 16**) est l'étoile la plus proche de la Terre (après le Soleil), elle est à 4,3 années-lumière. Cela signifie que, pour venir de cette étoile, la lumière met 4,3 ans. La distance qui la sépare de notre planète est donc égale à : 4,3 x 9 460 000 000 000 soit 40 670 000 000 000 km !

On comprend mieux pourquoi les astronomes utilisent l'année-lumière pour exprimer des distances dans l'Univers. En effet, utiliser les kilomètres dans ce cas serait aussi inadapté qu'exprimer la distance Paris-Marseille en millimètres, soit 776 000 000 mm !

fig. 16 Proxima du Centaure (étoile rouge au centre) n'est visible qu'avec un télescope. Des étoiles de notre Galaxie sont visibles à l'arrière-plan.

Questions

1 À combien de secondes correspond une heure ? Un jour ? Une année (365,25 jours) ?

2 Donne la définition de l'année de lumière.

3 Quel est l'intérêt d'utiliser une telle unité en astronomie ?

4 L'étoile Proxima du Centaure se trouve à 4,3 années de lumière de la Terre. À quel moment la lumière qui arrive sur Terre aujourd'hui a-t-elle quitté l'étoile ?

5 Montre qu'une année de lumière vaut environ 1 x 10^{13} km.

6 L'étoile Sirius est située à 9 a.l. de la Terre. Utilise le résultat de la question 5 pour exprimer cette distance en km.

Calculons en secondes la durée (Ts) d'une année		
1 année	=	365,25 jours
1 jour	=	24 heures
1 heure	=	60 minutes
1 minute	=	60 secondes
Ts	=	365,25 x 24 x 60 x 60
	=	31 557 600 secondes

fig. 15

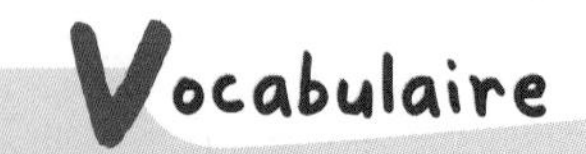

Vocabulaire

Astre : désigne les objets célestes, qu'il s'agisse de planètes, d'étoiles, de galaxies, de nuages de gaz...

ACTIVITÉ 6 Voir loin... c'est voir le passé ?

Sur la **Terre**, nous recevons la lumière en provenance d'une multitude d'objets célestes. La lumière met environ 8 minutes pour venir du **Soleil** et 1,28 seconde pour venir de la **Lune**, seul satellite naturel de la Terre distant de 384 000 kilomètres.

Le **système solaire** comprend essentiellement le Soleil et huit planètes qui gravitent autour de lui, dans le même sens (**fig. 17**).

Les orbites des planètes sont dans un même plan appelé « écliptique ». La Terre se trouve à 150 millions de kilomètres du Soleil. Elle fait un tour en un an. Neptune, huitième planète du système solaire, est à 4 500 millions de kilomètres du Soleil. Sa période de révolution est 164 ans. La lumière solaire met un peu plus de quatre heures pour atteindre Neptune.

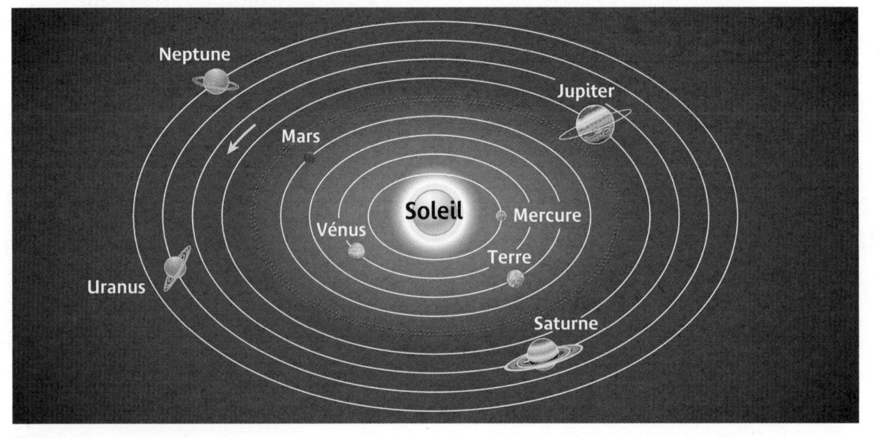

fig. 17 Le système solaire.

Le Soleil n'est qu'une étoile de taille moyenne dans un ensemble d'environ 100 milliards d'étoiles qui constituent notre **Galaxie** (**fig. 18**).

C'est une galaxie spirale en forme de disque d'environ 100 000 a.l. de diamètre et seulement 300 a.l. d'épaisseur. La partie de la Galaxie que l'on voit depuis la Terre est la Voie Lactée. Le Soleil se trouve à 25 000 a.l. du centre de la Galaxie ; la lumière met donc 25 000 ans pour aller du Soleil jusqu'au centre de la Galaxie.

L'**Univers** est constitué de centaines de milliards de **galaxies** (**fig. 19**). Les galaxies sont très éloignées les unes des autres. La plus proche de la Terre, visible de l'hémisphère Nord, est la galaxie d'Andromède, située à 2,2 millions d'années-lumière.

La lumière qui nous parvient aujourd'hui des étoiles a parcouru des distances gigantesques pour arriver jusqu'à nous. Regarder Andromède aujourd'hui, c'est la voir telle qu'elle était il y a 2,2 millions d'années !

Voir loin, c'est voir le passé.

fig. 19 Ciel étoilé vu au télescope. Andromède est la seule galaxie visible à l'œil nu.

Questions

1 Relève tous les nombres du texte qui expriment une distance, puis écris-les, sans modifier l'unité, sous la forme : $a \times 10^p$, a et p étant des nombres entiers.

2 Pourquoi, les distances des galaxies sont-elles exprimées en année-lumière et non plus en kilomètre ?

3 Imaginons que l'on puisse voir avec un télescope surpuissant un petit extraterrestre souffler les bougies de son dixième anniversaire sur une planète située à 70 années-lumière. Quel âge a-t-il en réalité au moment où nous l'observons ?

fig. 18 Notre Galaxie : vue d'artiste.

Cours

La lumière a une vitesse

Voir **Activités 1** et **2**

Observation et interprétation : La propagation de la lumière n'est pas instantanée. L'astronome danois Römer (**fig. 1**) a réalisé en 1676 une première mesure de la propagation de la lumière dans le vide.
Depuis, des mesures très précises ont confirmé que la vitesse de propagation de la lumière dans le vide et dans l'air vaut très exactement 299 792 458 m/s. Cette valeur est une constante physique universelle dont nous retiendrons la valeur approchée : v = 300 000 km/s ou 3×10^8 m/s.

fig. 1 Olaüs Römer (1644-1710).

Conclusion : La vitesse de la lumière dans le vide et dans l'air vaut 300 000 km/s ou 3×10^8 m/s.

Vitesse de la lumière dans les milieux transparents

Voir **Activité 3**

Observation et interprétation : La lumière se propage dans le vide et dans certains milieux matériels. C'est dans le vide que la vitesse de la lumière est la plus grande (**fig. 2**).

Conclusion : La lumière se propage dans les milieux transparents : sa vitesse de propagation dépend du milieu qu'elle traverse.

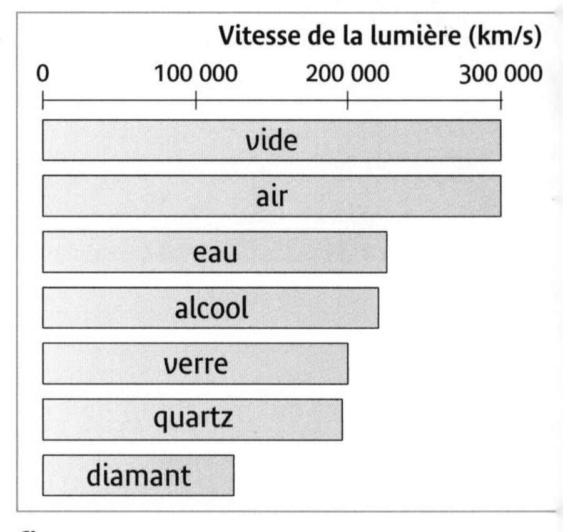

fig. 2 La vitesse de la lumière varie selon le milieu.

3 Mesure d'une distance grâce à la lumière

Voir **Activité 4**

Observation : En mesurant la durée que met la lumière pour effectuer un aller-retour Terre-Lune, on peut calculer la distance entre ces deux astres (**fig. 3**).

Interprétation : La vitesse s'obtient en faisant le quotient de la distance d par la durée t du déplacement : $v = \frac{d}{t}$.
En conséquence, pour calculer la distance Terre-Lune, on fait :
$d_{\text{Terre-Lune}} = v \times t = 300\,000 \times 1{,}28 = 384\,000$ km.

Conclusion : Connaissant la durée t du déplacement de la lumière et sa vitesse v, on peut calculer la distance d qu'elle a parcourue en faisant $d = v \times t$.

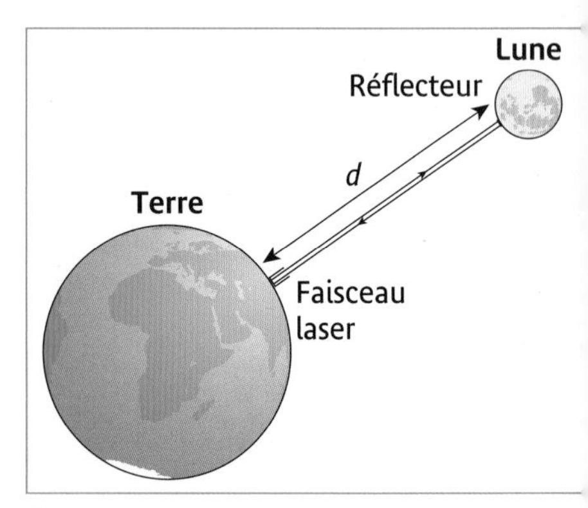

fig. 3 La lumière met 2,56 s pour faire un aller-retour Terre-Lune, soit 1,28 s pour l'aller et 1,28 s pour le retour.

L'année-lumière et les distances dans l'Univers

Voir **Activités 5** et **6**

En astronomie, on utilise une unité de longueur adaptée aux très grandes distances : l'année de lumière, ou année-lumière (symbole : a.l.). C'est la distance parcourue par la lumière en une année dans le vide.

1 a.l. = $9{,}5 \times 10^{12}$ km soit environ 1×10^{13} km, c'est-à-dire 10 000 milliards de km !

On peut ainsi exprimer les distances soit en km, soit en année-lumière. L'utilisation des puissances de dix permet de simplifier l'écriture.

	Valeur en km	Valeur en année-lumière
Distance Terre-Lune	$3{,}84 \times 10^{5}$	$3{,}84 \times 10^{-8}$
Rayon de l'orbite de Neptune	$4{,}5 \times 10^{9}$	$4{,}5 \times 10^{-4}$
Diamètre de notre Galaxie	1×10^{18}	1×10^{5}
Distance Terre/galaxie d'Andromède	22×10^{18}	22×10^{5}

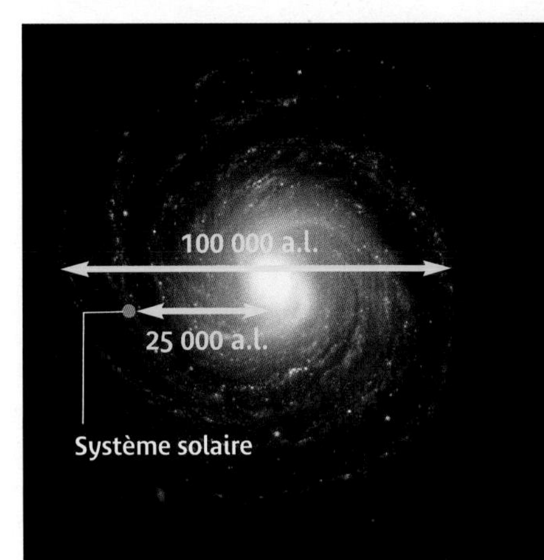

fig. 4 Notre Galaxie, vue de face (représentation d'artiste). Le Soleil, une étoile parmi 100 000, est à 25 000 a.l. du centre.

L'essentiel

► **Contrôle tes connaissances** *en faisant l'exercice 1 page 217.*

La vitesse de la lumière

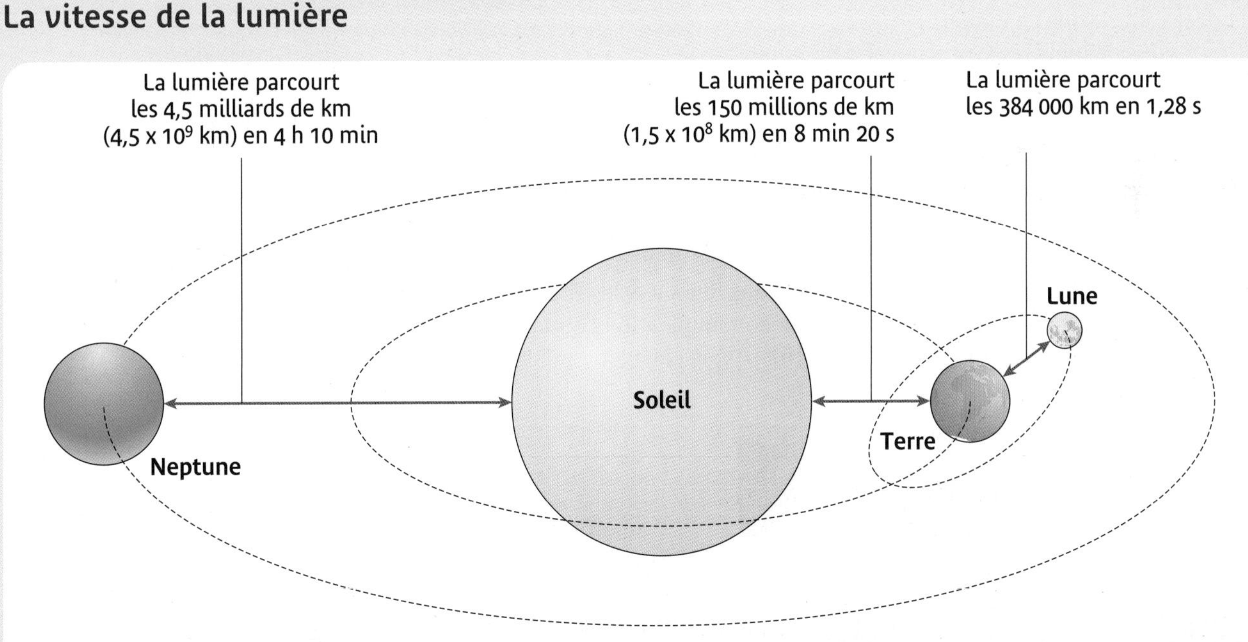

La lumière se propage dans le vide et dans l'air à la vitesse de 300 000 km/s ou 3×10^{8} m/s.

Rappels mathématiques

Relations entre vitesse du déplacement (v), distance parcourue (d) et durée du déplacement (t) :

$v = \dfrac{d}{t}$; $t = \dfrac{d}{v}$; $d = v \times t$

Opérations sur les puissances de 10 : $10^{a} \times 10^{b} = 10^{a+b}$; $\dfrac{10^{a}}{10^{b}} = 10^{a-b}$

Documents

Le transport de la lumière

Histoire des sciences

Au quotidien

Transporter la **lumière** d'un endroit à un autre passionne les Hommes depuis très longtemps.

À l'époque des Grecs anciens (IXe au IVe siècle avant J.-C.), le phénomène du transport de la lumière dans des cylindres de verres était déjà bien connu. Les artisans verriers le mettaient à profit pour créer des « puits de lumières » dans les édifices et fabriquer de magnifiques objets décoratifs.

Aujourd'hui, le transport de la lumière trouve de très nombreuses applications dans notre quotidien grâce aux **fibres optiques**.

Ce sont en fait des **fils de verre** très fins entourés d'une gaine réfléchissante dans lesquels on fait **circuler** la lumière comme dans un « tuyau » (**fig. 1**).

C'est le principe des **télécommunications** téléphoniques et Internet :

- Grâce à des dispositifs utilisant des technologies de pointe, les informations à transmettre (sons, images, données informatiques…) peuvent être « codées » en rayons de lumière ;
- Ces rayons de lumière se propagent d'un bout à l'autre des fibres optiques en « ricochant » sur les parois réfléchissantes (**fig. 2**) et sont « décodés » à l'arrivée.

fig. 1 Fibres optiques utilisées dans un gadget lumineux.

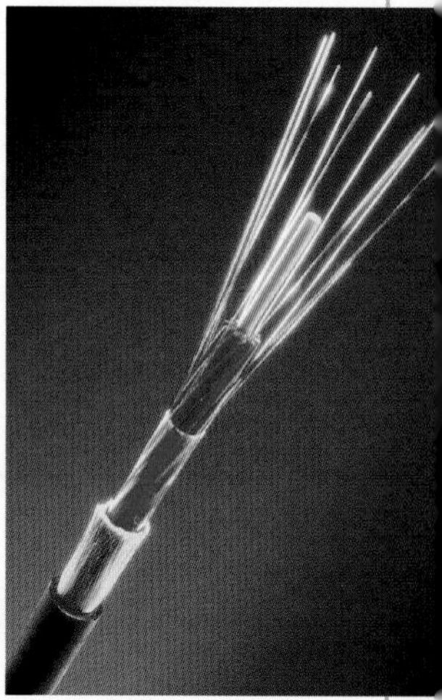

fig. 3 Fibres optiques utilisées dans le câblage informatique.

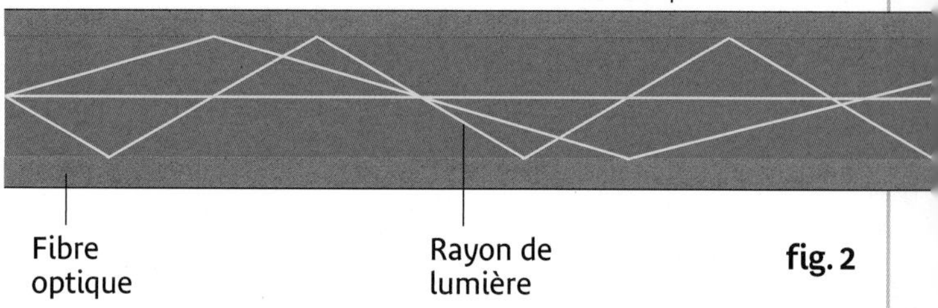

Fibre optique

Rayon de lumière

fig. 2

Tout l'intérêt de cette transmission réside dans le fait que la lumière se propage à **très grande vitesse** : les informations sont transmises de manière quasi instantanée entre deux lieux distants de plusieurs centaines, voire milliers, de kilomètres.

En permettant les communications à très longue distance, les fibres optiques ont constitué l'un des éléments clef de la révolution des télécommunications optiques (**fig. 3**). Elles trouvent aussi de nombreuses applications dans l'imagerie médicale (**fig. 4**).

DÉCOUVRIR UN MÉTIER

INSTALLATEUR(TRICE) EN TÉLÉCOMMUNICATION

voir p. 219

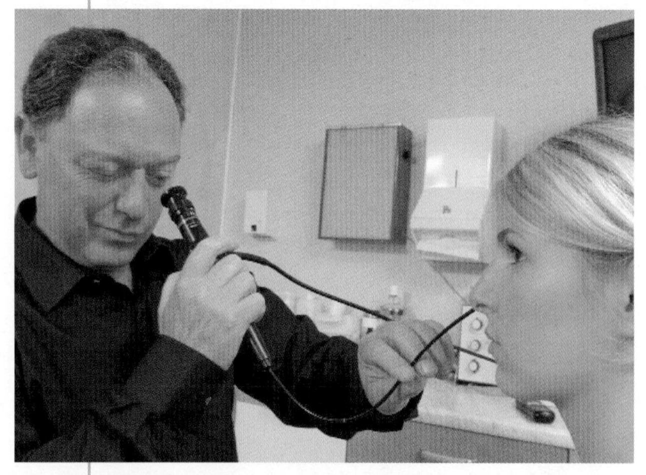

fig. 4 Utilisation de fibres optiques en milieu médical.

Questions

1 Justifie les termes « fibre » et « optique » utilisés.

2 Explique en quelques phrases le principe de la transmission Internet par fibre optique.

3 Combien de temps faut-il pour qu'un message électronique envoyé de Paris par fibres optiques arrive à Tokyo ? Commente ce résultat. *Aide : distance Paris/Tokyo : 10 000 km et vitesse de la lumière dans une fibre optique : 200 000 km/s.*

B2i Utilise un moteur de recherche pour trouver les causes de la première grosse panne du réseau internet, survenue en Asie, en décembre 2006 ?

Exercices

Je contrôle mes connaissances

1 Je retrouve l'essentiel

Utilise les mots ou groupes de mots suivants pour compléter les phrases ci-dessous : *une année, transparents, milieu, 300 000 km/s, moins, 1 x 10^{13} km, se propage, 3 x 10^{8}, année-lumière.*

La lumière .... dans le vide et dans certains milieux matériels. Dans le vide et dans l'air, sa vitesse vaut .... soit 3 x 10^5 km/s ou .... m/s. Dans les autres milieux ...., la vitesse de la lumière est .... élevée ; elle varie selon le ....
Une année de lumière ou .... est la distance parcourue par la lumière, dans l'espace, en .... :
1 a.l. = 9,5 x 10^{12} km soit environ ....

→ **Solution page 222.**

2 Calculer une distance — Mathématiques

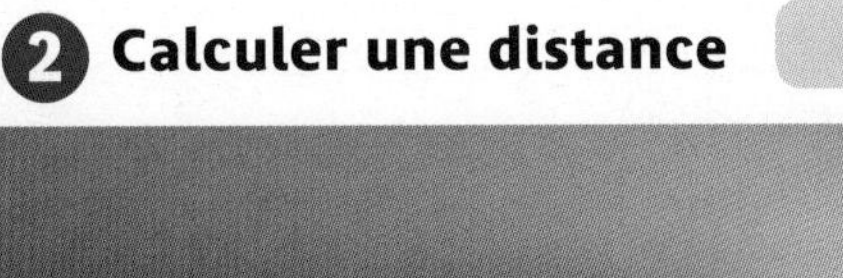

La lumière du Soleil met 8 minutes et 20 secondes pour venir jusqu'à nous. Utilise cette donnée pour retrouver par le calcul la distance entre la Terre et le Soleil.

3 Calculer une vitesse — Mathématiques

La lumière met 0,2 seconde pour faire le tour de la Terre (au niveau de l'équateur) dans une fibre optique.
Calcule la vitesse de la lumière dans cette fibre.
Aide : le périmètre de la Terre est de 40 000 km.

4 Calculer une durée — Mathématiques

Mercure, première planète du système solaire, gravite à environ 6 x 10^7 km du Soleil.
a. Calcule le temps mis par la lumière solaire pour atteindre Mercure.
b. Exprime le résultat en secondes puis en minutes.

J'utilise mes connaissances

5 Les grands nombres — Mathématiques

En estimant à 125 milliards le nombre de galaxies dans l'Univers et en admettant que chacune compte 100 milliards d'étoiles, exprime sous forme de puissance de dix le nombre d'étoiles dans l'Univers.

6 Les puissances de dix — Mathématiques

À quelles puissances de dix correspondent les trois préfixes : kilo, nano, milli et les deux nombres : million et milliard ?

7 Évaluer une date à partir d'une distance — Mathématiques

On observe une étoile située à 1 x 10^{16} km de la Terre. Pourquoi la voit-on telle qu'elle était il y a 1 000 ans ?
Aide : 1 a.l. = 1 x 10^{13} km.

8 Positionner une sonde dans l'espace

Une sonde lancée pour explorer le système solaire émet un signal radio qui se propage à la même vitesse que la lumière. Ce signal est reçu sur Terre 9 heures après son émission.

a. Quelle distance séparait la Terre de la sonde au moment de l'émission ?
b. La sonde se déplace dans l'espace à la vitesse de 12,5 km/s. Depuis quand a-t-elle quitté la Terre ?

9 Physics in English

If you count one number every second, how many minutes does it take to count to one thousand?
How many days does it take to count to one million?
How many years does it take to count to one billion?

Technicien(ne) en qualité de l'air

SON ACTIVITÉ ?
À la fois sur le terrain et en laboratoire, il assure la maintenance des analyseurs d'air, relève les mesures et les analyse pour contrôler la qualité de l'air.

SES QUALITÉS ?
Être rigoureux, aimer le travail en équipe, maîtriser l'informatique et l'électronique.

SA FORMATION ?
Bac S ; DUT Mesures physiques et physico-chimiques ou BTS Chimiste.

DANS LE MÊME SECTEUR :
Technicien de maintenance (Bac professionnel) .

OÙ SE DOCUMENTER ?
www.informetiers.fr *www.studya.com*

Technicien(ne) thermicien(ne)

SON ACTIVITÉ ?
Il participe à la conception et à l'entretien de diverses installations concernant la consommation d'énergie (fours industriels, chaudières d'habitation, centrales nucléaires, etc.).

SES QUALITÉS ?
Être fiable, rapide et autonome, avoir le sens du service.

SA FORMATION ?
BEP Installations sanitaires et thermiques ;
Bac pro Systèmes énergétiques et climatiques ;
BTS Fluides et énergie, DUT Génie civil et climatique, Équipements du bâtiment.

DANS LE MÊME SECTEUR :
Installateur d'équipements sanitaires et thermiques (CAP, BEP).

OÙ SE DOCUMENTER ?
www.lesmetiers.net *www.orientation-formation.fr*

Ingénieur(e) chimiste

SON ACTIVITÉ ?
Son activité sera très différente suivant son lieu de travail.
En laboratoire, il améliore et/ou élabore des produits (médicaments, parfums...) et cherche de nouvelles molécules.
Dans un bureau d'étude, il conçoit des appareillages destinés à la fabrication de produits (aliments, etc.). Il en contrôle la qualité.
Il peut aussi avoir un rôle de commercial pour promouvoir les produits d'un laboratoire.

SES QUALITÉS ?
Être rigoureux, avoir l'esprit pratique et l'esprit de déduction.

SA FORMATION ?
Bac S ; classes préparatoires ; université, école d'ingénieurs (5 ans).

DANS LE MÊME SECTEUR :
Aide-chimiste (CAP).
Technicien chimiste (BTS Chimie ; DUT Chimie, Génie chimique).

OÙ SE DOCUMENTER ?
www.meformer.org *www.lesmetiers.net*

Technicien(ne) de la météorologie

SON ACTIVITÉ ?
Spécialiste des phénomènes atmosphériques, il étudie et analyse les changements climatiques pour établir des prévisions et prévenir les risques de catastrophe naturelle (avalanche, inondation, etc.).

SES QUALITÉS ?
Aimer l'observation, réaliser et interpréter des mesures.
Être précis, patient, avoir une bonne condition physique.

SA FORMATION ?
Bac S ou STI ; 2 ans de formation à l'École Nationale de la Météorologie.

DANS LE MÊME SECTEUR :
Ingénieur de la Météorologie (Bac S ; classes préparatoires ; École Nationale d'Ingénieurs de la Météorologie).

OÙ SE DOCUMENTER ?
www.informetiers.fr *www.orientation-formation.fr*

Technicien(ne) électronicien(ne)

SON ACTIVITÉ ?
Téléphones portables et fours à micro-ondes, alarmes et airbags, télécommandes n'ont aucun secret pour le technicien électronicien. Il participe à la mise au point, à la fabrication et à la maintenance de tout appareil comprenant des composants électroniques.

SES QUALITÉS ?
Minutieux et précis, polyvalent.

SA FORMATION ?
BEP Métiers de l'électronique.
Bac pro Maintenance réseaux-bureautique-télématique.
Bac STI spécialité Génie électronique.
BTS Systèmes électroniques, Domotique.

DANS LE MÊME SECTEUR :
Microtechnicien (BEP Métiers de la production mécanique informatisée : MPMI ; Bac STI).
Ingénieur électronicien (Bac S, classes préparatoires, écoles d'igénieurs).

OÙ SE DOCUMENTER ?
www.lesmetiers.net *www.meformer.org*

Masseur(euse) - Kinésithérapeute

SON ACTIVITÉ ?
Il assure des rééducations. Il aide ses patients à réaliser des mouvements précis pour améliorer leur motricité après divers traumatismes : accidents de la route, paralysies, difficultés respiratoires, etc. Il suit parfois des patients en raison de la pratique intensive d'un sport.

SES QUALITÉS ?
Il doit être à l'écoute, disponible et résistant physiquement.

SA FORMATION ?
Bac S ; Diplôme d'État de Kinésithérapeute en trois ou quatre ans.

DANS LE MÊME SECTEUR :
Agent de thermalisme (CAP Aide-soignant, BEP Carrières sanitaires et sociales et formation complémentaire).
Ergothérapeute (Bac, Diplôme d'État d'Ergothérapeute en 3 ans).

OÙ SE DOCUMENTER ?
www.orientation-formation.fr *www.onisep.fr*

Électricien(ne)

SON ACTIVITÉ ?
Artisan ou ouvrier spécialisé, l'électricien d'équipement réalise toutes les installations électriques (raccordement au réseau EDF, câblages) dans les logements, bureaux, hôpitaux ou encore des entreprises industrielles. Responsable de ses travaux, il doit en assurer la maintenance et effectuer les réparations nécessaires.

SES QUALITÉS ?
Méticuleux, prudent et respectueux des normes.

SA FORMATION ?
CAP Préparation et réalisation d'ouvrages électriques.
BEP Métiers de l'électronique.
BTS Électrotechnique.

DANS LE MÊME SECTEUR :
Électricien automobile (CAP/BEP secteur automobile, Maintenance des systèmes embarqués).
Monteur en réseaux de distribution électrique (BEP Électrotechnique).

OÙ SE DOCUMENTER ?
www.lesmetiers.net *www.meformer.org*

Installateur(rice) en télécommunications

SON ACTIVITÉ?
Il réalise l'installation (câblages, connexions, raccordement aux réseaux) de téléphones fixes et mobiles, de télécopieurs, de systèmes de surveillance vidéo, etc. Il veille au bon fonctionnement du matériel installé et aide l'utilisateur.

SES QUALITÉS ?
Il doit être disponible et à l'écoute des usagers, rigoureux et habile.

SA FORMATION ?
CAP Installation en télécommunications et courants faibles.
BEP Électronique.
Bac pro Micro-informatique et réseaux : installation et maintenance.

DANS LE MÊME SECTEUR :
Installateur en télécommunication (Bac S/STI ; DUT Génie des télécommunications)
Ingénieur télécommunications et réseaux.

OÙ SE DOCUMENTER ?
www.lesmetiers.net *www.meformer.org*

Opticien(ne)-lunetier(ère)

SON ACTIVITÉ ?
aide ses clients à choisir leurs lunettes ou leurs lentilles. Il détermine la correc-
on souhaitée et commande les verres. Puis il effectue le montage qui consiste
centrer, découper, polir et insérer les verres dans la monture des lunettes.

SES QUALITÉS ?
doit être minutieux, soigneux et convaincant.

SA FORMATION ?
ac S, STI ou STL ; BTS Opticien-lunetier.

DANS LE MÊME SECTEUR :
lonteur en lunetterie (CAP Monteur lunetterie, BEP Optique-lunetterie).
echnicien en optique de précision (BTS Génie optique).

OÙ SE DOCUMENTER ?
www.lesmetiers.net *www.meformer.org*

Éclairagiste

SON ACTIVITÉ ?
Il utilise des projecteurs, des filtres, différentes sources électriques pour créer des effets et des jeux de lumière lors de la réalisation d'un spectacle, d'un tournage (cinéma ou télévision) ou d'un reportage (presse filmée).

SES QUALITÉS ?
Il doit avoir un sens artistique affirmé et savoir gérer l'imprévu.

SA FORMATION ?
CAP Préparation et réalisation d'ouvrages électriques.
BEP Métiers de l'électrotechnique, option Électricien d'équipement.

DANS LE MÊME SECTEUR :
Agent technique du spectacle (CAP/BEP).

OÙ SE DOCUMENTER ?
www.orientation-formation.fr *dico.monemploi.com*

Manipulateur(trice) en électroradiologie

SON ACTIVITÉ ?
participe à la réalisation des investigations relevant de l'imagerie
édicale (radiologie, scanographie, IRM, médecine nucléaire)
des traitements (radiothérapie).
accueille le patient, le positionne pour effectuer les clichés et le tient
formé des différentes étapes de l'examen. Il retouche éventuellement
s clichés (grâce à des logiciels) pour les rendre lisibles par le medecin.

SES QUALITÉS ?
évenant, attentif et précis, maîtriser l'informatique.

SA FORMATION ?
ac S, STL, SMS ; BTS Imagerie médicale et Radiologie thérapeutique
u Diplôme d'État préparé en 3 ans.

DANS LE MÊME SECTEUR :
de soignant (BEP Carrières sanitaires et sociales, Diplôme professionnel
aide-soignant DPAS).
mbulancier (Brevet des collèges, Certificat de capacité d'ambulancier).

OÙ SE DOCUMENTER ?
www.lesmetiers.net *www.meformer.org*

POUR TE RENSEIGNER

Le C.I.O.

C'est le **C**entre d'**I**nformation et d'**O**rientation.
Son rôle est de t'aider à faire le point sur toi-même et sur tes choix d'orientation.
Le C.I.O. informe sur les études, les formations professionnelles et sur tous les métiers.
Tu y trouveras de nombreux documents sur les enseignements et les formations.
Tu peux te documenter seul ou demander l'aide d'un(e) Conseiller(ère) d'Orientation Psychologue.

Qui est le (la) Conseiller (ère) d'Orientation Psychologue ?

C'est un(e) spécialiste des questions d'orientation.
En relation avec le C.I.O., le (la) conseiller(ère) d'orientation psychologue travaille avec les collégiens et les lycéens pour les aider à construire leurs projets d'études ou professionnels. Il (elle) peut répondre à toutes tes interrogations concernant l'orientation, les formations, les métiers...
Tu peux le (la) rencontrer lors d'un entretien individuel, dans ton collège ou au C.I.O., pour lui faire part de tes inquiétudes, lui poser des questions, faire des tests d'intérêts...

ATTENTION AVEC INTERNET !

Si Internet est un formidable moyen de documentation, il ne faut pas l'utiliser sans limites. Demande toujours l'autorisation avant de te connecter et, si un site te dérange ou te choque, parles-en à un adulte !

Socle commun de connaissances et de compétences

LA CONTRIBUTION DU MANUEL

Les chapitres de ce manuel contribuent à la maîtrise des éléments de savoirs indispensables en sciences et dans d'autres domaines enseignés au collège.

Dans les chapitres

Les principaux éléments de mathématiques

- Connaître la proportionnalité. 2 11 15
- Connaître les principales grandeurs. 1 3 13 15
- Faire des mesures à l'aide d'instruments, en prenant en compte l'incertitude liée au mesurage. 7 8 9 10 11 13
- Effectuer mentalement des calculs simples et déterminer un ordre de grandeur. 7 8 9 10 11 13 15
- Utiliser la calculatrice pour les 4 opérations. 1 7 8 9 10 11 15
- Calculer la valeur d'une expression littérale. 11 15
- Construire et utiliser des tableaux, des graphiques. 11 15

La culture scientifique et technologique

- Savoir que l'Univers est structuré du niveau microscopique au niveau macroscopique. 1 2 3 6 15
- Savoir que la Terre est un objet du système solaire. 15
- Savoir que la matière se présente sous une multitude de formes sujettes à des transformations. 1 2 3 4 5 6
- Comprendre qu'un effet peut avoir plusieurs causes, percevoir qu'il peut exister des causes non apparentes ou inconnues. 3 7 8 9 10 11 13
- Percevoir le lien entre sciences et techniques. 1 à 15
- Communiquer en langue étrangère. 1 à 15
- Avoir des repères historiques. 2 3 6 8 12 13 14 15
- Savoir que la maîtrise de la matière contribue au progrès. 1 3 4 5 6 13
- Connaître les énergies renouvelables et fossiles. 3 5 13

À travers tous les chapitres

La culture scientifique et technologique

- Pratiquer une démarche scientifique (observer, questionner, formuler une hypothèse et la valider, argumenter, modéliser de façon élémentaire).
- Manipuler et expérimenter : concevoir un protocole, le mettre en œuvre en utilisant les outils appropriés.
- Utiliser ses connaissances en situation (par exemple veiller au risque d'accident).
- Avoir le sens de l'observation, être curieux, avoir l'esprit critique.

La maîtrise de la langue française

- Dégager l'idée essentielle d'un texte, comprendre un énoncé, une consigne, répondre par une phrase complète.
- Utiliser les connecteurs logiques de cause, de conséquence, de but.
- Rédiger un compte rendu de manipulation.

L'autonomie et l'initiative

- Raisonner avec logique et rigueur.
- Identifier un problème, rechercher l'information utile et mettre au point une démarche de résolution.
- S'auto-évaluer.

Les compétences sociales et civiques

- Respecter les règles.
- Communiquer et travailler en équipe (savoir écouter, faire valoir son point de vue…).
- Avoir le sens des responsabilités par rapport aux autres.

Solutions

« Je retrouve l'essentiel »

Chapitre 1 (p. 23)

La plus petite particule d'eau s'appelle **la molécule** d'eau.
La glace a une forme propre et **un volume propre** : les molécules sont **très liées** et immobiles. L'état solide est compact et **ordonné**.
L'eau liquide coule et prend **la forme** du récipient qui la contient : les molécules d'eau **glissent** les unes sur les autres tout en restant en contact. L'état liquide est **compact** et **désordonné**.
La vapeur d'eau n'a pas de **forme propre** : un gaz occupe tout l'espace qui lui est offert. Les molécules sont **très agitées**. L'état gazeux est **dispersé** et désordonné.
Quel que soit l'état physique de l'eau, les molécules sont toujours **identiques.**
Lorsque l'eau change d'état physique ou lorsqu'on dissout un solide dans l'eau, la masse totale reste **constante** car toutes les molécules se **conservent**.

Chapitre 2 (p. 37)

L'air est un **mélange** de gaz. Ses deux constituants essentiels sont le **dioxygène**, environ **20 %** du volume total (soit 1/5), et le **diazote**, environ 80 % (soit **4/5**).
Dans un corps pur, toutes les molécules sont **identiques.** L'air est un mélange de molécules de différents corps purs ; il contient environ **quatre fois plus** de molécules de diazote que de molécules de dioxygène.
Le dioxygène est **indispensable à la vie**.
Une fumée contient des particules **solides en suspension** de taille bien **supérieure** aux **molécules** qui constituent les gaz.

Chapitre 3 (p. 53)

Les molécules qui constituent les gaz sont très agitées et **se déplacent** rapidement.
Les molécules de deux gaz différents mis en présence se mélangent. On dit qu'elles **diffusent** en se répartissant dans tout **l'espace disponible**.
L'air, comme tous les gaz, est :
- **compressible** : on peut réduire son volume en augmentant sa **pression**,
- expansible : on peut **augmenter** son volume en réduisant sa pression.

L'eau, comme tous les **liquides**, n'est ni compressible, ni expansible.
L'air est **pesant**. Dans les conditions normales de température et de pression, 1 L d'air pèse **1,3 g**.

Chapitre 4 (p. 69)

Une combustion nécessite la présence simultanée d'un **combustible** et d'un comburant. Lorsqu'une bougie brûle dans l'air, le **comburant** est le dioxygène de l'air.
La combustion du carbone est une **transformation chimique**.
Au cours d'une transformation chimique, certains corps appelés **réactifs** disparaissent, tandis que de nouveaux corps appelés **produits** apparaissent.
Le bilan de cette transformation s'écrit :

$$\underbrace{\text{carbone + dioxygène}}_{\text{réactifs}} \rightarrow \underbrace{\text{dioxyde de carbone}}_{\text{produit}}$$

La flèche va des réactifs vers le produit ; elle se lit « donne ». Le « + » signifie « **réagit avec** ».
Le « trouble » de l'eau de chaux est dû à un **précipité de carbonate de calcium**.
Un précipité est constitué de **particules solides** en suspension dans un liquide que l'on met en évidence par **décantation** et/ou **filtration**. Un précipité peut être **coloré**.

Chapitre 5 (p. 81)

Au cours de la combustion **complète** du méthane dans l'air, du méthane et du dioxygène **disparaissent** tandis que de l'eau et du dioxyde de carbone **se forment**.
Il s'agit d'une **transformation chimique** dont le bilan s'écrit :

méthane + dioxygène → eau + dioxyde de carbone

Méthane et dioxygène sont les **réactifs** ; dioxyde de carbone et eau sont les **produits**.
Si l'alimentation en dioxygène est insuffisante, la combustion est incomplète : elle produit un **combustible** (le carbone) et un gaz incolore et inodore mais très **toxique** : le **monoxyde de carbone**.

Chapitre 6 (p. 97)

Au cours d'une transformation chimique, la **masse totale** se conserve : la masse des réactifs est égale à la masse des **produits**.
La matière est constituée à partir d'atomes ; les atomes sont représentés par des **symboles**. Il existe une centaine de sortes d'atomes.
Les molécules sont des **assemblages d'atomes**. On représente chaque molécule par une **formule**.
Lors d'une transformation chimique, la disparition de tout ou d'une partie des **réactifs** correspond à un **réarrangement** des atomes pour former de **nouvelles molécules** : les produits.
Les atomes présents dans les produits formés sont de **même nature** et en **même nombre** que dans les réactifs.
L' **équation de réaction** traduit cette transformation et respecte la **conservation** des atomes.

Chapitre 7 (p. 113)

Une **tension** électrique s'exprime en volt (symbole : **V**) et se mesure avec un **voltmètre** (symbole : —(V)—). Un voltmètre se monte en **dérivation**.
Une tension peut exister entre les bornes d'un dipôle sans qu'il soit **traversé par le courant**.
Un courant peut traverser un dipôle même si la tension entre ses bornes est **nulle**.
Dans un circuit en boucle simple, la tension du **générateur** est appliquée, par l'intermédiaire des fils, entre les bornes du **récepteur**.
Une lampe est bien **adaptée** à un générateur si cette lampe brille **normalement**. La tension entre les bornes de la lampe est alors voisine de sa tension **nominale**.
Lorsque la tension ente les bornes d'une lampe est inférieure à sa tension nominale, on dit qu'elle est en **sous-tension** : elle brille peu.
Lorsque la tension entre les bornes d'une lampe est supérieure à sa tension nominale, on dit qu'elle est en **surtension** : elle brille trop et risque d'être **détruite**.

Chapitre 8 (p. 125)

L'intensité du courant électrique s'exprime en **ampère** (symbole A). On la mesure avec un **ampèremètre** (symbole —(A)—). Cet appareil se branche toujours en **série**. Pour que la valeur affichée soit positive, le courant doit **entrer** par la borne « A » et **sortir** par la borne « COM ».

Le calibre correspond à la valeur **maximale** que peut mesurer le multimètre sans être détérioré. Par précaution, on débute la mesure en utilisant le calibre le plus **grand**, puis on choisit éventuellement un calibre plus petit pour améliorer la **précision**.

L'intensité est **la même** en tout point d'un circuit en série. Elle ne dépend pas de l'**ordre de connexion** des dipôles.

Une lampe éclaire normalement si l'intensité qui la traverse est égale à son **intensité nominale**.

Chapitre 9 (p. 137)

L'**intensité** garde la même valeur tout au long d'un circuit en série ; c'est la loi **d'unicité** de l'intensité.

La tension aux bornes du générateur est égale à la **somme des tensions** aux bornes des différents récepteurs **montés en série** ; c'est la loi d'additivité des tensions dans un montage en série.

L'intensité du courant dans **la branche principale** du circuit est égale à la somme des intensités des courants dans **les branches dérivées** ; c'est la loi d'additivité des intensités dans un montage en dérivation.

Les points du circuit où aboutissent plus de **deux** fils parcourus par le courant sont des **nœuds** du circuit. La somme des intensités des courants **arrivant** à un nœud est égale à la somme des intensités des courants **partant** de ce nœud.

La tension est la même aux bornes de différents dipôles **montés en dérivation** ; c'est la loi **d'égalité des tensions** dans un montage en dérivation.

Chapitre 10 (p. 149)

L'unité de résistance électrique est l'**ohm** (symbole Ω). Une résistance électrique se mesure avec un **ohmmètre** (symbole —(Ω)—) ; il suffit de connecter le dipôle **isolé** (hors du circuit) sur les bornes « Ω » et « **COM** » de l'appareil puis de choisir le calibre. Le sens de branchement n'a pas d'**importance**.

Tous les **dipôles** possèdent une **résistance** électrique plus ou moins grande : ils sont plus ou moins **résistants** au passage du courant.

Dans un circuit électrique, lorsque la résistance **augmente,** l'intensité du courant diminue. Si on place des récepteurs supplémentaires dans un montage en série, leurs effets s'**ajoutent** : l'intensité du courant **diminue**.

En court-circuitant un récepteur, on **supprime** l'effet de sa résistance sur l'intensité du courant.

Dans un montage en **série**, il ne faut jamais court-circuiter l'**ensemble** des récepteurs.

Dans un montage en **dérivation**, court-circuiter une branche dérivée revient à court-circuiter le **générateur**.

Chapitre 11 (p. 161)

La **caractéristique** d'un dipôle est le graphique qui représente les variations de la **tension** entre ses bornes en fonction de **l'intensité** du courant qui le traverse.

Dans le cas d'un **résistor**, la caractéristique est une droite qui passe par l'origine : les valeurs de U et de I sont alors **proportionnelles**.

D'après la **loi d'Ohm**, la tension U aux bornes d'un dipôle **ohmique** et l'intensité I du courant qui le traverse vérifient la relation : $U = R \times I$.

Chapitre 12 (p. 177)

La lumière **blanche** est composée de toutes les **lumières colorées**.

Un filtre **laisse passer** certaines lumières colorées et en **absorbe** d'autres.

La **superposition** de lumières colorées peut produire de **nouvelles** teintes de lumières ; c'est la **synthèse additive**.

La couleur d'un objet dépend de la lumière qu'il **reçoit** et de celle qu'il **diffuse**.

Chapitre 13 (p. 191)

Il existe plusieurs types de lentilles ; les lentilles **divergentes** (à bords épais) et les lentilles **convergentes** (à bords minces). Les lentilles convergentes ont pour propriété de **concentrer** les rayons de lumière. Si la source de lumière est loin de la lentille (Soleil par exemple), l'**énergie** se concentre en un point appelé **foyer** de la lentille. La distance entre ce point et le centre de la lentille s'appelle la **distance focale**.

Grâce à une lentille convergente, on peut obtenir sur un écran une image **renversée** de l'objet. La **taille** de l'image dépend de la position de l'objet et de la lentille.

Chapitre 14 (p. 203)

L'œil est l'organe de base de la **vision**. Il comporte un ensemble d'éléments destinés à recevoir les **rayons de lumière** venant des objets et à **former** l'image de ces objets sur la **rétine**.

On modélise l'œil par une **lentille** convergente et un **écran**.

Quand la **distance** de l'œil à l'objet varie, l'œil accommode. Il se comporte comme une lentille convergente **déformable** : sa distance focale varie.

Un œil **myope** est trop convergent : l'image d'un objet éloigné se forme **en avant** de la rétine. Un œil **hypermétrope** n'est pas assez convergent, l'image de l'objet se forme **au-delà** de la rétine. L'association de l'œil et d'un **verre correcteur** bien adapté donne d'un objet une image **nette** sur la rétine.

Chapitre 15 (p. 217)

La lumière **se propage** dans le vide et dans certains milieux matériels. Dans le vide et dans l'air, sa vitesse vaut **300 000 km/s** soit 3×10^5 km/s ou $\mathbf{3 \times 10^8}$ m/s. Dans les autres milieux **transparents**, la vitesse de la lumière est **moins** élevée ; elle varie selon le **milieu**.

Une année de lumière ou **année-lumière** est la distance parcourue par la lumière, dans l'espace, en **une année** :

1 a.l. = $9{,}5 \times 10^{12}$ km soit environ $\mathbf{1 \times 10^{13}}$ **km**.

« Je teste mes connaissances »

PARTIE I (p. 10) : 1a. ; 2b. ; 3c. ; 4b. ; 5a. ; 6b

PARTIE II (p. 100) : : 1b. ; 2b. ; 3a. ; 4c. ; 5a. ; 6c.

PARTIE III (p. 164) : 1a. ; 2b. ; 3c. ; 4c. ; 5b. ; 6a.

Index

Table des illustrations

Garde avant (p.1)
hg ph © E. Lessing/Akg-Images
hmg Coll. RDA/Rue des Archives
hm ph © Leemage
hmd ph © Héritage Images/Leemage
hd ph © Bridgeman - Giraudon
bg ph © Akg-Images
bmg ph © DR
bmd ph © Costa/Leemage
bd ph © Akg-Images
Garde avant (p.2)
hg ph © Bridgeman - Giraudon
hmg ph © Archives Charmet/Bridgeman - Giraudon
hm ph © Akg-Images
hmd ph © PVDE/Rue des Archives
hd ph © Leemage
bg ph © Bridgeman - Giraudon
bmg ph © Héritage Images/Leemage
bmmg ph © The Granger Collection NYC/Rue des Archives
bmmd ph © Akg-Images
bmd ph © The Granger Collection NYC/Rue des Archives
bd ph © Leemage
Garde arrière
h ph © Maped
mh ph © Jean Riby
mmh © Jeulin
mmb © Jeulin
mb © Jeulin
b © Jeulin
Pages
11 ph © Stéphane Godin/Bios
12 ph © Christian Heeb/Hemis.fr
13-2 ph © François Gilson/Bios
13-4-b ph © Todd Gipstein/National Geographic/Getty Images
13-4-h ph © Pascal Bouclier/Photononstop
14-1 ph © Franck Guiziou/Hemis. fr
14-2 ph © Joël Héras/Bios
15 ph © World Pictures/Sunset
20-2 ph © Clouds Hill Imaging Ltd/Corbis
20-3 ph © Collection Photo Researchers/BSIP
21-4 ph © Christian Arnal/Francedias
21-5 ph © Gore-Tex
23-3 ph © Sucré-Salé
24-11 ph © Jean Riby/Archives Hatier
24-7 ph © Ian Sanderson/Getty Images
25-12 ph © Jean Riby/Archives Hatier
26 ph © NASA/Novapix
27-2 ph © Mark Mattock/Getty Images
27-3 ph © Pierre Philippon
27-4 ph © Sylvain Grandadam/AgeFotostock/Hoa-Qui
28 ph © Bibliothèque des Arts Décoratifs, Paris/Archives Charmet/Bridgeman
30-7 ph © Leemage
30-8 ph © Pascal Tournaire
30-9 ph © Robert Jaeger/EPA/APA/AFP
32-4 ph © Roberto Bettini/UMA
35-5 ph © Héritage Image/Leemage
35-6 ph © PrismaArchivo/Leemage
36-1 ph © Aqua Press
38-9 ph © John Harris/Report Digital/REA
38-10-4 ph © Pierre Philippon
39-17 ph © Detlev Van Ravenswaay/S.P.L./Cosmos
40-1 ph © Pierre Philippon
41-3 ph © Jeff Hunter/Getty Images
41-4 ph © Thierry Gromik/Vandystadt.com/Regards du Sports
48-1 ph © Bridgeman - Giraudon
49-5 ph © Air Liquide
50-7 ph © Richard Damoret/REA
51-9 ph © Zanzibar/Sunset
51-10 ph © Superbild/Sunset
52-1 ph © Pierre Philippon
52-3 ph © Roger Ressmeyer/Corbis
54-8-1,2 ph © Jean Riby/Archives Hatier
55-12 ph © Gilles Rolle/REA
55-13 ph © Air Liquide
56-1 ph © J. L. Klein et M. Hubert/Bios
57-2 ph © Novastock/Corbis
57-3 ph © Legrand/Gamma
57-4 ph © Sabine Serrad
58 ph © Sabine Serrad
59 ph © Sabine Serrad
60 ph © Sabine Serrad
61 ph © Sabine Serrad
64-1 ph © Harald Theissen/Sunset
64-2 © Centre Historique Minier de Lewarde
65-4 ph © Alain Le Bot/Gamma
65-5 ph © Van den Broucke Bert/PhotNews/Gamma
67-10 ph © Hervé Conge
67-11 ph © Hervé Conge
67-12 ph © Hervé Conge
67-13 ph © Sabine Serrad
67-8 ph © Hervé Conge
67-9 ph © Hervé Conge
68 ph © Sabine Serrad
69-4 ph © Keren Su/Corbis
69-5 ph © Jean Riby/Archives Hatier
69-6 ph © Sabine Serrad
70-10-1,2 ph © Jean Riby/Archives Hatier
70-11 ph © Sabine Serrad
70-12 ph © Sabine Serrad
70-7-1,2 ph © Jean Riby/Archives Hatier
70-9 ph © Gérard Houin/Sunset
71-14-1,2 ph © Jean Riby/Archives Hatier
71-15 ph © Jean Riby/Archives Hatier
71-16 ph © Jean Riby/Archives Hatier
71-17 ph © Pierre Philippon
71-19-1,2,3 ph © Jean Riby/Archives Hatier
72-2 ph © Ian Hanning/REA
73-3g ph © Charles Eckert/Redux/REA
73-3d ph © Shout/Report-Digital/REA
73-4hg ph © Pierre Philippon
73-4d ph © Franck Bichon/Sucré Salé
78-1 ph © Pascal Sittler/REA
78-2 ph © Levy/Phototake/BSIP
79-4 ph © Ian Berry/Magnum Photos
79-5 ph © Roland Bourguet/L'Espace Photo, Gaz de France
80-2 ph © Pierre Philippon
82-9 ph © Jean Riby/Archives Hatier
82-11 ph © Pascal Sittler/REA
83-14 ph © Jean Riby/Archives Hatier
83-15 ph © Francis Demange/Gamma
83-17 ph © Jean Riby/Archives Hatier
84-1 ph © Aisa/Leemage
85-2g ph © P. Dumas/CEMES-CNRS/Lookat Sciences/Eurelios
85-2d ph © P. Dumas/CEMES - CNRS Toulouse/Eurelios
85-4 Jean Riby/Archives Hatiers
93-1 ph © S.P.L./Cosmos
93-2 ph © Ria Novosti/S.P.L./Cosmos
94-4 ph © Laguna Design/S.P.L./Cosmos
94-5 ph © K. Seddon/S.P.L./Cosmos
97-5 ph © Jean Riby/Archives Hatier
98 ph © Jean Riby/Archives Hatier
99-17 ph © Pierre Philippon
101 ph © Jerry Lodriguss/Novapix
103-2 ph © Pierre Philippon
111-3 ph © Pierre Philippon
111-4 ph © Pierre Philippon
113-4 ph © Jean Riby/Archives Hatier
114-7 ph © Jean Riby/Archives Hatier
114-10 ph © Jean Riby/Archives Hatier
114-12 ph © Jean Riby/Archives Hatier
115-14-1,2 ph © Jean Riby/Archives Hatier
115-16-1,2 ph © Jean Riby/Archives Hatier
115-17 ph © Costa/Leemage
122-1 ph © Pulsar
122-2 ph © Leonard Lessin/Photo Researchers/BSIP
123-3 ph © Maison d'ampère
123-4 ph © Francis Gires/Aseiste
123-5 ph © Musée des Arts et Métiers - CNAM, Paris
123-6 ph © Jeulin
126-9 ph © J. Riby/Archives Hatier
128-1 ph © Micheal Simpson/Getty Images
128-2 ph © Pierre Philippon
129-3 ph © Flavio Pagani/Sygma/Corbis
135-2 ph © Garry Gay/Getty Images
137-2 ph © Jean Riby/Archives Hatier
139-12-1,2 ph © Jean Riby/Archives Hatier
139-14,15 ph © Jean Riby/Archives Hatier
140-1 ph © Science Faction/Getty images
146-1 ph © Pierre Philippon
146-2 ph © Fagor-Brandt
146-3 ph © Nordic Photos/Getty images
147-8 ph © Pierre Philippon
147-9 © ECPO
147-10 ph © Pierre Philippon
148-1 ph © Jean Riby/Archives Hatier
150-8-1,2 ph © Jean Riby/Archives Hatier
151-17 ph © Pierre Philippon
152-2 ph © Jean Riby/Archives Hatier
153-4 ph © Patrick Allard/REA
158-1 ph © News Kyodo/AP Photo/Sipa Press
158-2 ph © Pascal Nieto/REA
158-3 ph © Pierre Bessard/REA
158-4 ph © James Cavallini/BSIP
164-d ph © Jean Riby/Archives Hatier
164-hg Coll. Christophe L
165 ph © Maria Stenzel/National Geographic/Getty Images
166-1 ph © Jean-Pierre Tartrat/Gamma
167-3 ph © Pascal Gely/Agence Bernand
167-4 ph © G. Biss/Masterfile
174-2 ph © PVDE/Rue des Archives
175-4 ph © Philippe Poulet/Gamma
177-5 ph © Pascal Gely/Agence Bernand
177-6 ph © Jean Riby/Archives Hatier
178-7 ph © Stockfood/Getty Images
178-8-1 ph © Jean Riby/Archives Hatier
178-8-2 ph © Pierre Philippon
179-15 ph © Bob Sacha/Corbis
180-1 ph © Jean Riby/Archives Hatier
180-2 ph © Héritage Images/Leemage
181-3 ph © Ian Lloyd/Camera Press/Gamma
181-4 ph © Roger-Viollet
183-b ph © Hervé Abbès
188-1 ph © Jim Sugar/Corbis
188-2 ph © Gabe Palmer/Corbis
189-4 © VDO-Siemens
191-5 ph © Nicolay Zurek/Taxi/Getty Images
192-9,13 ph © Jean Riby/Archives Hatier
193-16 ph © Jean Riby/Archives Hatier
193-19 ph © Pierre Philippon
194 ph © Chassenet/BSIP
195-2h ph © Boden/Ledingham/Masterfile
195-2b ph © Jean Riby/Archives Hatier
195-3d ph © Reporters/Photononstop
200-1 ph © Carl Zeiss/Musée de l'Optique, Oberkochen
200-2 ph © Leemage
200-3 ph © Fotogramma/Leemage
201-5 ph © Getty Images
201-6 ph © Robert Franz Dale/Imagestate
203 ph © Chassenet/BSIP
204-7 ph © Jean Riby/Archives Hatier
204-10 ph © Chassenet/BSIP
205-11 ph © Jean Riby/Archives Hatier
205-12 ph © Jean-Michel Labat/Phone
205-13 ph © Pierre Philippon
205-14 ph © Nicolas Edwige/BSIP
205-17 ph © Bill Frymire/Masterfile
206-1 ph © Johann Brandste/Akg-Images
207-2 ph © Georgette Douwma/Imagestate
207-3 ph © Stone/Getty Images
207-4 ph © S. Numazawa/APB/Novapix
208-2 ph © Leemage
209-4 © Bibliothèque de l'Observatoire de Paris
209-5 ph © Nicolas Treps/Laboratoire Castler-Brossel/Université Pierre et Marie Curie
209-6 © Bibliothèque de l'Observatoire de Paris
210-8 ph © Roger-Viollet
210-9 ph © Akg-Images
210-11 ph © Leemage
211-12 ph © Gérard Thérin
211-13 ph © NASA/Novapix
212-16 ph © Anglo-Australian Observatory/David Malin Images/Novapix
213-18 ph © S. Numazawa/APB/Novapix
213-19 ph © R. Gendler/Novapix
214-1 ph © Akg-Images
215-4 ph © S. Numazawa/APB/Novapix
216-1 ph © Ken Davies/Masterfile
216-3 ph © Jacques Hertay/Reporters -REA
216-4 ph © Cardoso/BSIP
217-2 ph © Paul-André Coumes/Bios
217-4 ph © USGS/Novapix
217-8 ph © JHUAPL/Novapix

- **L'ensemble des photographies d'expériences non référencées ci-dessus ont été réalisées par M. Jean RIBY.**
- D.R.: Malgré nos efforts, il nous a été impossible de joindre certains photographes ou leurs ayants-droit, ainsi que des éditeurs ou leurs ayants-droit, de certains documents, pour solliciter l'autorisation de reproduction, mais nous avons naturellement réservé en notre comptabilité les droits usuels.
- Les auteurs et les Editions Hatier remercient la Direction du Collège du Jas de Bouffan d'Aix-en-Provence et l'ensemble de son personnel pour leur accueil et aimable collaboration. Ils remercient aussi M. Henri Bandelier pour l'aide qu'il a apporté au montage des expériences.
- Les auteurs et les Editions Hatier remercient les établissements Jeulin, Maison des Enseignants de Provence, Pierron et Ranchet, qui ont aimablement fourni le matériel photographié.
- ICONOGRAPHIE : Pierre Philippon/Hatier Illustration

MAQUETTE : L'ovale - Graphismes
MISE EN PAGE : M.-H. Granjon - Graphismes
ILLUSTRATIONS : B. Isselin
SCHÉMAS : Domino
PHOTOGRAVURE : MCP

Achevé d'imprimer par «La Tipografica Varese Srl» - Italie - Dépôt légal : 92681-5/10 - Juin 2015

LA MESURE DES GRANDEURS PHYSIQUES AU COLLÈGE

L'INSTRUMENT DE MESURE	LA GRANDEUR PHYSIQUE MESURÉE	L'UNITÉ UTILISÉE ET SON SYMBOLE
La règle graduée	La longueur	Le centimètre (cm)
L'éprouvette graduée	Le volume d'un liquide	Le millilitre (mL)
La balance	La masse	Le gramme (g)
Le chronomètre	Le temps	La seconde (s)
Le thermomètre	La température	Le degré Celsius (°C)
Le multimètre — En fonction voltmètre	La tension	Le volt (V)
Le multimètre — En fonction ampèremètre	L'intensité	L'ampère (A)
Le multimètre — En fonction ohmmètre	La résistance	L'ohm (Ω)

Remarque Les unités du Système International sont : le mètre (m) pour la longueur, le kilogramme (kg) pour la masse, le mètre cube (m^3) pour le volume et le kelvin (K) pour la température. Les unités du Système International sont utilisées dans les calculs par les scientifiques dans le monde entier. Cependant, ces unités sont parfois peu pratiques et différentes de celles couramment utilisées.

Pour en savoir plus, tu peux aller sur le site : **www.industrie.gouv.fr/metro/aquoisert/si.htm**